LA GALERIE DES JALOUSIES, T. 2
*est le cinq cent quinzième livre
publié par Les éditions JCL inc.*

Catalogage avant publication de Bibliothèque et Archives nationales du Québec et Bibliothèque et Archives Canada

Dupuy, Marie-Bernadette, 1952-

La galerie des jalousies : roman

ISBN 978-2-89431-515-6 (vol. 2)

I. Titre.

PQ2664.U693G34 2016b   843'.914   C2015-941973-5

© **Les éditions JCL inc., 2016**
Édition originale : juillet 2016

La Galerie des jalousies

**

Les éditions JCL inc.
930, rue Jacques-Cartier Est, Chicoutimi (Québec) G7H 7K9
Tél.: 418 696-0536 – Téléc.: 418 696-3132 – www.jcl.qc.ca
ISBN 978-2-89431-515-6

Cet ouvrage est aussi offert en version numérique.

MARIE-BERNADETTE DUPUY

La Galerie
des jalousies

**

ROMAN

LES ÉDITIONS JCL

Découvrez toute l'œuvre de **Marie-Bernadette Dupuy**
sur le site des éditions JCL :

www.jcl.qc.ca

Site personnel de l'auteure :

http://mariebernadettedupuy.e-monsite.com/

Je voudrais dédier cet ouvrage à mes deux petits-fils,
Louis-Gaspard et Augustin Dupuy.

Ils sauront ainsi, le jour venu, qu'il a existé pas très loin
de la ville d'Angoulême, aux portes de la Vendée,
des mines où les hommes travaillaient très dur.
Là, des adolescents de quatorze ans, presque des enfants,
peinaient pour remplir les chariots dans la moiteur
et les poussières de charbon avec la peur constante
du coup de grisou. On les appelait les galibots.

C'est aussi pour célébrer la mémoire de ces enfants-là
que j'ai écrit ce livre.

NOTE DE L'AUTEURE

Fidèle à mon habitude, je me refusais à abandonner en chemin Isaure Millet, le personnage féminin principal de La Galerie des jalousies, et à vous laisser, chers amis lecteurs, sans vous révéler le cours de sa destinée.

J'avais de plus envie de retourner dans le village minier de Faymoreau, un site très attachant qui m'est apparu lors de mes visites sous son aspect du début du siècle, sensible à la poésie étrange des corons de ce coin de Vendée.

Si, de nos jours, vous vous y rendez, n'hésitez pas à visiter le musée qui vous racontera la grande aventure du charbon à Faymoreau, car il est très intéressant pour petits et grands. Une bande dessinée de Jean-Luc Loyer a même été consacrée à ce site au passé fascinant. Tout a commencé en 1827 avec la découverte d'une veine de charbon par Jean Aubineau.

Je tiens à préciser que, pour les nécessités de mon intrigue, j'ai dû souvent dépeindre des lieux un peu différents de ce qu'ils sont en réalité. De même, certains événements évoqués dans le roman ne se sont pas produits à l'époque que j'ai choisie. Merci de le comprendre.

Pour en revenir à mes personnages, il est difficile d'expliquer à quel point ces êtres imaginaires, dont le caractère, les particularités, les émotions naissent au fil des pages, peuvent me devenir chers, pareils à des compagnons de rêve. Je reprends la plume afin de les suivre et de les faire vivre encore et encore.

Aussi je vous invite à retrouver Isaure, Thomas, Jolenta et l'énigmatique inspecteur Justin Devers, à plonger dans les profondeurs de la mine pour des heures de lecture qui, je l'espère de tout cœur, ne vous décevront pas.

Avec toute mon affection,

Marie-Bernadette Dupuy

1

Une triste fin d'année

Puits du Centre, mine de Faymoreau,
lundi 27 décembre 1920

Gustave Marot écoutait avec inquiétude les chocs violents que produisait le pic de son fils Thomas. Ils se succédaient à de brefs intervalles. Le jeune homme semblait attaquer la veine de houille comme s'il s'agissait de son ennemi personnel. Le cœur lourd, le mineur jeta un regard en arrière vers Stanislas Ambrozy, qui avait rejoint leur équipe. Le Polonais lui adressa un sourire gêné avant de murmurer :

— Il a trop de chagrin à cause de sa petite sœur.

— Sans doute, comme nous tous, répliqua Gustave très bas. Ma pauvre épouse n'arrête pas de pleurer.

Anne Marot, la benjamine de la famille, serait enterrée dans l'après-midi. Le corps de la fillette, décédée la veille de Noël à Saint-Gilles-sur-Vie, une station balnéaire de la côte atlantique, avait été transporté jusqu'à Faymoreau à grands frais. L'enfant séjournait là-bas depuis deux ans, au sanatorium établi en face de l'océan, à la villa Notre-Dame.

— C'est une sale maladie, la phtisie galopante, grommela Stanislas. Ma femme, qui était pourtant solide, a été emportée en quelques mois.

— Je le sais bien, rétorqua Gustave, la gorge nouée.

Thomas n'avait rien entendu, acharné qu'il était à cogner la roche, ses yeux verts rivés sur la brillance du charbon dont les reflets de jais, sous l'éclat de sa lampe, lui faisaient songer à une chevelure de velours noir, celle d'Isaure Millet. Le jeune piqueur frappa plus fort, les dents serrées, les mâchoires crispées. Il ne comprenait rien à ce qui lui était arrivé, deux jours auparavant, une poignée de minutes avant la mort de la petite Anne. «Bon sang, qu'est-ce qui m'a pris d'embrasser Isaure» enrageait-il, incapable pour l'instant de penser à sa sœur.

Ce n'était pas par manque d'amour ni de compassion. Il aimait Anne et déplorait son décès, mais, au fond de lui, il la savait condamnée depuis des mois et il s'était accoutumé à l'idée de la perdre. Et puis, il y avait eu la guerre, la terrible boucherie où il avait cru périr cent fois, où il s'était traîné dans les tranchées parmi les cadavres déchiquetés et la boue, souffrant comme les autres soldats de la vermine, des rats, de la peur quotidienne, de la désespérance.

Quand il avait quitté Faymoreau pour aller au front, Anne avait huit ans et, à son retour, elle était déjà malade; elle faisait de fréquents séjours au sanatorium où elle avait finalement été admise à temps complet. Il la connaissait peu, cette douce fillette très pieuse, lui qui avait travaillé comme galibot à peine sorti de l'enfance.

— Maudit sort, maudite vie, gronda-t-il soudain en assenant un coup encore plus rude contre la paroi, au point de briser le manche du pic.

Son père poussa une exclamation dépitée, à laquelle s'ajouta un juron du Polonais. Hébété, Thomas contemplait l'outil cassé. Soudain, il recula, s'allongea et cacha son visage au creux de son bras replié.

— Mais enfin, qu'est-ce que tu as ce matin? demanda Gustave.

Thomas ne pouvait se confier à personne, excepté

à la principale intéressée, Isaure, la fille du métayer qu'il avait protégée et choyée durant des années à l'égal d'une sœur avant de s'en faire une amie.

Il aurait voulu, à l'instant, se confier à un bon camarade, lui expliquer ses tourments, lui exposer sa situation. Comment avait-il pu échanger un baiser avec Isaure, alors qu'il était marié à Jolenta, son grand amour, depuis un peu plus de trois semaines? Jolenta, une beauté blonde, portait son enfant, conçu au cours des étreintes clandestines, folles et délicieuses auxquelles ils avaient succombé dans la campagne, à la fin de l'été et au début d'un automne tiède.

— Va te chercher un pic dans la salle des pendus, il y en a toujours en stock, gronda alors son père. Mais la somme sera déduite de ta paie.

— Je m'en fiche, répondit Thomas en se redressant. De toute façon, puisque je dois quitter la mine, autant arrêter aujourd'hui. Pas besoin d'un nouveau pic, je préfère m'en aller.

Contrarié par l'attitude de son gendre, Stanislas Ambrozy secoua la tête. Il s'approcha et le toisa, sa large face barbue éclairée par en dessous, ce qui le rendait intimidant.

— Ma fille a tort de te pousser à chercher du travail ailleurs. Elle m'en a parlé, de ton embauche à la minoterie. Mais rien n'est fait; tu ne t'es pas présenté et tu n'as pas prévenu ici que tu laissais ton poste.

En silence, Thomas tenta d'imaginer ce que penserait son beau-père s'il apprenait qu'il avait embrassé une autre femme que la sienne, la belle Jolenta, sa fille unique de surcroît.

— Tu ne crois pas que nous avons eu assez de tracas, ces derniers temps? renchérit Gustave d'un ton sentencieux. Déjà qu'il y a eu le coup de grisou. Tu as failli y rester, emmuré vivant, et Pierre a perdu une jambe.

11

Pierre Ambrozy, charmant galibot de quatorze ans, était devenu le beau-frère de Thomas. Amputé, puis muni d'une prothèse, il avait néanmoins eu droit à une place dans l'écurie de la mine comme palefrenier.

— Si ce n'était que ça! reprit le mineur. Nous avons tous été soupçonnés à cause du meurtre d'Alfred, notre porion. Stanislas s'est retrouvé en prison et il a fallu supporter la police, représentée par cet inspecteur qui fouinait partout et nous accablait de questions. Il faut avancer, Thomas, voir l'avenir devant toi, devant nous. Tu as une jolie femme et bientôt un petiot. As-tu réfléchi? Si on t'embauche à la minoterie, tu ne pourras plus habiter le coron de la Haute Terrasse. Il te faudra te loger je ne sais où. Et ta mère! Après l'enterrement de notre petite Anne, elle aurait bien besoin d'être consolée par vous tous, et le bébé qui naîtra lui mettra du baume au cœur.

— Oui, le bébé nous fera oublier nos chagrins, insista Stanislas en tapotant affectueusement l'épaule de son gendre.

Thomas eut un faible sourire. Il se sentait de plus en plus coupable, confronté à la gentillesse de ses aînés. Il ferma les yeux quelques secondes et revit aussitôt Isaure dans l'étroite rue de Saint-Gilles-sur-Vie. Il commençait à neiger; les flocons demeuraient sur ses longs cheveux noirs. Elle le fixait de ses prunelles d'un bleu intense bordées de longs cils, sa bouche tendre un peu tremblante. Elle venait de le rejoindre, car il avait fui le lit où Anne agonisait, mais, au lieu de le consoler, elle lui avait avoué sa liaison avec l'inspecteur Justin Devers, celui-là même dont venait de se plaindre son père. «J'étais furieux, mais était-ce de la jalousie, comme elle l'a dit, ou bien une révolte légitime parce que mon innocente Isaure avait un amant, moi qui la jugeais sérieuse et chaste?» se disait-il.

— Allons, allons, sois raisonnable, fiston, poursuivit

Gustave Marot, entêté à le raisonner. Nous avons cassé la croûte; il reste une heure avant la débauche. Il faut nous préparer ensuite pour les obsèques de ta sœur. Mon gars, c'est un rude malheur qui nous frappe, mais nous devons être forts. Anne s'est éteinte sans souffrir, elle a rendu sa douce âme à Dieu entourée des siens. En plus, grâce à la générosité d'Isaure, nous pouvons l'enterrer ici, à Faymoreau. C'est vraiment une brave fille! Elle a sacrifié tout son argent pour payer le transport du corps.

La voix du mineur vibra de tristesse. Il chassa l'image de l'étroit cercueil en bois blanc, le modèle le moins onéreux, où reposait chez eux la frêle dépouille d'Anne.

— Au moins, maman pourra aller prier sur sa tombe aussi souvent qu'elle le voudra. Si elle avait été inhumée là-bas, comment aurait-elle fait?

Il était encore étonné autant qu'envahi par la gratitude à l'égard d'Isaure Millet. Thomas eut un geste d'exaspération en considérant le pic inutilisable.

— Bah, je peux bien attendre l'heure de la remonte, dit-il sur un ton dur. Je vais aider au chargement.

Il avait entendu résonner les pas rapides des galibots qui venaient chercher les hottes remplies de morceaux de houille afin de les emporter jusqu'aux berlines tirées par des chevaux dans la galerie centrale, dont la pente douce conduisait au puits par lequel le charbon était remonté. Ensuite, ce serait les culs à gaillettes, dont faisait récemment partie Jolenta, qui veilleraient à trier la sombre récolte de la matinée. On surnommait ainsi les femmes employées par la compagnie, parce qu'elles essuyaient leurs mains poussiéreuses sur leur fond de culotte.

Pendant une vingtaine de minutes, Thomas aida les adolescents dans leur pénible tâche. Peu après, Grandieu, le nouveau porion, un des plus anciens piqueurs de la compagnie, se dressa devant lui.

— Eh bien, Thomas, qu'est-ce que tu fabriques, au chargement? Le petit Victor m'a dit que tu as cassé le manche de ton pic, il fallait t'en procurer un autre, voyons!

— Pour si peu de temps! maugréa le jeune homme.

— Oh, pas de ça, mon gars! Tu ne vas pas te tourner les pouces après avoir endommagé le matériel, quand même!

La scène avait lieu à une trentaine de mètres de l'endroit où Gustave Marot et Stanislas Ambrozy continuaient à extraire du minerai. Thomas, excédé, détailla les traits empreints de vanité de son chef. Grandieu avait toujours été un collègue sympathique, qui chantait souvent en travaillant.

— Dis donc, ta promotion te donne la grosse tête, s'écria-t-il. J'ai brisé le manche du pic, et alors? Tu vas me gronder comme un gosse, me mettre à l'amende?

— Ma parole, tu as mangé du chien, toi! fulmina le porion. Je fais mon boulot, fais le tien. Je veux bien passer l'éponge, rapport à ton deuil, va, mais ne t'avise plus de me causer sur ce ton. D'abord, mon gars, retourne à ton poste, tu n'as pas à traîner dans la galerie de charge.

Le paisible Thomas, réputé pour son sens de la solidarité, sa politesse et son courage, apprécié pour ses sourires chaleureux d'un charme rare, céda à une pulsion de colère. Glacé à l'intérieur, mais les joues brûlantes, il toisa Grandieu avec mépris, ce mépris qu'il s'inspirait lui-même.

— Je ne retournerai nulle part. Je remonte par les échelles, je vais me préparer pour l'enterrement, compris? Je ne suis plus sous tes ordres, je n'y aurai été que ce matin, en fait. Demain, je demande une place à la minoterie. Profite de ton grade, va jouer les chefs sur le dos des galibots. Finie, la mine, pour moi, fini, le puits du Centre, fini d'être dans cet étouffoir à longueur de journée, sans air, sans autre espoir que de crever sous un éboulement ou balayé par un coup de grisou.

Grandieu fit l'erreur de le repousser en le frappant légèrement au milieu de la poitrine.

— Tu auras affaire à Garcin! Je te préviens, le sous-directeur a tout le pouvoir tant qu'on n'a pas un autre patron, aboya-t-il. Je te dis de rester là et tu dois m'obéir.

Secoué par un mauvais rire amer, Thomas saisit Grandieu par le col de sa veste et l'obligea à reculer. Il avait envie de cogner l'homme comme il avait cogné le rocher, d'effacer son regard où il lisait une autorité stupide, née d'une nomination inespérée.

— N'aggrave pas ton cas, marmonna le porion. Tu me touches et jamais tu ne reviendras embaucher ici quand ceux de la minoterie t'auront envoyé paître!

Heureusement, Gustave avait perçu l'écho de la querelle. Il accourait, anxieux.

— Arrête ça, Thomas, tu n'as pas besoin de t'attirer des ennuis, ordonna-t-il en prenant son fils par les épaules et en l'obligeant à reculer. Bon sang, Grandieu est un des nôtres, nous avons débuté ensemble, lui et moi, comme galibots. Excuse-le, Manu, il n'est pas dans son assiette, sûrement.

Le surnom de Manu qui datait de leur jeunesse, revenu sur les lèvres du mineur sous le coup de l'émotion, atténua l'humeur furibonde du porion.

— Il n'avait qu'à pas descendre bosser, s'il est de mauvais poil, ton gars, rétorqua-t-il. De toute façon, la compagnie ne sait plus à quel saint se vouer depuis l'affaire du patron. Il serait temps qu'on nous envoie un nouveau directeur, puisque Aubignac va croupir en prison un paquet d'années.

Sur ces mots, Grandieu se frotta le menton, hérissé d'une barbe drue grisonnante. À l'instar de toutes les gueules noires de Faymoreau, il était encore ébahi d'avoir travaillé sous les ordres d'un criminel. Marcel Aubignac, notable respecté, riche et doté d'une trop jolie épouse, avait tué par jalousie. Les journaux de la région et même certains quotidiens parisiens avaient noirci des colonnes sur la tragédie de Vendée, sur un porion abattu d'une balle dans le dos au fond d'une galerie de mine par le directeur de la compagnie, juste avant un coup de grisou ayant causé la mort de deux autres mineurs.

Thomas respirait vite, livide, toujours maintenu par son père. Il demeurait nerveux, le regard assombri, les traits tendus.

— Raisonne-toi, fiston, murmura Gustave. Présente tes excuses à Grandieu et reviens sur le filon terminer le boulot. Tu ne feras pas honte à ta mère, quand même, cet après-midi, pendant les obsèques de ta petite sœur?

— Je n'en ai jamais eu l'intention, papa. Seulement, Grandieu joue les chefs de longue date alors que, la semaine dernière, il était piqueur comme toi et moi. Pourquoi tu n'as pas été nommé porion à sa place? Au moins, tu serais resté modeste, tu n'aurais pas regardé tes vieux camarades de haut!

— Seigneur, tu me connais, pourtant, Thomas. Je ne tiens pas à commander, sauf sous mon toit. Allez, excuse-toi donc, nous avons assez de peine comme ça depuis la guerre. Jérôme aveugle, Anne phtisique, l'argent si rare…

Grandieu approuvait d'un air songeur, conscient que Gustave débitait la liste de leurs malheurs pour le fléchir et le rendre indulgent. Il se montra bienveillant par amitié.

— On n'en parle plus. Chacun peut avoir la rage au cœur, certains jours. Serre-moi la main, Thomas. Je te le répète, je passe l'éponge. Tu sais, ça ne vaut rien les prises de bec ou les rancunes, quand on pense au micmac d'Aubignac et de Tape-Dur, qui s'entendaient en douce pour duper leur monde. Je veux des équipes soudées, je veux la bonne entente.

Le ton solennel de l'homme irrita davantage le jeune piqueur. Les événements dramatiques des deux derniers mois lui revinrent en mémoire. Il se souvint de Pierre qui paraissait à l'agonie entre ses bras, dans la cavité où ils étaient emprisonnés, des interrogatoires de la police, des caprices de femme enceinte de Jolenta, des larmes d'Isaure lorsqu'il l'avait rejetée, elle, son amie.

— Fichez-moi la paix, vous deux, cria-t-il en échappant à la poigne de son père. J'ai dit que je remontais, je remonte.

Il ôta son casque et fila d'un pas rapide vers la galerie plus large où circulaient les berlines que tractaient les chevaux. Un adolescent, qui menait un puissant animal noir par son licol, le héla.

— Hé, Thomas, où vas-tu?

— Je débauche, Fred.

— Dans ce cas, fais un détour pour aller saluer Pierre, il est à l'écurie. Parole, il se débrouille bien, avec sa fausse jambe.

Thomas hésitait, saisi d'une brusque pitié pour son beau-frère, infirme à quatorze ans, un brave petit gars au cœur tendre, le plus honnête du monde. Après tout, il était libre désormais. Il pouvait bien rendre visite à Pierre, que sa femme appelait Piotr avec l'accent mélodieux de leur Pologne natale. En chemin, une idée lui vint. «Et si je lui disais ce que j'ai fait, à Pierre? Je pensais à me confesser, mais le curé me fera un grand sermon. Que peut-il comprendre, le père Jean, aux folies des hommes devant une jolie fille?»

Il aurait pu songer qu'en ce domaine Pierre Ambrozy, encore innocent, n'était pas mieux armé. Cependant, il était à bout de nerfs et il réfléchissait de travers. Enfin, il pénétra dans le local bas de plafond, solidement étayé par un jeu d'énormes poutres, où étaient logés les chevaux de la mine dans d'étroites stalles alignées le long de la paroi. Là, les odeurs de la paille, du foin, du grain et de la chaleur animale chassaient celles, plus âcres, de la poussière de charbon et de la sueur humaine. Des lampes à pétrole dispensaient une douce et accueillante clarté dorée.

— Hé, Thomas, ce que je suis content! fit une voix enfantine.

Pierre apparut, une brosse en chiendent à la main. Une jument blanche demeurée à l'attache lança un bref hennissement en réponse à son exclamation. Blond comme sa sœur et les joues criblées de taches de rousseur, l'ancien galibot affichait un large sourire de joie.

Il vint vers son grand ami en boitant. La prothèse qu'il portait le gênait, le moignon de son genou était enflammé par le frottement du cuir, mais il s'était promis de ne pas s'en plaindre.

— Te voilà installé avec tes chevaux, répliqua Thomas, ému.

— Oui, je suis content. Et toi, depuis quand tu te balades loin de ton équipe?

— J'ai cassé le manche de mon pic. J'allais en chercher un autre, expliqua le jeune homme sans oser évoquer sa colère et son départ définitif de la mine.

Pierre scrutait le regard de son beau-frère de ses yeux bleus pleins de gentillesse.

— Tu as du chagrin pour ta sœur? murmura-t-il. Je suis désolé, vraiment. Je me souviens d'Anne. Elle était si mignonne! Jolenta a nettoyé mon costume du dimanche. Je serai à l'église, tout à l'heure.

— Je te remercie, Pierre. Ça, il y aura foule. Le sous-directeur de la compagnie a même envoyé une couronne fabriquée avec des fleurs en perles roses et blanches. Ce deuil nous a tous secoués, et bien fort, tu peux me croire, et moi sans doute plus fort que je l'imaginais.

Thomas hocha la tête et se mit à observer le local. Les litières étaient propres; au fond de la salle luisaient quelques harnais en cuir soigneusement graissés.

— Quand même, hasarda-t-il, avec ta fausse jambe, ça ne doit pas être pratique de charrier le foin, la paille ou le fumier.

La remarque était un peu maladroite, l'adolescent esquissa une grimace embarrassée.

— Ne te bile pas, beau-frère, on est trois en tout, plus le vieux Macaire à qui on obéit. Là, justement, mes collègues sont partis avec une ancienne berline qui sert à évacuer le fumier. Avant que tu arrives, je brossais Coquette, la jument blanche, là. Elle boite, ce matin. Alors, elle est au repos. On fait la paire, elle et moi, hein, Coquette?

L'animal s'ébroua et produisit un son ronflant, presque amical, comme s'il comprenait le garçon.

— J'espère qu'elle va se rétablir, sinon ils la remonteront et elle finira à la boucherie. Elle a vingt ans et elle y voit mal. Penses-tu, la moitié de sa vie s'est passée sous terre, dans le noir.

Thomas approuva, se reprochant d'avoir voulu imposer ses soucis à Pierre, déjà éprouvé par la vie si jeune. Pourtant, il se sentait proche de lui, en confiance, ayant l'étrange impression d'être purifié par sa présence.

— Bon sang, Piotr, tout va de travers, en ce moment, lâcha-t-il d'une voix terne.

Touché d'entendre son prénom en polonais, le garçon tapota affectueusement l'épaule de Thomas.

— Va, tu seras papa l'été prochain. Si c'est une petite fille, tu pourras la baptiser Anne, ou Annette…

— Je ne mérite pas Jolenta ni ton amitié, trancha-t-il en guise de réponse. Pas plus malin qu'un gosse, je fais bêtise sur bêtise. Pierre, écoute, je n'ai que toi à qui parler. Je voudrais ton avis. Je me suis conduit en dépit du bon sens, la veille de Noël, pendant que ma sœur agonisait. Et ça me rend fou, je n'en dors plus, ça m'a tourné l'esprit au point que j'ai brisé mon outil contre le rocher.

Très inquiet, Pierre entraîna Thomas par le bras. Ils s'assirent sur une botte de paille posée à l'entrée d'une stalle vide.

— Eh bien, cause! Tu me fais peur, souffla-t-il.

— J'étais trop seul, là-bas, à Saint-Gilles-sur-Vie, au chevet de ma pauvre Anne, malgré les parents et mes sœurs Zilda et Adèle, si bonnes pourtant, si belles dans leur tenue de religieuse. Jolenta n'avait pas pu venir, mais il y avait Isaure. Si tu l'avais vue, elle s'occupait de tout, et c'était grâce à elle si nous étions réunis dans une petite maison agréable, avec un sapin décoré comme chez les riches. Elle avait donné de son temps et aussi de son argent pour que les derniers instants d'Anne soient gais et doux. Je suis sorti un moment fumer une cigarette, je n'en pouvais plus de voir s'en aller une enfant si frêle, ma sœurette toute blanche, résignée, qui se disait heureuse de rejoindre le bon Dieu. Isaure m'a suivi dehors et elle a tenté de me consoler. Les rôles étaient inversés, hein. D'ordinaire, c'était moi qui la rassurais en cas de gros chagrin. Et là, qu'est-ce qui m'a pris? Je l'ai embrassée, Pierre, pas comme une amie, comprends-tu? Il fallait que je la tienne contre moi, que je lui donne ce baiser. Juste après, on nous a appelés, Anne se mourait.

Pierre fut soulagé. Il avait craint un drame plus terrible. Attendri néanmoins par les scrupules de Thomas, il s'enflamma pour le réconforter.

— Ce n'est que ça, un baiser à ta meilleure amie? dit-il l'air léger. Il n'y a pas de quoi tomber malade. Tu étais triste, tu ne savais plus bien ce que tu faisais. Aussi,

Jolenta a eu tort de ne pas t'accompagner. Sûrement que, si elle avait été près de toi, c'est elle que tu aurais embrassée. Et puis, ça doit faire chaud au cœur de donner un baiser à une belle fille comme Isaure. Je ne m'en priverais pas, moi, si j'étais plus vieux.

Il éclata d'un rire malicieux en jetant un coup d'œil amusé à Thomas, déconcerté par l'absolution inattendue de l'adolescent.

— Monsieur le curé serait moins indulgent que toi, répliqua-t-il, vaguement égayé. Quant à Jolenta...

— Ne va pas le lui dire, elle t'écharperait!

— Non, évidemment, je ne m'en vanterai pas. Je te remercie, petit gars, ça me pesait sur le cœur, cette histoire. Ça me pèse encore, mais un peu moins.

— Il y a des choses tellement plus graves! fit remarquer Pierre avec sérieux. Moi, je sais à quel point tu aimes ma sœur depuis des années. J'espère que tu me choisiras comme parrain, quand le bébé sera là.

— Maintenant, je n'ai plus le choix, tu m'as servi de confesseur.

Par amitié, Thomas cachait de son mieux le malaise qui l'oppressait. Il n'était pas vraiment libéré de son angoisse. Il n'avait avoué qu'une infime partie de la scène avec Isaure, sans évoquer la jalousie qui l'avait submergé lorsqu'il avait appris sa liaison avec l'inspecteur Devers. De plus, il prévoyait la peine qu'aurait Pierre en apprenant qu'il allait quitter la mine.

— J'ai autre chose à te dire. Je vais embaucher à la minoterie pour faire plaisir à Jolenta. Elle tremble pour moi chaque jour à cause de l'accident du mois dernier.

— Je suis au courant. Ma sœur ne fait que nous rabâcher ça, qu'elle sera enfin tranquille, te sachant occupé à brasser de la farine.

— On se verra dehors le dimanche et tu viendras souper chez nous le samedi soir.

— Sans doute. Thomas, on ne se croiserait pas souvent, ici, même si tu restais, assura Pierre d'une voix tremblante.

Bouleversés, ils s'étreignirent un bref instant, tandis qu'autour d'eux le puits du Centre continuait à vibrer d'une activité de ruche faite de chocs sourds, de grincements métalliques et d'appels lointains, comme si un animal fantastique se terrait dans les profondeurs du sol, aux aguets.

— Je remonte, à présent, dit Thomas. À tout à l'heure, mon petit gars.

Cimetière de Faymoreau, même jour, dans l'après-midi

Isaure Millet se tenait un peu à l'écart du groupe que formait la famille Marot, en grand deuil. Elle ne pouvait pas contenir les larmes qui coulaient sur ses joues, mais elle les essuyait de temps en temps discrètement du bout de ses doigts gantés de velours brun. Le vent froid soulevait une mèche de ses cheveux noirs, échappée de sa toque dont la voilette était relevée. On l'observait d'un œil perplexe, car elle était soudain très élégante et on ne l'avait jamais vue aussi belle, avec son nez mutin, ses grands yeux d'un bleu profond et sa bouche charnue à la moue boudeuse.

Certaines femmes du village, malgré la gravité de l'heure, échangeaient des commentaires à voix basse en se demandant où en étaient les relations entre la fille Millet et ses parents, les métayers du château.

Soudés par la douleur, les Marot n'entendaient rien ni ne voyaient rien. Gustave, le visage grave, tenait son épouse par le bras. Leurs traits altérés et leurs paupières rougies témoignaient de leur grand chagrin. Zilda et Adèle, toutes deux religieuses, entouraient Jérôme, leur frère aveugle. Thomas et Jolenta se tenaient la main et contemplaient du même regard absent le petit cercueil qu'on venait de descendre dans un creux de terre brune.

Anne Marot était inhumée dans le carré réservé aux enfants, où trônait une statue en marbre de la Sainte Vierge tenant Jésus nourrisson sur son sein. Là dormaient sous sa garde pour l'éternité des nouveau-nés, de petits garçons qui ne seraient jamais galibots, de petites filles fauchées elles aussi par la maladie ou un accident. Tout autour, de chaque côté des allées bordées d'ifs à la sombre ramure, s'alignaient des croix de pierre d'un gris clair, les plus anciennes couvertes par endroits d'un lichen jaunâtre.

Le père Jean prononçait de sa belle voix profonde une ultime prière en levant les yeux vers le ciel d'un terne bleu pâle parsemé de nuages à l'horizon. Sa gouvernante, Gisèle, un foulard gris sur les cheveux, se recueillait tête baissée. Non loin de Jolenta, Stanislas et Pierre Ambrozy, la mine affligée, écoutaient le curé.

Une foule silencieuse cernait la tombe. Il y avait là la plupart des mineurs du village, leur femme et leurs enfants. Personne n'avait prêté attention à un homme d'allure jeune d'une trentaine d'années, bien mis, qui avait suivi le cortège à la sortie de l'église. Il portait un pardessus en laine beige, un chapeau de feutre posé sur ses cheveux d'un blond foncé. Le seul à l'avoir remarqué demeurait à bonne distance des gens de Faymoreau, qui ne l'appréciaient guère à cause de son statut honni d'inspecteur de police.

« C'est sûrement le nouveau directeur, ce bellâtre en mocassins de cuir fin, puisque le contremaître Ardouin l'escorte avec force courbettes », se disait-il, lui aussi coiffé d'un chapeau.

Une écharpe enveloppait son menton et le col de sa veste était relevé, autant de précautions pour ne pas être reconnu trop vite de ceux qu'il avait interrogés, suspectés et épiés tout au long de son enquête.

Mais, ce jour-là, il n'était présent que pour Isaure.

Elle l'aperçut enfin, debout contre la grille du cimetière, et lui tourna vite le dos, agacée de le savoir si proche alors qu'il devait l'attendre près de la gare. «Pourquoi avait-il besoin de venir ici? pensa-t-elle, déçue qu'il n'ait pas respecté sa volonté. De quoi a-t-il peur?»

La jeune femme avait été claire, la veille. Elle souhaitait être seule pendant les obsèques de la petite Anne Marot, seule pour dire au revoir à la famille en peine. Très droite, toute vêtue de noir, elle rabattit sa voilette d'un geste furtif. Ce n'était pas de la coquetterie, juste le besoin de cacher son visage de poupée aux prunelles brillantes d'émotion.

Au même instant, le père Jean scruta tour à tour les Marot, leur posant d'un air perplexe une question muette. Comme chacun restait figé dans son chagrin, il s'adressa à Isaure d'un geste presque implorant.

— Si quelqu'un veut parler… murmura-t-il, bien que réticent à briser le silence poignant qui régnait.

Frappée cruellement dans son cœur de mère, Honorine Marot répondit d'un sanglot déchirant avant d'appuyer sa tête lasse sur l'épaule de son mari. Jérôme se mit à pleurer aussi, tandis que Thomas faisait non de la main. Alors, Isaure s'avança d'un pas et rejeta sa voilette vers l'arrière.

— Mon enfant, nous t'écoutons, l'encouragea le curé dans un doux sourire.

— J'aimais tendrement Anne, commença-t-elle, et sa voix pourtant grave avait la douceur du vent d'été. Je l'aimais comme la petite sœur que je n'ai jamais eue. J'étais à son chevet lorsque son âme si pure, si belle, l'a quittée pour s'envoler bien vite vers le paradis, un paradis qu'elle nous avait dépeint plein de fleurs, d'oiseaux merveilleux, de parfums exquis. Anne a montré un immense courage devant la mort, devant l'injustice qui l'emportait, elle, une enfant innocente, pleine de sagesse cependant. Hélas! nous n'avons même pas de roses à lui offrir, car c'est l'hiver, mais nous pouvons tous prier pour elle, nous souvenir de ses sourires, la revoir telle qu'elle était ici, petite écolière toujours gaie et polie, un ange tombé du ciel. Il faut prier en son nom pour tous les enfants malheureux de la terre. C'est le plus beau cadeau que nous pouvons lui faire aujourd'hui.

L'inconnu en pardessus beige s'était approché et avait écouté ces paroles. Justin Devers, le policier, ne s'était pas trompé. Il s'agissait en effet du nouveau directeur de la compagnie minière de Faymoreau délégué en Vendée et dont le nom, Christian Fournier, serait demain sur bien des lèvres.

— Qui est cette jeune fille? demanda-t-il tout bas à l'oreille de son contremaître.

— Une amie de la famille Marot. Je vous expliquerai, monsieur Fournier. Elle doit enseigner chez nous à la prochaine rentrée. C'est assez compliqué.

Gêné, le dénommé Ardouin ne se voyait pas raconter l'insolite situation d'Isaure Millet, engagée par Viviane Aubignac quelques jours avant le drame qui s'était joué dans la riche maison de son ancien patron, Marcel Aubignac. Comment signifier en peu de mots, au cours d'un enterrement, que ladite jeune fille habitait encore le pavillon à l'entrée de la propriété?

— Plus tard, vous comprendrez, ajouta-t-il.

Pendant ce bref conciliabule, Isaure s'était tue, submergée par les remerciements d'Honorine, de Gustave et de Zilda. Trop émue pour articuler un seul mot, Adèle sanglotait dans les bras de Jérôme.

Quant à Thomas, lui qui redoutait tant d'être confronté à Isaure, il dominait ses larmes, le visage tendu vers l'azur frileux de décembre. Jolenta tremblait, les joues sèches. Son regard d'un bleu très clair était rivé à la silhouette d'Isaure. «D'où tient-elle ces jolis vêtements? s'inquiétait-elle, irritée. Elle n'a plus un sou, paraît-il.»

Ce fut au tour de Jolenta d'être observée par Christian Fournier, agréablement surpris de voir d'aussi ravissantes jeunes femmes parmi l'assemblée des fameuses gueules noires. Il avait un diplôme d'ingénieur, mais était davantage porté sur la théorie que sur la pratique. Il gérerait la compagnie de son bureau, déterminé à ne pas s'aventurer dans la moindre galerie.

Le fossoyeur jeta la première pelletée de terre sur le cercueil en bois blanc où reposait Anne Marot. Le bruit sec fit sursauter Jolenta. Elle se serra contre Thomas, présentant son délicat profil au nouveau directeur. Il nota la beauté de ses traits, son teint rose de blonde et le dessin voluptueux de sa bouche.

— Je voudrais rentrer, chuchota-t-elle à son jeune époux d'un ton las. J'ai froid et j'ai des crampes.

— Sois patiente, ma chérie. Pense à mes parents. Je ne peux pas les laisser dans un moment pareil.

Isaure n'avait pas bougé, comme fascinée par la tombe qui se remplissait lentement d'une terre brune mêlée de cailloux blancs. Elle imaginait Anne couchée dans cette boîte étroite, ses menottes jointes sur la poitrine, ses paupières closes et, détail poignant, obsédant, elle songeait à la poupée de chiffon qu'on avait placée le long de son corps. «La poupée qu'elle avait nommée Isauline, le surnom que me donnait Thomas jadis. Isauline! On dirait qu'un peu de moi s'en va avec Anne», songea-t-elle.

Quelqu'un lui effleura le bras, la tirant de sa triste méditation. Elle crut que Justin Devers avait osé la rejoindre et s'apprêta à lui réserver une expression hautaine, mais elle découvrit Pierre Ambrozy à ses côtés.

— Je vous présente mes condoléances, mademoiselle Isaure, même si vous n'êtes pas de la famille. J'ai bien vu que vous aviez un grand chagrin.

— Merci, Pierre, dit-elle gentiment.

L'adolescent était de sa taille, malgré ses quatorze ans. Elle lut au fond de ses yeux limpides une sincère admiration ainsi qu'une sorte de tendresse instinctive.

— Est-ce que vous venez chez les Marot? demanda-t-il. Monsieur Gustave nous a invités à boire le café. Il y a un gâteau.

— Non, je dois prendre le train.

Honorine avait entendu. Elle poussa une plainte dépitée. La face ravagée par l'insomnie et des heures à sangloter, la pauvre mère tendit les mains à Isaure.

— Comment ça, tu prends le train? Tu ne vas pas nous lâcher un jour pareil! Crois-tu que tu n'as pas ta place chez nous? Dieu m'est témoin, Isaure, que tu as su adoucir la fin de ma petite avec tes bonnes idées. Sans toi, elle aurait passé seule sa dernière semaine sur terre. Et le mal que tu t'es donné pour qu'elle ait son sapin de Noël, avec nous tous réunis à Saint-Gilles… Allons, prends mon bras, je te ramène à la maison.

— Madame, je suis désolée, je pars pour Paris ce soir.

Gustave contint une exclamation de contrariété en adressant une œillade suppliante à la jeune fille.

— Après le beau discours que tu as fait, Isaure, nous t'invitons de grand cœur et, même si tu n'avais pas desserré les lèvres, tu serais la bienvenue. Allons, qu'est-ce que c'est, cette histoire de départ en train pour Paris?

Plus Isaure reculait, plus ils avançaient vers elle, les parents en tête, suivis de Zilda, d'Adèle et de Jérôme.

Thomas ne disait rien, car il avait compris, ayant lui aussi reconnu le policier, en partie caché par la foule qui sortait sans hâte du cimetière.

— Partirais-tu si nous nous étions fiancés, Isaure? questionna le jeune aveugle, qui l'aimait en vain.

— Excusez-moi, je ne veux pas vous faire de peine, mais je suis invitée. C'était prévu, je vais visiter la capitale. Ainsi, j'aurai des choses intéressantes à raconter, quand je serai institutrice.

— Ne la mettez pas en retard, trancha Thomas. Elle a bien le droit de se changer les idées, après les efforts qu'elle a fournis pour nous!

— Tu es odieux, vraiment odieux, protesta Isaure. Ce n'étaient pas des efforts, je voulais rendre Anne heureuse.

Zilda se signa, outrée devant un tel échange de piques venimeuses alors que la tombe de leur sœur se trouvait à une trentaine de mètres.

— Si nous parlions de tout ceci en chemin, intervint-elle avec fermeté. Nous nous faisons remarquer, en plus.

Elle désigna d'un signe de tête trois hommes qui discutaient ensemble en dehors de l'enceinte, la fumée de leurs cigarettes s'élevant dans l'air froid. Le curé et sa gouvernante les avaient salués au passage.

— Il y a le contremaître Vincent Ardouin; l'autre, je ne le connais pas, marmonna Gustave. Mais, le troisième, c'est le flic Devers. Croyez-vous qu'il vient encore fouiner à cause de l'affaire des Aubignac?

Adèle, qui tenait Jérôme par le coude, le sentit frémir tout entier. L'infirme avait deviné, lui. Justin Devers était sûrement là pour Isaure. Immédiatement, son cœur s'affola et se mit à cogner au rythme forcené de sa jalousie. Sans doute se serait-il brisé pour de bon s'il avait su que l'inspecteur était l'amant de la jeune femme.

Isaure était au supplice. Elle refusait l'idée même de rejoindre Justin devant les Marot et de lui adresser la parole. Soudain, son projet de l'accompagner à Paris lui parut absurde, inconvenant, surtout après l'enterrement d'Anne.

— J'ai changé d'avis, annonça-t-elle, je viendrai chez vous. Allez-y, je vous suivrai dans cinq minutes. Puisque monsieur Devers est à Faymoreau, je dois m'entretenir avec lui au sujet de mon logement chez les Aubignac. La police a laissé des scellés sur la grande maison, mais un des domestiques entre par la porte de service. Madame Aubignac m'avait dit de me servir dans sa garde-robe. Je lui ai emprunté un chapeau à voilette et un manteau noir.

— Ça ne te dérange pas, de mettre les habits d'une femme adultère? demanda très bas Jolenta.

— Veux-tu te taire, ma fille! tonna Stanislas Ambrozy, choqué. Si j'ai bien compris ce qu'on m'a rapporté, Isaure lui a sauvé la vie.

— Elle aurait pu se faire tuer, aussi, renchérit Jérôme, rassuré par les paroles anodines d'Isaure.

— Seigneur, n'avez-vous pas honte, tous, de causer ainsi! s'indigna Adèle, d'habitude discrète et tolérante. Zilda dit vrai, rentrons vite, nous nous donnons en spectacle.

Les deux sœurs échangèrent un regard navré. Plus que jamais, elles se félicitaient d'avoir accepté de partir en mission. Le mois prochain, elles prendraient le bateau pour la Chine.

Ils capitulèrent et marchèrent d'un bon pas vers la grille. Isaure attendait, figée sur place, glacée de l'intérieur. Thomas n'avait pas daigné la défendre contre l'allusion perfide de Jolenta. Il faisait mine de l'ignorer, pire, de la mépriser. Les pensées qui la harcelaient depuis Noël devinrent une hantise, une énigme dont la solution lui échappait sans cesse. «Je n'ai pas rêvé ce baiser, là-bas, dans la rue, sous la neige, un vrai baiser d'amour! C'était tellement extraordinaire, de le sentir contre moi, de sentir sa chaleur et son souffle sur mes lèvres! J'aurais pu mourir après ce baiser. »

Elle revivait l'instant en évoquant la réaction furieuse de Thomas quand elle lui avait avoué sa liaison avec Justin Devers. «S'il m'aime ne serait-ce que dix fois moins que je l'aime, je ne dois pas aller à Paris. S'il en souffre, je me moque du reste, je ne partirai pas. »

Un bruit sur les graviers la tira de ses réflexions. Le policier venait la chercher. Il lui fit face, l'air intrigué.

— Chère demoiselle, votre beauté a encore frappé, déclara-t-il sur un ton ironique, ce qui lui était coutumier. Je causais avec un dénommé Fournier, le nouveau directeur des mines… Il m'a vanté votre minois de poupée, vos yeux de porcelaine, votre bouche irrésistible et…

— Et taisez-vous!

— Pourquoi?

— Ce n'est pas le lieu qui convient à vos sottises et à vos moqueries. Une fillette que j'aimais est morte. Elle est couchée là, dans une boîte en planches, et vous n'avez rien de mieux à me dire?

Conscient de sa nervosité, Devers lui indiqua la porte du cimetière.

— Sortons d'ici, dans ce cas, rétorqua-t-il d'une voix tendue. Pardonnez-moi, Isaure, si je brandis ironie et moquerie afin de ne pas céder à l'émotion. Hier soir, vous m'avez raconté l'agonie de cette enfant. Vous étiez en larmes et j'ai respecté votre chagrin. Là, j'étais si embarrassé de vous déranger dans vos prières que j'ai agi bêtement.

Il était grave, à présent. De l'angoisse transparaissait au fond de ses yeux bruns et crispait son visage viril au nez un peu fort. Elle s'éloigna, la gorge nouée sur son indécision. Quand ils furent à plusieurs mètres du cimetière, Isaure s'arrêta.

— Justin, je renonce à ce voyage. C'est insensé, immoral. J'écrirai une lettre à votre mère; je la remercierai de son invitation et je pense qu'elle comprendra, en raison de mon deuil.

— Oui, maman acceptera vos justifications, mais pas moi. Je me faisais une telle joie de vous promener dans Paris! Et vous étiez enchantée, de votre côté, ne le niez pas.

— Je n'avais pas réfléchi à un autre aspect de ce voyage. Il m'engage vis-à-vis de vous et de votre mère. Elle va croire que nous serons bientôt fiancés ou mariés. Or, il n'en est pas question.

Blessé, Justin Devers la regarda d'un air navré. Leur intimité n'existait plus, cette complicité chaleureuse des amants, le tu si doux à l'oreille, les gestes spontanés de tendresse.

— Je veux bien admettre que le décès de la petite Anne te bouleverse, dit-il en revenant volontairement au tutoiement. Tu ne doutais pas, cependant, quand tu as accepté de venir à Paris. Isaure, ça te consolera un peu, ça chassera tes idées noires. Nom d'un chien, ça ne t'engage en rien! J'ai parlé de toi à maman en te présentant comme une amie. Tu ne reviendras pas la bague au doigt; tu seras aussi libre que maintenant.

La voix persuasive du policier et son expression vibrante de sollicitude fléchirent la décision d'Isaure. Elle avait si souvent rêvé devant des photographies des monuments de la capitale, le Sacré-Cœur, Notre-Dame, le Louvre, la célèbre tour Eiffel!

— Le vrai problème, c'est mon départ précipité,

aujourd'hui même. Si encore nous partions demain matin! J'ai promis aux Marot de les rejoindre chez eux. Ils m'ont invitée.

— Ah, c'est donc ça! Tu ne veux pas manquer une occasion de côtoyer ton beau Thomas malgré les coups d'œil jaloux que te décoche son épouse!

— Pas du tout. En plus, monsieur et madame Marot ont été stupéfaits quand je leur ai annoncé mon voyage. J'ai deviné ce qu'ils pensent. Justin, je te rappelle que je ne suis pas encore majeure. Les filles de mon âge font rarement de telles expéditions sans l'accord de leurs parents.

— Ne ramène pas ta brute de père sur le tapis, je t'en prie. Ce type t'a frappée et humiliée. Tu n'as pas de comptes à lui rendre, même à dix-huit ans… Bon, je suppose que tu es sur des charbons ardents, pressée de filer chez tes grands amis. Nous pouvons remettre le départ à demain. Tant pis pour notre nuit dans un hôtel en cours de route, où je souhaitais fêter notre escapade.

Il retint un soupir, encore une fois fasciné par l'adorable visage de sa jeune maîtresse, ses lèvres roses et charnues, son nez esquissé, ses yeux magnifiques et le noir velouté de ses cheveux.

— Eh bien, va pleurer avec les Marot, dans les bras de Thomas ou de Jérôme. Rendez-vous à huit heures demain, toujours près de la gare, marmonna-t-il. Si tu n'es pas là, tu ne me reverras pas avant longtemps.

— Entendu, répondit-elle froidement. Je te remercie.

Elle prit la fuite en se retenant de courir, mince et gracieuse dans son manteau cintré à la taille. Devers alluma un cigarillo, furieux d'être si faible à son égard. Il l'aimait et il se répétait en vain que cet amour, venu bousculer sa vie de célibataire endurci, ne lui apporterait jamais de repos ni de bonheur. Ils avaient quatorze ans de différence, mais ce détail lui importait peu. Ses sentiments pour Isaure faisaient de lui un adolescent meurtri, à cette heure où il se retrouvait seul près du cimetière, ses projets presque réduits à néant.

*

À peine entrée dans la maison des Marot, Isaure fut accueillie par Jérôme, qui devait guetter le bruit de ses pas dans la rue. Derrière l'aveugle, la cuisine semblait vide, tandis que des voix résonnaient à l'étage.

— Où sont-ils tous? demanda-t-elle. Et monsieur Ambrozy? Et Pierre?

— Ils arrivent. Jolenta avait les pieds gelés. Elle voulait changer de chaussures. Ils tiennent compagnie à Thomas. Zilda et Adèle aussi. Sais-tu que mon frère a fait un esclandre, ce matin, dans la mine? Papa m'a raconté qu'il a brisé son pic et qu'il a failli cogner sur ce brave Grandieu, promu porion.

— Tout le monde peut avoir des moments de colère, murmura-t-elle, secrètement intriguée.

— Et des moments d'égarement, n'est-ce pas, Isaure? C'est une folie, ton départ pour Paris! Qui t'invite là-bas? Tu n'as plus un sou de tes gages, puisque tu as payé une partie du loyer à Saint-Gilles et le transport du corps de ma sœur.

La sentant toute proche grâce au parfum léger qui lui parvenait, Jérôme la saisit par les épaules.

— Quand même, ce ne serait pas le flic? Je me souviens qu'il est parisien. Isaure, il en profitera, l'occasion sera trop belle. Je peux te dire que mes parents sont choqués. Ils ont l'intention de te retenir ici.

Elle recula, gênée de voir le visage de l'infirme, qui portait des lunettes noires, presque contre le sien.

— J'irai où je le désire. J'ai assez souffert d'obéir à

mon père, à la comtesse de Régnier et à mes employeurs de La Roche-sur-Yon. Eh bien oui, je suis invitée à Paris par la mère de Justin Devers. Il me sert de chaperon. Là, es-tu content? C'est un homme de confiance. Il est très sérieux. La conduite de mon père l'a indigné. Il m'a proposé ce voyage pour me faire oublier mes chagrins.

Isaure se tut. Quelqu'un descendait d'un pas rapide l'étroit escalier qui débouchait directement dans la cuisine.

— Tu es là, petite, Dieu merci! s'écria Honorine.

C'était une jolie femme de quarante-six ans aux cheveux blonds et au regard vert pailleté de brun, robuste et énergique. Elle devait les rides qui marquaient le coin de ses lèvres et son front aux soucis causés par ses cinq enfants, les quatre premiers étant employés à la mine, avant la guerre. Les filles aînées, Zilda et Adèle, avaient pris le voile. Jérôme, appelé en 1918, était revenu aveugle du front. Et le malheur s'était acharné; la benjamine, Anne, venait de mourir de la tuberculose.

— Je discutais avec Gustave, là-haut, ajouta-t-elle. Nous n'en avons sans doute pas le droit, mais ça nous rassurerait d'avoir des précisions sur ce projet de séjour à Paris. Tu as quitté ton foyer et tu as bien fait, puisque ton père te battait, mais de là à partir seule à l'aventure, c'est un peu fort!

— L'inspecteur Devers l'emmène, maman, lâcha Jérôme d'un ton lugubre.

— Quoi? fit une voix sur le palier.

Gustave dévala les marches à son tour. Il avait troqué son costume du dimanche pour ses habits ordinaires, un pantalon en velours brun élimé et une chemise en lainage. De bonne taille, les cheveux bruns semés de gris, il avait légué à ses deux fils des traits harmonieux.

— Enfin, Isaure, qu'est-ce que tu fricotes avec ce Parigot, un policier assez idiot pour expédier Ambrozy en prison?

— Je ne fricote rien, monsieur Marot, répliqua-t-elle en insistant sur le mot familier qu'il avait clamé. C'est un ami. Je serai logée chez sa mère, une veuve. Je ne vois pas où est le mal.

Soudain, Thomas poussa la porte de la rue et secoua ses souliers sur le seuil. Derrière lui se tenait Jolenta, sa chevelure couleur de miel nattée et relevée autour de son front. Stanislas et Pierre ainsi que Zilda et Adèle suivaient également. Isaure regretta d'avoir renoncé à son départ le jour même, touchée en plein cœur par le coup d'œil hargneux que lui avait décoché Thomas. Jamais encore il ne l'avait regardée ainsi. «Je n'ai vraiment plus rien à faire ici, chez ces gens, songea-t-elle. Le baiser qu'il m'a donné n'a aucune importance, c'est évident. Il y a Jolenta et le bébé qu'elle attend. Au moins, Justin m'aime, lui, il n'a pas peur de l'avouer.»

Livide, elle en avait le souffle coupé et les jambes tremblantes. Adèle s'en inquiéta et la conduisit jusqu'à une chaise.

— Tu n'as pas l'air bien du tout, Isaure, chuchota-t-elle à son oreille avec compassion.

— Je suis un peu fatiguée.

Elle baissa la tête, comme pour se protéger de ceux qui s'agitaient autour d'elle, à présent. Elle se réfugia dans ses souvenirs, évoquant les précieuses images du passé, pareilles aux pages d'un livre qu'elle aurait tournées par sa seule volonté. Thomas en était le personnage principal, son héros. Elle le revoyait avant la guerre, son visage au teint hâlé auréolé de lourdes boucles blondes, orné d'un sourire d'un charme irrésistible. Elle redessinait en pensée l'éclat de ses yeux vert et or. Chaque fois qu'elle le rencontrait dans le village, elle qui s'estimait une fillette insignifiante à l'époque, son cœur se gonflait d'adoration et sa journée en était ensoleillée. Généreux et dévoué, il l'avait prise sous son aile. Mais Jolenta était venue de son lointain pays et avait conquis son chevalier servant.

— Veux-tu une goutte d'eau-de-vie, Isaure? lui proposa Gustave, apitoyé par sa petite mine confuse.

— Attends que je serve le café, protesta Honorine. Stanislas, Pierre, asseyez-vous vite. Toi aussi, Jolenta.

— Merci, mère, répliqua la jolie Polonaise. Nous ne resterons pas très tard, Thomas et moi, je suis pressée de m'allonger.

Elle accompagna ses propos d'un geste tendre envers son mari, lui prenant la main et y frottant sa joue. Zilda en fut attendrie et elle dédia au jeune couple un doux sourire. Puis elle entreprit de découper le gâteau de Savoie à la croûte dorée.

Le silence se fit, entrecoupé par les bruits familiers de la cuisine, le tintement des tasses et des couverts, et le chant de la bouilloire sur le fourneau.

— Nous causions avec Isaure, Thomas, avant votre arrivée. C'est l'inspecteur Devers qui l'accompagne. Crois-tu qu'il est convenable qu'elle parte pour Paris en compagnie d'un homme plus âgé? Si la chose s'ébruite, sa réputation sera compromise. Il faut bien veiller sur elle! Ses parents en sont incapables.

— Je n'ai pas d'avis sur la question, papa, rétorqua-t-il. Isaure fera ce qu'elle veut, je m'en fiche.

Le ton était rogue, trop abrupt pour donner le change. Jérôme éclata d'un rire amer.

— Si tu t'en fichais, on le saurait, toi qui défends ton Isauline contre vents et marées depuis des années. Tu penses comme papa. C'est une stupidité, ce voyage, surtout pour une future enseignante.

— Si personne du village n'est au courant, je ne vois

pas en quoi c'est grave. Et zut à la fin! Pourquoi nous mêler des lubies d'Isaure? trancha son frère. Nous venons de perdre notre petite Anne. J'imaginais que nous parlerions d'elle, pendant ce goûter.

Honorine adressa une œillade anxieuse à son mari. Gustave lui fit signe de laisser tomber la discussion. Peut-être s'était-il aperçu qu'ils ne trouvaient là, tous deux, qu'un dérivatif à leur chagrin.

— Mange donc ta part de gâteau, Isaure, dit alors Zilda.

— Je n'ai pas faim. Le café me suffira.

Elle d'ordinaire si gourmande, elle se sentait incapable d'avaler la pâtisserie grasse et fondante. Elle se servit de l'eau qu'elle but d'un trait avant d'oser relever la tête.

— Je crois que je n'ai plus ma place ici, déclara-t-elle ensuite tout bas. Je vous remercie, madame Marot, de m'avoir invitée, mais je préfère m'en aller. J'en ai assez qu'on me reproche mes prétendues lubies et qu'on me juge.

— Ne dis pas de sottises, s'offusqua Honorine. Tu es secouée comme nous tous. Allons, détends-toi, nous te sommes tellement redevables! C'est promis, on ne te tracassera pas. Agis à ta guise.

— Mais oui, ne vous sauvez pas tout de suite, insista Stanislas Ambrozy. Il faut se serrer les coudes, dans des moments aussi tristes.

Isaure adressa un faible sourire au Polonais. L'homme, grand et fort, dont le regard bleu la considérait gentiment lui inspira une brusque sympathie, avec sa barbe blanche et son grand front. D'autorité, il versa dans un verre une rasade d'alcool. Jolenta poussa un petit cri effaré et s'étonna.

— Oh, père, Isaure ne marchera plus droit, après ça!

Elle se montrait prudente et retenait les paroles désagréables qui lui montaient aux lèvres. Naïve, elle attribuait la froideur de Thomas à l'égard de la jeune fille à un revirement inévitable, comme s'il comprenait enfin qu'elle n'était pas intéressante du tout et qu'elle ne méritait pas son amitié.

— Quelle importance! répondit Isaure.

En affichant un air de défi, elle but l'eau-de-vie avant le café. Revigorée, elle toisa froidement Jolenta et posa un regard plein de rancune sur Thomas. Il se détourna vite. Sa nature profondément bonne reprenait le dessus. Déjà, il avait honte de lire une telle détresse teintée de colère dans les yeux de son ancienne protégée.

— En tous les cas, ne nous oublie pas, Isauline, quand tu seras à Paris, dit-il d'un ton radouci. Envoie-nous des cartes postales.

— Ah oui, renchérit Honorine, nous aurons de tes nouvelles, comme ça.

L'atmosphère devint plus cordiale. Adèle conseilla à Isaure de faire une promenade en bateau-mouche sur la Seine, car elle avait vu jadis une photographie des quais et de ces bateaux. Gustave lui recommanda de visiter le Musée du Louvre, où son père avait travaillé une année à la réfection des toitures. Malgré sa mauvaise humeur et sa jalousie, Jérôme parla des bouquinistes chez qui elle pourrait sûrement dénicher des romans qu'elle n'avait pas encore lus.

— Un copain m'en rebattait les oreilles, dans les tranchées, parce qu'il était parisien et étudiant en lettres, précisa-t-il.

Leur enthousiasme inattendu, le timide sourire de Thomas et tant de gentillesses bouleversèrent Isaure. Elle qui voulait les renier, elle souffrait maintenant de les quitter une semaine. De nouveau, le doute la ravagea, ainsi que ses craintes de s'engager vis-à-vis de son amant.

Un flot de larmes la submergea et elle tomba dans les bras charitables que lui tendait Zilda où, pendant d'interminables minutes, elle sanglota éperdument.

— Allons, je me réjouis pour toi, Isaure. Un voyage est toujours source de découvertes, lui disait la jeune religieuse. Pense à Zilda et à moi, qui allons partir pour l'Orient.

Chacun s'efforça de l'apaiser et de la réconforter. Seule Jolenta assistait à la scène sans éprouver la moindre pitié, la moindre compassion. «Qu'elle parte, mon Dieu, qu'elle parte le plus vite possible», songeait-elle, sa main menue crispée sur le poignet de son jeune mari.

Mais Thomas se dégagea de son étreinte pour effleurer d'un geste hésitant la chevelure noire d'Isaure. Il n'avait pas pu s'en empêcher et il se sentit condamné à souffrir lui aussi de l'élan d'amour qui l'avait foudroyé lors d'un bien triste Noël.

2

Chez les Marot

Faymoreau, coron de la Haute Terrasse,
lundi 27 décembre 1920, même jour
Touchée par la crise de larmes d'Isaure, Honorine
Marot avait tenu à la garder jusqu'au soir. Très maternelle, toujours prête à tendre la main aux malheureux,
elle n'avait pu se résigner à voir partir la jeune fille du
cercle familial.

— Que feras-tu, toute seule dans ton petit pavillon,
alors qu'il n'y a plus de domestiques chez les Aubignac?
s'était-elle écriée. Tu as de mauvais souvenirs, là-bas, sans
doute. Reste chez nous, ma mignonne. Je vais préparer
une soupe à l'oignon. Ça nous requinquera.

Isaure avait accepté et s'était installée près du gros
fourneau en fonte sur lequel on cuisinait. La nuit venait
de tomber derrière les vitres des fenêtres et le vent se levait. Bien content, Jérôme se distrayait en sculptant un
morceau de bois à l'aide de son canif.

— Voici une occupation qui ne demande pas d'y
voir, fit-il remarquer. Je vérifie ce que je fais du bout des
doigts.

Toujours attablé, Gustave fumait sa pipe. Il poussa
une exclamation enthousiaste quand il examina la tête
d'oiseau ébauchée par son fils.

— Ce n'est pas mal du tout, Jérôme. Si tu t'entraînes

tous les jours, tu arriveras à de bons résultats. Tiens, tu pourrais fabriquer des sifflets en forme d'animaux. L'épicière voudrait peut-être bien les mettre en vente.

— Bah, on peut essayer, ça me fera trois ou quatre sous en plus de ma pension, répliqua l'aveugle.

Jolenta et Thomas étaient rentrés chez eux depuis longtemps. Le jeune couple disposait d'un logement jouxtant celui des Marot. Jolenta avait invité son père et son frère à dîner. Parfois, des éclats de voix parvenaient à filtrer à travers le mur mitoyen; ils faisaient tressaillir Isaure, complètement désemparée. Malgré l'affection que lui témoignaient Honorine et Jérôme, en dépit des sourires compatissants de Gustave, elle se sentait une intruse, une étrangère. Ses pensées allaient aussi vers Justin. « Où est-il à cette heure-ci? A-t-il pris une chambre dans le village? Est-il reparti en voiture pour La Roche-sur-Yon? » se demandait-elle. Après l'avoir traité avec froideur, elle regrettait ses regards amoureux et sa tendresse.

Sa mélancolie fut bientôt atténuée par l'odeur caractéristique des oignons en tranches fines qui doraient au fond d'une casserole. La mine concentrée, Honorine les remuait à l'aide d'une cuillère.

— Le plat préféré de Thomas, fit remarquer Jérôme, lui aussi sensible à la senteur piquante qui flottait dans la pièce. Je ne crois pas que Jolenta réussira un jour aussi bien que maman la soupe à l'oignon.

— Tais-toi donc, fiston, protesta Gustave. Jolenta se débrouille, en cuisine. J'ai goûté son ragoût polonais au nom à coucher dehors et c'était un régal. Dismoi, Isaure, je voudrais quand même te poser une question, même si nous avons promis de ne plus t'ennuyer.

— Allez-y, monsieur Marot.

— Le policier, Devers, il ne compterait pas t'épouser? Excuse-moi, Jérôme, d'aborder le sujet, je sais que tu espérais te fiancer avec Isaure le mois dernier, mais ce n'est plus à l'ordre du jour, n'est-ce pas?

— En effet, papa, nous avons compris notre erreur, Isaure et moi.

— Bon, eh bien, je serais rassuré si l'inspecteur avait le mariage dans sa ligne de mire afin de respecter la moralité et la bienséance. Je pense à ton père, Isaure. S'il te cherche demain ou après-demain, qu'est-ce que nous allons lui dire? Bastien Millet a encore toute autorité sur toi, ma petite.

C'était plus que ne pouvait en supporter Isaure. Elle se leva brusquement en empoignant son manteau et sa toque à voilette.

— Plus jamais personne n'aura d'autorité sur moi, dorénavant, monsieur Marot, ni père, ni mère, ni fiancé, ni mari, ni mes amis les plus chers, déclara-t-elle de sa voix grave. Excusez-moi, madame Marot, je préfère m'en aller. Je n'ai pas faim, de toute façon, et j'ai vraiment besoin d'être un peu seule.

La brave femme leva les bras au ciel en décochant un regard courroucé à son époux, tandis que le jeune aveugle marmonnait, déçu:

— Et voilà, papa!

Mais Isaure était déjà sur le seuil et, incapable de maîtriser sa nervosité, elle se précipita dans la rue en claquant la porte violemment.

L'air frais de la nuit lui parut délicieux, comme le vaste ciel nocturne piqueté d'étoiles et les halos successifs des réverbères, Faymoreau étant doté de l'éclairage public. Elle respira enfin à son aise, libérée des bruits qui la tourmentaient dans la maison des Marot, du grésillement des oignons, des grattements du canif de Jérôme sur le bout de bois et des raclements de gorge réguliers du chef de famille entre chaque bouffée de sa pipe. « Ils sont malheureux et je les plains, mais j'en ai assez de leur servir de distraction ! » enragea-t-elle.

Elle songea à la petite Anne, enfermée dans son cercueil sous la terre, et elle eut envie de courir vers le cimetière s'asseoir près du monticule de terre pour pleurer des heures et des heures sur le sort injuste de la fillette, ainsi que sur son propre sort qui lui semblait pareil à une toile d'araignée infiniment complexe dans laquelle elle se débattait.

D'une démarche lente et pénible, elle s'éloigna en direction de l'église afin de rejoindre le modeste pavillon de gardien où elle logeait. Elle ne fit pas attention au déclic d'une serrure derrière elle et à l'écho d'un pas rapide.

— Attends-moi, je te raccompagne, cria-t-on.

C'était Thomas. Il fut vite à sa hauteur et lui prit le bras. Elle n'eut pas la volonté de le repousser.

— Le repas n'est pas prêt et je dois à tout prix te parler, Isaure. Je t'ai entendue claquer la porte.

Il avait enfilé une veste en laine et noué une écharpe autour de son cou. Il avait simplement chaussé des sabots en caoutchouc.

— Au fond, nous nous ressemblons, dit-elle tristement.

— Pourquoi ?

— Tu me balances des coups d'œil méchants, tu m'ignores ou tu me traites avec mépris, ensuite tu changes complètement d'attitude, tu redeviens gentil et tu me raccompagnes. Tu ne sais pas ce que tu veux, comme moi. J'aurais pu envoyer Justin au diable, cet après-midi. Maintenant, il me manque, je regrette de ne pas être en route pour Paris, avec lui.

Isaure le provoquait sans bien en avoir conscience ; cependant, il parut indifférent à ses propos concernant le policier.

— Peut-être que nous suivons notre instinct, rétorqua-t-il après un court silence, que nous ne réfléchissons pas suffisamment. Par exemple, as-tu des informations sur la suite des événements, grâce à Devers? Il doit être le mieux renseigné sur ce qui se passe, pour les Aubignac.

— Que veux-tu dire?

— Eh bien, tu pars une semaine d'ici. Seulement, à ton retour, où habiteras-tu? Tu n'es plus la gouvernante de Viviane Aubignac. Pourquoi resterais-tu dans le pavillon?

— Je suis autorisée à y demeurer, aux dernières nouvelles, pour garder la maison de maître tant qu'il y aura des scellés. En plus, je serai appelée à témoigner au procès. Dis-moi, Thomas, tu me raccompagnes pour me parler de ça?

Ils arrivaient sur l'esplanade où se dressait l'église. Sur leur gauche s'ouvrait la grille en fer forgé aux pointes couleur de cuivre du portail donnant accès à la riche demeure des Aubignac. Toujours à gauche, si l'on entrait dans le parc, se trouvait une petite bâtisse carrée au toit pointu qu'occupait le plus souvent un gardien de la propriété. Avant Isaure, le logement avait été attribué à la précédente gouvernante, Geneviève Michaud.

Bouleversée par la présence de Thomas, la jeune fille dédia une pensée affectueuse à sa future belle-sœur. Avant la guerre, Geneviève était fiancée à son frère Armand. On l'avait cru mort, le sachant porté disparu, mais il était revenu récemment, défiguré, une sinistre «gueule cassée» parmi tant d'autres vaillants combattants. Il avait refusé de revoir la jeune femme, mais elle avait su vaincre sa résistance et ils étaient partis ensemble pour Luçon où ils vivaient déjà ensemble, sans être légalement unis.

— Alors, de quoi voulais-tu me parler? insista Isaure, agacée par le soudain silence de Thomas.

— Tu dois t'en douter, répondit-il sur un ton soucieux. Jamais je n'aurais dû t'embrasser, à Saint-Gilles. Ce baiser ne compte pas et ne comptera jamais. J'étais dans un état nerveux déplorable, je ne supportais pas de voir Anne s'éteindre sous nos yeux. Si ma femme avait été là, près de moi, je l'aurais embrassée, elle, pour me rattacher à la vie et reprendre espoir. Mais Jolenta était loin et toi, toute proche, une jolie fille que j'aime beaucoup. Alors, j'ai perdu l'esprit.

— C'est exactement ce que j'ai pensé ensuite, déclara Isaure d'une voix neutre. Tu aurais pu t'éviter la peine de te déplacer, j'avais oublié l'incident.

— Jolenta doit l'ignorer. Promets-le-moi.

— Oh, c'est de ça dont tu as peur? Mais, Thomas, je ne suis pas si mesquine! Je cherche rarement à blesser les autres. Sans vouloir te vexer, disons que je ne suis pas aussi peste que ta chère épouse.

Maintenant, elle ravalait des larmes de dépit, hantée par les regards moqueurs de la blonde Polonaise et ses allusions perfides.

— Ce n'était pas non plus la peine de te montrer froid et dédaigneux à mon égard, balbutia-t-elle, le souffle court. Si tu t'étais vu, au cimetière! On aurait dit que j'étais une sorcière venue là pour vous maudire, ou bien une femme de mauvaise vie. Tu ne m'avais jamais regardée ainsi. Ça m'a fait très mal. Pourtant, je suis aussi triste que vous, pour Anne. Je l'aimais tant!

Un sanglot la fit taire. Embarrassé, Thomas détourna les yeux. C'était le moment de la consoler avec de bonnes paroles, de lui fournir une explication sensée de son comportement durant les obsèques. Il n'avait qu'une envie, hélas, la prendre dans ses bras, la cajoler, retrouver le goût de ses lèvres et la sensation unique d'aboutissement, de félicité, qu'il avait connue en l'embrassant.

— Je te demande pardon, Isaure, dit-il tout bas. J'étais en colère, oui. Le décès si précoce de ma sœur me torturait. Et puis, je ne comprenais pas ton projet de partir en voyage avec un homme du genre de l'inspecteur. Ce type ne m'inspire aucune confiance. Il est railleur, hautain et tellement plus âgé que toi. Je ne suis pas du tout jaloux, mais si vraiment il est ton amant, je lui ficherai volontiers mon poing dans la figure, car il a forcément abusé de toi, de ton innocence, de ta solitude, de ton chagrin.

Isaure ne pleurait plus. Elle faisait face à Thomas, son beau visage pâle nimbé d'une étrange clarté sous la lumière ténue d'un réverbère.

— Tu te trompes. Je me suis offerte à Justin de mon plein gré, en connaissance de cause, parce qu'il me plaît, parce que j'en avais le désir. Il m'a faite femme et j'en suis flattée, voilà, le défia-t-elle d'un air arrogant qui exaltait sa beauté. Et il n'est pas si vieux, il a trente-deux ans.

Thomas haussa les épaules et marmonna :

— Dans ce cas, qu'il t'épouse le plus vite possible pour réparer ses torts. Tu seras plus heureuse dans une grande ville, que ce soit Paris ou La Roche-sur-Yon. Je serais navré d'entendre des ragots sur toi, Isaure.

— Au fond, tu souhaites que je disparaisse de ton paysage et de ton existence. Ne crains rien, Jolenta ne saura pas que tu as eu une minute d'égarement. Mais, comme je viens de le signifier à tes parents, j'agirai à ma guise, je me marierai quand je l'aurai décidé et avec qui je voudrai. Bonsoir, Thomas, ne tarde pas, Jolenta va s'impatienter. Lui as-tu précisé que tu courais me rejoindre, tout à l'heure?

— Oui, je lui ai avoué mes inquiétudes à ton sujet. Elle sait que je veille sur toi depuis des années. Elle a jugé cela normal.

Isaure réprima une remarque sarcastique et prit la clef du pavillon dans son sac à main. Elle tourna le dos au jeune homme et alla ouvrir la porte de son logement. Le poêle était éteint. Une odeur d'humidité l'assaillit. Il lui fallut dénicher à tâtons le commutateur pour allumer la lampe électrique. Son regard se dirigea aussitôt vers le lit où Justin lui avait enseigné les secrets de son corps de femme ainsi que les arcanes du plaisir.

Elle vit ensuite sur la table le bouquet de roses de Noël, un cadeau de Thomas reçu quelques jours plus tôt. Il lui avait apporté les fleurs afin de se réconcilier avec elle et de présenter des excuses, pour l'avoir accusée injustement de l'arrestation de Stanislas Ambrozy. D'un geste rageur, elle attrapa les hellébores encore frais, conservés par le froid de la pièce, et les jeta par terre.

— Elles ne t'ont rien fait, protesta Thomas qui l'avait suivie en silence.

Il ramassa les fleurs et les considéra d'un œil songeur avant de les remettre dans le vase.

— Je vais allumer le feu, hasarda-t-il. Tu ne te saliras pas les doigts.

— Non, retourne donc chez toi! s'écria-t-elle, luttant contre une nouvelle crise de larmes. Je n'ai pas besoin de tes services, je sais allumer un poêle. Va-t'en, je veux être seule.

Thomas avisa une valise bouclée posée sur une chaise. Isaure lui désigna la porte. Il recula, terrassé par l'expression de la jeune femme. Elle paraissait souffrir le martyre, haletante, livide. Le bleu sombre de ses yeux était trop brillant et sa bouche tremblait.

— Je ne t'importunerai plus, affirma-t-il. Repose-toi, tu es à bout. Mais n'oublie pas que tu es très importante pour moi. Tu es ma meilleure amie, ma petite sœur de cœur. Si tu as des ennuis, je serai là, Isauline.

— Ne m'appelle plus comme ça, hurla-t-elle. Et va-t'en, sors d'ici!

Cette fois, elle s'empara du vase contenant les roses de Noël et lança le tout contre un mur. Thomas s'esquiva, le cœur lourd, envahi par un poignant soupçon. «Et si elle m'aimait? Si j'étais le seul à compter pour elle?»

Il prit la fuite et dévala la pente douce qui le ramenait vers le coron de la Haute Terrasse. L'inspecteur Devers l'épiait-il ou était-ce simplement le hasard qui mit les deux hommes en présence, à la hauteur du restaurant de la Poste? Thomas sursauta et se raidit tout entier, mais il salua poliment le policier, pressé de continuer son chemin. Devers hésita. Il n'aurait pas engagé la conversation s'il n'avait pas été aussi profondément contrarié.

— D'où venez-vous à cette heure-ci, Marot? demanda-t-il.

— Est-ce un interrogatoire en bonne et due forme?

— Non, bien sûr que non.

— Et alors, qu'est-ce que ça peut vous faire? Vous êtes libre de séjourner à Faymoreau, mais pas en droit de m'espionner.

Justin Devers remarqua l'altération des traits de Thomas, son regard vague et assombri. Même après l'accident dans la mine, sur le lit de l'infirmerie de l'*Hôtel des Mines*, le jeune piqueur n'avait pas cette expression égarée.

— Bon sang, je ne vous espionne pas! Excusez-moi, je l'admets, je n'avais pas à vous poser cette question. Mais…

— Mais quoi?

— Quelque chose me laisse penser que vous étiez avec Isaure Millet, votre très chère amie.

Thomas observa mieux l'inspecteur, étonné de percevoir chez lui une réelle angoisse, une peur même qu'il dissimulait sous son ironie habituelle.

— En effet, je l'ai raccompagnée jusqu'au pavillon. Les rues du village ne sont pas si sûres, à la nuit tombée.

— Bah, les mineurs pris de boisson sont rares. Nous avons eu la preuve que les vraies crapules peuvent se cacher derrière les murs de la haute bourgeoisie. Cela dit, Marot, suivez mon conseil et, à l'avenir, évitez d'approcher Isaure, même si ça vous détend les nerfs, parfois. Elle est fragile, plus que vous ne l'imaginez, surtout quand vous la tarabustez, vous, son idole.

— Je ne comprends rien à vos allusions, trancha Thomas. Je ne suis l'idole de personne. Le contraire me ferait honte. Et, navré de vous décevoir, mais je suis mieux placé que vous pour savoir à quel point Isaure est fragile. Je la protège depuis des années de la hargne de son père et de l'indifférence de sa mère. J'ai toujours eu soin d'elle et elle sait que je suis là si elle a des soucis ou des ennuis. Ah, autre chose, puisque vous avez le culot de me dicter une ligne de conduite, permettez-moi d'en faire autant. Si vous êtes un homme d'honneur, dépêchez-vous d'épouser la jeune fille que vous avez séduite sans scrupule. Bonsoir, inspecteur, ma femme m'attend.

Justin Devers fulminait. Ainsi, Isaure avait révélé leur liaison à Thomas. Il songea qu'elle avait sûrement tenté par cet aveu de le rendre jaloux, acharnée qu'elle était à le conquérir malgré sa situation de mari et de futur père. Il en concevait une colère impuissante, se sentant battu d'avance par un rival plus jeune et plus beau que lui. Il ne put résister à l'envie de blesser son adversaire.

— Je ne la ferai jamais souffrir autant que vous, cria-t-il, car Thomas avait déjà parcouru plusieurs mètres. Et, si elle recommence ses sottises par votre faute, je vous le ferai payer très cher.

— Quelles sottises? s'enquit Thomas en revenant sur ses pas. De quoi parlez-vous? Du fait qu'elle se soit jetée à votre cou? Bon sang, je n'en suis pas responsable, il me semble. Vous lui plaisez. Elle me l'a dit.

Le visage viril du policier se crispa. Ses yeux bruns étincelèrent tandis qu'il martelait ces mots :

— Je parle du soir où je l'ai sauvée *in extremis,* car elle avait essayé de se pendre dans le cabinet de toilette du pavillon. Geneviève Michaud pourrait en témoigner, nous l'avons trouvée en train de suffoquer. Je suis seul à connaître la raison de son geste désespéré. Oh, ce n'était pas à cause des coups que lui avait donnés son ignoble père, non. Vous l'aviez reniée, rejetée, vous lui aviez fait de cinglants reproches au sujet d'Ambrozy et du pistolet. Quand même, vous n'avez pas dû oublier ce triste épisode! Il date de quelques jours à peine.

Thomas était blême de stupeur. Totalement incrédule et soudain furieux, il fit un geste de dénégation.

— Qu'est-ce que vous racontez? Vous avez perdu la tête, Isaure me l'aurait avoué, si elle avait fait ça! Nom d'un chien, quel sale type vous êtes! Vous ne respectez rien, vous mentez pour je ne sais quelle obscure raison.

— Je ne mens qu'en cas d'extrême nécessité, et encore. En plus, là, je dis la vérité, et c'est ce qui vous dérange. Fouillez un peu votre mémoire, et osez prétendre que vous n'avez pas vu Isaure dans un état déplorable après votre sermon lourd de menaces.

Thomas se troubla, gêné. Il revoyait la jeune fille écroulée sur le sol, agitée de violents sanglots, en proie à un chagrin qui l'avait surpris.

— Très bien, je retourne là-haut et je l'interrogerai, déclara-t-il.

— Je vous l'interdis. Je vous ai fait cette confidence, mais n'en profitez pas pour la tourmenter encore. Nous partons demain matin. Je voudrais qu'elle se repose et surtout qu'elle tire un trait sur vous. Jamais elle ne sera heureuse ici.

Justin Devers contenait mal un frémissement nerveux. Il avait tout d'un homme passionné et dépassé par sa passion. Ce n'était plus l'inspecteur au ton acerbe qui allumait, flegmatique, un cigarillo avec affectation tout en menant son enquête, mais un amoureux luttant fiévreusement pour conquérir l'élue de son cœur. Thomas eut presque pitié de lui.

— Ce n'est guère malin, jeta-t-il d'une voix rauque, de me renseigner sur les sentiments d'Isaure, si vous l'aimez aussi fort. Vous auriez été plus habile en m'apprenant qu'elle vous avait choisi, vous, et que vous alliez sûrement vous marier.

— Je vous l'ai dit, je mens rarement et il n'y a aucun calcul dans mes paroles. Je veux la protéger, rien d'autre. Chacun son tour, Marot.

Ils se toisèrent, indécis, animés de la même colère sourde, prêts à se battre si le ton montait encore. Cependant, Thomas songea à Jolenta et à la scène qui menaçait d'éclater s'il tardait à rentrer. Justin, lui, poussa un soupir et s'éloigna, les mains dans les poches. Il avait pris une chambre à l'hôtel-restaurant de la Poste. Il disparut à l'intérieur du modeste établissement.

*

Pendant ce temps, assise au bord du lit, Isaure pleurait sans bruit. Elle avait quitté le manteau noir emprunté à la garde-robe de Viviane Aubignac, son éphémère patronne à présent en prison. Accusée de faux témoignage, de dissimulation de preuves et de tentative de meurtre sur la personne de son mari, la jolie femme blonde payait cher sa relation adultère avec le porion Alfred Boucard, enterré comme la petite Anne dans le cimetière du village.

— Je suis malheureuse, tellement malheureuse! répétait Isaure, hébétée.

Malgré le décès de la fillette, qui l'avait infiniment peinée, elle s'était accrochée au souvenir du baiser échangé avec Thomas. Même le jour de Noël, où toute la famille Marot avait veillé l'enfant morte, Isaure avait évolué dans une sorte de rêve enfin atteint. Ses lèvres avaient été caressées et meurtries par les lèvres de son grand amour, il l'avait enlacée et serrée contre lui. Elle ne parvenait pas à croire que c'était une erreur, que cela n'avait pas d'importance.

Le poêle, qu'elle avait allumé en priorité, ronronnait et chuintait, la lucarne éclairée par des flammes jaunes. La pièce s'emplissait de l'odeur réconfortante du bois qui brûlait, mais elle avait froid.

— Je ne veux plus avoir aussi mal, se dit-elle d'une voix faible.

Ravalant ses larmes, elle se leva et entreprit de faire du thé. Peu à peu, sa détresse s'apaisa, car elle pouvait marcher, renifler, toucher aux objets sans être observée ou suivie des yeux par les uns ou les autres. Sa solitude lui parut soudain précieuse et la griserie d'être libre s'ajouta à ce constat. Plus jamais son père n'aurait d'emprise sur elle, plus jamais il ne l'insulterait ni ne la frapperait. «Je ne retournerai pas à la métairie, se promit-elle. Qu'ils continuent leur vie de labeur dans la crasse et la boue! Maman n'a pas su me défendre contre la brute épaisse qui m'a conçue. Elle se moquait bien de sa fille, il n'y en avait que pour ses garçons. Plus jamais non plus la comtesse de Régnier ne me montrera la porte du doigt en me rappelant sa générosité à mon égard, non, plus jamais. Je leur ai échappé.»

L'air circula mieux dans sa poitrine; elle respira plusieurs fois avec avidité.

— Comment puis-je pleurer et gémir à cause de

Thomas? dit-elle tout haut. Il m'a toujours conseillé de m'envoler, de découvrir le monde. Je vais lui obéir.

D'un tempérament lunatique, Isaure passa une soirée agréable dans ce qu'elle considérait comme son refuge. Enfermée à double tour, les volets bien crochetés, elle déambula d'un pas tranquille en combinaison de satin bleu et sirota une tasse de thé assise à la table, ses longs cheveux noirs dénoués. Sa jeunesse n'était pas perdue; elle se sentait belle, désirable de ses bras nus lisses et blancs à ses jambes bien modelées, sans oublier ses seins drus et doux ainsi que son ventre plat.

— J'ai eu raison de brûler les roses de Noël, chuchota-t-elle à son reflet quand elle se regarda dans le miroir suspendu près de l'évier.

En sacrifiant au feu les hellébores aux pétales pâles, flétris par ses pieds sur le sol, puis ramassés avec dédain, elle avait eu l'impression de chasser Thomas de son esprit et de son cœur. De toute sa volonté, elle se préparait à son départ le lendemain. Elle se voyait devant la gare, sa valise à la main, le bras de Justin autour de sa taille, comme pour bien se convaincre que tout se passerait ainsi.

Fébrile, elle fixa son image jusqu'à ne plus se reconnaître, perdue au fond de son propre regard couleur de nuit. Sa bouche esquissa une moue familière avant de sourire à l'aventure qui l'attendait dans quelques heures.

Coron de la Haute Terrasse, dix heures du soir

Jolenta et Thomas étaient couchés. La lampe de chevet était éteinte, mais il demeurait cependant dans la chambre une vague clarté provenant de l'éclairage extérieur qui filtrait à travers les rideaux, les volets n'étant pas fermés. La jeune femme détestait l'obscurité complète. Elle laissait parfois une bougie allumée sur le coin de la commode pour ne pas être dans le noir.

— C'est à cause de la mine, disait-elle. À mon arrivée à Faymoreau, je ne parlais même pas le français. On m'a employée à pousser les petits chariots qu'on verse dans les berlines, ensuite. La fille qui travaillait avec moi a fait tomber sa lampe et on s'est retrouvées dans les ténèbres, toutes les deux. C'était horrible!

Chaque fois qu'elle racontait l'anecdote, son accent faisant rouler étrangement les r, Thomas la consolait d'un baiser ou bien Stanislas lui tapotait paternellement l'épaule. Elle n'avait jamais dissimulé son aversion pour les galeries souterraines, la descente dans les puits jusqu'aux profondeurs de la terre où on exploitait les veines de charbon. Ce soir encore, câline, elle demanda à son jeune mari s'il irait le lendemain se présenter à la minoterie.

— Oui, bien sûr, répondit-il distraitement. De toute façon, j'ai donné mon congé au porion, le nouveau porion Grandieu.

— Ça, je le sais déjà, Thomas, tu en as discuté avec papa pendant le repas. Pierre est triste que tu quittes la compagnie. Il ne devrait pas. Lui, il tient à sa place de palefrenier pour rester avec les chevaux. Il pourrait tout aussi bien s'occuper de chevaux en dehors de la mine. Tu es d'accord?

Thomas l'embrassa sur le front, soudain envahi par une lassitude anormale. La révélation que lui avait faite le policier le hantait. Il aurait voulu y réfléchir et pouvoir interroger Isaure sur-le-champ.

— Réponds-moi, mon chéri, insista-t-elle.

— Jolenta, tu ne peux pas obliger les gens à renoncer à ce qu'ils aiment, dit-il d'un ton irrité. Ton frère s'est attaché aux chevaux, surtout à Danois, une belle et gentille bête. N'essaie pas de le faire renoncer à son poste. Il est tout jeune et il doit gagner sa vie comme nous tous.

— Mais, toi, tu ne retourneras pas au fond de la mine. Promets-le. Tu seras mieux à brasser du grain et de la farine.

— Sans doute. Hélas! Il y a le souci de changer de logement. On devra déménager. Les habitations des corons sont réservées au personnel de la compagnie. En plus, je n'ai pas un sou de côté.

Jolenta caressa de l'index le torse de son mari par l'ouverture de sa veste de pyjama. Elle était sereine, persuadée que l'avenir leur souriait, désormais.

— Je ferai du charme au contremaître de la minoterie, dit-elle sur le ton de la plaisanterie. Il nous fournira une jolie petite maison.

— Ah ça, je te l'interdis bien. Et mon honneur?

— Jamais je ne te trahirai, mon amour, roucoula-t-elle. C'était une blague. Il faut avoir confiance. Tu vois bien, j'ai prié à l'église et mon père a été libéré. J'ai prié quand Piotr et toi étiez prisonniers sous la terre et vous êtes vivants tous les deux.

— Tu aurais dû prier davantage pour Anne, si tu crois que Dieu t'écoute et t'exauce, marmonna-t-il.

Elle se redressa sur un coude et cessa de le caresser comme si son contact la brûlait. Il devina dans la pénombre ses nattes blondes et son visage ulcéré.

— J'ai beaucoup prié aussi pour ta petite sœur, s'écria-t-elle. Je sais que tu es malheureux, que tu es triste, mais tu ne dois pas être méchant à cause de ça.

Thomas eut honte, attendri par la voix tremblante de sa femme. Il ne devait pas lui faire payer le prix de ses propres erreurs. Vite, il la reprit contre lui et posa son front entre ses seins.

— Je ne t'ai fait aucun reproche, Jolenta. Pardonne-moi, tu ne peux pas être aussi affligée que nous. Tu connaissais à peine Anne et tu n'as pas assisté à son agonie, Dieu merci. Allons, ne sois pas fâchée. Il faut dormir, je suis épuisé.

Il ferma les yeux et elle nicha sa joue au creux de son épaule.

— J'ai pourtant fait des efforts, ce soir, déclara-t-elle encore.

— Des efforts?

— Oui, et tu n'as pas eu l'air plus content. Je t'ai laissé courir derrière Isaure et la raccompagner. Tu as mis longtemps, en plus, mais je n'ai rien dit. Zilda pense que le policier va l'épouser. Ce ne serait pas si mal, il a une bonne situation. Isaure pourrait enseigner à La Roche-sur-Yon. Je lui souhaite du bonheur, tu sais! J'ai été sotte d'être jalouse d'elle.

Jolenta aimait bavarder ainsi, blottie contre Thomas, bien au chaud dans leur lit, quand ils ne se lançaient pas dans une joute amoureuse qui leur procurait une douce fatigue.

— On ne doit pas être jalouse d'une pauvre fille quand on a le meilleur mari du monde et qu'on porte son bébé!

— Ne traite pas Isaure de pauvre fille, enfin, ça ne lui va pas du tout, s'indigna-t-il. Même si elle a beaucoup souffert à cause de son père et sans doute à cause d'autres personnes qui ne l'ont pas comprise, ce n'est pas une pauvre fille. Elle fera son chemin, ici ou loin de nous. Ma chérie, je voudrais dormir, comprends-tu?

Il lui tourna le dos. Alarmée, Jolenta se demanda quelle erreur elle avait encore commise. Elle fixa le plafond, le cœur serré. Jamais elle ne serait tranquille tant qu'Isaure Millet n'aurait pas un époux qui l'accaparerait, et cela, de préférence à des kilomètres de Faymoreau.

Elle somnola la première, ignorant que Thomas ruminait une foule de pensées amères. Le silence lui offrait enfin l'occasion de ressasser les paroles de l'inspecteur Devers. Il cherchait à revivre minute par minute le soir où il s'était précipité vers le pavillon des Aubignac et où il avait traité Isaure si durement. Des détails lui revenaient, son regard à elle, insondable, désespéré, ses cris de protestation puis, quand il avait fait demi-tour, mal à l'aise, la vision navrante de son amie en larmes, comme évanouie sur le sol. «C'est après mon départ qu'elle a tenté de mourir. Qu'est-ce qui l'a poussée à poser ce geste atroce? Ma cruauté, ma fureur ou une crise de chagrin intolérable à cause de son père, de son frère défiguré, de tous ces malheurs réunis?»

Il osait à peine imaginer son effroi et sa peine immense si on lui avait appris le lendemain la mort d'Isaure, morte pendue, seule, rejetée par lui qui s'était montré son protecteur, son frère, son unique ami pendant des années. «Bon sang, j'aurais dû remercier Devers, si vraiment il l'a sauvée! Et tant mieux s'il a su la réconforter et lui donner de la tendresse par la suite. Seigneur, je voudrais oublier Isaure, mon Isauline. Aidez-moi à ne plus penser à elle, plus jamais, enfin, plus de la façon dont j'y pense.»

Il retint un soupir d'exaspération. Le tic-tac du réveil posé sur la table de chevet l'irritait et la respiration paisible de Jolenta l'oppressait. Il serra les dents en même temps que les poings et se remit à prier avec le sincère désir de revenir en arrière, d'effacer les dernières semaines. «Tout était tellement simple avant le coup de grisou! déplorait-il. J'aimais Jolenta de toute mon âme, j'étais fier et heureux de me marier, d'être père à mon tour, et Isaure était ma douce petite sœur de hasard, timide, discrète, satisfaite d'un rien: un caramel, un mot gentil, un sourire. Elle a changé. C'est une femme, oui, une femme.»

Le sommeil le terrassa alors qu'il évoquait la bouche irrésistible de la jeune fille, ses grands yeux couleur de nuit et ses cheveux noirs.

*

Allongé sur son lit de l'*Hôtel de la Poste*, Justin Devers acceptait l'insomnie qui le guettait avec moins de philosophie que d'ordinaire. Il fumait un énième cigarillo, sans avoir éteint la lampe, en chemise et pantalon. Lui aussi songeait à Isaure, à la fois impatient de la revoir le lendemain et effaré à l'idée de ce qu'il avait fait. «Si je lui avoue que j'ai parlé à Thomas de sa tentative de suicide, elle m'en voudra terriblement, peut-être même qu'elle ne me le pardonnera jamais. Autant me taire; il n'ira pas s'en vanter lui non plus. Nom d'un chien, ce secret nous liera tous les deux! Il ne pourra plus me regarder en face sans s'en souvenir, et ce sera pareil pour moi. Il a raison, je n'ai guère été malin. »

Il jeta un regard à sa montre et pesta. Les heures se dilataient, le temps ne passait pas. Il avait lu un journal et revu un rapport de son adjoint Antoine Sardin, mais il n'était pas encore minuit, loin de là.

— Quel idiot je fais! dit-il tout bas. Pourquoi je ne la rejoins pas dans son maudit pavillon? Peut-être qu'elle serait ravie de me voir débouler, d'être embrassée et cajolée. Non, je suppose qu'elle dort sagement, éprouvée par le décès de la fillette et cette journée de deuil. Pauvre gosse, partir si jeune sans avoir rien vécu, pétrie de souffrances.

Il en eut la gorge nouée et écrasa son mégot dans le cendrier. Il devait s'occuper l'esprit, ne pas penser à Isaure ni à la petite Anne Marot.

— Si je me penchais sur l'affaire Aubignac, bougonna-t-il en saisissant une chemise en carton gris posée sur une chaise près du lit. Il y a de quoi méditer sur la bassesse humaine!

Les cheveux en bataille, un rictus moqueur sur les lèvres, l'inspecteur se plongea dans le dossier. Il relut avec soin les dépositions des principaux témoins, dont celle du complice de l'assassin, Charles Martinaud, surnommé Tape-Dur chez les mineurs. Peu après, il se rappela son entretien avec le coupable du meurtre, Marcel Aubignac, dans une chambre d'hôpital. Blessé au poumon par la balle que son épouse Viviane avait tirée sur lui, l'ancien directeur de la compagnie minière avait tout d'un homme tombé de son piédestal, conscient qu'il finirait sûrement ses jours en prison.

— Vous ne serez pas guillotiné, monsieur, puisque vous aurez la fameuse excuse du crime passionnel, lui avait déclaré Justin quand il s'était inquiété du résultat de son procès. Mais il y a eu préméditation et votre geste a fait deux autres victimes.

Dès qu'il serait rétabli, Aubignac filerait derrière de solides barreaux. Cependant, dans la salle du tribunal, il reverrait Viviane, sa femme, la femme adultère.

— Bah, sa passion pour un modeste porion père de famille finira par émouvoir les juges, murmura-t-il, l'air réjoui.

En fait, il espérait même que Viviane Aubignac serait libérée avant le début des audiences. Il avait œuvré en ce sens, car, selon lui, elle avait agi sous l'emprise de la terreur, son époux ayant menacé de la tuer si elle le dénonçait.

— De surcroît, ce sale individu l'a forcée à avorter, à tuer l'enfant de son amant, maugréa encore Devers en bâillant. Oui, je ferai en sorte de rencontrer son avocat et de plaider sa cause. Madame Aubignac pourra même divorcer et garder la jouissance de sa belle maison bourgeoise, et je suis certain qu'elle aura besoin d'Isaure, une fois revenue au bercail.

Le policier bâilla encore. Il se décida à éteindre le plafonnier, puis la veilleuse et, les bras croisés derrière la tête, il ferma les yeux. « Demain, c'est le grand départ pour Paris, si ma belle petite Isaure vient au rendez-vous, mais elle viendra, j'en suis sûr! »

Il s'assoupit, bercé par cette certitude, dans la pièce sombre où flottait, tenace et âpre, l'odeur des cigares qu'il avait fumés.

Paris, mardi 28 décembre 1920

Isaure venait de prendre le bras de Justin et le serrait très fort entre ses doigts gantés, tant elle était impressionnée et même frappée d'émerveillement devant le spectacle qui s'offrait à elle. Ils avaient quitté la gare d'Austerlitz en taxi, à destination de l'Opéra, l'illustre Palais Garnier, temple de l'art lyrique et de la danse. C'était aussi le quartier où s'élevaient les Galeries Lafayette, brillamment illuminées par une éblouissante palette de couleurs grâce à des milliers d'ampoules électriques rouges, jaunes et vertes.

— Je ne peux pas croire que ça existe vraiment, tout ce que je vois, tout ce que j'ai vu pendant le trajet en voiture, murmura-t-elle sur un ton respectueux, comme si elle était confrontée à un prodige inexplicable.

— La féerie de Paris à cette époque de l'année, ma chère enfant, dit-il en riant.

— Ne m'appelle pas ainsi, sinon je me remets à bouder.

Elle lui avait opposé une mine renfrognée pendant le voyage en train de Poitiers à la capitale, assise près de la vitre du compartiment et le nez obstinément tourné vers le paysage. Justin n'avait eu droit qu'à des marmonnements indistincts et à des coups d'œil hautains. Même à l'heure du déjeuner, Isaure était restée taciturne, indifférente au décor de la voiture-restaurant autant qu'au repas délicieux qu'il avait commandé. Trop content cependant de l'emmener, Justin s'était abstenu de la moindre remarque, du moindre reproche. Isaure partait avec lui, il n'en demandait pas davantage.

— Non, je serais incapable de bouder encore, ajouta-t-elle soudain, je ne suis pas une ingrate. Justin, c'est un véritable rêve, ces maisons immenses, la façade de l'Opéra, les magnifiques statues tout à l'heure et, là, ce grand magasin.

Elle lui adressa un sourire de fillette éblouie et posa un léger baiser sur ses lèvres, le regard pétillant de joie.

— Viens, il faut admirer les vitrines, murmura-t-il, le cœur en fête. Voudrais-tu assister à un ballet? On joue *Le lac des cygnes,* cette semaine. Nous pourrions y aller avec maman, elle adore la musique de Tchaïkovski.

— Oh, moi aussi! La comtesse avait un gramophone. Elle m'a fait écouter un jour des airs de *Casse-Noisette,* un autre ballet de ce compositeur.

Justin soupira d'aise. Isaure n'était jamais prise en faute. Elle semblait avoir une culture surprenante pour une jeune fille élevée par un couple de métayers. Bien sûr, le mérite en revenait à la comtesse de Régnier, qui avait tenu à assurer à sa filleule une bonne éducation et de l'instruction. C'était là un détail qui le tracassait.

— Ah, cette comtesse, hasarda-t-il. Je comprends mal l'intérêt qu'elle t'a porté depuis ta naissance, pour te rejeter ensuite.

Isaure lui avait fait quelques confidences «sur l'oreiller», selon les propres termes de l'inspecteur. Songeuse, elle affirma:

— C'est ma faute, si j'ai perdu ses faveurs. J'ai eu le tort de me rebeller contre ses exigences, ou plutôt ses caprices. Je pourrais être au château, en ce moment, à subir le sale caractère de ses deux enfants, de véritables petits démons sous leur vernis d'apprentis aristocrates.

— N'en parlons plus. Je préfère mille fois t'avoir à mon bras dans ce Paris scintillant de lumières, chuchota-t-il à son oreille. Voyons, où irons-nous dîner? J'ai bien envie de te faire goûter un mets nouveau, quelque chose dont tu ignorerais la saveur. Des huîtres? Du homard? Du caviar? Des truffes en papillotes?

— Mais je croyais que nous dînerions chez ta maman. Et puis tu n'es pas si riche, pour m'offrir un repas pareil. Pour être franche, ça ne me dit rien. Sais-tu, j'avais acheté de la nourriture de luxe pour Viviane Aubignac qui voulait donner un souper de qualité et, toutes ces bonnes choses hors de prix, j'ai dû conseiller aux domestiques de les emporter. Allons où tu veux, je mangerais n'importe quoi, tellement je suis affamée. Au fait, es-tu sûr que ce chauffeur de taxi, le premier, aura bien porté ma valise à l'adresse que tu lui as donnée?

— Oui, je lui ai laissé un gros pourboire. Il a dû s'acquitter de la course avec joie. Nous la récupérerons chez la concierge. Sois sans crainte.

Ils avaient traversé la rue en discutant et marchaient à présent le long des vitrines. Isaure ne fut plus qu'une enfant en plein enchantement. Elle découvrait des poupées en porcelaine aux boucles soignées, aux prunelles brillantes ourlées de cils, aux vêtements délicats composés de dentelle et de velours fin, au milieu d'un décor idéal, un mobilier à leur taille étant disposé avec goût, dominé par un sapin rutilant de guirlandes dorées. Plus loin, c'étaient des trains d'un réalisme étonnant, eux aussi placés dans un paysage miniature.

— Si Anne avait pu voir tous ces beaux jouets! soupira-t-elle, toujours blottie contre Justin.

Il l'entraîna vite vers une autre vitrine où trônaient des mannequins féminins, habillés de robes de soirée d'une telle élégance qu'Isaure ne trouva aucun mot pour s'extasier. Même les toilettes de Viviane auraient fait pâle figure, comparées à ces créations en tulle, en taffetas ou en soie brodée, couvertes de strass et de perles dont les teintes exquises, souvent très claires, rehaussaient leur extrême raffinement.

— Tu serais sublime dans une robe pareille, insinua le policier.

— Non, je n'oserais même pas m'imaginer habillée ainsi. Les bras sont nus, les épaules aussi.

— Raison de plus, mon joli papillon.

Il n'y tint plus et s'empara de sa bouche, en l'enlaçant. Des passants eurent un léger rire moqueur; une vieille dame en noir marmonna qu'ils étaient indécents. Confuse, Isaure tenta en vain d'échapper à l'étreinte de son amant. Elle était étourdie, grisée par la foule qui allait et venait sur les larges trottoirs, l'esprit plein de superbes images qui la traversaient en achevant de la charmer : les statues colossales sur le fronton de l'Opéra, les quais de la Seine, Notre-Dame aperçue depuis le taxi, vaisseau de pierre dont les tours se reflétaient dans les eaux sombres du fleuve. Et maintenant les robes luxueuses, les paillettes, les sapins innombrables, les poupées.

— Merci, merci, murmura-t-elle lorsque Justin la laissa enfin respirer.

— Pour le baiser?

— Pour tout ce que tu viens de m'offrir. Même si je rentrais sur-le-champ en Vendée, j'aurais des souvenirs pour cent ans.

— Mais ça ne fait que commencer, Isaure. Moi aussi je veux te remercier, d'être venue, d'abord, et ensuite d'être enchantée, éblouie. Je désirais tant voir cette expression de joie sur ton visage, et ce sourire! J'avoue que j'étais pessimiste, pendant le trajet en train.

— Pardonne-moi, j'ai été sotte, admit-elle.

Justin la prit par la taille. Ici, à Paris, sa ville natale, loin de Faymoreau, elle lui appartenait un peu. Il ferait en sorte de la choyer et de lui montrer les multiples trésors de la capitale, en espérant, de toute son âme, la convaincre plus tard de vivre là, à ses côtés.

— Tu ne seras jamais sotte, dit-il en la contemplant. Et je t'aime comme tu es, gracieuse ou boudeuse. Allons dîner, à présent.

— Oh oui, j'ai de plus en plus faim. Je mangerais bien du homard, après tout.

— Formidable, j'en avais envie également.

L'inspecteur Devers héla un taxi. En manteau noir, son chignon de jais coiffé de sa toque à voilette, Isaure se glissa dans la voiture en riant. Pas un instant depuis qu'elle avait posé son pied léger sur le pavé parisien elle n'avait pensé à Thomas Marot.

3

De Paris à Faymoreau

Paris, boulevard Saint-Germain, même soir

Isaure croyait vraiment que Justin allait la conduire dans un hôtel après le délicieux dîner qu'ils avaient pris dans un restaurant du boulevard Saint-Germain, mais il n'en fut rien. Le policier lui prit le bras familièrement pour la guider le long du large trottoir.

— Marchons un peu, veux-tu? Nous pouvons rentrer à pied chez maman, ce n'est pas très loin. Gamin, j'habitais Montmartre. Je t'y emmènerai demain. Mais, après la mort de papa, nous avons déménagé sur la rue Saint-Sulpice. Le quartier est agréable. Des fenêtres de l'appartement, on voit l'église du même nom, et le jardin du Luxembourg n'est pas loin, un magnifique parc où l'on peut flâner des heures.

— Justin, je suis très intimidée. Comment ta mère me recevra-t-elle? Que lui as-tu dit à mon sujet?

— La belle affaire! Je lui ai écrit que je t'adore, que tu es la huitième merveille du monde et plein d'autres choses excessives.

— Pitié, ne plaisante pas!

— Sois tranquille, je t'ai présentée comme une future institutrice qui rêve de découvrir la capitale, sans mentir sur un point.

— Lequel?

— Je lui ai précisé que j'étais amoureux de toi, sans entrer dans les détails de notre scandaleuse liaison.

D'abord rassurée, Isaure éprouva un sentiment de frustration. Si elle avait eu sa valise, une nuit à l'hôtel l'aurait tentée, après réflexion.

— Alors, pendant tout le séjour, nous ne ferons rien? demanda-t-elle tout bas.

Justin éclata de rire, charmé par son expression de dépit. Il l'embrassa sur la bouche avant de chuchoter à son oreille:

— Il est possible, surtout à Paris, de prendre une chambre d'hôtel l'après-midi. On tire les rideaux, on ne fait aucun bruit et l'amour n'en est que meilleur.

— Non, quelle honte!

Son exclamation sonnait un peu faux, ce qui acheva de ravir l'inspecteur Devers. Il prit Isaure par la taille et la poussa dans le renfoncement d'un porche. Là, toujours riant, il la grisa d'un long baiser avide et ardent. Il la serrait si fort qu'elle trembla vite de désir, docile, les yeux fermés pour mieux savourer les ondes chaudes qui parcouraient son corps.

— C'était un avant-goût, murmura-t-il quand ils se retrouvèrent sous la clarté d'un réverbère, tous deux haletants. Et pour nous, autant te le dire, pas besoin d'aller dans un hôtel, j'ai la clef d'un appartement, boulevard des Capucines. Je t'expliquerai plus tard pourquoi il est libre.

Elle ne répondit pas, l'air étourdi. Si Justin avait été plus attentif, il aurait déchiffré dans son regard étincelant une ombre de mélancolie. Thomas avait repris ses droits. Malgré la distance, il venait de s'immiscer à nouveau entre eux à la faveur de ce baiser qui en avait évoqué un autre dans l'esprit d'Isaure. «Je ne dois pas penser à lui, il ne faut pas! se répéta-t-elle avec une âpre volonté. Je ne serai jamais heureuse s'il m'obsède et, moi, je veux être heureuse.»

Dix minutes plus tard, des minutes pendant lesquelles elle avait écouté sagement les commentaires de Justin sur les rues qu'ils empruntaient, la rue du Four et la rue Mabillon, Isaure pénétrait dans le vaste vestibule d'un immeuble d'allure cossue.

Sur sa gauche, une grande fenêtre en demi-cercle était éclairée, mais drapée d'un rideau rose.

— La loge de notre concierge, expliqua Devers qui appuya sur une sonnette.

Une grande femme maigre au chignon grisonnant ouvrit une porte vitrée. Elle poussa un cri de surprise quand elle vit le policier.

— Oh, monsieur Justin, que je suis contente! C'est vous, donc, qui avez envoyé un taxi ici pour y déposer une valise.

— Oui, c'est moi, madame Maudouin. Il s'agit de la valise de mademoiselle Millet.

— Bonsoir, madame, dit Isaure d'un ton net.

— Bonsoir, mademoiselle. Une jolie demoiselle, dites-moi! C'est madame Devers qui va être sur un petit nuage d'avoir son fils… et sa fiancée, sans doute?

— Pas encore, madame Maudouin, pas encore, blagua Justin, très à l'aise. Eh bien, à demain. Bonne nuit.

Il s'empara de la valise que la concierge venait de pousser devant lui et désigna l'escalier à Isaure.

— C'est au troisième. Il n'y a pas d'ascenseur.

— Dommage, je serais curieuse d'utiliser une de ces machines.

— Il suffira d'aller aux Galeries Lafayette, ma chérie.

Il avait parlé assez fort, si bien que madame Maudouin, du seuil de sa loge, put se réjouir en silence. Elle avait raison, Justin Devers ramenait enfin une fiancée.

*

Corinne Devers ne correspondait en rien à l'image que s'en faisait Isaure avant de se retrouver en face d'elle. Certes, comme le lui avait dit le policier, elle semblait d'une constitution fragile, étant de petite taille et fort mince. Mais elle était ravissante, dotée par la nature de traits d'une rare finesse et d'un teint de lys. Ses cheveux blonds coupés aux épaules, raides et brillants, s'ornaient d'un ruban de velours vert assorti à ses yeux aux reflets d'émeraude.

— Ah, je suis enchantée de faire votre connaissance, chère mademoiselle Millet. Depuis plus d'un mois, Justin me parle de vous dans ses lettres, et en termes flatteurs. Il n'a pas exagéré sur le chapitre de la beauté.

L'entrée en matière, directe et énoncée d'un ton badin, créa une vive émotion à Isaure, qui serra avec empressement la main qu'on lui tendait.

— Bonsoir, madame, je vous remercie de m'accueillir, dit-elle d'une voix faible.

Tout la surprenait et la déroutait. L'intérieur de l'appartement, déjà, qui, loin du luxe tapageur des Aubignac, témoignait du goût de la maîtresse des lieux. Le mobilier de facture ancienne était sobre, mais superbe; les murs du salon étaient tapissés d'un papier couleur ivoire et orné d'une galerie de tableaux remarquables. Les lourds rideaux en velours beige et les tapis d'Orient rechaussaient encore le décor.

— J'ai préparé votre chambre, je suppose que vous êtes lasse, hasarda Corinne Devers gentiment. En vous attendant, je me livrais à mon loisir favori, la broderie.

D'un geste, elle désigna un bel ouvrage abandonné sur un guéridon, en l'occurrence un coussin en satin où se devinaient des fleurs et des feuillages.

— Je lis beaucoup, aussi. N'est-ce pas, Justin?

— Oui, maman, mais tu ne m'as pas encore embrassé!

— J'ai une invitée. Je lui donne la priorité, plaisant-t-elle en lui ouvrant les bras.

Médusée, Isaure s'interrogeait sur l'âge de cette femme, si jeune de visage et de corps. «Voyons, Justin a trente-deux ans. Il a dû naître quand elle était encore adolescente!»

Jamais elle n'aurait osé poser la question de peur de commettre une impolitesse, mais, devant sa mine ahurie, Justin s'esclaffa:

— Maman, je crois qu'Isaure se pose des questions sur notre parenté, elle ferait une excellente enquêtrice. Allons, dis-lui ce qu'il en est. Avoue que tu as découvert dans Paris la fontaine de Jouvence.

— Excusez-le, mademoiselle, mon fils ne changera jamais. Il est si taquin! Enfin, de bonne humeur, il taquine, de mauvais poil, il se montre affreusement sarcastique. Je frôle la cinquantaine. J'ai mis cet individu au monde la veille de mes dix-neuf ans. Mais asseyez-vous, j'ai préparé du thé. Justin, débarrasse ton amie de son manteau. N'oublie pas les bonnes manières.

Corinne éclata de rire, tandis qu'Isaure murmurait:

— Je vous aurais donné une trentaine d'années, madame, sans mentir.

— Vous penserez autrement demain matin. Ce soir, je bénéficie d'un éclairage tamisé et la joie d'avoir Justin et de vous avoir me rajeunit. Puis-je vous appeler par votre prénom?

— Bien sûr, madame.

Isaure prit place dans un fauteuil en cuir et admira le plus discrètement possible une statue en marbre posée sur une stèle. Elle était éblouie par la perfection de la femme sculptée dans une pierre blanche, qui captait la lumière.

«Comme tout est beau, ici! songeait-elle. La mère de Justin, le cadre, les objets, les bibelots sur la cheminée… Et comme Paris me plaît, aussi!»

Elle évoqua l'ambiance animée du restaurant et la saveur des fruits de mer qu'elle avait dégustés en buvant du vin blanc très frais. C'était une nouvelle vie, où elle se sentait une autre Isaure, curieuse de tout, pressée de visiter les musées, de contempler jusqu'au vertige les monuments les plus célèbres en se mêlant à la foule dense de la capitale, comme toujours en mouvement.

Justin l'observait à la dérobée, un peu ébahi de la voir dans l'appartement de sa mère où il avait ses habitudes de célibataire. Il se souvint du matin, le mois précédent, où il s'était rendu à la métairie du château pour interroger Bastien Millet. La pièce aux murs sombres où il avait été introduit empestait la graisse rance et la fumée. Il en gardait une impression pénible, renforcée par la hargne du paysan à son égard. « C'est un sacré changement de décor, ma petite Isaure, pensa-t-il. Notre salon te convient mieux que la cuisine sinistre où tu me regardais de haut, pourtant. »

— J'ai donné sa soirée à Mado, déclara alors Corinne. Si tu veux bien servir le thé, Justin.

— Mado est la demoiselle de compagnie de maman, expliqua le policier à Isaure. Elle participe aussi au ménage et à la préparation des repas.

Isaure approuva d'un signe de tête. Elle avait hâte, à présent, de se retrouver seule, car elle ne parvenait pas à être naturelle et elle en souffrait.

— Mon fils m'a écrit que vous vous destinez à l'enseignement, ajouta la maîtresse de maison. Moi-même, je rêvais d'être institutrice, mais je n'avais pas la santé nécessaire pour faire ce métier. De même, à mon grand regret, je n'ai pas pu avoir d'autres enfants.

— Maman, ne regrette rien, j'ai eu ainsi le privilège d'être choyé, chouchouté et adoré, plaisanta Justin qui apportait un plateau où trônait une théière en porcelaine rose, entourée de trois tasses à liseré doré.

Ma chère Isaure, vous semblez bien fatiguée. Un peu de patience et vous pourrez vous reposer.

— Non, ça va, je t'assure…, pardon, je vous assure.

Elle eut une expression affolée, ne sachant plus si elle devait le tutoyer ou non en présence de sa mère. Il éclata de rire, détendu, presque attendri. Il était étonnamment différent en jeune bourgeois parisien, si elle le comparait à l'inspecteur qui rôdait à Faymoreau en gabardine et chapeau de feutre noir enfoncé jusqu'au milieu du front.

— Maman, précisa-t-il, Isaure et moi, nous avons aboli quelques barrières et, en fait, j'apprécie un peu de familiarité. Aussi ne sois pas choquée, nous nous tutoyons, elle et moi.

— Mais ça ne me choque pas du tout, s'écria Corinne. Je suis ravie que vous soyez si proches, tous les deux. Allons, Justin, ne me fais pas languir. C'est la première demoiselle que tu fais entrer chez nous. Avoue que, cette fois, il ne s'agit pas d'une passade.

— Pose la question à la principale intéressée, suggéra-t-il avec malice.

Isaure devint écarlate, ce qui lui arrivait rarement. Elle jeta un coup d'œil furibond à son amant, puis considéra son hôtesse d'un air soucieux.

— Madame, je suis désolée, votre fils n'est jamais sérieux. Là, il se moque de moi en me plaçant dans une position gênante au possible. Rien n'est décidé entre nous. Il m'a invitée à Paris, j'ai accepté, mais…

Justin et sa mère se mirent à rire joyeusement. Vexée, Isaure eut envie de pleurer.

— Mais je crois que ce n'était pas une bonne idée, acheva-t-elle en réprimant un sanglot nerveux.

— Oh, pardonnez-moi, mademoiselle! s'écria Corinne. Je ne faisais que taquiner mon fils. C'est de bonne guerre et je ne pensais pas vous blesser. Si vous nous connaissiez mieux, vous sauriez que nous pratiquons souvent l'humour et la dérision afin de garder le moral au beau fixe. Mon mari était ainsi. Nous lui rendons hommage, en quelque sorte, en l'imitant.

— Je n'ai pas l'habitude de ces façons de plaisanter, murmura Isaure. Chez moi, personne ne riait. Il fallait travailler, se taire et obéir. Enfin, mes frères s'amusaient à mes dépens, parfois.

Navré de voir Isaure attristée et toute songeuse, Justin préféra lui faire des excuses.

— Je suis désolé. Tout est ma faute. J'ai oublié comme c'est intimidant pour toi d'être là, entre maman et moi, victime de nos déplorables facéties. Tu es en vacances, Isaure, ne te fais aucun souci. De toute façon, notre relation ne regarde que nous. N'est-ce pas, maman?

— Mais oui, renchérit Corinne Devers. Et j'espère que vous aurez un merveilleux séjour, Isaure.

Réconfortée, la jeune fille consentit à sourire et à boire sa tasse de thé. Elle se leva ensuite en tournant son regard vers sa valise.

— Je te montre ta chambre, dit Justin.

— Merci, je suis épuisée. Bonsoir, madame, et ne vous inquiétez pas de mes sautes d'humeur.

Pudique, elle n'osa pas évoquer l'enterrement de la petite Anne Marot. Corinne la suivit des yeux tandis qu'elle marchait d'un pas léger derrière son fils. «Dire qu'il l'aime tant, qu'il n'a jamais aimé une femme avant elle! se disait-elle, vaguement anxieuse. Elle est si jeune, si belle! Je crains qu'il ne se fasse des illusions.» Son cœur de mère battit plus vite à l'idée de la déconvenue que pourrait connaître son unique enfant au cours des mois à venir. Retenant un soupir, elle reprit sa broderie.

Une fois seule avec Justin, Isaure laissa éclater sa colère en ayant soin, cependant, de parler très bas. Elle avait à peine prêté attention au charmant décor qui l'entourait.

— Tu as tout gâché, déclara-t-elle. Je n'ai plus envie de rester une semaine ici. Je voudrais rentrer immédiatement à Faymoreau. J'ai eu l'air d'une imbécile devant ta mère. J'étais franchement ridicule, à bégayer et à rougir.

— Pardonne-moi, mon joli papillon de nuit, murmura-t-il. Je suis incorrigible. Bon sang! Comprends-moi, j'étais tellement ému que j'ai joué les idiots.

— Sans te préoccuper de ce que j'éprouverais, rétorqua-t-elle, la voix tremblante. Sors, laisse-moi tranquille!

Il considéra le lit à deux places au montant capitonné de velours rose, surmonté d'un baldaquin orné de chintz fleuri. Les deux fauteuils de style Louis XV étaient tapissés du même tissu, que l'on retrouvait en rideaux, encadrant une fenêtre voilée de tulle ivoire. Une psyché voisinait avec l'armoire en chêne sombre. Le parquet soigneusement encaustiqué luisait de propreté, mettant en valeur un tapis rond en laine moelleuse d'un blanc écru.

— Dans ce cas, la chambre te plaît-elle au moins pour une nuit? s'enquit-il, la main sur la poignée de la porte.

— Je serais difficile si je n'étais pas satisfaite, admit Isaure. Mais qui loge dans cette pièce, d'ordinaire?

— Mes cousines pendant l'été ou bien ma tante Marthe quand elle rend visite à maman.

— Je n'imaginais pas que tu venais d'un milieu aisé, soupira-t-elle.

— Tu m'as si peu posé de questions, enfin sur moi, sur mon passé, sur ma famille. Nous devons notre fameuse aisance à un héritage, à la mort de mon père et de mon oncle, le mari de tante Marthe, il y a de cela une dizaine d'années. Si tu n'avais pas décidé d'abréger ton séjour à Paris, demain, je t'aurais emmenée boulevard des Capucines où je possède un appartement, celui dont je t'ai parlé et dont j'ai la clef. Je le louais à un avocat, mais, depuis six mois, il est vide.

Isaure s'aperçut alors dans la psyché. Elle s'était rarement vue tout entière, des pieds à la tête, excepté dans des vitrines de magasin, silhouette floue et fuyante, car elle n'osait pas s'arrêter pour s'examiner. En jupe droite battant les chevilles, son buste ferme moulé dans un chemisier blanc et un gilet noir, elle peinait à se reconnaître, surtout à reconnaître son visage aux doux contours, d'une beauté étrange sous la clarté de la suspension garnie d'une soie rose.

— Mais oui, c'est bien toi, dit-il sur un ton amer. Une superbe jeune personne qui veut vite rentrer au bercail, oui, filer s'enterrer à Faymoreau dans l'unique but de côtoyer son amour impossible jusqu'à la fin de ses jours.

— Tu m'agaces, soupira-t-elle. J'ai décidé d'oublier Thomas. C'est toi qui m'en parles sans cesse.

— Sans cesse? Là, tu exagères. Je le sens là, entre nous, au fond de tes yeux ou dans le pli de ta bouche. Bon sang, je pourrais remuer ciel et terre, lui seul compterait. Isaure, voudrais-tu t'en aller demain si ce n'était pas par besoin de le revoir, ce type-là? Tu m'en veux à ce point pour une de mes sottes taquineries?

Elle tourna le dos à son reflet et toisa le policier, l'air hésitant.

— Je passerai la semaine ici comme prévu, mais pour ne pas offenser ta mère et pour visiter Paris. Tu m'as vraiment horripilée, ce soir. Je suis fâchée.

Intuitif, Justin perçut son intonation radoucie, en dépit de ce qu'elle affirmait. Il s'approcha et lui caressa la joue.

— Pardon! J'ai promis, je ne recommencerai plus.

Elle esquissa un sourire, troublée par le charme de la chambre et son raffinement, exaltée à l'idée de découvrir la capitale au bras d'un homme fort séduisant. Justin l'enlaça et cueillit un long baiser sur ses lèvres chaudes.

— Bonne nuit, ma bien-aimée, chuchota-t-il à son oreille. Il y a un cabinet de toilette derrière la petite porte, là, sur ta droite.

Isaure ferma sa porte à clef sans daigner lui répondre. Soulagée d'être enfin seule, elle se déshabilla et, en chemisette de linon, s'aventura dans le cabinet indiqué, équipé de tout le nécessaire. Après s'être rafraîchi le visage, les mains et les pieds, ce fut avec délice qu'elle se glissa dans le lit, le meilleur lit de sa jeune existence. Le matelas était souple et épais, alors que les oreillers et les draps fins exhalaient un parfum de lavande.

Réellement épuisée par sa journée, elle s'endormit aussitôt, l'esprit vide, après s'être quand même répété deux fois : «Je suis loin de tout, je me suis envolée, oui, envolée!»

Faymoreau, vendredi 31 décembre 1920,
coron de la Haute Terrasse

Honorine Marot considérait avec perplexité l'enveloppe que venait de lui remettre le facteur. Le cachet de la poste indiquant sa provenance, à savoir Paris, elle hésitait à l'ouvrir en présence de Jérôme. Soucieux de se rendre utile, son fils aveugle, accoudé à la table, la mine impassible, ses lunettes aux verres fumés sur le nez, épluchait des pommes de terre.

— Est-ce qu'il y aurait une carte postale d'Isaure? demanda-t-il cependant. Nous n'avons pas souvent de courrier, alors...

— Sois content, mon pauvre garçon, le facteur s'est arrêté chez nous ce matin et, oui, il y a une lettre d'elle.

— Lis vite, maman, je t'en prie.

— Autant patienter un peu. Ton père la lira en débauchant, ou Thomas.

Jérôme eut un rictus de contrariété. Une fois de plus, il en vint à maudire en silence son infirmité, qui le privait de tout ce qu'il y avait de bon dans la vie. «Si j'avais mes yeux, je pourrais gagner le cœur d'Isaure ou d'une autre jolie fille du pays. Je pourrais travailler, courir dans les bois et lire comme avant.»

Il apprenait le braille, mais il progressait lentement, ayant du mal à se concentrer. Honorine se leva et brassa de la vaisselle.

— Maman, sois gentille, lis donc la lettre, insista-t-il.

— Tout à l'heure, mon gars. Je dois rincer une casserole pour faire cuire nos patates. Je me fais du souci, Jérôme. Si l'argent nous manquait, bientôt! Nous n'avons plus que la paie de ton père, maintenant que Thomas est marié, et nous sommes trois à manger. En plus, Gustave et moi avons l'intention de rembourser Isaure, même si elle nous a tourné la tête, au fond, avec ses idées extravagantes. Nous te rendrons tes sous, à toi aussi, même s'il nous faudra du temps.

La voix d'Honorine tremblait. Elle ne pouvait pas penser aux dépenses qu'avaient assumées Isaure et Jérôme sans être oppressée.

— Bien sûr, je ne regrette rien; j'ai pu rester près de ma petite Anne jusqu'à son dernier souffle. Mais de louer une maison pour deux semaines à Saint-Gilles, c'est des manières de riches, ça, comme de faire transporter le corps ici en corbillard. Non, franchement, j'aurais dû refuser. Sans doute que madame Aubignac avait versé des gages exorbitants à Isaure et que, toi, tu avais économisé ta pension de guerre, mais le résultat est là: tu es à sec, Isaure aussi.

Jérôme posa le couteau d'un geste mesuré. Il joua du bout des doigts avec les épluchures amoncelées devant lui.

— Maman, au moins, Anne s'est éteinte entourée

de sa famille, toute contente d'avoir un arbre de Noël et une boîte à musique. Ne va pas blâmer Isaure après coup!

Sa mère poussa un soupir anxieux. Elle jeta un regard méfiant à l'enveloppe bleue, qui faisait une tache claire sur le bois sombre.

— Je ne la blâme pas. Seulement, si elle s'amuse à Paris, c'est aux frais de ce policier. Les filles entretenues, elles ne finissent pas institutrices, non, elles prennent goût au luxe et aux distractions. Isaure ne reviendra peut-être jamais et je lui souhaite surtout de se marier rapidement afin de garder son honneur, à Paris ou ailleurs.

— Elle reviendra! répondit l'infirme d'un ton dur.

— Bah, nous verrons ça. Seigneur, tout va de travers. Songe un peu, il y a une semaine, Anne respirait encore. Je n'avais plus d'espoir, mais on peut croire au miracle. Et Thomas, hein, quelle mouche l'a piqué, ton frère? Il est allé quémander une place à la minoterie. On ne lui a rien promis avant six mois. Là aussi, le résultat n'est pas brillant, il a perdu deux jours de salaire. Il a eu de la chance d'être repris au puits du Centre grâce à Grandieu. Penses-tu, maintenant qu'il est porion, il a de l'influence, mais, comme il l'a dit à ton père, c'est par amitié pour nous tous qu'il est intervenu en faveur de ton frère.

Jérôme hocha la tête, un peu las des récriminations de sa mère. Sans donner son avis, il trouva à tâtons la lettre d'Isaure et la porta à son visage pour humer le papier dont l'odeur lui plaisait.

— Pauvre garçon, donne-moi ça, je vais la lire, puisque tu te rends malade. Ah, c'était bien la peine, aussi, de nous rebattre les oreilles avec vos prétendues fiançailles. Et, puisque j'en cause, j'aurais préféré que vous deveniez mari et femme. La dette que nous avons envers Isaure me pèserait moins sur l'estomac. Admets-le, Jérôme, elle n'est pas de notre famille et elle n'en sera jamais.

— Qu'est-ce que tu as ce matin, maman? Pourquoi t'en prends-tu à Isaure comme ça?

— Eh bien, sa conduite me déçoit. Partir à Paris mener la belle vie, alors que nous venons d'enterrer Anne!

Excédé, l'aveugle haussa les épaules et décacheta habilement l'enveloppe. Il déplia la feuille et en extirpa une carte postale.

— Donne donc, insista sa mère. Pardi, elle a envoyé une vue de la tour Eiffel. Tu parles d'une drôle de tour, tout en ferraille!

Jérôme eut un sourire en coin d'une infinie tristesse. Certain de n'avoir plus aucune chance d'épouser Isaure, il continuait à lui vouer un amour intense, dans lequel entrait cependant une grande part d'affection et de respect.

— Je suis content pour elle, dit-il. Elle a le droit de découvrir le monde, elle qui est si instruite. Veux-tu lire la lettre, maman?

Honorine s'assit à la table et déchiffra avec application les lignes tracées par Isaure dans la lointaine capitale. La jeune fille commençait par *Mes très chers amis*, ce qui acheva d'irriter la brave femme à son égard.

— Elle aurait pu mettre nos noms, quand même, s'offusqua-t-elle aussitôt. En voilà, des façons!

— Maman! protesta l'infirme. On s'en fiche. Lis, bon sang!

— *Mes très chers amis*, reprit-elle, *je suis vraiment enchantée par tout ce que je vois à Paris, qui est une ville immense et magnifique. J'ai déjà visité le musée du Louvre, Notre-Dame et l'église du Sacré-Cœur, à Montmartre. Quant à la tour Eiffel, dont je vous joins une vue, j'ai refusé d'y monter, craignant d'avoir le vertige une fois là-haut.*

Sinon, madame Devers, qui m'a reçue avec tant de gentillesse, est une dame charmante, d'une excellente éducation. Le soir de mon arrivée, je n'étais pas très à l'aise, mais, ensuite, nous avons sympathisé. Hier soir, nous étions à l'Opéra où on jouait le ballet Casse-Noisette, *et c'était merveilleux. Je portais une robe du soir empruntée à une cousine de Justin Devers et j'avais l'impression d'être une véritable élégante, dans une loge tapissée de velours rouge...*

Jérôme écoutait et laissait aller son imagination, un sourire réjoui sur les lèvres, à présent. Il croyait entendre de la musique interprétée par un orchestre invisible et, en esprit, il habillait Isaure d'une toilette somptueuse, se la représentant décolletée, admirée de tous et surtout de l'inspecteur de police.

— *Enfin, malgré tous les agréments de mon séjour,* poursuivit Honorine d'une voix monocorde, *j'ai hâte de reprendre le train et de me retrouver à Faymoreau, même si j'ignore combien de temps je pourrai loger dans le pavillon des Aubignac, même si je dois travailler dès mon retour. Paris me plaît, mais c'est tellement animé et bruyant que la campagne me manque. J'espère que vous ne m'en voulez pas trop d'être partie ainsi. Je n'ai pas pu refuser une offre aussi généreuse de la part de madame Devers, qui est de santé fragile. Je lui ai beaucoup parlé de vous tous, de notre chère petite Anne, du village minier, des corons, du terrible accident du 11 novembre. Je vous adresse toute mon affection et je serai là le mardi 4 janvier. Isaure.*

Honorine fixa la feuille avec perplexité, puis la replia. Tout bas, sur un ton réprobateur, elle dit à son fils :

— Quand même, ce n'est pas sérieux, son histoire. Pourquoi cette dame, la mère du policier, l'aurait-elle invitée sans la connaître? Et elle n'en cause pas, de lui. Pourtant, il n'a pas dû la quitter souvent. On ne sort pas sans un homme, dans une ville pareille.

Des coups frappés à la porte empêchèrent Jérôme

de répondre. Tout de suite, Jolenta fit irruption dans la pièce, un foulard noué sur ses cheveux blonds. Elle tenait un petit panier à bout de bras.

— Bonjour, belle-maman, bonjour, Jérôme, s'écriat-elle. Je venais vous emprunter des œufs et du sucre. Je voudrais faire un gâteau pour ce soir, puisque c'est la veille du jour de l'An. Nous le mangerons ensemble.

— Tu m'as déjà emprunté de la farine et du beurre hier, fit remarquer Honorine. Allons, ne fais pas cette mine, nous n'avons qu'à le préparer ici, le gâteau.

— Thomas a perdu deux jours de salaire, se plaignit la jeune Polonaise. Il ne touchera pas de paie avant lundi prochain.

— Et à qui la faute? insinua Jérôme. Tu avais bien besoin de lui monter la tête, de le pousser à abandonner sa place de piqueur. Le nouveau directeur pourrait bien recruter de nouveau des types à l'étranger, en Belgique ou en Pologne.

— Mais Grandieu a repris Thomas dans son équipe, se défendit Jolenta.

— Vous avez eu de la chance, renchérit Honorine. Si je le pouvais, j'y retournerais, moi, travailler au criblage. Je ne suis pas si vieille!

Vexée, Jolenta s'indigna sans rien répliquer, le visage fermé, les lèvres pincées. Soudain, elle avisa la carte postale d'Isaure, restée sur la table à côté de l'enveloppe.

— Vous avez eu des nouvelles de Paris, dit-elle d'un ton dur. Isaure Millet, sous ses petits airs fiers! Elle n'a pas honte de filer avec un homme et de le faire payer, sûrement.

— Tais-toi, ordonna Jérôme. Le faire payer! Et quoi encore?

— C'est forcément l'inspecteur qui a payé le train et les sorties là-bas, non? ajouta la jeune femme, une main sur son ventre arrondi. Je n'ai rien dit d'autre, Jérôme, mais, ce genre de fille, à Paris, on les appelle des grues[1]. Thomas me l'a expliqué hier soir.

— Là, tu exagères, Jolenta, protesta l'aveugle. Une grue, c'est une putain et, si tu traites Isaure ainsi, tu auras affaire à moi.

— Allons, allons, pas de vilains mots sous mon toit, Jérôme, trancha Honorine, choquée par la grossièreté de son fils. Et toi, Jolenta, ne cause pas sans savoir. Tiens, approche du buffet, je vais te donner trois œufs et un bol de sucre, mais pas davantage, hein! Les temps sont durs. Gustave est inquiet, sais-tu, parce que le nouveau directeur, ce Fournier, a inspecté les galeries avec un ingénieur et il prétend que les boisages sont à consolider, peut-être à changer. S'il décide de mettre les mineurs sur ce chantier-là, la paie sera encore plus maigre.

Jolenta ne parut pas affectée par cette menace. Elle se sentait à l'abri de la misère, mariée à l'homme qu'elle aimait, bientôt nantie d'un beau poupon et surtout débarrassée pour longtemps, à son avis, de la jolie Isaure.

— Thomas ne chômera jamais, dit-elle avec assurance. Et j'ai raison de vouloir lui faire quitter la mine, c'est dangereux. Bon, je vous laisse. À ce soir. Merci pour les œufs et le sucre.

Elle sortit d'un pas tranquille sous le regard navré de sa belle-mère.

— En voilà une qui a bien changé depuis ses noces, murmura Honorine. On lui aurait donné le bon Dieu sans confession, mais, plus ça va, plus elle montre un drôle de caractère.

---

1. Terme souvent employé au début du siècle pour les prostituées ou les femmes entretenues.

Jérôme demeura silencieux. Son infirmité le rendait sensible aux moindres nuances d'une voix, à la qualité des bruits et aux odeurs. Il se souvenait de Jolenta telle qu'il l'avait vue pendant la guerre, avant d'être mobilisé, une ravissante blonde aux joues rondes toujours colorées et aux grands yeux d'un bleu pâle. Elle parlait mal le français et son accent polonais l'amusait, mais de toute sa personne se dégageaient une douceur et une timidité qui faisaient sa séduction. Maintenant, il percevait chez elle une nature plus ardente et une sorte de colère sourde qui durcissait ses intonations naguère chantantes et caressantes.

— Je crois qu'elle souffre, maman, hasarda-t-il enfin, depuis que son frère a été amputé et qu'on a envoyé son père en prison alors qu'il était innocent. Même si Pierre a survécu et a obtenu un poste de palefrenier, même si Stanislas a été lavé des charges qui pesaient sur lui, Jolenta en veut au monde entier.

« Et à Isaure en particulier », se dit-il, sans oser préciser le fond de sa pensée.

— Et moi, est-ce que je ne souffre pas, mon pauvre garçon ? J'ai le cœur brisé. Si je pouvais, je passerais ma journée à pleurer, mais j'attends la nuit, quand mes larmes ne dérangent personne.

L'aveugle hocha la tête. Il jugea inutile de signifier à sa mère, déjà suffisamment éprouvée, qu'elle avait auparavant évacué son chagrin et son amertume en critiquant Isaure. Apitoyé, il lui tendit la main, dont elle étreignit vite les doigts en refoulant un sanglot.

*

Thomas, lui, ayant repris son dur labeur de piqueur, éprouvait un singulier apaisement. Allongé sur le sol, il arrachait à la roche des morceaux de houille d'un geste ferme et régulier. Il entendait derrière lui les respirations mêlées de son père, de son beau-père et d'un jeune mineur qui avait intégré leur équipe. Eux aussi trimaient avec énergie, dans la même position incommode que lui, mais l'heure de la pause approchait et il se réjouissait de passer ces précieux instants en leur compagnie.

Plus loin, il percevait le roulement des berlines et le bruit que faisaient les sabots des chevaux sur la pente inclinée menant à la cage. Un peu ému, il évoqua le hangar dévolu au triage où si souvent il avait cherché le joli visage de Jolenta parmi les autres femmes employées là. «Mon épouse, ma belle épouse, songea-t-il, à qui je dois respect, protection, amour, fidélité!»

Le fait de savoir Isaure à Paris avec son amant avait libéré Thomas du plus gros de ses angoisses. Soulagée elle aussi, Jolenta s'était montrée d'une humeur joyeuse et si câline qu'il en trembla intérieurement, saisi d'un désir brusque qu'il se promit de satisfaire en la retrouvant. Ils avaient connu deux nuits de folie amoureuse où, malgré sa grossesse, Jolenta s'était offerte sans retenue, oubliant toute pudeur, soumise à ses caprices. «Bon sang, tout s'arrange, se dit-il encore. Ma femme m'adore et je l'aime comme un fou. Je devais avoir l'esprit et le cœur à l'envers pour embrasser Isaure, qui est mon amie, même ma sœur. Oui, tout est rentré dans l'ordre.»

Il incluait dans ce retour à la normale la sueur sur son front et la clarté blafarde de sa lampe frontale, qui balayait de son faisceau bleuâtre la veine de charbon aux reflets de jais. Il était à sa place dans les profondeurs de la terre et, ce matin-là, il se demandait comment il avait pu quémander un emploi à la minoterie.

On l'avait accueilli avec de grands sourires, des accolades et des tapes dans le dos, comme un gamin se repentant d'une sottise. Sa plus belle récompense avait été le rire larmoyant de Pierre, son petit beau-frère, dans la salle des pendus.

— Ah, tu es là, Thomas, avait-il bredouillé, violemment ému.

Mal assuré sur sa jambe de bois et sa canne, Pierre Ambrozy était devenu l'incarnation de son devoir à lui, Thomas Marot. Il avait compris qu'il n'abandonnerait plus ses camarades du puits du Centre, qu'ils avaient besoin de lui et que c'était réciproque.

— Oh, fils, on arrête! lui cria son père, l'arrachant à sa rêverie.

Bientôt, les quatre mineurs furent assis sous une partie plus haute de la faille qu'ils exploitaient à grands coups de pics. Chacun sortit d'un sac en toile le casse-croûte préparé à l'aube.

— Mon briquet[2] est bien chiche, déclara le nouveau venu dans l'équipe, Claude Chaumont.

— Ah, tu viens du Nord, n'est-ce pas? s'esclaffa Gustave.

— Eh oui, là-haut, on dit un briquet. Pas chez vous?

— Si, ça dépend des gars, commenta Thomas. On s'offre des pessailles[3], ici.

Il présenta sur sa paume deux larges tranches de pain garnies de haricots blancs, d'où s'élevait une odeur piquante d'ail.

— J'étais piqueur du côté de Valenciennes, mais j'ai voulu voir du pays, précisa le jeune homme avec un accent traînant.

---

2. Nom donné au casse-croûte des mineurs, dans le nord de la France surtout, souvent deux tranches de pain garnies de beurre ou de pâté.

3. Tartines, en patois vendéen.

— Si tu n'es pas rassasié, dit Ambrozy d'un ton aimable, j'ai du fromage et une pomme.

— Merci bien, je ne suis pas si affamé.

Il mordit néanmoins avec voracité dans son unique tartine, assez mince, mais luisante de beurre. Gustave lui proposa un gobelet de chicorée tiède qu'il refusa par politesse.

— J'ai de l'eau sucrée, ça m'ira. Merci!

Un hennissement strident venant de la galerie de roulage la plus proche les fit tous sursauter. Un cri de panique suivit tel un écho tragique à l'appel affolé de l'animal. Courbé en deux, Thomas bondit précipitamment sur ses pieds et se mit à courir. Il déboula, très inquiet, auprès de Macaire, le palefrenier en chef, qui tenait non sans difficulté un cheval dont la robe blanche était couverte de sueur. Plaqué contre la paroi, Pierre s'efforçait de calmer Danois, le hongre noir qu'il chérissait tant.

— On vient de le descendre pour remplacer le vieux Pacha, cria Macaire, mais il a peur. Si je le lâche, il va filer droit devant lui. Il risque de se tuer et ce sera encore heureux s'il ne blesse personne en chemin.

— Qu'est-ce que je peux faire? demanda Thomas plein de courage, même s'il n'était guère habitué à approcher une bête de cette taille et de surcroît ivre de frayeur.

— Préviens les galibots qui arrivent par la galerie de droite. Une fois qu'il sera dans l'écurie, y aura moins de danger.

Pierre se cramponnait à la corde de Danois, qui s'ébrouait et renâclait bruyamment, les yeux dilatés.

— Faut pas qu'ils se battent, lança-t-il d'une voix tremblante à Thomas. Le blanc, là, il m'a l'air méchant. Il ne fera jamais un bon cheval de mine.

— Qu'est-ce que tu en sais, gamin? tonna le vieux palefrenier. Il va s'habituer. Ils s'habituent tous. C'est la descente dans la cage, où ils sont ligotés, qui leur tourne les sangs.

Mais l'animal continuait à tirer sur sa longe, le regard fou, en essayant de se cabrer pour frapper de ses sabots l'homme qui le maîtrisait d'une prise implacable.

— Fan de vesse, y vient d'où, ce démon? grogna-t-il. Les chevaux que nous vend Millet sont bien plus dociles. Celui-ci, allez savoir s'il est dressé, seulement! Paraît que le nouveau directeur s'est occupé de l'achat. Il n'y connaît rien, ouais!

Thomas s'éloigna à contrecœur. Il voyait Pierre adossé au rocher, apparemment mal assuré sur ses jambes, et il craignait un accident. Mais il n'eut pas le temps de faire trois pas. Un hennissement plus aigu encore retentit, lui glaçant le sang, suivi d'un cri de détresse et d'un choc sourd.

— Pierre! appela-t-il en faisant demi-tour aussitôt.

Déjà, Gustave, Stanislas et Claude Chaumont accouraient, ainsi que des mineurs d'une taille voisine. Le sinistre spectacle qui leur apparut à tous prenait dans l'éclat vacillant des lampes une connotation cauchemardesque. Le cheval blanc avait réussi à se libérer et attaquait Danois en le mordant à l'encolure et au flanc. Mais le brave animal, surpris, s'était rejeté d'instinct vers Pierre, autant pour le protéger que pour échapper aux dents de son agresseur.

Ambrozy poussa un juron tonitruant en polonais et saisit la grande bête folle par son licol. Il ôta sa veste en toile à toute vitesse et en couvrit la tête de l'animal qui recula, surpris. Sans cesser de lui parler dans sa langue natale, il put l'entraîner en direction de l'écurie.

Gustave, lui, se penchait sur le vieux palefrenier étendu inerte sur le sol, face contre terre.

— Seigneur Dieu, ce n'est pas possible, gémit-il en retournant l'homme avec précaution. Oh, Macaire, dis quelque chose!

L'homme cligna les paupières. Il eut un regard d'agonie et balbutia, le souffle court, un filet de salive rosâtre au coin des lèvres :

— Je suis touché… la poitrine, il a rué, le démon…

Thomas vint aux nouvelles, tandis que Pierre caressait Danois en lui chuchotant des paroles de réconfort. L'adolescent n'osait pas suivre son père, qui avait disparu avec le cheval blanc au fond de la haute galerie boisée menant à l'écurie.

— Ouvre sa chemise, papa, qu'on voie où il est blessé, dit-il à Gustave.

— Mon Dieu, s'écria Claude, le nouveau piqueur, quand il vit les traces violettes qu'avaient laissées les sabots ferrés de la bête sur le torse de Macaire.

— J'vais crever, marmonna l'homme, haletant.

— Mais non, on va te soigner, affirma Gustave. Thomas, cours avertir Grandieu. Que les gars les plus proches trouvent une grande toile; on le transportera couché dessus.

— Faudra confier les chevaux à Ambrozy, déclara faiblement le palefrenier. Lui et son gosse, ils les connaissent bien. Moi, même si je m'en tire, je suis bon pour la retraite.

Pierre réprima un sanglot, secoué par ce qui venait de se passer. Tout était arrivé si vite, et dans la plus grande confusion. Il appuya son front contre l'encolure sanglante de Danois afin de cacher ses larmes.

*

Une heure plus tard, le vieux Macaire était allongé sur un lit de l'infirmerie, située au premier étage de l'*Hôtel des Mines* de Faymoreau. Le médecin de la compagnie, Jean Farlier, venait de l'examiner. Il hochait la tête d'un air soucieux. Seul Gustave Marot avait été autorisé à rester auprès du blessé.

— Est-ce que c'est grave, docteur? interrogea Christian Fournier, présent lui aussi.

Il avait troqué son élégant costume trois-pièces de directeur pour un pantalon en velours et un pull en laine.

— S'il était jeune encore… rétorqua Farlier. Il a trois côtes de cassées et sûrement un poumon perforé. Il faut l'envoyer à l'hôpital, sinon je ne réponds de rien.

— Dites, vous pouvez me causer en face, protesta le palefrenier. Je n'ai pas perdu la boule.

— Je répondais à monsieur Fournier, mon pauvre homme, mais je comptais m'adresser à vous par la suite. Allons, on va vous sortir de là. Je vais demander une ambulance à Fontenay-le-Comte. Vous avez eu de la chance; si le cheval avait frappé plus haut, c'en était fait de vous.

Macaire approuva d'un mouvement de tête convaincu. Gustave lui tapota amicalement le bras.

— Bon, je te laisse entre bonnes mains. Ne t'en fais pas, je passerai prévenir ta femme.

Le mineur scruta alors les traits un peu hautains du nouveau directeur de la compagnie. Un détail le tracassait et il se permit d'en parler franchement.

— Sauf votre respect, monsieur Fournier, d'où vient l'animal qu'on a descendu dans le puits du Centre aujourd'hui? Je sais bien qu'il fallait remplacer le vieux Pacha, qui est mort dans le coup de grisou du mois dernier, mais toutes les bêtes ne sont pas capables de s'accoutumer à la vie sous terre. Le cheval qui a blessé Macaire m'a paru mauvais et trop nerveux.

Christian Fournier fit mine de réfléchir un moment. Il avait perçu le ton de reproche du dénommé Gustave

Marot, dont on lui avait vanté les qualités. Cependant, afin de ne pas perdre la face, il nia l'évidence.

— L'animal s'est affolé. Ce sont des choses qui arrivent aux plus calmes, dans ces circonstances. Je l'ai choisi hier soir chez un de mes amis. Il n'y aura plus d'incident, soyez sans crainte.

Gustave s'inclina sans daigner poursuivre la discussion. Il sortit de la pièce le cœur lourd. «Au moins, Marcel Aubignac faisait confiance à Macaire pour ce qui concernait les bêtes de la mine, songea-t-il. Ce blanc-bec se croit malin, mais je parie qu'on aura vite des soucis.»

Dès qu'il fut à l'extérieur de l'imposante bâtisse, il alluma une cigarette en observant l'alignement des cheminées des corons, toutes surplombées d'un panache de fumée. Il imagina Honorine occupée à cuisiner pour le repas du soir, pressé de la revoir et de l'embrasser sur le front. Puis ses pensées allèrent à leur petite Anne, seule là-bas dans la terre froide. Il avait emprunté de l'argent à Grandieu, la veille, pour acheter une jolie couronne en perles destinée à orner la modeste tombe de leur enfant. «Encore une dette, se dit-il. Mais je ne regrette pas. Dieu m'est témoin que notre pauvre mignonne méritait bien ça.»

Thomas le rejoignit, le visage grisâtre, maculé de poussière de charbon, les vêtements boueux. Inquiet quant au sort de Macaire, il venait aux nouvelles.

— Alors, papa?

— On l'envoie à l'hosto, fiston. Bon sang, la peur que j'ai eue! Après le meurtre de Boucard et le coup de grisou qui a tué deux de nos camarades, il n'aurait manqué que ça, enterrer un autre brave homme. Ambrozy et Pierre, comment s'arrangent-ils?

— Je leur ai rendu visite à l'écurie. Stanislas a soigné Danois; les morsures n'étaient pas trop profondes, juste de la peau arrachée, mais le gamin en était malade.

Sinon, ils sont d'accord tous les deux, le cheval blanc est vicieux. Il s'en est pris à son voisin de stalle, le gros roux. Tu parles d'une malchance! Je ne voudrais pas que Pierre prenne un sale coup à cause de ce maudit animal.

Gustave haussa les épaules et confia tout bas à son fils les propos arrogants du nouveau directeur.

— Il faut s'attendre à du grabuge, avec ce genre de type. Viens donc, Thomas, paraît qu'on mange ensemble, ce soir.

— Oui, Jolenta devait faire un gâteau aux noix. J'ai invité Stanislas et Pierre. Hé, on change d'année! Ça se fête, papa!

Ils échangèrent un sourire désabusé et se dirigèrent en silence vers le coron de la Haute Terrasse.

4

Les doutes d'Isaure

Paris, boulevard des Capucines, même jour

L'appartement était plongé dans un agréable clair-obscur, les fenêtres du salon aux persiennes ouvertes laissant entrer l'éclat des réverbères auquel s'ajoutait la lumière vive des nombreuses illuminations du boulevard.

À demi nue, Isaure demeurait lovée sur la méridienne tapissée de velours rouge qui faisait face à la cheminée, où Justin avait allumé un petit feu.

Il louait le logement meublé, si bien que, deux fois déjà, la jeune femme et lui avaient dîné là après de langoureuses étreintes, soit dans la chambre, soit dans ce salon au décor bourgeois un peu désuet. Le couple venait de faire l'amour et se prélassait.

— Ma poupée chérie, chuchota le policier à l'oreille de sa maîtresse, j'appréhende notre séparation. Plus que trois jours à être ensemble…

Il ponctua cet aveu d'un baiser, tout en caressant l'épaule ronde d'Isaure. Après la querelle du premier soir, ils s'étaient réconciliés le lendemain matin même sur l'esplanade du Trocadéro d'où on pouvait admirer avec le recul nécessaire l'extraordinaire architecture de la tour Eiffel.

Conquise par Paris, Isaure avait cédé à une exaltation presque enfantine, entraînée malgré elle dans une ronde de promenades, de découvertes et de bons repas pris au hasard de leurs pérégrinations.

— Trois jours, c'est long, quand même, répliqua-t-elle en lui souriant avec tendresse.

— Pas assez à mon goût, dit-il gravement. J'aimerais te garder toujours ici et quitter mon poste à La Roche-sur-Yon. J'ai accepté d'être nommé là-bas parce que j'avais des envies de campagne. Maintenant, je n'ai qu'une envie, revenir habiter Paris avec toi, Isaure.

Surprise, elle rajusta les bretelles de sa chemisette en linon afin de voiler sa poitrine. Sa longue chevelure dénouée encadrait son visage doré par les flammes. Il perçut l'intensité soudaine de son regard.

— Que veux-tu dire, Justin?

— Isaure, si tu acceptais de m'épouser… C'est la première fois que je te le demande sans plaisanter, le cœur battant à se rompre, tant je suis ému. Je t'aime comme un fou. Je te rendrai heureuse. Maman est prête à t'engager à la place de Mado qui, de son côté, souhaite partir en Bretagne chez ses parents. Tu serais sa dame de compagnie quelques mois, le temps de solliciter une place d'enseignante. J'abandonne la police pour devenir détective privé. J'en avais l'intention depuis un moment.

Nerveuse et désemparée, Isaure éclata de rire.

— Détective privé? Le métier existe vraiment? Je pensais que c'était une invention de romancier.

— Ne te moque pas, protesta-t-il, c'est une activité rentable. Il y en a beaucoup dans la capitale.

Justin la contempla, éperdu, fasciné par sa beauté. À son insu, elle dégageait une sensualité irrésistible qui le terrassait. Sa bouche boudeuse, sa peau nacrée soyeuse, son corps splendide lui conféraient une puissance éternelle, celle de l'idole féminine capable de réduire en esclavage l'homme qui croyait la posséder.

— Je t'aime, lâcha-t-il simplement d'un ton désespéré. Je refuse de te perdre. Si tu rentres à Faymoreau, les jours merveilleux que nous venons de vivre n'auront servi à rien, je…

— Chut! s'exclama-t-elle en lui posant l'index sur les lèvres. Tu te trompes, Justin. Je n'oublierai jamais ce que tu m'as offert, la liberté d'abord, oui, la sensation formidable d'être libre, délivrée de la tutelle de mon père, de sa violence et de sa cruauté. Ensuite, toutes ces choses que tu m'as fait connaître : les peintures du musée du Louvre, le ballet, à l'Opéra… C'était féerique, je me croyais au paradis, la musique me bouleversait et tu étais près de moi. J'ai eu l'impression d'être la bergère des contes qu'un prince a conduite dans un pays enchanté.

— Dans les contes, il me semble que le prince épouse la bergère et l'emmène dans son château. Bon, je n'ai que cet appartement en guise de palais, mais il est bien situé, sur un des boulevards les plus animés de Paris, avec des théâtres, des cinémas, des brasseries et ainsi de suite. Les distractions de la capitale sont inépuisables, ma chérie. En plus, tu échapperais définitivement à tes parents, à ce sinistre village minier où tu finiras par t'étioler.

Justin comprit aussitôt qu'il avait commis une erreur. Isaure eut un frémissement brusque et détourna la tête. Il devina qu'elle songeait à Thomas, l'astre à forme humaine qui gravitait autour de Faymoreau pour elle seule.

— Il y a quand même mon frère Armand, à Luçon, et Geneviève qui est une amie. En plus, ce serait incorrect de renoncer à enseigner là-bas, puisqu'on m'a accordé le poste.

Agacé, il réprima un soupir. Elle lui prit la main qu'elle étreignit.

— Ne te méprends pas, Justin, je suis la première à

désirer ne plus jamais revoir Thomas et, si on se mariait, si je vivais à Paris, ce serait une excellente solution. Mais je préfère être sincère, je ne me sens pas prête. Pourquoi ne pas continuer ainsi?

Il alluma un cigare sans lui répondre, tandis qu'Isaure se levait et allait se réchauffer devant la cheminée. La clarté du feu auréola d'un liseré orangé sa silhouette adorable et ses jambes nues. Si fine qu'elle en était transparente, sa chemisette révélait ses cuisses, mais aussi, à travers le linon blanc, le dessin de ses hanches et de sa taille.

— Bon sang, ça deviendrait immoral, à la longue! dit-il d'une voix dure. Avoue tout de suite que je te plais comme amant, mais pas comme mari. De quoi es-tu faite? Il y a peu de filles de ton âge disposées à coucher régulièrement avec un homme sans avoir la bague au doigt. Au fond, je te déshonore. Tu es d'accord, n'est-ce pas? Mais tu apprécies!

— Peut-être bien, rétorqua-t-elle en se retournant et en le défiant de ses yeux de porcelaine.

La bouche sèche tant il était ému, Justin fut saisi d'un besoin insensé de brutalité pour la dominer, pour contrer sa soif absurde d'indépendance. Il rêva de la plier à sa volonté, de l'étourdir d'un plaisir sauvage sans les précautions habituelles, dans l'espoir stupide de lui faire un enfant.

— Ne te lève pas, s'écria-t-elle, ne me touche pas! Je connais l'air que tu as. Mon père avait le même quand il était furieux et qu'il se ruait sur moi pour me frapper.

L'allusion fit retomber la tension malsaine qui s'était emparée du policier.

— N'aie pas peur, enfin, je ne te ferai pas de mal, bredouilla-t-il, effrayé par ce qu'il avait éprouvé.

Pourtant, Isaure se méfiait. Elle contourna la méridienne et ramassa sa jupe et sa robe en cherchant vainement du regard son corset en satin. Entièrement nu, Justin dénicha la pièce de lingerie sous un coussin et la lui tendit.

— Pardonne-moi, j'ai eu tort, soupira-t-il. Faisons à ton idée. Je ne peux pas t'obliger à m'épouser, puisque tu ne m'aimes pas.

Elle s'immobilisa, sur la défensive, l'air bouleversé.

— Mais, Justin, j'ignore même la façon dont je t'aime. Il y a deux mois, tu ne savais pas que j'existais et moi non plus. Pourquoi se marier si vite? Je voudrais profiter de ma nouvelle vie, ici ou à Faymoreau, sans me séparer de toi.

Il eut honte de son réflexe de dominateur, attendri qu'il était par sa franchise et son expression de fillette craintive. Confrontée à l'autorité masculine, sensible à la moindre menace de violence, Isaure souffrait.

Soudain gêné par sa nudité, il enfila vite son caleçon et son pantalon, puis sa chemise qu'il négligea de boutonner. Il s'approcha d'elle les bras tendus, les traits altérés, le regard affolé.

— Je ne recommencerai jamais à te parler ainsi ou à brûler les étapes, ma chérie. Si j'ai gâché mes chances, tant pis pour moi. Nom d'un chien, qu'est-ce qui m'a pris? Isaure, je n'ai aucune excuse, mais, sache une chose, tu es plus importante que tout pour moi. Je ne savais pas qu'on pouvait aimer aussi fort, aimer jusqu'à en perdre la tête. Je t'assure, je n'ai pas l'intention de te bousculer, non, loin de là, j'ai envie de toi, ça me torture, je te veux comme si c'était un moyen de te gagner à ma cause, de te persuader de lier ton sort au mien.

Il cherchait des mots forts, et il en balbutiait, tellement soucieux de prouver son amour qu'il en était pathétique aux yeux de la jeune femme. Mais elle subissait la séduction qui émanait de lui, car il se montrait à la fois ardent et humble, passionné et effrayé.

— Arrête, je t'en prie, dit-elle tout bas, ne t'humilie pas, surtout. Je te pardonne, si ça te soulage.

— Embrasse-moi, alors, murmura-t-il en l'enlaçant avec fièvre. Ma beauté, mon papillon, je te veux encore, toujours, là, maintenant!

Isaure lui abandonna sa bouche, troublée de le voir dans un état proche du délire amoureux. Justin possédait une arme à son insu, à savoir l'impérieux désir charnel qu'il éveillait en elle en la serrant contre lui et en s'emparant de son corps. Sous ses mains chaudes et habiles, elle s'alanguissait, incapable de lutter, envahie de sensations enivrantes. Son jeune corps prenait feu et répondait aux caresses de l'homme sans pudeur ni limites.

Justin l'entraîna vers la méridienne et l'appuya au dossier, debout derrière elle. Il la pénétra ainsi d'un élan frénétique, dans cette position qu'ils n'avaient jamais expérimentée.

Étonnée, Isaure poussa un léger cri en succombant à un plaisir exacerbé qu'augmentaient les plaintes sourdes de son amant à son oreille. Elle l'accompagna dans ses mouvements, hagarde, les jambes tremblantes sous ses assauts, puis elle se tétanisa, se mordant les lèvres pour ne pas hurler.

Quand il voulut se retirer, elle poussa un faible gémissement de déception. Pendant quelques minutes, elle demeura éblouie, les paupières closes. Des spasmes qui naissaient au creux de ses reins la secouaient encore. Jamais elle n'avait atteint ce seuil de jouissance. Elle avait les joues brûlantes et le souffle rapide.

— Je suis désolé, marmonna Justin sans bien savoir pourquoi.

— Ne le sois pas, répliqua-t-elle d'une voix étrangement feutrée.

Elle redoutait de le revoir, honteuse, comme s'il pouvait lire dans ses pensées et déceler sa trahison. C'était arrivé contre son gré, Isaure l'aurait juré. Prise au piège de son propre plaisir, ravie, emportée par des vagues successives de volupté, elle avait osé imaginer qu'il s'agissait de Thomas, qu'il geignait en ahanant en elle, acharné à la posséder, à user et à abuser de son sexe de femme. Dans un instant fabuleux, l'extase l'avait soulevée et transportée, une extase si forte et si merveilleuse que son cœur cognait encore à grands coups, que son corps était toujours parcouru d'ondes délicieuses.

— Je ne t'ai pas fait mal, au moins, s'inquiéta Justin.

— Mais non, et tu le sais très bien, dit-elle.

Il se rapprocha et voulut la cajoler. Souvent, après s'être donné du plaisir, ils s'accordaient de longs moments de tendresse. Cette fois, Isaure le repoussa.

— Tu n'as rien à te reprocher, déclara-t-elle. C'était agréable, et même beaucoup plus. Maintenant, il faut rentrer. Ta mère nous attend pour le souper de minuit.

— Isaure, qu'est-ce que tu as? Regarde-moi!

— Je cours dans le cabinet de toilette. Nous sommes en retard.

— Isaure, ne te sauve pas sans me répondre! Je t'ai déçue, tu m'as trouvé grossier, de t'imposer ça?

Elle prit la fuite avec un imperceptible haussement d'épaules.

*

Une heure plus tard, Corinne Devers les accueillait en riant, heureuse de leur avoir préparé une collation raffinée qui serait arrosée de champagne. Elle les avait attendus en compagnie de la fameuse Mado, sa demoiselle de compagnie, une grande jeune femme rousse au nez busqué, pour lors vêtue d'une jolie robe verte.

— Voyez qui est venu me rendre visite, s'écria-t-elle en prenant la main d'Isaure. Mado, mon ange gardien.

— Quelle bonne surprise! renchérit Justin sans conviction.

Il était irrité et vexé par l'attitude d'Isaure, qui n'avait pas dit un seul mot sur le boulevard des Capucines, ni dans le taxi, ni dans le hall de l'immeuble. Elle avait répondu à ses questions par un oui ou un nom d'un simple hochement de tête.

— Il reste dix minutes avant les douze coups de minuit, fit remarquer sa mère, juste le temps de trinquer à la nouvelle année. Justin, débouche vite le champagne.

Il s'exécuta et remplit les quatre coupes en cristal posées sur la table, où s'alignaient des assiettes ornées d'arabesques dorées et garnies de victuailles plus alléchantes les unes que les autres.

— Du foie gras, du saumon fumé, des asperges, énuméra Mado en souriant. Même du crabe et de la galantine de volaille.

— Maman, tu as fait des folies, soupira Justin.

— C'est très appétissant, admit Isaure, qui était affamée. Merci, Corinne. Vous êtes si gentille!

Ils portèrent un toast dans un bel ensemble en l'honneur de la maîtresse de maison. Peu après, les cloches de l'église Saint-Sulpice se mirent à sonner, imitées par d'autres clochers. Le cœur de Paris résonnait de profonds tintements solennels, chaque paroisse célébrant le Nouvel An dans un concert assourdissant, dominé par le timbre puissant du bourdon de Notre-Dame.

Isaure écoutait, songeuse, remuée jusqu'aux tréfonds de son être; elle n'avait jamais rien entendu de semblable. C'était encore une fois à la dimension de la capitale, une sorte d'univers en soi qu'elle se représentait comme un large cercle lumineux et grouillant de vie sur la carte de France. Elle pensa ensuite à un autre point minuscule du globe terrestre, un modeste village minier aux confins de la Vendée. Là-bas aussi le clocher devait sonner, sous la férule enthousiaste du père Jean aux yeux clairs. «Est-ce qu'il neige, à Faymoreau? s'interrogea-t-elle. Est-ce que les Marot sont réunis autour d'un bon gâteau et d'une cafetière?»

Le cœur serré, elle évoqua son enfance, quand Thomas la tenait par la main et l'entraînait dans la cuisine d'Honorine où il faisait bon, où flottait l'odeur du café chaud. «Justin ne comprend pas que j'appartiens à ce pays où je suis née et où j'ai grandi, entre la mine et l'océan, se disait-elle. Je connais les bois aussi bien que les marais et, tant qu'à m'exiler, je préférerais vivre au bord de la mer dans une humble maisonnette.»

Corinne l'appela d'une voix douce, la tirant de sa rêverie.

— C'est l'heure de s'embrasser, chère petite, s'esclaffa-t-elle en la prenant par l'épaule.

Justin reçut deux bises rapides de Mado, après quoi il étreignit sa mère en lui couvrant le front de baisers. Isaure dut embrasser Mado à son tour et enfin son amant, qui lui tendit la joue.

— Bonne année, ma mie, chuchota-t-il. Et tous mes vœux de bonheur.

— Eh bien, et ce réveillon? s'écria Corinne.

Elle rayonnait, certaine que son fils allait se fiancer avec Isaure, qu'elle appréciait et qu'elle espérait retenir à Paris. Sa première impression s'était dissipée au fil des jours et de leurs entretiens en tête-à-tête durant lesquels elles avaient échangé des confidences. Pleine de bonnes intentions, Corinne tenait à l'instar de son fils à choyer la jeune femme, qui avait eu une enfance si pénible.

Mado grignota du bout des lèvres avant de prendre congé. Dès qu'elle fut sortie, Justin dit à sa mère:

— Elle s'en va en Bretagne plus tôt que prévu, je parie!

— Hélas oui! Ses parents ont insisté pour qu'elle me quitte à cette date. Que veux-tu, elle doit se marier et travailler dans le restaurant de la famille. J'étais à l'aise, avec Mado. J'aurai du mal à retrouver une jeune personne aussi efficace et discrète. Isaure, mon fils vous a-t-il fait part de ma proposition?

— Oui, madame, et je vous remercie de votre confiance, mais je ne peux pas accepter.

— Que c'est dommage! Pourtant, de vivre à Paris dans l'aisance au moins quelques mois, ce serait une belle opportunité pour vous. Je n'ai pas de santé; il m'est impossible de me débrouiller seule. Si Justin était près de moi, au moins! Mais non, il a été muté en province.

— Si vous faisiez venir une de vos nièces? hasarda Isaure, déterminée à rentrer en Vendée.

— Maman, voilà une excellente idée. Je suis sûr qu'Agnès sera enchantée de séjourner chez toi jusqu'à ce que tu engages une perle rare. Isaure est très attachée à son village et à ses amis, et elle tient à enseigner là-bas.

Sur ces mots, le policier se servit une deuxième coupe de champagne, en affectant un sourire ironique.

— Alors, il n'y a pas de fiançailles? déplora Corinne, prête à pleurer de dépit. J'avais deviné à cause de la bague, enfin, de l'absence de bague au doigt d'Isaure. Je suis triste, oui, très triste.

Elle essuya une larme et poussa un gros soupir. Terriblement confuse, Isaure lui prit la main.

— Madame, nous avons le temps, Justin et moi. Je crois que je suis trop jeune pour me marier.

— Trop jeune? s'étonna Corinne. Mais, quand on aime, l'âge ne compte pas. J'en suis un exemple.

— Maman, Isaure est différente. Elle fait partie d'une nouvelle génération, celle de l'après-guerre, expliqua son fils dans un souci de justification. Les femmes ont d'autres aspirations que jadis. Tenir un ménage, avoir des bébés et les élever dans l'ombre d'un homme souvent occupé ailleurs, cela ne les satisfait pas. Je viens d'admettre cette évidence à l'instant et je respecte davantage Isaure pour cela. Elle a soif de liberté; elle a reçu si peu d'amour qu'elle doute de ses sentiments à mon égard. Pardonne-moi, ma chérie, de parler de toi ainsi à ma mère, mais il faut clarifier notre situation. Nous verrons bien ce que nous réserve l'avenir! Tchin!

Et Justin, en riant, cogna délicatement sa coupe de champagne contre celle de la jeune fille. Le cristal émit une note limpide très haute qui vibra dans l'air tiède, pareille à une musique céleste.

Charmée, Isaure sourit. Encore une fois, l'inspecteur Devers et son esprit fantasque venaient de l'égayer, d'aplanir ses sautes d'humeur et de minimiser ses brusques revirements. Il tolérait tout d'elle, même ses contradictions, ses bouderies ou ses silences. Au fond, ils se ressemblaient beaucoup, tous les deux. «Si je pouvais l'aimer autant que j'aime Thomas! pensa-t-elle. Oh oui, si je l'aimais comme ça, je n'hésiterais pas une seconde, je l'épouserais.»

Mais, depuis des années, son cœur appartenait au jeune mineur.

*

Le train emportait Isaure, en ce dimanche pluvieux du 2 janvier 1921, le lendemain d'une journée passée rue Saint-Sulpice, chez Corinne Devers, en compagnie du reste de la famille. La tante Marthe et ses filles, Agnès et Thérèse, étaient venues déjeuner, escortées par deux cousins d'un âge respectable. Justin avait joué à la perfection son rôle de maître de maison dans l'appartement bien rempli où régnait une ambiance chaleureuse. Mais c'était cette ambiance même qui avait décidé Isaure à partir seule et sans attendre.

Elle avait fait bonne figure, pourtant. On l'avait présentée à tous comme une protégée du policier, non sans laisser poindre des allusions indiquant qu'elle serait peut-être une fiancée, dans l'avenir.

— Je me sens mal, je veux rentrer à Faymoreau, avait-elle avoué à son amant le soir, loin des oreilles indiscrètes.

— Pars comme prévu mardi. Au moins, je serai avec toi, s'était-il indigné.

— Non, je me fais l'effet d'être une intruse. Je ne suis pas de votre monde, Justin, avait-elle expliqué. Près de toi, ça peut toujours aller, ici ou en Vendée, quand tu es inspecteur dans la région, mais, dès que tu discutes avec ta mère et tes cousines, une belle complicité vous unit et vous abordez des sujets qui me dépassent, qui me sont indifférents. Je ne supporte plus de me forcer à chaque instant, de jouer un rôle, d'être aimable et polie, de rire même si je n'en ai pas envie. Je veux rentrer chez moi.

— Ah oui, à la métairie, auprès de tes chers parents! avait-il persiflé.

— Chez moi, à Faymoreau, dans le pavillon des Aubignac. Je peux y loger jusqu'au procès, c'est toi qui me l'as dit, comme madame Aubignac t'en a chargé. Si tu refuses de comprendre, c'est que tes belles paroles d'hier soir à mon sujet étaient de la poudre aux yeux.

— Non, j'étais sincère. Et puis, je n'ai nullement le droit de te retenir, n'est-ce pas?

Furieux dans son for intérieur, Justin avait eu la sagesse de ne pas insister. Il devait se plier à la volonté d'Isaure s'il voulait garder son estime et son amitié, à défaut de son amour. En regardant le train s'éloigner depuis le quai de la gare d'Austerlitz, il avait comparé la jeune femme à un joli félin capricieux ayant la bonté de faire souvent pattes de velours, mais capable de griffer si on le contrariait, si on le caressait à rebrousse-poil.

Isaure aurait été bien étonnée si elle avait lu dans les pensées de Justin. Pour l'instant, blottie contre la vitre du compartiment, sa voilette rabattue afin de s'isoler derrière ce fragile bout de tulle noir, elle s'interrogeait sur les doutes et les rêves qui la tourmentaient. Son besoin de fuir satisfait, elle se sentait faible et morose, privée du soutien de son amant. « Je ne sais vraiment pas ce que je veux, au fond, se reprocha-t-elle. N'importe quelle fille aurait sauté sur l'occasion. Vivre à Paris, être logée, nourrie et payée comme demoiselle de compagnie, se marier dans un milieu assez fortuné, que demander de mieux? Mais non, je n'avais plus qu'une hâte, revoir le clocher de Faymoreau, les bâtiments du puits du Centre, le hangar du criblage, et les corons, avec au loin les collines et le ciel de mon pays. »

Elle dut admettre néanmoins que Justin lui manquait déjà. Pendant presque une semaine, ils ne s'étaient pas quittés, hormis la nuit. Dépitée, Isaure contempla la banquette vide à ses côtés et imagina qu'il était là, son compagnon au regard brun doré et au sourire un brin moqueur. Elle se revit à son bras le long des quais de la Seine, lorsqu'ils flânaient devant les étalages des bouquinistes ou dans les larges couloirs du Louvre où il s'était montré un guide précieux. Il y avait eu les déjeuners ensemble et surtout les moments volés aux convenances boulevard des Capucines, leurs baisers, leurs étreintes brûlantes, impudiques, ardentes, dont le souvenir la fit rougir. « Pourquoi me séparer de lui pour me retrouver seule entre Thomas et Jolenta? Pourquoi courir le risque de retomber sous le joug de mon père? » déplora-t-elle en silence.

Exaspérée par ses propres tergiversations, Isaure

ferma les yeux et tenta de faire le vide dans son esprit. Le mouvement du convoi sur les rails la berçait, sans la dispenser d'être hantée par une foule d'images du passé, ou plutôt d'un présent trop récent pour être inoffensif. Elle songea au petit visage livide d'Anne, le lendemain de sa mort, et à ses mains jointes sur un crucifix. Elle crut entendre sa voix flûtée d'enfant malade lui vanter les beautés du paradis. Puis ce fut son père défiguré par la rage, ivre à tomber, qui la frappait du fouet réservé aux chevaux. Jusqu'à Orléans, elle ne put échapper à cette triste galerie de scènes vécues dans la souffrance et le chagrin, à laquelle s'ajoutait le retour de son frère Armand, devenu une gueule cassée à cause de la guerre.

L'irruption dans le wagon d'une mère de famille et de ses quatre enfants la tira enfin de son marasme.

— Bonjour, mademoiselle, s'écria la femme, ronde et brune, à la physionomie rieuse. On va vous déranger, pour sûr, les petits et moi.

Malgré cette entrée en matière, elle s'installa, flanquée de deux fillettes d'environ huit et dix ans, d'un garçonnet de trois ans et d'un gros poupon de six mois. Bientôt, Isaure fut accaparée par les turbulents passagers et obligée de répondre au bavardage de sa voisine. Ravie d'être distraite de ses tristes méditations, elle déborda d'amabilité, jusqu'à faire profiter la dame et sa marmaille du repas froid préparé par Corinne.

Mais, après Poitiers où elle changeait de train, elle dut subir la compagnie de trois hommes bruyants qui fumaient et parlaient haut en l'admirant sans gêne.

Ce fut avec soulagement qu'elle posa enfin le pied sur le quai de la gare de Faymoreau.

*

Une demi-heure plus tard, contente d'avoir marché à un bon rythme, transie cependant par le vent du nord qui soufflait sur le village, la jeune femme passait le portail de la propriété des Aubignac. Elle s'attendait à retrouver le grand parc désert, avec ses sapins, son bosquet de buis et ses allées de gravier, mais à peine fut-elle à la hauteur du pavillon qu'un spectacle insolite la cloua sur place. Une grande automobile noire était garée devant la demeure principale, la malle arrière ouverte. Une femme en long manteau de fourrure s'agitait au milieu des marches du perron, donnant des ordres à son chauffeur qui portait une valise.

— Faites vite, Roger, il fait un froid abominable. Mais où est donc passée la gouvernante?

Sidérée, Isaure aperçut alors deux enfants, un garçon et une fille, qui se poursuivaient en criant derrière une haie de rosiers dégarnie par l'hiver. Au même instant, l'inconnue la vit et lui adressa un signe impérieux de sa main gantée.

— Approchez, vous, là-bas! Qui êtes-vous?

Isaure posa sa valise et marcha le plus vite possible. Elle pensait avoir affaire à la terrible belle-mère de Viviane Aubignac qui, selon son éphémère patronne, s'occupait exclusivement de ses petits-enfants, Paul et Sophie.

— Seriez-vous la jeune gouvernante que ma fille a engagée? lui demanda-t-on d'une voix mordante.

— Oui, madame, Isaure Millet. Je m'étais absentée.

— Absentée! Donc, vous n'avez pas eu mon télégramme.

— Non, évidemment.

— Bien sûr, vous avez jugé utile d'aller batifoler je ne sais où, alors que je comptais sur vos services, mademoiselle Millet. Je suis la mère de Viviane et je viens m'installer ici. Ma pauvre Vivi, qui s'est attiré de gros ennuis, ne vous avait pas parlé de moi, je suppose?

De plus en plus éberluée, Isaure fit non de la tête et précisa :

— J'ai travaillé si peu de temps pour madame Aubignac! Nous n'avons pas beaucoup discuté. En fait, je l'ai surtout entendue se plaindre de sa belle-mère.

Sans le vouloir, elle venait de marquer un point. La mine réjouie, la femme poussa un soupir de contentement.

— Ah oui, mon ennemie! La voici à terre, cette vipère, puisque son odieux rejeton finira ses jours en prison. J'ai eu la chance, grâce à des relations dans le domaine de la justice, de pouvoir récupérer mes petits-enfants, moi qui les voyais si peu. Où sont-ils passés? Paul, Sophie, venez voir bonne-maman! Ils ont disparu. C'est normal, après avoir enduré la discipline d'une pension religieuse et la tutelle bien trop sévère de leur autre grand-mère, ils sont avides de mouvement, de liberté et d'espace. Au fait, je me présente, Olympe Mercerin, née Olympe de Vitrac. Il faudra m'appeler madame Olympe, j'y tiens… Seigneur, êtes-vous devenue muette?

Isaure avait étudié discrètement la mère de Viviane, qui arborait comme sa fille des cheveux blond platine, sans aucun doute une teinture, car son visage aux traits réguliers trahissait une soixantaine d'années et sa peau fine, poudrée, était déjà sillonnée de rides. Mais, dans ses vêtements luxueux, elle avait grande allure et ses yeux gris-vert révélaient un tempérament de fer.

— Dites-moi, mademoiselle Millet, vous portez une toque de Viviane et l'un de ses manteaux, s'étonna-t-elle soudain. Je vois, vous vous êtes servie sans scrupule dans la garde-robe de ma fille dès qu'elle a été arrêtée!

— Pas du tout, madame! J'avais la permission de votre fille, je vous assure. Le soir où on l'a interrogée, elle m'a suppliée de rester dans le pavillon et elle m'a dit que je pouvais emprunter des habits. J'ai mis ce manteau pour des obsèques et il était si chaud que je l'ai gardé le temps de mon séjour à Paris.

— Bon, bon, trêve de justifications. Vous avez l'air sincère. À présent, il faut m'aider. La police a ôté les scellés. Je voudrais chauffer la maison, vider mes valises et compter sur un dîner digne de ce nom. Aussi, je vous prie de trouver la cuisinière et son fils. Il s'agit de Germaine et Denis, m'a dit Viviane. J'ignorais qu'ils avaient quitté leur emploi.

— Mais, madame, ils ne savaient pas s'ils pouvaient rester.

— Madame Olympe, n'oubliez pas! Filez, mademoiselle, Roger m'aidera en attendant. N'est-ce pas, Roger? Vous êtes capable d'allumer une chaudière?

Lourdaud et les joues cramoisies, le chauffeur approuva d'un signe de tête véhément. Isaure tourna les talons, totalement médusée par ce coup de théâtre. Elle longeait le bosquet de buis, taillé en une énorme coupole, quand des rires étouffés la firent ralentir.

— Qui se cache par là? interrogea-t-elle tout bas, sachant très bien que les deux enfants l'observaient de leur refuge.

Un charmant minois se dressa au-dessus du feuillage, coiffé d'un béret bleu marine et auréolé de boucles châtain clair.

— Sophie, annonça la fillette en riant. Dites, êtes-vous la gouvernante?

— Oui, il me semble. Votre grand-mère vous a appelés. Et puis, vous allez prendre froid dans le parc, dit Isaure, amusée.

— Paul, montre ton vilain nez, pérora Sophie. Viens dire bonjour à notre institutrice.

— Jamais! grogna une voix.

Pourtant, le garçon se redressa, une grimace sur les lèvres. Brun et menu, il avait des yeux ronds, très noirs.

— Quel âge avez-vous, tous les deux? s'enquit-elle. En tout cas, je doute que vous veniez à l'école du village l'automne prochain.

— J'aurai dix ans le 14 janvier, répondit Sophie en minaudant, et Paul a eu douze ans au mois de septembre.

Sous leur air bravache, Isaure discerna une sourde angoisse et tout de suite elle les plaignit. Avec les enfants, elle n'était pas timide ni réservée; elle leur accordait d'instinct le bénéfice de l'innocence, sachant par expérience à quel point on pouvait être malheureux si l'on ne recevait pas assez d'amour de ses parents.

— Bonne-maman nous a promis que vous nous donneriez des leçons à la maison, déclara Paul en la toisant sans sourire.

— Je n'étais pas au courant, mais c'est envisageable, dit-elle gentiment. Maintenant, rentrez vite, je dois courir au village pour ramener la cuisinière et son fils. Sinon, vous n'aurez rien à manger ce soir.

Ils comprirent qu'elle plaisantait et Sophie répliqua d'un clin d'œil. L'instant d'après, Isaure les vit gambader en direction de la voiture de leur grand-mère. «Moi qui m'imaginais seule près de mon poêle, je me faisais des illusions», songea-t-elle en reprenant sa valise.

Elle cala son bagage sur le seuil de la porte du pavillon et, sans perdre de temps, se dirigea vers l'église. C'était à son sens le meilleur moyen d'obtenir rapidement l'adresse de Germaine, la cuisinière. D'un pas léger, elle traversa le jardinet du presbytère et frappa à la fenêtre, ayant deviné la silhouette de Gisèle derrière les rideaux. C'était la servante du père Jean depuis plus de quinze ans, mais on avait coutume, dans le pays, de lui concéder le titre de gouvernante, plus valorisant.

Mais, dès qu'elle fut à l'intérieur, Isaure perçut la

froideur de l'alerte sexagénaire, d'ordinaire plus accueillante. Occupée à éplucher des navets et des carottes, Gisèle lui décocha un regard méfiant.

— Qu'est-ce que tu veux, Isaure? Le père Jean se repose. Il a pris froid hier. Il est inutile de le déranger pour pas grand-chose.

— Je suis désolée, mais vous pouvez me renseigner, Gisèle. Je cherche Germaine, la cuisinière des Aubignac; j'ignore où elle habite.

— Tu devrais le savoir, quand même! Derrière la gare, sur le chemin qui descend au marais, la maison aux volets bleus.

— Merci, je dois me dépêcher. J'espère que le père Jean se rétablira vite. Vous paraissez soucieuse.

— Je le soigne bien. Ce n'est qu'un refroidissement passager. Au revoir, Isaure.

Le ton sec et un rictus austère sur son visage énergique, la gouvernante du curé l'accompagna jusqu'au vestibule et la salua sans un sourire. La porte claqua.

— Mais qu'est-ce qu'elle a? se demanda la jeune femme, déjà navrée d'avoir à effectuer en sens inverse le chemin qu'elle venait de parcourir à son arrivée.

Heureusement, elle aimait marcher et l'exercice physique lui plaisait. Elle s'élança en songeant que la course la réchaufferait. Bien chaussée, sanglée dans l'élégant manteau noir de Viviane, elle approchait de la gare lorsqu'un bruit caractéristique la fit se ranger sur le talus.

Un cheval descendait la route, ses sabots ferrés résonnant sur le sol dur. Elle se retourna et reconnut son père, qui menait la calèche tirée par Fantoche, leur jument. C'était trop tard pour le fuir et, d'un geste de défi, elle releva sa voilette.

Bastien Millet se pencha en arrière, resserra les rênes et parvint à s'arrêter près de sa fille.

— Tiens, en voilà une surprise! dit-il. Isaure, fagotée

comme une vraie dame, à ce que je vois! Eh bien, tu ne dis pas bonjour à ton père? Tu as reçu notre carte pour les fêtes?

— Oui, répliqua-t-elle en tentant d'affermir sa voix.

Sous le regard du métayer, elle cédait à une panique viscérale, doublée d'une sorte de colère latente prête à se réveiller s'il lui cherchait querelle.

— Ta mère et moi, on a su que tu étais en vadrouille à Paris. Paraît même que tu étais logée chez le flic Devers, qui en pincerait pour toi. Dis donc, ma fille, il a intérêt à t'épouser, hein, parce que, d'ici peu, ta réputation ne vaudra plus rien, rien du tout.

Isaure fixait les mains noueuses de son père, crispées sur les rênes en cuir. Elle avait d'abord aperçu le fouet posé sur le siège.

— Qui vous a dit ça? demanda-t-elle tout bas.

— Le facteur, pardi, et lui, il le tenait de quelqu'un qui avait causé. Tu le sais comme ça cause, dans le village, chez les fichues gueules noires. Et tu le connais, notre facteur, c'est le mieux renseigné dans le pays sur les uns et les autres.

Tremblante et violemment émue en dépit de ses efforts, Isaure recula. Elle avait peur. Elle finit par balbutier:

— Je n'ai rien fait de mal, père, et oui, il est question de mariage. L'inspecteur Devers tenait à me présenter à sa famille.

— Faudra qu'il vienne à la métairie, celui-là, et fissa, qu'on discute entre hommes. Où tu vas, là, toute seule?

— J'ai oublié mon sac à la gare. Je cours le chercher, mentit-elle. Ne vous retardez pas pour moi.

Mais, à sa grande surprise, Bastien Millet esquissa un sourire maladroit.

— Tu as raison, je suis pressé. Ce serait gentil de venir voir ta mère, petite, quand tu auras le temps. Elle est fatiguée, oui, très fatiguée. Tu lui manques.

— Père, vous m'avez chassée de la maison avec l'interdiction d'y revenir. Je ne fais que vous obéir. Et je préfère être franche, je n'ai aucune confiance en vous. Si je mettais les pieds dans la cour de la métairie, vous pourriez me jouer un de vos méchants tours. Dites à maman que je vais bien, que j'ai un logement et un travail. La mère de madame Aubignac me garde comme gouvernante et je vais donner des leçons à ses petits-enfants.

— C'est bien, ça, Isaure, très bien. Mais on peut s'arranger. Si tu annonces ta visite, moi, je m'en irai dans le marais, hein, taquiner le brochet. Comme ça, tu n'auras rien à craindre.

Suffoquée, Isaure marmonna un peut-être indécis. Son père approuva d'un signe de tête et lança la jument au trot. Elle suivit un long moment la calèche des yeux et, quand la distance lui parut suffisamment rassurante, elle dévala la route en direction du marais.

Coron de la Haute Terrasse, chez Thomas et Jolenta, le soir

La nuit était tombée. Thomas avait fermé les volets; il attisait le feu dans le fourneau. Assise à la table, Jolenta tricotait un minuscule gilet en laine jaune pâle. Son profil sérieux témoignait de sa profonde concentration, car elle manquait souvent une maille et s'en agaçait aussitôt.

— Tu fais du joli travail, déclara son jeune mari en l'embrassant sur le front.

— Je débute. Je n'arrive pas à travailler aussi bien que ta mère.

— Tu es modeste, ma chérie. Je trouve que tes points sont réguliers et que tu t'en sors brillamment. La couleur me plaît. Elle ira autant à un garçon qu'à une fille.

— Je te donnerai un fils, j'en suis sûre, Thomas. Mais, moi vivante, il ne deviendra pas mineur.

— Nous avons le temps de penser à son futur métier, se moqua-t-il en lui caressant le ventre.

Jolenta leva son visage vers lui et ses traits s'illuminèrent d'un sourire orgueilleux.

— Ce soir, au lit, nous chercherons encore des prénoms, veux-tu?

— Oui, ma petite femme.

C'était l'heure de servir la soupe. Elle posa ses aiguilles et son ouvrage dans une panière, sans se départir de sa douceur et de sa bonne humeur, ce qui lui coûtait un gros effort. Elle avait appris par une voisine le retour d'Isaure.

— Je l'ai vue courir au presbytère, la fille Millet, lui avait murmuré la femme, une certaine Rosalie, qui habitait la maison précédant la sienne. On aurait dit qu'elle avait le diable à ses trousses. Peut-être bien qu'elle allait se confesser...

À l'instar des autres ménagères du coron, Rosalie était avide de ragots et de bavardages. Elle avait déjà invité Jolenta deux fois à boire un café, puis elle était venue à son tour prendre une tasse de chicorée, pendant l'absence de Thomas, bien sûr. Toujours jalouse, la belle Polonaise avait évoqué le voyage d'Isaure en compagnie du policier. Or, à cause de l'enquête sur la mort du porion Alfred Boucard, Justin Devers était très mal considéré.

— C'est du propre! s'était récriée Rosalie. Il ne faut pas chercher ce qu'elle fait avec lui. Une pas grand-chose, au fond, derrière ses grands airs.

— Elle court après les hommes, avait avoué Jolenta avec délice. Si je ne surveillais pas le mien, elle me ferait porter des cornes.

C'était nouveau pour elle, la complicité entre femmes mariées respectables, ainsi que le pouvoir de juger et de calomnier sa rivale sans souci des conséquences. Aussi, à la sortie de la messe, la rumeur s'était vite propagée de bouche féminine en bouche féminine dans le dos des messieurs pour parvenir à l'oreille de Gisèle. Le père Jean avait été informé de la mauvaise conduite de la fille Millet, à peine son déjeuner terminé.

Thomas ne se doutait de rien. S'il avait remarqué des changements dans le caractère de son épouse, il les attribuait à sa grossesse et il pensait que personne dans son proche entourage n'oserait ébruiter l'histoire du séjour parisien d'Isaure. Ce soir-là, satisfait de sa journée de travail et des bonnes nouvelles qu'il avait eues sur l'état de santé du vieux Macaire, il aspirait à une soirée tranquille chez lui, bien au chaud auprès de Jolenta. Elle était câline et attentionnée, depuis une semaine, et cela le comblait. «J'ai agi en dépit du bon sens. Comment ai-je pu douter de mon amour pour ma femme, qui va me rendre père?» se disait-il en humant avec gourmandise le fumet potager de la soupe de légumes.

Il songea un instant à Isaure, lui redonnant sa place d'amie de longue date, de petite protégée. Il ignorait même son retour et ce ne serait sûrement pas Jolenta qui le lui annoncerait. Elle se promettait, tout en l'enlaçant, de profiter de son mari sans qu'aucune ombre ne vienne troubler le tableau pendant leur dîner en tête-à-tête et surtout au creux de leur lit un peu plus tard.

Demeure des Aubignac, même soir, 21 heures
Sophie et Paul étaient couchés, soigneusement bordés dans leur lit par Isaure qui les contemplait, attendrie. Ils lui semblaient démunis, malgré le confort et le luxe qui les entouraient.

— Bonsoir, mademoiselle, murmura la fillette. Dites, est-ce que nous verrons bientôt maman?

— Je ne sais pas. Je poserai la question à votre grand-mère tout à l'heure.

— De toute façon, on ne la voyait jamais, maman, grogna Paul en bâillant. Pourquoi ça changerait? Et puis, où est-elle?

— Elle est malade; les docteurs la soignent, soupira Sophie avec la conviction naïve des enfants à qui on a répété de gentils discours.

— Alors, on aurait pu lui rendre visite, rétorqua son frère.

— Ne vous tourmentez pas. Déjà, vous n'êtes pas retournés en pension. C'est une chance, non? insinua Isaure sur un ton apaisant. En plus, le dîner vous a plu, un vrai repas du pays concocté par Germaine, qui était enchantée de vous gâter: des saucisses grillées, des haricots blancs, qui vous feront un peu mal au ventre demain matin, et du fromage frais à la confiture.

La voix basse et veloutée de la jeune femme les réconfortait. Sophie clignait les paupières, prête à s'endormir. Paul poussa un soupir, mais il se pelotonna sous les couvertures, non sans rire en sourdine.

— Vous en avez mangé, des haricots. Vous aurez mal au ventre aussi.

— Non, j'ai l'habitude, moi, j'ai été élevée au pain sec et aux haricots, répliqua-t-elle. Maintenant, il faut dormir.

Elle résista à l'envie de les embrasser, craignant de les gêner. Une fois qu'elle fut dans le couloir, sa situation lui apparut si inattendue, si insolite qu'elle respira profondément comme pour affronter la suite des événements, en l'occurrence l'entretien prévu avec madame Olympe. En revoyant la porte de la chambre où s'était jouée une tragédie deux semaines auparavant, elle eut un frisson. «C'était horrible, l'arme que Viviane braquait sur son mari, la détonation, le sang…» se remémora-t-elle.

Un bruit de pas feutré derrière elle la fit se retourner, apeurée. C'était la mère de Viviane.

— Descendons, mademoiselle Millet, murmura-t-elle sur un ton assez cordial.

Elles étaient au milieu du grand escalier tapissé de velours rouge quand Olympe Mercerin ajouta:

— Je vous ai écoutée parler à mes petits-enfants, pendant que vous les prépariez pour le coucher, et je comprends mieux certains propos de ma fille, qui m'a dit du bien de vous. Je suis satisfaite de vos services, vraiment. Vous ne m'avez pas déçue du tout, ce qui est rare de nos jours. Germaine et son fils étaient là une heure avant le repas du soir et vous leur avez suggéré de préparer un menu simple avec les moyens du bord. Vous me semblez aussi aimer la compagnie des enfants.

— Oh oui, madame Olympe, sinon je n'aurais pas postulé dans l'enseignement.

— C'est vrai, Viviane m'en a informée.

La conversation se poursuivit dans le salon. Promu factotum, Denis avait allumé un feu dans la cheminée en marbre noir. Deux belles lampes au pied en albâtre et à l'abat-jour de soie jaune, disposées sur une commode en marqueterie, dispensaient une douce lumière dans la vaste pièce où abondaient miroirs et bibelots.

— Je compte rester à Faymoreau jusqu'à l'été, mademoiselle, déclara la nouvelle maîtresse de maison. Autant vous l'annoncer sans tarder, ma fille rentrera après-demain. Grâce à un avocat efficace, j'ai pu la faire interner dans un hôpital psychiatrique où, bien sûr, elle occupe une chambre privée, mais les charges contre elle sont si légères, en raison des circonstances atténuantes dont elle bénéficie, que j'irai la chercher à Poitiers et elle sera libre. Enfin, libre d'attendre le procès de son odieux mari ici, en résidence surveillée, si vous voulez.

— Comme je suis contente pour vous tous! s'écria Isaure. Les enfants me demandaient justement quand ils reverraient leur maman.

Ce n'était pas vraiment une surprise pour elle, car Justin lui en avait brièvement parlé au début de leur séjour à Paris. Un vague sourire mélancolique sur les lèvres, Olympe Mercerin approuva d'un discret signe de tête.

— J'avais rompu mes rapports avec Viviane à cause de Marcel Aubignac. J'ai fait ce que je pouvais pour empêcher leur union, mais, hélas! ma fille s'est obstinée. Quand elle a réalisé son erreur, elle était enceinte de Paul. Il était trop tard pour faire marche arrière, n'est-ce pas?

— Je suppose...

— J'ai coupé les ponts et l'ai laissée mener sa vie. Seule sa sœur qui habite Paris la recevait souvent. Elles étaient très proches et elles le sont encore. Le drame qui s'est déroulé ici, dans cette maison, a prouvé que j'avais vu juste, que Marcel était un homme violent, jaloux, pervers. Certes, Viviane a sombré dans l'adultère, mais elle a eu besoin de tendresse, ce qui est excusable.

Isaure ne donna pas son avis, dépassée par la verve rapide de son interlocutrice, qui renchérit, l'air déterminé :

— J'ai enfin la possibilité de m'occuper de ma fille cadette et de la choyer sans qu'interfère l'ombre de ce tyran domestique. Je peux profiter de mes petits-enfants et je ne vais pas m'en priver. J'ai aussi l'intention de redonner une maman à Paul et à Sophie, car ils la connaissent à peine, mademoiselle, je vous l'affirme. Et vous allez m'aider.

— Si je le peux, oui, j'accepte, répondit tout bas Isaure.

Olympe l'observa attentivement, puis dit d'un ton ravi :

— Vous êtes jolie, intelligente, bien éduquée et instruite. Vous ferez la classe à mes chérubins dans le bureau de mon satané gendre, que je ferai aménager. Vous serez une amie pour Viviane et vous continuerez à assumer les fonctions de gouvernante, même si je sais gérer une maison et des domestiques. Vous logerez dans le pavillon, cela va sans dire. S'il vous manque la moindre chose, n'hésitez pas à me solliciter.

Stupéfaite d'avoir une telle chance, Isaure remercia en esquissant un sourire. Pour l'instant, elle ne pensait plus à Justin, qu'elle avait quitté le matin, ni à Thomas. Olympe Mercerin lui offrait la liberté, l'indépendance dont elle rêvait.

L'année 1921 commençait bien.

5

Le venin des rumeurs

Hôtel des Mines, lundi 3 janvier 1921

Christian Fournier trônait derrière l'imposant bureau en acajou aux ferrures de cuivre derrière lequel Marcel Aubignac, durant des années, avait veillé à la bonne marche de la compagnie minière malgré la fermeture du puits Saint-Laurent, en 1916, et celle du puits du Couteau en 1918, pendant la guerre.

— Tout ça n'est pas fameux, maugréa le nouveau directeur, qui venait d'étudier l'énorme comptabilité de son prédécesseur. Et tous ces Polacks qu'il a engagés, le gredin!

Le terme insultant lui était sorti de la bouche d'instinct, car il était un ardent nationaliste et il déplorait qu'on emploie une main-d'œuvre étrangère. Agacé, il se leva et déambula dans la pièce, dont les murs étaient ornés de photographies encadrées qui représentaient des paysages de la région, mais aussi les bâtiments des différents puits, semblables, avec leur armature en bois, à des tours de guet des temps anciens.

— Ardouin se fait attendre. Je lui avais pourtant demandé d'être là à dix heures précises, ce matin. Je dois lui parler, et sans tarder.

Il se posta devant une des fenêtres, impatient, l'esprit plein d'idées plus extravagantes les unes que les autres.

Soudain, il appuya son front contre la vitre, intéressé par une silhouette féminine vêtue de noir, dont le visage était dissimulé par une voilette. Il reconnut, à sa démarche et à l'éclat de son regard derrière le tulle noir, la jolie fille aperçue au cimetière qui avait prononcé un émouvant discours. Il la vit s'arrêter devant une femme en deuil d'une quarantaine d'années. « L'épouse de Gustave Marot, je crois », se dit-il.

On avait frappé; il cria d'entrer et Ardouin apparut, un dossier sous le bras.

— Bonjour, monsieur Fournier. Le ciel se couvre. On va encore avoir de la pluie, ou de la neige, déclara-t-il en s'approchant à son tour de la fenêtre sur un signe du directeur.

— Regardez, Ardouin, c'est bien mademoiselle Millet, là, sur l'esplanade?

— Je crois, oui. Une jeune fille qui a compromis sa réputation, si j'en crois ma femme. Les gens causent. Il en faut peu pour alimenter les ragots.

— Et que dit-on?

— Elle serait partie mener la belle vie à Paris après les obsèques de la petite Anne Marot et, en plus, avec l'inspecteur de police qui a enquêté ici sur le meurtre d'Alfred Boucard, l'inspecteur Devers; ses méthodes ont déplu. Il ne s'est pas fait des amis.

— Ah, la justice, la loi et les impératifs du monde financier n'ont jamais eu l'agrément du peuple, commenta Fournier d'un ton sec. Bien, venez vous asseoir. Je voudrais vous soumettre certains de mes projets pour rentabiliser la compagnie, qui est en déficit.

Inquiet, mais flatté, le contremaître prit place en face du grand bureau.

— Je vous écoute, monsieur le directeur, dit-il avec respect.

*

Isaure, qui discutait avec Honorine Marot, n'avait pas pu s'empêcher de lever la tête vers les fenêtres du premier étage de l'*Hôtel des Mines*. Au rez-de-chaussée, la vaste bâtisse abritait un magasin général où l'on trouvait du tabac, de l'épicerie et de la quincaillerie, ainsi qu'un restaurant. Au-dessus se trouvaient des chambres pour les pensionnaires aisés, comme le nouveau directeur, en plus de bureaux et de l'infirmerie. «Justin m'a avoué qu'il guettait toujours mes apparitions, de là-haut, et là j'ai cru voir quelqu'un», pensa-t-elle, tout en écoutant poliment la mère de Thomas.

— Je suis contente que tu sois rentrée, Isaure, disait-elle. Et je te remercie pour ta lettre et ta jolie carte postale. Ma pauvre petite, tu as peut-être fait une sottise en t'en allant comme ça.

— Non, madame Marot, je n'ai aucun regret. Paris est une très belle ville. J'ai vu tant de choses! Et, vous savez, j'ai beaucoup de chance, je garde ma place de gouvernante. Madame Mercerin, la mère de Viviane Aubignac, m'a engagée. Je ferai la classe à ses petits-enfants. J'ai donc un logement et un salaire. Vous le direz à Jérôme et à Thomas. S'ils se faisaient du souci pour moi, ils peuvent être rassurés, tout s'arrange.

Honorine plissa un peu les yeux pour mieux scruter le regard bleu nuit d'Isaure.

— Eh bien, pourvu que ça dure! On jasait sur toi, hier matin, à la sortie de la messe. Il y a toujours des bavards qui se régalent des histoires inconvenantes.

Incrédule, Isaure fronça les sourcils. Elle avait l'impression, en dépit de sa relation avec Justin, de se conduire correctement.

— Que racontait-on encore?

— Pardi, on disait que tu t'étais compromise avec

123

l'inspecteur, que tu n'avais pas honte de partir t'amuser dans la capitale sans même être mariée. Sans doute qu'une voisine aura écouté à notre porte, car ton voyage avec le policier, personne chez nous ne l'a ébruité, je te l'assure. Évidemment, on en parlait de temps en temps, Gustave, Jérôme et moi, devant Jolenta aussi. Comment faire autrement? Ça vient peut-être d'elle, qui s'est liée d'amitié avec Rosalie, une de nos voisines.

La mine grave, Honorine hocha la tête. La mort de sa benjamine avait altéré l'air de jeunesse qu'elle avait gardé jusqu'à présent, à quarante-cinq ans. Les traits tirés et la bouche pâle, elle portait le deuil et cachait ses cheveux châtains sous un foulard gris.

— Tant pis, soupira Isaure. Ne vous tracassez pas pour moi, madame Marot, vous êtes suffisamment malheureuse.

Elle avait compris d'où venait l'attaque et refusait de s'en affliger. Des bruits avaient donc couru; elle ne s'étonnait plus de l'attitude réprobatrice de Gisèle, la veille, au presbytère.

— Les gens auront vite d'autres sujets de bavardage, dit-elle dans un sourire. Excusez-moi, je suis pressée, je dois faire mes achats. Ma nouvelle patronne m'a versé un acompte sur mes gages et je n'ai plus ni café ni sucre, au pavillon. Dès que j'aurai un moment, je viendrai vous rendre une petite visite.

— Eh! Moi aussi je viens au magasin acheter du sucre; j'en prête chaque jour à ma belle-fille et le bocal est déjà vide. Allons-y ensemble, Isaure. Sais-tu, ça me rassure que tu aies un travail, à cause de tous les sous que tu as dépensés pour nous. On te les remboursera jusqu'au dernier.

— Non, j'étais contente et fière de vous faire profiter de cet argent, gagné à ne rien faire, en plus. Souvenez-vous, Anne était si heureuse de vous avoir à son chevet, de vivre un vrai soir de Noël!

— Tu es brave, va, Isaure. Le monde tourne à l'envers, je crois bien. Maintenant que je te connais mieux, je peux te dire ce que je pense, parfois. Je t'aurais préférée comme bru, oui. Au fond, tu aurais pu te marier avec Thomas un jour, car vous vous entendiez bien, tous les deux.

— Seulement comme des amis, madame Marot, répliqua Isaure d'un ton neutre.

— De drôles d'amis, quand même! Allons, n'en causons plus, il n'y a presque personne, dans la boutique. Autant en profiter.

*

Pendant ce temps, Christian Fournier exposait avec emphase ses idées novatrices à son contremaître. Sous la férule de Marcel Aubignac, Ardouin veillait à bien exécuter les ordres et consignes diverses, tout en servant souvent d'intermédiaire entre les porions et le directeur.

Traité en homme de confiance par Fournier, il espérait en secret obtenir rapidement un poste plus avantageux, comme celui d'adjoint à la direction. Dans ce but, il approuvait la plupart de ses affirmations, il déjeunait avec lui et répondait à toutes les questions sur les familles de mineurs; il lui avait aussi fait un rapport précis sur la tragédie du mois précédent. Mais ce qu'il entendait ce matin-là dépassait les limites de la raison pure, selon lui.

— Alors, vous êtes d'accord? interrogea Fournier, un air arrogant sur ses lèvres pleines, d'un rose pâle sous sa moustache blonde.

— Monsieur, je serai franc, on ne peut pas faire une chose pareille, ce serait un suicide.

— Quoi? Comment ça, un suicide? Pour qui? Pour quoi? aboya son supérieur en écarquillant les yeux. La compagnie vivote, elle tourne au minimum de son rendement! La situation en France et à l'étranger, sur le plan économique, frôle la catastrophe; nous fonçons dans le mur, vers une crise terrible. Il faut redresser la barre, Ardouin. Vos gueules noires le comprendront.

— J'en doute fort, monsieur Fournier, ceci dit avec tout mon respect.

— S'ils refusent, ils seront chômeurs et ils n'auront plus rien, plus un sou, plus de toit, plus de houille pour se chauffer. Enfin, c'est la voix de la raison. Je vais leur demander un immense effort pour le bien commun, à savoir la préservation de leur emploi et de leurs corons. Nous nous sommes promenés dans le village, hier, mon cher Ardouin. De quoi se plaindraient ces familles? Ils sont bien logés, ils ont l'électricité grâce à la centrale électrique et chaque maison dispose d'un jardin. J'en ai vu, des potagers. Je serai franc à mon tour, les mineurs de Faymoreau ont plus d'avantages que ceux du Nord. Croyez-moi, j'en viens.

Sur ces mots assortis d'un sourire rêveur, Christian Fournier prit une cigarette dans un étui en argent. Il l'alluma et soupira de satisfaction.

— Nous rédigerons un texte qui sera affiché en fin de semaine à l'entrée du puits du Centre et ici, dans les couloirs de l'étage. Vous aurez des affiches à distribuer aux porions. Puisqu'ils sont chefs de leur équipe, ce sera à eux d'avertir leurs hommes.

Cette fois, le contremaître s'affola. Il tapota nerveusement sur le bois laqué du bureau en lançant un regard de panique autour de lui.

— Monsieur Fournier, je vous conseille de réfléchir encore. C'est du jamais vu, votre idée. Baisser les salaires et le prix des berlines, augmenter le loyer des corons!

Ils se mettront en grève. Quant à chercher de nouveaux gisements, le projet n'est pas mauvais, lui, mais…

— Mais quoi, Ardouin? Soyons progressistes! J'ai bien étudié les plans du puits du Couteau, dont on a cessé l'exploitation depuis environ deux ans. Une belle sottise, que ce soit dit. Il faut creuser plus profond, atteindre les veines de charbon signalées par deux ingénieurs.

— Seigneur, si monsieur Aubignac était là, il vous expliquerait que c'est trop dangereux. Il y songeait, un temps, mais il a renoncé, craignant un accident si on usait de dynamite, le seul moyen de reprendre l'exploitation.

Christian Fournier éclata de rire, un rire froid et moqueur. Il leva les bras au ciel, d'un geste exagéré.

— Aubignac redoutait un accident! ironisa-t-il. Il ne voulait pas causer de pertes humaines. Pourtant, le mois dernier, il a tiré du pistolet dans une galerie où du grisou avait été signalé. Sans compter son rival, ce pauvre porion qu'il a tué, votre cher ancien patron a provoqué le décès atroce de deux mineurs. Je ne ferai pas les mêmes erreurs que lui. Dieu merci, je suis célibataire et j'ai l'esprit solide.

Ardouin retint un soupir angoissé. Il s'était réjoui à tort; ce grand type à l'accent traînant n'apporterait que des ennuis.

— N'ayez pas peur, mon cher, renchérit Fournier, et n'oubliez pas un détail capital. Vous et moi, nous ne sommes que des employés, nous aussi, à un niveau plus élevé, certes, mais, pour ma part, j'ai des comptes à rendre au propriétaire de la compagnie et à ses actionnaires. J'ai la nette impression que monsieur Aubignac, obsédé par son épouse infidèle, n'y pensait guère. Bien sûr, il avait une grosse fortune derrière lui, ce qui n'est pas mon cas. Alors, il faut jouer gros et améliorer la production.

— Si vous le dites, marmonna le contremaître. Je vous aurai prévenu, ça va faire du vilain.

— J'ai la certitude que tout ira bien. Un cognac?

Ardouin accepta, avec le vague sentiment de boire le verre du condamné.

— Allons, détendez-vous, plaisanta le directeur. Donnez-moi donc quelques commérages en pâture.

— L'événement, monsieur, c'est l'arrivée de la mère de Viviane Aubignac, une aristocrate, paraît-il. Elle s'installe dans la belle maison que je vous ai montrée hier, presque en face de l'église. Ma femme m'a dit que la demoiselle Millet, celle qui vous plaît tant, a gardé sa place de gouvernante.

Fournier prit un air consterné, comme si un enfant venait de débiter une ânerie.

— Qui me plaît tant? Comme vous y allez! Enfin, Ardouin, je trouve agréable de regarder une jolie fille, rien d'autre, surtout quand on la devine instruite et intelligente. Rien d'autre, vous avez compris? Et ne faites pas courir de bruits stupides sur mon compte.

— Oui, monsieur. Bon, si vous n'avez plus besoin de moi, je vous laisse.

Les deux hommes échangèrent un coup d'œil où venait de s'allumer une méfiance réciproque. Accablé par l'imminence de sérieux problèmes, Ardouin sortit de la pièce. Quant à Fournier, il retourna se poster devant la fenêtre.

Faymoreau, demeure des Aubignac,
samedi 8 janvier 1921

Isaure établissait les menus de la semaine à venir dans le cahier qu'elle réservait à cet usage depuis le premier jour où elle avait assumé ses fonctions de gouvernante. Assise à une table au dessus garni de feutrine verte qui faisait office de bureau, elle réfléchissait à des repas légers, mais nutritifs, selon les souhaits de la fameuse madame Olympe.

— Du poisson blanc, encore et toujours, se dit-elle à mi-voix, un peu distraite de sa tâche par le chant d'un merle perché sur une branche de rosier.

Le calme régnait dans la grande maison. Les enfants étaient partis avec leur grand-mère rendre visite au père Jean, qui tous les jeudis donnait des leçons de catéchisme.

— On ne croirait pas qu'ils étaient élèves dans une pension religieuse, avait déploré Olympe Mercerin. Ils sont ignorants en matière de foi et ils n'ont pas fait leur communion solennelle. Je dois y remédier, surtout quand on sait que leur géniteur est un odieux criminel.

Pour le reste, la jeune femme avait le champ libre. Elle avait fixé des heures de classe, deux le matin, deux l'après-midi, et, suivant sa propre inclination, elle privilégiait l'histoire, la géographie et l'étude du français, orthographe et grammaire. Paul se montrait dissipé et peu intéressé, alors que Sophie travaillait avec application.

— Bon, du poisson blanc mardi et vendredi, reprit Isaure en se penchant sur la page déjà annotée. Du riz et de la salade, j'en trouverai aux Halles de Fontenay lundi. Tant pis si ce sont des laitues cultivées sous serre. Viviane mange si peu! Il lui faut de la nourriture digeste.

L'épouse adultère de Marcel Aubignac était revenue au bras de sa mère dans la plus totale discrétion. Affaiblie par le chagrin, un enfermement de deux semaines et la prise de sédatifs, la jolie Viviane était descendue de voiture amaigrie, les cheveux ternes, le visage creusé, les yeux éteints soulignés de cernes. À l'heure de son arrivée, Isaure avait retenu les enfants dans le bureau de leur père, là où elle était justement.

— Mes petits verront leur maman quand elle aura meilleur aspect, sinon ils seront trop impressionnés, et même effrayés, avait tranché Olympe Mercerin.

Isaure jugeait que le confinement de Viviane dans sa chambre fermée à clef commençait à devenir abusif. Sophie et Paul s'en inquiétaient; ils la pensaient gravement malade.

— Je n'ai pas embrassé maman depuis la Toussaint, se plaignait la fillette.

Il fallait promettre que la situation ne durerait pas, que la santé de leur mère s'améliorait chaque jour, mais ce n'était pas le cas. «Je n'ai même pas pu lui parler, depuis son retour, songea Isaure en mordillant son crayon. Madame Olympe lui porte ses plateaux et, chaque fois que je peux entrer dans la chambre, non seulement je ne suis jamais seule, mais Viviane dort profondément.»

Perplexe, elle ajouta sur sa liste une poule au pot et de la viande rouge en rôti. Elle choisit du bœuf. Ses pensées s'égarèrent à nouveau vers l'inspecteur Justin Devers, qui ne s'était manifesté d'aucune façon. Il avait dû reprendre son poste à La Roche-sur-Yon, sans même lui écrire une lettre, sans faire le détour par Faymoreau, en automobile. «Il le fait exprès pour m'agacer, se rassura-t-elle. Moi, je lui ai envoyé une carte de vœux au commissariat pour qu'il la trouve à son arrivée.»

Durant la journée, elle pensait rarement à lui, mais, le soir, lorsqu'elle était couchée dans le lit où il l'avait faite femme, elle était troublée par des souvenirs voluptueux et son amant lui manquait beaucoup, beaucoup plus même qu'elle ne l'avait imaginé. Quant à Thomas, elle ne l'avait pas revu, évitant de sortir dans le village, désormais. Sa rencontre avec Honorine lui laissait une sourde angoisse. Les commères du pays pouvaient lui décocher des coups d'œil méprisants. Aussi savourait-elle les déplacements dans la luxueuse voiture de sa patronne, conduite par le chauffeur dont elle appréciait les longs silences, entrecoupés de brefs commentaires sur le temps ou l'état des routes.

Lorsque Isaure achetait ou commandait les denrées qu'elle avait choisies, elle se sentait une élégante demoiselle sans passé qui se moquait des prix pour ne considérer que la qualité de la marchandise. C'était sa revanche contre les années qu'elle avait connues à souffrir de la faim, humiliée et tourmentée par son père. L'automne, où elle pourrait enseigner officiellement, lui semblait si loin! Elle avait la ferme intention de devenir indispensable à Olympe Mercerin afin de loger encore des mois dans le pavillon du parc.

On frappa à la porte de la pièce. Elle eut à peine le temps de dire d'entrer; la cuisinière fit irruption, les joues rouges d'être restée au-dessus du colossal fourneau en fonte.

— Pardon de vous déranger, mademoiselle, mais il y avait quelqu'un dans l'allée, un jeune monsieur qui n'a pas osé sonner à la porte principale, déclara Germaine, ses mains gercées bien à plat sur son tablier impeccable. Je lui ai dit d'entrer au chaud dans la cuisine. Aussitôt, il a tourné les talons. C'est un aveugle.

— C'est sûrement Jérôme Marot, un ami. Je cours le rattraper.

Un instant, Isaure avait cru qu'il s'agissait de Justin ou de Thomas avant de comprendre. Elle s'empara de son châle, se couvrit les épaules et s'élança dehors. L'infirme n'était pas loin. Il se figea en entendant le bruit rapide de ses pas sur les gravillons poudrés de givre. Elle le prit par le bras et lui planta un petit baiser sec sur la joue.

— Jérôme! Il fallait suivre Germaine, elle m'aurait appelée et je t'aurais reçu dans mon bureau. Tu es venu seul jusqu'ici? C'est imprudent.

— Imprudent? Oh non, je m'en suis très bien tiré. Isaure, je t'ai attendue tous les jours, mais tu n'es pas venue chez nous, lui reprocha-t-il, ému cependant, car elle l'avait embrassé.

— J'ai dix minutes. Nous allons causer un peu, mais chez moi, il fait chaud.

Elle le guida vers le pavillon, à six mètres de là, et le fit entrer. Il respira l'odeur agréable du logement et avança d'un pas en inspectant de sa canne blanche l'espace devant lui. Isaure l'aida à s'asseoir, tout en fixant avec tristesse les lunettes aux verres fumés qu'il portait constamment. Selon la lumière ambiante, elles laissaient parfois deviner le dessin de ses yeux, des yeux bruns dont elle n'avait pas oublié l'éclat intense.

— Il n'y a rien de grave? demanda-t-elle.

— Non, rien, mais je m'ennuie. Maman pleure la moitié de la journée; je ne sais plus quoi lui dire. Mais qu'est-ce qui sent si bon?

— Je mets des écorces d'orange sur la plaque du poêle. Elles dégagent ce parfum en séchant. Je te fais du café, j'ai un réchaud à alcool. Ce ne sera pas long. Je suis désolée pour ta mère, mais elle ne peut pas se consoler en quelques jours d'avoir perdu Anne.

Jérôme approuva en silence, charmé d'être près d'Isaure et d'entendre le son de sa voix si grave, mais si suave. Comme elle passait à côté de sa chaise, il parvint à la saisir par sa jupe.

— Tu parais à ton aise, toi. Je te sens gaie et pleine d'entrain. Maman m'a annoncé lundi que tu restais travailler ici. C'est bien pour toi. Sais-tu, Isaure, j'avais peur que tu ne reviennes jamais de Paris. Je suis sans doute idiot, mais ça me réchauffe le cœur de penser que tu vis à quelques centaines de mètres de moi.

L'aveugle caressait sa hanche sous le velours épais de sa robe.

— Je t'en prie, arrête, ordonna-t-elle en lui échappant.

— J'ai le droit de te toucher, nous avons failli aller plus loin, nous deux. Aurais-tu rayé cet épisode de ta mémoire?

Isaure prépara le café sans répondre immédiatement. Elle regrettait le moment de déraison auquel il faisait allusion, alors qu'elle avait voulu s'offrir à lui, poussée par un étrange mélange de curiosité, d'exaltation et de pitié.

— J'ai été stupide. Nous ne devions plus en parler.

— J'y songe pendant des heures, dans mon lit, le soir, plongé dans ma nuit. Je me répète que j'ai au moins connu le goût de tes lèvres et le satin de ta peau. Isaure, j'ai du mal à ne plus t'aimer comme un fou.

Elle retint un soupir de confusion en cherchant en vain des paroles de réconfort.

— Si tu m'épousais, reprit-il, ça ferait taire les rumeurs. Une belle fille qui se marie avec un aveugle, une victime de la guerre, ça mérite tous les honneurs. Ça se pose en vraie chrétienne.

— Tu ne vas pas recommencer avec ces bêtises! s'offusqua-t-elle. Nous avons été ridicules d'échafauder des plans dignes de gamins, d'annoncer nos futures fiançailles à tes parents comme aux miens et d'évoquer un mariage! Jérôme, si tu abordes encore une fois ce sujet, il est inutile de chercher à me rencontrer. Et puis, je tiens à ma place. Madame Mercerin pourrait estimer inconvenant que je reçoive des hommes.

Sur ces mots, elle donna une tasse à Jérôme, qu'il serra entre ses doigts comme pour la briser.

— Ne bouge plus, s'écria-t-elle, je vais verser le café.

— Ce serait mal vu que tu m'accueilles gentiment ici alors que tu viens de passer une semaine à Paris avec un flic? tonna-t-il.

— Je sais, ta mère m'a avertie, les gens du village en parlent, sûrement à cause à Jolenta. Je m'en moque, ils trouveront vite une autre bête noire à accabler de ragots, surtout si je mène une vie exemplaire et que je ne sors pas de la propriété. On ne va quand même pas surveiller le pavillon la nuit pour vérifier si je ne fais pas entrer un ou deux amants par la fenêtre…

Ses mains tremblaient sur la poignée de la cafetière. Elle dut s'appliquer pour ne pas en faire tomber une goutte à côté. Lui, il percevait la chaleur qui se communiquait à la porcelaine et l'odeur prégnante du café.

— Un ou deux amants, carrément! ironisa-t-il. Ciel, j'espère que tu n'en es pas là, Isaure! Sois franche. Aurais-tu cédé à Devers? Je ne peux pas te voir, mais, à ta voix, je saurai si tu mens ou non.

— Tu vas finir par gâcher ma matinée, Jérôme, s'emporta-t-elle. Tu n'es pas mon frère, pour m'interroger ainsi, il me semble. Ce serait plus gentil si tu t'intéressais à mon voyage, si je pouvais te raconter ce qui m'a plu, à Paris.

— Alors, dis-moi, je t'écoute, soupira-t-il.

— Quel enthousiasme, mon cher! Enfin, sache que Notre-Dame m'a fascinée; j'ai allumé un cierge pour Anne, à l'intérieur. Le même après-midi, je me suis promenée sur les quais de la rive gauche et j'ai passé un temps fou à regarder les livres sur les étalages des bouquinistes. Le matin très tôt, on dirait qu'il y a des dizaines et des dizaines de caisses vert foncé accrochées au parapet, mais ensuite, c'est fabuleux! Les marchands viennent peu à peu les ouvrir, déplier les volets, exposer les ouvrages anciens, les éditions rares ou ordinaires. J'ai acheté un roman de Zola, *Le Docteur Pascal*, le dernier volume des Rougon-Macquart. Je le lis, le soir, avant de dormir. C'est instructif, mais la fin m'a donné envie de pleurer.

Isaure se tut. Elle avait la soudaine nostalgie de la capitale, où l'on pouvait être anonyme et agir à sa guise parmi la foule en perpétuel mouvement.

— Je retournerai sûrement à Paris, murmura-t-elle, rêveuse. Après tout, ce n'est pas difficile, il suffit de prendre le train. Bien, je suis obligée de te mettre dehors, puisque tu as bu ton café. Madame Mercerin et les enfants ne vont pas tarder. Je voudrais les accueillir.

Jérôme se leva, gêné. Il se réjouissait d'avoir rendu visite à Isaure sans avoir sollicité l'aide de quiconque. Maintenant, il déplorait de s'être montré indiscret et hargneux.

— Je m'en vais, dit-il. Excuse-moi, j'ai encore une fois dépassé les bornes. Soyons bons amis, Isaure, je t'en supplie. Tu es en congé demain, dimanche. Tu pourrais venir nous voir. Mon père et Thomas se font du souci. Des bruits courent. On raconte que le nouveau directeur veut baisser les salaires.

— Il ne faut pas se fier aux rumeurs, Jérôme, trancha-t-elle sur un ton optimiste. Viens vite, je t'accompagne jusqu'au portail.

*

Le hasard ou bien un caprice du destin fit coïncider le retour d'Olympe Mercerin, suivie de ses petits-enfants, avec le moment précis où Isaure disait au revoir à Jérôme. Sophie recula pour se cacher derrière sa grand-mère, gênée par la canne blanche et les lunettes noires.

La fringante septuagénaire, qui arborait une mine sévère, se raidit davantage.

— Madame, dit Isaure, fort embarrassée, je vous présente un ami, Jérôme Marot. Il habite le coron de la Haute Terrasse, chez ses parents. Il a fait le chemin pour me souhaiter la bonne année.

— Réservez vos visites au jour de congé, mademoiselle, rétorqua-t-elle froidement. Bonjour, jeune homme.

— Bonjour, madame, répondit l'infirme. Ne blâmez pas Isaure, je l'ai dérangée. Je suis passé à l'improviste, comme on dit.

— Je comprends, marmonna Olympe en toisant la jeune femme d'un air menaçant. Au revoir, monsieur.

Isaure adressa un sourire à Paul, mais il garda une expression fermée. Envahie par un mauvais pressentiment, elle marcha derrière le groupe que formaient les deux enfants et leur grand-mère. Dès qu'ils furent dans le vestibule, Sophie courut vers la cuisine, imitée par son frère. Ils semblaient en avoir reçu l'ordre avant même d'entrer, peut-être sur le court trajet entre le portail et le presbytère.

— Allons dans le bureau de mon gendre, mademoiselle, que j'étudie les menus. Vous avez fini de les rédiger, je pense.

— Pas encore, madame; je n'ai rien établi pour samedi prochain, répliqua doucement Isaure.

Olympe Mercerin referma la porte sans bruit derrière elles, puis, en se tenant très droite et la tête haute, elle étudia avec acuité la physionomie de la jeune gouvernante.

— Seigneur, vous cachez bien votre jeu, mademoiselle Millet. Sincèrement, on vous donnerait le bon Dieu sans confession, avec vos yeux de faïence et votre visage de madone. C'est très dommage, vous me plaisiez. Vous sembliez capable et dévouée. Mais je déteste qu'on me mente et je vais devoir vous congédier ce soir. Vous finirez la journée. Demain, c'est dimanche, où vous auriez été en congé.

Les jambes d'Isaure tremblaient, elle en avait le ventre noué et la bouche sèche. D'un geste instinctif, elle présenta ses paumes ouvertes, les bras un peu tendus, une attitude exprimant chez l'humain l'incompréhension et l'innocence injustement accusée.

— Pourquoi me renvoyer, madame? demanda-t-elle d'une voix faible. En quoi vous ai-je déplu? En quoi ai-je failli à mon travail? Si c'est sur la foi de commérages, accordez-moi au moins le droit de vous donner ma version des faits, je vous en supplie. Les gens ont la calomnie facile, ici, sûrement ailleurs, aussi.

L'air irrité, Olympe attira le fauteuil près de la fenêtre et s'y assit en soupirant de lassitude.

— Gisèle, la bonne du curé, a servi du lait chaud aux enfants après mon entretien avec le père Jean, qui partait auprès d'un mourant dans une ferme des environs. Quand j'ai appris à cette femme que je vous avais gardée à mon service, j'ai remarqué de la contrariété sur ses traits. Afin d'en avoir le cœur net, j'ai envoyé mes petits jouer dans le jardin et je l'ai interrogée, car elle m'a paru digne de confiance. C'est une fervente et très pieuse catholique. Elle a avoué qu'elle est profondément outrée par votre conduite des derniers jours. Alors? Oserez-vous nier que vous êtes partie pour Paris en compagnie d'un homme, à ses frais? Pire encore, il s'agirait d'un inspecteur de police à la réputation douteuse, celui-là même qui a fouiné dans la maison de ma fille, qui a bouclé l'enquête et qui est par conséquent bien informé des bassesses honteuses de mon gendre, ainsi que des égarements de Viviane. Comment pourrais-je vous garder sous ce toit et vous laisser instruire des enfants innocents en sachant que vous avez fait la vie à Paris et qu'en somme vous êtes une fille entretenue?

Le mot «fille» avait été prononcé sur un ton insistant afin de bien souligner qu'elle faisait allusion aux filles de mœurs légères, des créatures méprisables souvent avides d'argent.

— Si c'était vraiment le cas, madame, pourquoi serais-je revenue à Faymoreau? insinua Isaure, le visage tendu, le regard étincelant. Je ne tiens pas à vous attendrir en vous révélant ce que madame Viviane sait déjà, mais quel était mon intérêt de quitter Paris, où je menais soi-disant la belle vie, pour rentrer dans un village minier et loger dans un petit pavillon?

— Je l'ignore, admit Olympe Mercerin sèchement. Peut-être afin de récupérer vos effets personnels ou de piocher un peu plus dans la garde-robe de ma fille?

— Depuis quand une personne entretenue dans la capitale aurait-elle besoin de vêtements qui sont déjà démodés?

— Ne soyez pas insolente, mademoiselle Millet, ou je n'attendrai pas ce soir pour vous mettre dehors!

— Je ne suis pas insolente. C'est de la logique, avec un brin d'humour. Croyez-moi ou non, j'avais le mal du pays et je ne me plaisais pas rue Saint-Sulpice, dans une famille aisée de surcroît. J'ai refusé une occasion avantageuse, moi qui ai grandi dans la sinistre métairie du château, sous la férule d'un père brutal qui ne m'a jamais accordé la moindre affection. Autant être franche, madame, l'inspecteur Devers m'a invitée à séjourner chez sa mère, qui est veuve et qui désirait m'engager comme demoiselle de compagnie. S'il a payé mon voyage, c'était la volonté de cette dame et, de toute façon, je n'avais plus un sou.

Une flamme de curiosité s'alluma dans les yeux clairs de son interlocutrice. En dépit des sombres avertissements que lui avait prodigués la domestique du curé, Isaure forçait son admiration par son aplomb apparent, son élocution soignée et sa maîtrise. La jeune femme ne la suppliait pas ni ne bredouillait de vaines excuses. Et elle était si jolie! D'une beauté rare.

— Très bien, dit-elle, mais qu'en est-il de vos relations avec ce policier?

Isaure avait perçu le changement d'intonation d'Olympe. Elle se jeta à l'eau, certaine qu'il valait mieux ne pas trop lui mentir.

— L'inspecteur Devers espérait des fiançailles rapides; il désirait m'épouser, mais j'ai décliné sa demande.

— Pourquoi donc? Un mari pourvu d'un emploi, une place de demoiselle de compagnie à Paris! Si vraiment vous êtes issue d'une modeste famille de métayers, quelle sottise de refuser!

La colère fouettait le sang d'Isaure. Ses jambes ne tremblaient plus sous elle et les battements frénétiques de son cœur s'étaient apaisés. Non seulement elle s'était délivrée de l'emprise de son père, elle avait connu l'insouciance et un autre monde pendant une semaine. Rien ne la ferait reculer. Si on la congédiait, une petite voix intérieure lui soufflait qu'elle trouverait du travail à Luçon avec l'aide de Geneviève, ou bien à Paris.

— Madame, je m'estime trop jeune pour épouser un homme que je connais depuis deux mois seulement. J'apprécie Justin Devers, mais je n'ai pas de sentiments assez forts pour lui. Le mariage est un engagement sérieux. Je veux éviter de commettre une erreur, ce qui a souvent des conséquences plus tard.

— Allez-y, dites le fond de votre pensée! Des erreurs qui mènent à l'adultère, comme ce fut le cas de ma pauvre Viviane. Mon Dieu, j'ai tant souffert de la voir marcher vers l'autel au bras de Marcel dans le but de jouer les dames, de quitter le nid où je la couvais, paraît-il! Vous êtes sage, mademoiselle, de ne pas sacrifier votre liberté. Bon, et ces menus?

L'alerte septuagénaire s'empara du cahier et lut la liste des plats.

— Poisson blanc deux fois par semaine, très bonne idée; de la poule au pot, excellente suggestion; des laitues de serre, des épinards en béchamel, Paul n'en voudra pas. Il faudra lui en expliquer les bienfaits. Je compte sur vous.

— Mais, madame Olympe, si je pars ce soir, je ne pourrai pas vanter les vertus des épinards mercredi midi, insinua Isaure, prise d'un espoir insensé.

— Vous ne partez pas! Au fond, peu m'importent vos frasques parisiennes, si frasques il y a eu! Tant que vous aurez un comportement irréprochable dans l'enceinte de la propriété, je préfère vous garder. Les demoiselles de votre âge aussi hardies, franches, intelligentes et ravissantes ne sont pas légion. Je viens de comprendre pourquoi Viviane vous aime beaucoup. Dites, en confidence, à quoi ressemble-t-il, ce policier? Séduisant, viril, je parie?

— Tout à fait, avoua Isaure en souriant, infiniment soulagée et en même temps égayée par la question.

— Dans ce cas, prenez le temps de réfléchir avant de le rayer de votre existence, ma chère enfant. Mais changeons de sujet. Demain, j'ai l'intention d'accorder à Paul et à Sophie la joie de revoir leur maman. Ma fille a meilleure mine; elle semble décidée à sortir de son abattement. Il faut croire qu'elle aimait quand même cet homme, le dénommé Boucard. Quel savoureux paradoxe pour la presse, qui s'est régalée de l'affaire! Pensez un peu, l'épouse du directeur de la compagnie minière s'abaissant à entretenir une liaison avec un porion! Seigneur, comment tenir les enfants à l'écart de cette sordide histoire? Je voudrais les protéger, qu'ils n'apprennent rien avant d'avoir l'âge de supporter la vérité.

D'un signe de tête, Isaure approuva avec véhémence. Elle éprouvait soudain une réelle sympathie pour Olympe Mercerin qui, sous ses allures de grande dame autoritaire, se révélait une femme de cœur, soucieuse de veiller sur les siens.

— Mademoiselle, si je me suis hâtée d'arracher mes petits-enfants à la mère de Marcel Aubignac, c'était dans ce but, celui de les préserver. Elle aurait été trop contente de détruire l'image déjà bien terne et pâlotte qu'ils ont de leur maman. Afin de faire de leur père une victime à leurs yeux, elle se serait acharnée sur Viviane. J'ai pu limiter les dégâts. Mais j'ai besoin d'une personne sûre qui saura me seconder, du moins jusqu'au procès. Paul et Sophie étudieront ici, sans grand contact avec le monde extérieur. Ils apprendront à mieux connaître leur maman. Ensuite…

— Ensuite?

— J'ai l'intention de vendre ma propriété de Chantilly et d'emmener ma fille et les enfants en Suisse. Peut-être serez-vous du voyage, si vous m'avez prouvé vos compétences et si vous cherchez une situation stable. Je sais, vous devez succéder à l'une des institutrices en poste ici, mais qui sait, vous aurez peut-être envie de vous envoler loin de votre pays natal!

Il y avait de la bonté et un vif intérêt dans le regard gris-vert d'Olympe Mercerin. Isaure se troubla en se souvenant des paroles de Thomas quand il l'exhortait à s'envoler, justement, à chercher le bonheur au-delà de Faymoreau, dans le vaste monde.

— L'avenir le dira, madame, répondit-elle tout bas. Je dois moi aussi témoigner au procès, dont la date n'est pas encore fixée. D'ici là, je ferai de mon mieux pour vous aider, je vous en fais la promesse. Et je vous remercie de me garder malgré les rumeurs qui courent.

— Il faudra vite les faire taire, Isaure. Oui, je vous appellerai dorénavant par votre prénom. Au diable les mademoiselle. Mais méfiez-vous. Si ces rumeurs persistaient, votre réputation serait définitivement perdue, sauf si vous épousiez l'inspecteur Devers. Or, vous aimez votre indépendance.

— Vous avez raison, je ferai en sorte d'être exemplaire.

L'entretien était clos. Olympe Mercerin quitta le bureau avec un petit sourire amical. Isaure rejoignit Sophie et Paul dans le grand salon. Assis autour d'une jolie table en marqueterie, ils jouaient aux dominos. Elle les couva d'un œil attendri.

Au nom de son enfance malheureuse, au nom de la petite Anne, Isaure se sentit investie d'une mission sacrée. Elle saurait choyer et protéger ce garçon et cette fillette. Ils étaient nés dans un milieu fortuné, mais, comme elle, ils avaient reçu bien peu de tendresse, d'attentions et de considérations.

— Mademoiselle? s'écria Paul qui venait de la voir sur le seuil de la pièce. Bonne-maman a dit en partant du presbytère que vous n'alliez pas rester avec nous. C'est vrai? Parce que, si c'est vrai, je vous déteste.

La tête basse, Sophie étouffa un sanglot. Isaure se précipita vers eux.

— C'était un malentendu, je ne m'en irai pas. Je serais trop triste sans vous, enfin! Je tiens à vous instruire et à vous amuser. Cet après-midi, nous ferons du dessin et de la peinture. Germaine nous préparera des crêpes. Qu'en dites-vous?

— Oh! Je suis tellement contente! murmura la timide Sophie en se jetant au cou d'Isaure.

Moins démonstratif, Paul caressa cependant la manche de la jeune gouvernante.

— J'étais fâché contre vous, mais c'est fini, avoua-t-il. Savez-vous, mademoiselle, que j'adore dessiner!

— Tant mieux, c'est une merveilleuse occupation. Paul, je dois te dire un secret.

— Ah oui? s'étonna-t-il, intrigué.

— Hormis les leçons que je vous donne, je dois veiller aux menus chaque semaine. Mercredi prochain, il y aura des épinards au déjeuner. Ta grand-mère prétend que tu n'en mangeras pas. Je risque de perdre la face. Alors si tu faisais un effort…

— Mais, mademoiselle, j'avalerai ma part sans broncher, puisque vous restez avec nous, répondit-il en jubilant.

— Merci, Paul, ce sera notre premier secret.

Isaure ponctua ces mots d'un sourire lumineux, achevant ainsi de conquérir le cœur fragile des deux enfants que le destin venait de lui confier.

Coron de la Haute Terrasse, chez les Marot,
lundi 10 janvier 1921, 8 heures du matin
Honorine sursauta en voyant entrer Thomas, pâle et les traits défaits, à l'heure où son fils aîné était censé se trouver au fond du puits du Centre.

— Qu'est-ce qui se passe? s'écria-t-elle. Mon Dieu, pitié, ne m'annonce pas une nouvelle tragédie!

— N'aie pas peur, maman, il n'y a pas eu d'accident. Papa va bien, tous nos amis aussi. Mais j'ai reçu un blâme d'Ardouin, le contremaître, disons le toutou du nouveau directeur. Il attendait l'équipe du matin pour nous annoncer les propositions de Fournier. Il avait même affiché un document officiel. Grandieu a lu le texte à sa manière; ce n'est pas un lecteur fameux. Seulement, dès les premières phrases, j'ai poussé un cri de colère et les autres gars m'ont imité. On m'a alors prié de quitter la salle des pendus, de rentrer chez moi et de réfléchir.

— Assieds-toi, fiston, raconte-moi ça. Veux-tu du café?

— Oui, maman. J'ai voulu prévenir Jolenta, mais elle n'était pas à la maison. Elle a dû aller au magasin général dépenser nos derniers sous.

— Je crois plutôt qu'elle est encore chez Rosalie. Elles passent la moitié du temps ensemble à bavarder. Bah! C'est de leur âge.

— Ah oui, c'est vrai. Au moins, Jolenta ne s'ennuie pas. Et puis, Rosalie a un bébé de dix mois. Ma petite femme peut prendre de la graine, comme ça.

Honorine tourna le dos à Thomas pour ne pas se trahir. Elle désapprouvait la nouvelle fréquentation de sa belle-fille, mais elle refusait de donner son opinion.

— Où est Jérôme, maman?

— Oh, ton frère sort chaque matin, maintenant. Il s'exerce à parcourir le village seul, quitte à faire une mauvaise chute... Explique-moi donc ce qui t'a mis en colère.

Thomas laissa tomber deux morceaux de sucre dans son café et observa les remous créés à la surface du liquide.

— Nous allons droit vers une catastrophe, ma pauvre maman. Je sais que la crise économique inquiète tous les grands patrons du secteur de l'industrie, mais le moyen que propose Fournier pour améliorer les comptes de la compagnie est inacceptable. Il veut baisser les salaires et le prix des berlines, et augmenter les loyers des corons. Autant nous envoyer tous au diable, nous réduire au chômage, nous condamner à chercher du travail je ne sais où.

— Ce n'est pas possible, enfin! Je n'ai jamais entendu une sottise pareille, s'exclama Honorine, rouge de stupeur.

— Une sottise, non, c'est de la folie. Ce soir, j'organiserai une réunion ici, si ça ne te dérange pas. Jolenta pourra se reposer, comme ça.

— Bien sûr, mon fils, je préfère que ce soit chez nous. Mais je n'ai pas grand-chose à servir, si vous êtes nombreux. Ton père n'a pas encore touché sa paie et Jérôme attend sa pension de janvier.

— De la chicorée et des biscuits suffiront. Ne t'inquiète pas, maman, nous devons discuter, le ventre vide si nécessaire. En tout cas, je perds mon gain de la journée. Ce n'est pourtant pas le moment!

Honorine, qui était restée debout, dut prendre place sur une chaise en face de Thomas. L'émotion la terrassait. Elle ne pouvait nier l'évidence, la situation était grave.

— Pourquoi ont-ils expédié ce Fournier à Faymoreau? gémit-elle. Jamais monsieur Aubignac n'aurait eu des idées aussi stupides. Il a perdu l'esprit parce que sa femme le trompait, mais il dirigeait bien la compagnie.

Désemparé, Thomas secoua la tête. Sa mère disait vrai, au fond. Les années qui avaient précédé le terrible drame du mois de novembre, Aubignac avait été un bon directeur.

— En parlant des Aubignac, maman, as-tu revu Isaure?

— Pas depuis lundi dernier quand je l'ai croisée devant l'*Hôtel des Mines*. Elle doit être très occupée et je suis bien contente pour elle. La place est avantageuse. Elle est logée et nourrie.

— Je suppose qu'elle a quand même un jour de congé. Tiens, hier, elle aurait pu te rendre visite. Jérôme lui avait demandé de passer.

— Et ton frère s'est pratiquement fait congédier par la mère de Viviane Aubignac, qui a dû s'indigner de trouver un inconnu dans le parc de la propriété.

Le fond charitable et optimiste de Thomas se ranima. Il ne parvenait pas à juger les gens sans raison valable.

— Maman, protesta-t-il, Jérôme est très susceptible à cause de son infirmité. Nous ne savons rien de cette madame Mercerin, comme tout le monde l'appelle. Il faut la comprendre, ce n'est pas facile de s'installer à Faymoreau, sous le toit de son gendre devenu un criminel. Bon, je te laisse, je vais aller toquer chez Rosalie et ramener Jolenta à la maison.

Cependant, Thomas frappa en vain. Personne ne lui répondit. Il remonta la rue, ne sachant pas où trouver sa femme. Ses yeux verts pleins de mélancolie et d'angoisse fixèrent un instant le clocher du village. Sans réfléchir, les mains dans les poches et le col de sa veste relevé, il marcha vers l'église. « Peut-être que j'apercevrai Isaure! » songea-t-il quand il arriva près du portail toujours ouvert, avec, sur la gauche, le pavillon au toit pointu.

Comme si le hasard l'exauçait, il vit sortir la jeune femme, coiffée d'une cloche en feutre brun à la dernière mode et vêtue d'un manteau en drap beige. Ses nattes noires tranchaient sur la couleur claire du lainage. Ses mains gantées tenaient un petit sac en cuir.

— Isaure, dit-il assez bas.

Elle le dévisagea, surprise, mais tout de suite émue. Thomas put déchiffrer sa joie à l'éclat soudain de son regard.

— Bonjour, Thomas. Que fais-tu par ici?

— Ce serait un peu long à t'expliquer. Je me baladais; ça calme les nerfs. Et toi?

— Roger, le chauffeur de madame Mercerin, doit me conduire à Fontenay; il prépare la voiture. Je lui ai dit que je l'attendais dehors, enfin, en dehors du parc. Je n'ai pas quitté la propriété de la semaine. Je commence à imaginer que Faymoreau a disparu, de l'autre côté des murs.

— Et tu oublies tes vieux amis, conclut-il en souriant. Maman aurait besoin de réconfort, tu sais. Jérôme aussi.

Isaure ne pouvait pas détacher ses yeux de ceux de Thomas. Elle avait pu, auparavant, contempler son visage dont chaque détail lui était familier, de son grand front au nez droit, digne d'une sculpture ancienne, au dessin des lèvres. Il y avait également le grain de beauté sur sa joue droite et une cicatrice à gauche de son menton parsemé d'un duvet, blond comme ses cheveux bouclés.

— Je n'oublie personne, soupira-t-elle. Je tiens à garder ma place de gouvernante. Madame Mercerin a su par Gisèle que j'avais séjourné à Paris et que Justin m'avait offert le voyage. Elle s'est méfiée de moi. Elle voulait me renvoyer.

— Oh non, Isaure, je suis désolé. Comment Gisèle a-t-elle pu être mise au courant? Nous t'avions promis de ne pas en parler et nous avons tenu parole, je t'assure.

— Quelqu'un l'aura appris malgré tout. Ta mère pense qu'une voisine aurait écouté à votre porte.

Thomas serra les poings au fond de ses poches et étouffa un juron de contrariété. Il était presque certain que Jolenta avait sa part de responsabilité dans l'indiscrétion.

— Ne t'inquiète pas, tout s'est arrangé, ajouta Isaure. Je suis très contente de mon emploi. Je fais même la classe aux deux enfants de Viviane. La pauvre souffre d'une maladie nerveuse, mais elle va de mieux en mieux.

Le grondement d'un moteur résonna, suivi du crissement des pneus sur les gravillons.

— Sauve-toi, Thomas. Passe ton chemin, je ne veux pas être vue en compagnie d'un homme.

— D'accord! Et l'inspecteur Devers, que devient-il?

— Je l'ignore. Vite, va-t'en.

Il tourna les talons et s'éloigna à longues enjambées. Isaure se rapprocha du portail en feignant de fouiller dans son sac. «Je l'aime toujours autant, se disait-elle, le ventre noué, le souffle suspendu. Mon Dieu, comme j'avais envie de me jeter à son cou, de l'embrasser, de le sentir contre moi! Si c'était mon frère, j'aurais au moins ce droit-là!»

Sous les Halles de Fontenay-le-Comte, Isaure entreprit de faire ses achats dans un état second, tellement rêveuse que la marchande de poissons la taquina.

— Vous, m'selle, vous êtes amoureuse. Ça se voit, hein! Dites un peu!

147

— Oui, c'est vrai, admit-elle en rougissant à peine.

Cela lui était une consolation de l'avouer à la brave Vendéenne, qui lui choisit les plus belles soles de son étalage en la saluant d'un clin d'œil complice.

— Je reviendrai jeudi matin, dit gaiement Isaure. Au revoir, madame!

— Au revoir, ma jolie.

Pendant une heure, la jeune femme déambula parmi la foule animée qui remplissait les allées. Elle appréciait le spectacle des légumes soigneusement présentés dont les couleurs se mêlaient: l'orange des carottes, le vert et le blanc nacré des poireaux, le pourpre sombre des betteraves, le feuillage exubérant des choux autour du cœur bien pommé.

Son cabas et son panier d'osier étaient bien garnis quand elle les posa à ses pieds pour regarder à son aise le présentoir d'un kiosque à journaux situé à l'extérieur du marché couvert. Les gros titres attiraient toujours son attention et elle se souvint du jour où elle avait lu ainsi la terrible nouvelle d'un accident à Faymoreau. «J'ai tout laissé en plan et je me suis ruée vers la gare pour prendre le premier train. J'ai perdu mon emploi de surveillante, mais rien ne m'aurait retenue, alors que Thomas était prisonnier sous la terre.»

Isaure se crispa en se remémorant son retour. Elle avait été confrontée à Jolenta et Honorine lui avait annoncé, dans l'église où elles priaient toutes trois, que Thomas et la jeune Polonaise allaient se marier. «Peu après, mon grand amour m'avouait que Jolenta était enceinte. Mais l'aurait-il épousée, sans le bébé?»

La question l'obsédait. Elle se persuadait le plus souvent que leur union était inévitable, avec ou sans la promesse d'un enfant. Cependant, depuis Noël, il lui arrivait d'en douter et ce léger doute suffisait à l'apaiser, à semer une petite graine d'espoir au fond de son cœur.

— Eh bien, même en province, on est avide d'actualité! fit une voix derrière elle tandis qu'une main se posait sur son épaule.

Si cette voix à l'accent un peu traînant et à la tonalité agréable lui avait été inconnue, elle aurait pu gifler l'individu qui osait l'aborder. Mais elle ne se retourna même pas afin de lui montrer son dédain.

— Radieuse créature! chuchota alors Justin à son oreille. Les dieux me témoignent enfin de la bonté en vous plaçant sur ma route. Je bénis ma chance.

— Que fais-tu ici? interrogea-t-elle en lui faisant face.

— Je travaille, bien sûr. Le commissaire de La Roche-sur-Yon m'a envoyé enquêter dans ce quartier de Fontenay; une affaire sérieuse dont je ne peux rien dévoiler.

— Et dont je n'ai rien envie de savoir, rétorqua Isaure, qui cédait à la colère après s'être réjouie de le revoir. Justin, tu ne m'as pas écrit depuis mon départ de Paris et tu n'as pas cherché à me rencontrer. J'en déduis que tu es aussi ordinaire que les autres hommes. Tu es vexé et tu as essayé de te venger par ton silence.

Le policier éclata de rire en l'entraînant à l'écart du kiosque à journaux. Isaure le suivit d'un pas déterminé pour entendre sa réponse, oubliant dans son élan cabas et panier. Ils marchèrent côte à côte le long d'un large trottoir pavé, sous un ciel d'un gris laiteux.

— Mon silence, ironisa-t-il. Mais, même si je t'avais écrit une lettre quotidiennement, cela n'aurait fait aucun bruit.

— Ne joue pas sur les mots, tu as très bien compris.

— As-tu un peu de temps, que nous refassions connaissance, ma chérie? continua-t-il à plaisanter. Où le chauffeur de madame Mercerin t'attend-il?

Sidérée, Isaure recula et le toisa d'un regard froid.

— Comment sais-tu ça, Justin?

— Je suis un flic. Je n'ai aucun mal à obtenir des

renseignements et je ne m'en prive pas. Antoine Sardin, mon adjoint dans l'affaire Aubignac, est venu rôder à Faymoreau. Il est un peu crétin, mais il m'a fourni les informations que je voulais. Isaure Millet était rentrée saine et sauve au bercail. Elle logeait toujours dans son petit pavillon et elle avait fait la conquête de la capricieuse Olympe Mercerin, née de Vitrac, fille unique d'un ancien magistrat et mère de l'infortunée Viviane. Est-ce qu'elle va mieux, l'épouse de notre criminel?

Étourdie par ce flot de paroles, Isaure eut un sourire apitoyé, eu égard à sa propre naïveté. Comment avait-elle pu croire que Justin ne se souciait pas d'elle, qu'il s'était vexé ou qu'il renonçait à leur liaison? Il l'avait simplement laissée libre d'agir à sa guise, sans chercher à l'influencer par des missives ou des visites d'amant éconduit.

— Alors, ce n'est pas vraiment un hasard, si tu es là, ce matin, insinua-t-elle, un vague sourire sur les lèvres.

— J'ai trouvé un moyen distrayant de t'approcher sans nuire à ta réputation.

— Justin, tu ne changeras jamais. Peut-être que la police ne te convient guère, finalement, tu n'es pas assez sérieux pour ça. Tu serais mieux en détective.

Il devint grave et la contempla avec attention. De l'index, il effleura la courbe de sa joue.

— Toi, tu changes très vite, Isaure. Tu en serais étonnée si tu pouvais t'observer de jour en jour. Je t'ai trouvée très belle la première fois que je t'ai vue, mais tu semblais si triste, si fragile! Tu ne souriais jamais, tu avais un air dur et boudeur. On aurait dit une grande enfant pleine de rancune envers le monde entier. Maintenant, tu manies l'humour et la dérision. Autrefois, je percevais que tu étais terrifiée dès que tu étais en présence de ton père, mais tu n'as plus peur, je le sens. Je ne serai sans doute jamais l'élu de ton cœur. Je vivrai avec cette épine, mais tu m'as offert un don précieux.

— Lequel? dit-elle tout bas.

— Viens un peu là, dit-il en l'emmenant dans la pénombre d'un passage voûté qui donnait sur une cour à l'abandon.

Il l'enlaça et l'embrassa dans le cou à deux reprises, après avoir abaissé le col de son manteau. Elle tressaillit, car c'était son point faible, qu'il avait vite découvert.

— Je me fiche de la virginité et je me moque d'avoir été le premier, souffla-t-il bouche contre bouche. Mais je t'ai enseigné les joies de l'amour physique et tu as été une merveilleuse élève. Isaure, c'était grisant et exaltant d'assister à ta joie, d'être témoin de tes pudeurs, d'écouter tes soupirs. Oui, tu m'as offert les meilleurs moments de ma vie et tu as fait de moi ton obligé *ad vitam æternam*. N'oublie pas que je t'aime, en plus.

Bouleversée, Isaure l'étreignit avec ferveur, le visage enfoui au creux de son épaule. Elle perçut son odeur d'homme soigné, mélange de savon anglais, d'eau de Cologne et de linge propre, mêlée à la nuance tenace du tabac.

— Il n'y a qu'un problème, ajouta-t-il en se dégageant de ses bras. Ma chérie, ton couvre-chef, cette cloche ridicule, ne te va pas du tout. Les couturiers l'ont sans doute conçue pour aller avec les cheveux courts. Toi, tu resplendirais sous une capeline en organdi du même bleu que tes beaux yeux.

Isaure balaya ses craintes et ses hésitations. Justin la charmait, l'emportait avec lui dans son univers où le sérieux cédait la place aux plaisanteries, où les déclarations d'amour précédaient un discours sur la mode. Ils échangèrent un baiser ardent jusqu'à en perdre haleine.

— Ma chérie, ma mie, implora-t-il, lundi prochain, si nous prenions une chambre d'hôtel, rien qu'une petite heure…

— Oh oui, oui, chuchota-t-elle, tremblante de désir. Lundi prochain, je te le promets. Mais je suis en retard, je m'en vais.

— On se retrouve là, dans ce passage. Je m'occupe de tout, affirma-t-il.

Elle prit la fuite en riant sans bruit et en lui adressant un signe de la main.

6

Colères et chagrins

Faymoreau, demeure des Aubignac, jeudi 17 février 1921
Isaure disposait le plateau du petit-déjeuner sur la table de chevet de Viviane Aubignac, qui l'observait d'un air songeur, adossée à ses oreillers. Dans un peignoir de satin noir entrouvert sur une chemise de nuit en soie grise, un turban également noir dissimulant une partie de ses cheveux très blonds, elle semblait porter le deuil de son amant assassiné.

— J'ai demandé à Germaine de vous préparer des œufs au lard dans l'espoir de vous redonner un peu d'appétit, dit gentiment Isaure. Et j'ai pressé moi-même deux oranges. Pensez à vos enfants, madame. Vous devez reprendre des forces.

Viviane haussa ses épaules menues. Elle avait beaucoup maigri et elle ne se maquillait plus jamais, ce qui lui donnait l'allure d'une adolescente malingre au visage d'une infinie tristesse.

— Paul et Sophie seraient tellement contents de pouvoir se promener avec vous dans le parc! Le printemps est précoce, cette année, madame. Il pointe déjà le bout du nez. Les jonquilles sortent de terre, les jacinthes fleuriront bientôt et les arbres se couvrent de bourgeons prêts à éclore.

— Non, Isaure, je ne sortirai plus, je ne prendrai

pas ce risque. Si j'allais dans le parc avec mes petits et que cette pauvre femme revenait! Enfin, vous étiez là, avec moi. Avouez que ça a été une scène odieuse. Par chance, maman avait emmené les enfants à Fontenay.

— Danielle Boucard n'osera pas revenir, affirma Isaure d'une voix nette. Votre mère lui a versé une somme d'argent importante dès le lendemain, de quoi la tenir à l'écart. Je vous assure qu'il n'y a plus de souci à vous faire.

— Non, ça ne suffira pas, elle reviendra, gémit Viviane en secouant la tête avec un regard de bête traquée. Cette femme a tout perdu par ma faute, son mari et son logement dans le coron des Bas de Soie. Elle doit élever ses filles seule, sans grandes ressources.

— Je vous en prie, n'y pensez plus, puisque madame Olympe a réglé le problème.

— Comment de l'argent pourrait-il remplacer un époux aimé et un père?

— Je suis désolée d'être aussi matérialiste, mais l'argent console de bien des maux, madame.

— Oh non, non, je ne veux pas vous entendre parler ainsi ou je commencerai à croire que ma mère et moi vous avons pervertie en vous engageant.

Isaure retint un soupir. Quand Viviane s'abandonnait à ses idées noires, il était difficile de l'en détourner. Ses nerfs à vif la rendaient d'une sensibilité maladive.

— Peut-être qu'elle va me tuer, la malheureuse veuve. Oui, elle se vengera de moi parce que j'ai séduit Alfred et qu'il m'a aimée, déclara-t-elle d'une voix aiguë, en se pelotonnant sous ses draps. Elle peut se procurer une arme, maintenant qu'elle a des sous, et tirer sur moi depuis la grille du portail. Je ne suis à l'abri qu'ici, dans ma chambre.

L'incident qui suscitait un tel débat datait de l'avant-veille. Il faisait si beau temps, au début de l'après-midi, qu'Isaure avait réussi à conduire Viviane dans le parc pour lui montrer un crocus d'un jaune d'or qui venait de fleurir au pied d'une haie de buis. Et, le hasard faisant souvent mal les choses, la veuve du porion Alfred Boucard rôdait devant le portail, toute vêtue de noir, le visage changé en un masque tragique, livide, la bouche tordue par le mépris, les yeux cernés. Ce n'était pas la première fois qu'elle venait là, mais personne ne s'en était aperçu. Ce jour-là, sachant la maîtresse de son défunt mari de retour à Faymoreau, Danielle Boucard l'avait enfin vue : blonde, l'allure fragile, trop jolie à son goût, vivant symbole du vice et de la richesse.

— Elle ne vous tuera pas, enfin, protesta Isaure. Vous ne risquez plus rien, je vous assure.

— Seigneur, se lamenta Viviane, j'en doute. Je la revois sans cesse quand elle a brandi le poing dans ma direction, en me traitant de…, de…, de ce mot abominable. Isaure, est-ce que je le mérite, ce mot-là ? Suis-je vraiment une putain ?

— Chut, madame, parlez moins fort. Si les enfants écoutaient à votre porte ! On ne sait jamais !

— Oh, ils finiront par être atteints, eux aussi, malgré toutes mes précautions. Admettez qu'ils ne devaient pas suivre le catéchisme. J'ai eu raison de m'opposer à maman. Ils auraient pu croiser Danielle Boucard et elle leur aurait crié ce mot qu'elle m'a crié l'autre jour.

En imaginant la scène qui n'avait pourtant pas eu lieu, Viviane éclata en gros sanglots désespérés.

— Une putain ! une putain ! marmonnait-elle entre deux hoquets navrés.

— Calmez-vous, madame. Et ne prononcez plus jamais ce terme injurieux. Si cela peut vous tranquilliser, j'irai parler à madame Boucard. Je trouverai peut-être des arguments en votre faveur. Sans vouloir manquer de respect à votre mère, elle n'a pas été très aimable ni compatissante envers cette femme.

— Comment le savez-vous?

— Madame Olympe m'a raconté l'entretien. En fait, elle a traité Danielle Boucard de haut et lui a ordonné de rester à sa place. Excusez ma franchise, chère madame, mais, dans ce genre de situation, il aurait fallu plus de diplomatie.

Subitement, Viviane cessa de pleurer et se redressa. Elle jeta un coup d'œil désabusé à Isaure, debout à son chevet.

— Vous n'irez pas loin dans la vie si vous changez d'avis comme de chemise, ma petite. Malgré mon état de santé et mes crises de nerfs, j'ai remarqué à quel point vous vous contredisez fréquemment. Là encore, j'en ai un exemple. Vous prétendez que l'argent console de tout, mais, deux minutes après, vous affirmez que maman n'a pas fait le nécessaire.

Mouchée, Isaure demeura silencieuse un instant. Viviane venait de toucher un point sensible.

— Vous avez raison, madame, je passe mon temps à douter, à hésiter, à peiner à démêler mes sentiments. Cependant, en ce qui concerne Danielle Boucard, je maintiens mon opinion. La somme mirobolante que lui a donnée votre mère a dû l'apaiser en lui ôtant de la chair la principale épine, à savoir la misère quotidienne. Elle n'a plus devant elle ses fillettes mal nourries et mal vêtues, mais son tourment intime n'a pas pu être résolu ainsi. En effet, vous voyez juste : cette femme a tout perdu et elle vous accuse d'en être la cause.

— Donc, elle reviendra m'insulter, murmura Viviane, la mine terrifiée. C'est décidé, je ne sortirai plus de la maison et, après le procès, nous partirons vite loin d'ici, maman, mes enfants et moi.

— Bien, madame, soupira Isaure en lui tendant le verre de jus d'orange.

Elle prit place au bout du lit, une familiarité qu'elle

se permettait depuis peu. Ses pensées volèrent soudain vers Justin. Elle devait retrouver le policier au milieu de la matinée, à l'*Hôtel Bellevue*, situé à environ deux cents mètres du marché couvert de Fontenay. Le chauffeur, Roger, s'accommodait fort bien de leurs expéditions. Forte de son statut de gouvernante, Isaure lui avait conseillé de l'attendre dans un café où il prenait ses aises en buvant de petits verres de vin blanc et en jouant à la belote. Elle gagnait ainsi une heure, qu'elle passait dans les bras de son amant.

— Mais à quoi rêvez-vous, Isaure? Ou bien à qui? demanda tout bas Viviane.

— Je pensais simplement que je devais m'habiller pour partir. Nous sommes jeudi. Je vais aux Halles.

— Et si vous emmeniez les enfants? En montant dans la voiture le long de la maison, ils ne feront pas de pénible rencontre et cela les distrairait, les pauvres chéris, toujours enfermés ici.

La proposition contrariait les plans d'Isaure, mais elle réussit à garder un air neutre.

— Parlez-en à maman, je suis sûre qu'elle acceptera.

— Je m'en occupe tout de suite, madame, à condition que vous terminiez votre plateau, sans en laisser une miette.

— Je vous le promets, murmura Viviane d'une voix douce.

*

Dix minutes plus tard, Isaure bénissait en son for intérieur l'intransigeance d'Olympe Mercerin qui avait refusé tout net de suivre l'idée de sa fille.

— Paul construit une maquette de voilier que je lui ai offerte et Sophie prend sa première leçon de piano, avait-elle tranché. La comtesse de Régnier, à qui j'ai rendu visite dimanche, m'envoie le professeur de ses enfants, une dame respectable qui est excellente musicienne. Dieu du ciel, il faut protéger nos chers petits et, moi vivante, ils ne franchiront pas l'enceinte du parc. Vous leur enseignez le catéchisme aussi bien que monsieur le curé. Ne changeons pas l'ordre établi.

— C'est plus prudent, en effet, madame Olympe, s'était écriée la jeune femme, rassurée.

Elle aurait été désolée de renoncer à ses rendez-vous avec l'inspecteur Devers. Ils jouaient un jeu dangereux, de leur propre avis, mais ils se montraient d'une extrême prudence. Isaure montait la première dans la chambre de l'*Hôtel Bellevue*, un peu gênée cependant par le regard complice du réceptionniste, en fait une connaissance de Justin qui lui avait rendu service et à qui il avait promis d'être d'une discrétion absolue. Le policier arrivait quelques minutes plus tard, incapable de cacher son impatience, sa joie de la revoir et de l'enlacer.

Ce jeudi-là, il entra dans la pièce la mine maussade, sans même ôter son chapeau et son manteau.

— Je ne peux pas rester, lui dit-il d'un ton agacé. Une affaire urgente à La Roche-sur-Yon. Je suis venu quand même en jurant au commissaire que je filais sur les lieux.

— Tu aurais dû téléphoner ici et ne pas faire le détour. Justin, je ne veux pas te causer d'ennuis dans ton travail. Nous faisons attention pour préserver ma réputation, mais si tu commets des imprudences de ton côté, je m'en voudrai.

Il la contempla, malade de dépit, tandis qu'elle s'approchait de lui, douce et déjà résignée.

— Que vas-tu raconter au chauffeur de madame Mercerin? s'inquiéta-t-il.

— Rien du tout, je vais patienter dans la chambre jusqu'à l'heure que je lui ai fixée. Pars vite, je t'en prie!

— J'ai droit à un baiser, au moins? dit-il à son oreille.

Elle eut un rire suave et caressant qui le rendit fou. Il la serra contre lui et mangea ses lèvres comme un affamé. Il l'embrassa aussi au creux du cou et dans l'échancrure de son corsage.

— Au diable le commissaire! Par chance, j'ai pu expédier Sardin sur une autre piste, un témoin à interroger, gronda-t-il sous la poussée d'un désir encore plus virulent que d'ordinaire. Tu es si belle, ma chérie, si fascinante! Et tu sens si bon!

Grisée et le corps incendié par l'expression égarée de son amant, Isaure l'entraîna vers le lit sur lequel ils s'abattirent en échangeant de nouveaux baisers passionnés. Chaque fois qu'ils se retrouvaient, elle s'étonnait du pouvoir qu'avait Justin sur elle, sur sa jeune chair en éveil, sans cesse avide de volupté. Elle s'était confiée à lui franchement, à ce sujet.

— Est-ce que je suis une fille normale? avait-elle murmuré, l'air soucieux. Geneviève me disait que c'est merveilleux, l'amour physique. Je suis bien d'accord, mais...

— Mais quoi? s'était-il esclaffé.

— Peut-être que j'apprécie trop ça.

Depuis, c'était une plaisanterie entre eux, le « ça ». Le policier veillait à répéter d'un ton câlin le si petit mot, en usant et en abusant.

— Vite, nous devons faire ça, disait-il. Tu avais envie de pleurer, après ça. Pourquoi?

Isaure en riait de bon cœur. Pourtant, elle évitait d'en rajouter, car une question précise et un tenace sentiment de culpabilité la tourmentaient. « S'il savait que j'ai pensé à Thomas, une fois, à Paris, comme il serait blessé et malheureux! »

D'un tempérament très sensuel, elle se demandait souvent si un autre homme, et notamment Thomas, la comblerait autant que Justin. Elle n'avait pas pu oublier la jouissance si particulière, plus intense, plus intime même, qu'elle avait éprouvée en pensant à lui sous les assauts virils de son amant.

*

Justin se relevait déjà après avoir possédé Isaure à la manière rude et rapide d'un soldat troussant une fille au bord d'un chemin. Elle avait éprouvé un plaisir tout aussi rapide, qui la laissait haletante, mais un peu sur sa faim, cependant.

— Tu devras te rattraper la prochaine fois, dit-elle dans un sourire malicieux.

— C'est promis, jeune beauté que j'idolâtre, répliqua-t-il en enfilant son manteau. Le mot est juste, Isaure, je t'adore à en perdre la tête. Je viens de le prouver en échappant à mes tristes responsabilités pour te rejoindre.

Le policier devint grave, soudain. Il se pencha sur elle, qui restait délicieusement indécente, avec sa jupe et son jupon relevés sur ses cuisses moulées dans des bas noirs. Il effleura d'un doigt la chair nacrée le long de la jarretelle rose.

— Les dessous féminins me rendent fou, soupira-t-il, surtout les tiens. Isaure, je t'aime de tout mon être. Je te le dis et te le redis à la moindre occasion. Mais toi? Est-ce que tu m'aimes? Même après nos ébats, quand tu sembles comblée, tu ne m'accordes jamais un aveu. Réponds! M'aimes-tu?

— Oui, je crois, déclara-t-elle sans réfléchir. Je le suppose, sinon je ne serais pas là à t'accorder de bon cœur tout ce que tu veux.

Devers esquissa une grimace de dépit. Ce n'était pas ce qu'il aurait souhaité entendre.

— Alors, dis-le-moi, insista-t-il.

Isaure se leva brusquement, la mine farouche, et alla

vite s'enfermer dans le cabinet de toilette. Il ne pouvait plus partir, entêté à la revoir, à obtenir une réponse précise. Une sonnette d'alarme vrillait son esprit; elle lui conseillait de sortir et de couper court à la discussion. D'un geste nerveux, il prit un paquet de cigarettes au fond de sa poche et en alluma une.

— Dépêche-toi, cria-t-il, je devrais être à La Roche-sur-Yon.

— Il ne fallait pas venir, rétorqua-t-elle derrière la porte, un panneau de bois très mince tapissé de papier bleu.

— Isaure, tu me tortures, là! On ne peut pas continuer comme ça, on devrait se marier avant d'avoir de gros ennuis l'un et l'autre.

Elle réapparut enfin, le visage tendu, le regard furibond. Il la saisit par les épaules et la fixa avec passion.

— Même si tu ne m'aimes pas autant que je t'aime, murmura-t-il, tu peux bien m'épouser, puisque Thomas est lié pour la vie à sa Polonaise. Bon sang, qu'est-ce qu'il a de plus que moi, ce type?

Il la secouait, éperdu d'un chagrin foudroyant mêlé d'une vive rancune. Elle baissa la tête en respirant profondément.

— Il n'a rien de plus que toi, Justin. Nous sommes heureux ensemble. Pourquoi compliques-tu tout avec ta jalousie et ton besoin de mariage?

— Isaure, je ne te comprends pas. Comment une jeune femme peut-elle risquer de se compromettre ainsi? Je ne suis pas un modèle de moralité, je n'ai pas de principes rigides et je me fiche des conventions religieuses, mais tu es pire encore, à vouloir ta liberté, à te satisfaire d'être ma maîtresse.

Elle réussit à se dégager de son emprise, les épaules meurtries tant il les avait serrées entre ses doigts autoritaires.

— Tu m'as fait mal, Justin. Nous poursuivrons la conversation lundi prochain. Tu ferais mieux de descendre le premier. Moi, je ne suis pas en retard.

Il pinça les lèvres, lui dédia une dernière œillade dépitée et se rua vers la porte qu'il claqua. Isaure tressaillit, prête à pleurer de contrariété. Elle regrettait d'avoir peiné Justin, qui ne le méritait pas.

— Il a raison, dit-elle tout bas en mettant sa veste et sa cloche en feutrine. Qu'est-ce que j'espère de Thomas? Rien, il n'y aura jamais rien entre nous deux.

Elle dévala les marches, déboula dans le hall de l'hôtel et posa la clef de la chambre sur le comptoir en saluant d'un signe discret le réceptionniste, assez au fait de son métier pour afficher une expression polie et indifférente. Pourtant, il avait vu passer en trombe l'inspecteur Devers, qui ne lui avait pas adressé le sourire habituel.

Sur le trottoir, Isaure chercha des yeux la silhouette de son amant. Elle l'aperçut à une dizaine de mètres, près de sa voiture. Vite, elle courut vers lui sans regarder autour d'elle.

Pourtant, ce matin-là, le chauffeur d'Olympe Mercerin avait renoncé à sa partie de belote, ses compagnons de jeu lui ayant fait faux bond. L'air printanier et la tiédeur du soleil l'avaient poussé à se promener dans le quartier animé qui avoisinait le marché couvert.

Jusqu'à présent, il ne s'était pas vraiment étonné du temps que s'accordait la jeune gouvernante pour faire ses achats et passer des commandes à certains marchands. Une grande partie des provisions de bouche nécessaires aux menus établis étaient en effet livrées à domicile, Isaure ne pouvant pas, en toute logique, se charger lourdement. D'un caractère simple, même conciliant, Roger se disait aussi qu'une demoiselle de l'âge d'Isaure avait besoin d'échapper un peu aux contraintes de sa fonction. Comme elle veillait à acheter des journaux et des revues pour Viviane et sa mère, ainsi que des illustrés pour les enfants, il estimait normal de l'attendre deux heures.

Il y trouvait également son compte en sirotant du vin blanc et en disputant des parties de cartes. Mais une remarque que sa patronne lui avait faite la veille le tracassait.

— Je suis surprise que les sorties du lundi et du jeudi matin soient aussi longues. Au début, en exceptant le trajet aller et retour, mademoiselle Millet ne s'absentait que deux heures et demie. Maintenant, vous l'emmenez très tôt et vous ne rentrez qu'à midi. J'aimerais que nous en revenions à un horaire moins souple, à l'avenir.

— Oui, madame, j'y veillerai.

Roger avait l'intention d'en discuter avec Isaure quand ils seraient en route pour Faymoreau. S'il n'avait pas abordé le sujet dès le matin, c'était afin de profiter encore une fois d'un bon moment dans le bistrot où il avait coutume de se rendre. Déçu de se retrouver inoccupé jusqu'à onze heures, il s'était décidé à baguenauder le long des rues ensoleillées.

Ce fut ainsi qu'il vit Isaure cramponnée à pleines mains au bras d'un inconnu moustachu et coiffé d'un chapeau noir. Stupéfait, il s'abrita derrière un présentoir de parapluies, sans quitter le couple des yeux. Il distinguait le faible écho de leurs voix, mais ne pouvait comprendre ce qu'ils se disaient.

Il leva le nez un instant et découvrit l'enseigne de l'*Hôtel Bellevue*. La scène qu'il reconsidéra aussitôt avait des allures d'une querelle d'amoureux. Ses doutes se confirmèrent quand Isaure se jeta au cou de l'homme et l'embrassa sur la bouche.

— Nom d'un chien! jura-t-il entre ses dents.

Jamais Roger n'aurait cru la gouvernante, toujours réservée, rêveuse et d'une éducation très correcte, capable de se donner en spectacle en pleine rue. Il s'empressa de tourner les talons et trottina vers la place des Halles en s'interrogeant sur la conduite à tenir.

Isaure ne l'avait pas vu. Quant à Justin, il ne le connaissait pas et, l'aurait-il remarqué en train de les observer, il ne s'en serait pas soucié.

— Es-tu content? l'implorait la jeune femme après le baiser échangé. Je t'ai dit que je t'aime. Quand on aime quelqu'un, on ne supporte pas de lui faire du mal.

— Pourquoi as-tu dû réfléchir avant de me répondre, dans ce cas?

— Je n'en sais rien. Nous étions pressés, tu m'as prise au dépourvu et…

— Dans tous les sens du terme, ironisa-t-il assez sèchement.

— Oh non, je t'en prie, ne sois pas insultant, gémit-elle. J'ai une idée. Dimanche, j'avais prévu prendre le train pour Luçon. Je veux rendre visite à mon frère et à Geneviève. Je leur ai écrit et ils m'ont répondu dans une gentille lettre que je serais la bienvenue si j'allais déjeuner chez eux. Si tu n'as pas d'obligations au commissariat, tu pourrais m'y emmener en voiture. Nous aurions une journée entière ensemble. J'ai prévenu madame Olympe.

Le policier ne songea même pas à refuser. Touché en plein cœur par le revirement d'Isaure, son élan vers lui, et la déclaration d'amour qu'elle lui avait offerte d'une voix douce, il capitula, heureux de sa proposition.

— Bien sûr, je t'y accompagnerai, soupira-t-il en souriant. J'en serai ravi, ma chérie. Mais nous resterons discrets, je déjeunerai en ville, de mon côté. Je ne voudrais pas imposer ma présence à ton frère ni à cette charmante Geneviève.

— Nous verrons ça le moment venu, Justin, affirma-t-elle. Vite, sauve-toi, je dois récupérer mon cabas de légumes et mon panier.

Elle les confiait depuis leur première rencontre au respectable septuagénaire qui tenait le kiosque à journaux près des Halles.

— Je serai à la gare dimanche matin à neuf heures, puisque le train part un quart d'heure plus tard, ajouta-t-elle en s'éloignant, ses beaux yeux d'un bleu sombre brillant de joie.

Il s'appuya un instant au toit de son automobile, le cœur survolté, la gorge nouée. Un étrange pressentiment le hantait, augmentant son malaise. « Elle me fera souffrir mille morts, mais je préfère encore souffrir que la perdre. Bon sang, j'ignorais que l'amour pouvait être aussi ravageur ! »

*

Roger roulait lentement en jetant de fréquents regards dans le rétroviseur afin d'étudier la physionomie de sa passagère, assise à l'arrière. Isaure contemplait le paysage qui défilait derrière la vitre, lui présentant un profil à peine esquissé. Elle semblait d'un calme parfait et nullement préoccupée.

Le chauffeur se demandait ce qu'il devait faire : raconter la chose à sa patronne ou se taire en expliquant à Isaure qu'elle disposerait de moins de temps pour le marché, dorénavant ? La gouvernante perdrait sûrement son emploi s'il la dénonçait et il ne trouvait aucune raison de lui nuire à ce point.

— Dites, mademoiselle Millet, commença-t-il d'un bon bourru, madame Olympe m'a fait des reproches, hier. Elle ne veut plus que nous perdions toute la matinée à Fontenay. Vaut mieux filer doux, quand elle se met en colère ; on se retrouve vite à la porte.

— Je ne peux guère faire plus rapidement, protesta Isaure. Madame est tellement difficile pour la nourriture. Je passe du temps à choisir la meilleure qualité.

— Ouais, ouais, grommela Roger familièrement. N'empêche, mademoiselle, faudra plus mécontenter la patronne. Arrangez-vous autrement.

La réplique froide et la mine distante d'Isaure l'avaient agacé. Il se voulait solidaire des autres domestiques et il s'attendait à la voir plus humble. Il se rembrunit.

— J'en parlerai à madame Olympe, dit-elle encore.

— Faites à votre idée, mais je voulais vous prévenir. Une bonne place, ça ne court pas les rues, en ce moment.

— Je sais, et je me plierai à la volonté de madame, murmura-t-elle prudemment.

Quelque chose dans la voix du chauffeur venait d'éveiller sa méfiance. Elle demeura silencieuse, soudain anxieuse, tandis que la luxueuse automobile traversait la forêt de Vouvant, le domaine de la fée Mélusine. Les arbres dressaient leurs troncs sombres, tendant vers le ciel bleu pâle leurs branches dénudées. Mais des bourgeons gorgés de sève se formaient, qui parvenaient à teinter les sous-bois d'une fragile et très fraîche nuance verte. Le sol d'un brun intense, encore tapissé de feuilles mortes, luisait sous la tendre lumière du soleil.

Isaure rejeta sa tête contre la banquette, reprise par son passé de fillette solitaire et mal aimée. Elle se revit chez sa nourrice, Huguette, qui l'avait élevée jusqu'à ses cinq ans et qui était devenue ensuite une sorte de marraine protectrice, toujours disposée à lui raconter de terribles légendes, tout en lui enseignant certains secrets du corps féminin. «La fée Mélusine, qui aurait construit le château de Tiffauges! se remémora-t-elle. Il paraît qu'elle était très belle, qu'elle avait de longs cheveux blonds, mais que, la nuit, elle se changeait en dragon ou en serpent, à partir de la taille.»

Elle prêta alors les traits de Jolenta à la célèbre fée qui, au gré des auteurs anciens, aurait aussi fondé la ville de Parthenay et construit les murailles de La Rochelle, un port de la côte atlantique. « Si Thomas la voit nue un samedi, elle deviendra un monstre et s'envolera par la fenêtre ! » imagina Isaure en esquissant un sourire moqueur.

Roger freina brusquement et s'arrêta. Un homme lui avait fait signe, debout sur le bas-côté de la route. Il montrait de l'index une moto flambant neuve calée sur sa béquille.

— Qui c'est, celui-là ? demanda-t-il. Bah, il doit être en panne.

Malgré le casque en toile du motard, Isaure crut identifier le personnage.

— Je crois qu'il s'agit du nouveau directeur de la compagnie minière, dit-elle en se rapprochant des sièges avant. Oui, c'est lui.

Christian Fournier paraissait extrêmement soulagé. Il eut un large sourire à l'égard de Roger, tout en levant les bras au ciel.

— Bonjour. Enfin de l'aide ! Je croyais que personne ne passerait par là. Je suis en panne d'essence. C'est stupide, je pensais avoir assez de carburant pour rejoindre Faymoreau. Pouvez-vous m'y conduire ?

Apercevant Isaure, il la salua après avoir ôté son casque qui était équipé, comme ceux des aviateurs, de lunettes pour protéger les yeux.

— Eh oui, faut se rendre service, s'écria le chauffeur. Dites, c'est un beau modèle, votre moto !

— Elle m'a coûté très cher, en effet. Bonjour, mademoiselle… mademoiselle Millet, il me semble.

En exhalant un soupir de satisfaction, il ouvrit la portière arrière et s'installa à côté de la jeune femme.

— Bonjour, monsieur, dit-elle à mi-voix.

Elle aurait préféré le voir s'installer à l'avant de la voiture, mais elle n'en montra rien, même si son air distant la trahissait.

— Ardouin, mon contremaître, me ramènera là tout à l'heure avec un bidon d'essence et je pourrai repartir sur ce petit bijou, déclara Christian Fournier. Je vous remercie, mon brave, de me dépanner. Vous devez être au service de madame Mercerin, la mère de Viviane Aubignac? J'avais remarqué la voiture, dans le village.

— Oui, monsieur.

— J'ai croisé cette aimable personne à la mairie il y a quelques jours et, les présentations faites par le maire lui-même, je l'ai assurée de toute ma sympathie. Sa fille est une victime dans la sombre affaire qui a causé tant de dégâts en novembre. Oui, une malheureuse victime. J'ai entendu dire que mon prédécesseur était une infâme brute. Comment s'étonner qu'une femme désespérée cherche du réconfort dans l'adultère? Qu'en pensez-vous, mademoiselle Millet, vous qui êtes la gouvernante de ces dames?

— Ce serait vraiment inconvenant de ma part, en raison de mes fonctions, de vous dire un seul mot sur madame Mercerin et sa fille, monsieur. De toute évidence, vous êtes très bien renseigné sur les faits et gestes de chacun à Faymoreau. Vous pouvez vous passer de mes opinions.

Roger apprécia la réponse d'un sourire moqueur dont Fournier ne vit rien, fasciné par la jeune femme et ravi de se trouver en sa compagnie.

— Je ne voulais pas être indiscret, chère mademoiselle, dit-il tout bas en s'approchant d'elle sur la banquette. Sachez que je suis enchanté de vous revoir. Si on ne m'avait pas appris que vous aviez gardé votre place, j'aurais pu croire que vous étiez disparue du pays.

Le visage tourné vers la vitre, Isaure évitait de le regarder. Il insista, dans l'espoir de la faire réagir.

— Nous avons une relation commune, ajouta-t-il, de qui je tiens ce précieux renseignement. L'inspecteur Devers, de La Roche-sur-Yon, vous le connaissez, n'est-ce pas? Il était aux obsèques de la petite fille des Marot à la fin du mois de décembre. Je l'ai revu en ville; nous avons déjeuné ensemble deux fois.

— Je connais l'inspecteur depuis l'enquête qu'il a menée ici. Puisque vous obtenez aisément des informations, vous devez savoir aussi que je suis un des témoins cités à comparaître au procès de Marcel Aubignac. J'ai donc dû faire une déposition et, évidemment, j'ai été confrontée à ce policier.

Elle retint un soupir exaspéré en essayant de parler d'un ton neutre. Mais elle était contrariée. Pourquoi Justin avait-il dit à ce bellâtre qu'elle travaillait pour madame Mercerin?

— Les gens causent tellement, en province, reprit Fournier en souriant. Dans les corons, les femmes n'ont que les ragots pour se distraire. Allons, vous qui êtes une amie de la famille Marot, vous avez dû entendre beaucoup de mal sur moi, le nouveau directeur, et ses mesures injustes, ses projets insensés.

— Non, désolée. De plus, je n'ai pas le temps de rendre visite à madame Marot. Je m'occupe des enfants de madame Aubignac, à qui je donne des leçons chaque matin.

— Dommage, murmura-t-il sans cesser de l'admirer.

Il nota le lustre satiné de sa longue natte de jais, la finesse de son profil, ses longs cils recourbés, sa bouche adorable aux lèvres pleines, d'un rose vif.

— Qu'est-ce qui est dommage? demanda-t-elle en lui accordant un coup d'œil intrigué.

— Vous auriez pu me donner la température de la colère qui gronde chez les mineurs, laissa-t-il tomber avec une pointe d'amertume. Sous les conseils d'Ardouin, qui me seconde efficacement, j'ai différé la mise en place de certaines décisions afin d'éviter des incidents fâcheux qui jetteraient du discrédit sur la compagnie et sur moi. Je patiente; c'est plus raisonnable. Imaginez si, à peine nommé, j'avais dû gérer un mouvement de grève! Cependant, j'ai pu constituer une solide équipe pour remettre en exploitation le puits du Couteau.

Excédée par son discours affecté, Isaure se replongea dans la contemplation du paysage.

— Pourquoi me dire tout ceci? s'étonna-t-elle. Ça ne m'intéresse en rien.

— Vous préférez que je vous parle des travaux de la ferme, des labours et de l'élevage de chevaux? s'esclaffa-t-il. J'en sais, des choses sur vous, mademoiselle. Je n'aurais jamais pensé que vous aviez grandi dans une métairie. Vous êtes si bien éduquée et si soignée! C'est grâce à la comtesse de Régnier, n'est-ce pas, qui a veillé sur vos études?

Roger scruta les traits réguliers de Fournier dans le rétroviseur. Les manières de l'homme, directeur ou pas, lui déplaisaient. Quant à Isaure, elle sortit de ses gonds, furieuse.

— De quel droit avez-vous osé fouiller dans mon passé?

Elle soupçonna un instant Justin de s'être montré trop bavard au cours de ces fameux déjeuners en ville avec Fournier, mais très vite elle le jugea incapable d'avoir confié de tels détails à un individu de ce genre, prétentieux, hâbleur, trop fier de sa position sociale.

— Je n'ai eu qu'à écouter ma tante Clotilde de Régnier, enfin, ma tante par alliance. Je suis en fait le neveu du comte Théophile.

Aussi soulagée qu'irritée, Isaure hocha la tête. Plus rien ne la surprenait.

— Je vous plains, dans ce cas, répliqua-t-elle sans réfléchir.

— Me plaindre? Ciel, je ne comprends pas!

— La comtesse a dû vous assommer à force d'évoquer mes défauts, mes caprices ou mes bizarreries. Je l'avoue, je lui dois beaucoup, mais j'ai souvent regretté qu'elle se mêle de mon éducation et qu'elle joue les bonnes marraines. J'ai grandi dans une métairie, certes, mais sans la liberté d'action qu'avaient mes frères. Je devais filer droit pour ne pas décevoir madame la comtesse.

Isaure se tut, consciente d'avoir été trop franche. Christian Fournier restait songeur, l'air vaguement amusé.

— Excusez-moi, plaida-t-il néanmoins, je vous ai peut-être blessée en étalant ce que je sais de vous. Je suis maladroit, surtout avec les jolies filles.

Elle haussa les épaules sans lui répondre. Le chevalement[4] grisâtre du puits du Centre se découpait sur le ciel tout aussi gris, en haut de la colline. Déjà, la voiture passait devant le coron des Bas de Soie.

— Je vous dépose devant l'*Hôtel des Mines*, monsieur? hasarda Roger sèchement.

— Oui, bien sûr, mon brave. Tenez, pour la peine…

Fournier sortit un billet de banque de son portefeuille et le tendit au chauffeur.

— Gardez votre argent, monsieur. J'aurais dépanné n'importe qui; c'était ma route.

— J'insiste, enfin!

— Sans façon, rétorqua Roger dédaigneusement.

Peu après, il freinait avec brusquerie en bas des marches de l'établissement. Isaure salua leur passager d'un signe discret, sans prononcer un mot.

---

4. Assemblage de madriers et de poutres servant à la manutention d'un puits de mine, dont la structure évoque celle d'une tour.

— Me pardonnerez-vous? S'enquit-il tout bas.

Très vite, il s'empara de sa main droite et déposa un léger baiser sur ses doigts. Elle en aurait pleuré, humiliée et choquée par son audace. D'instinct, elle sentait que Fournier la considérait comme une proie facile parce qu'elle était d'un milieu inférieur au sien. Il recula prestement et claqua la portière.

— Partez, je vous en prie, Roger, supplia-t-elle.

Le chauffeur obtempéra. Il avait assisté à la scène et il en concevait une sorte de malaise. Quand la voiture pénétra dans le parc en roulant lentement sur les graviers de l'allée, il grogna :

— Quel sale type, hein! Si j'avais su, je l'aurais laissé en plan.

Isaure était ulcérée par le désir teinté de mépris qu'elle avait su déchiffrer dans le regard du nouveau directeur. En jouant les séducteurs, cet homme lui avait rappelé son récent passé, la brutalité de son père, ainsi que la crasse et l'insalubrité de la métairie. «Il cherchait à peine à me faire la cour. Nous aurions été seuls dans un endroit isolé, il n'aurait pas hésité à m'embrasser de force comme s'il me faisait un cadeau, comme si je devais être honorée par ses odieuses avances», songeait-elle.

Elle se dit qu'elle s'était fourvoyée en revenant à Faymoreau. Son séjour à Paris se parait à présent d'un halo de douce lumière. Là-bas, on l'avait respectée, appréciée et choyée. Corinne Devers était prête à l'accueillir et à l'aimer en tant que belle-fille, et Justin aurait été heureux de l'épouser, pour la protéger et la chérir. «Comment ai-je pu le repousser et rentrer ici en toute hâte? Pour quelques sourires de Thomas, pour être une domestique bien docile, bien comme il faut?»

Elle sanglotait sous l'œil inquiet du chauffeur. Il avait garé la voiture le long de la haie de buis, à distance de la façade principale.

— Allons, mademoiselle, arrêtez de pleurer, ça n'en vaut pas la peine. Essuyez vos yeux et portez vite vos commissions en cuisine, Germaine doit s'impatienter.

— Oui, je suis navrée, Roger, je me dépêche. La journée a mal commencé. J'étais sur les nerfs.

Il approuva, l'air mystérieux. Mais Isaure avait une autre épreuve à affronter. Dès qu'elle franchit la porte de service et qu'elle entra dans la vaste cuisine des Aubignac, elle se trouva nez à nez avec son père. Hirsute et les joues couperosées, Bastien Millet la toisait de ses yeux bruns dont le blanc était injecté de sang.

— Vous avez de la visite, Isaure, dit gentiment Germaine en abandonnant la préparation d'une sauce béchamel. Votre papa vous attend depuis une heure au moins. Je lui ai servi un verre de blanc.

— Père, qu'est-ce que vous faites là? murmura la jeune femme.

— Tu n'es pas descendue à la métairie; fallait bien que je vienne aux nouvelles, rétorqua-t-il d'une voix rauque. Fan de vesse, ta mère te réclame, Isaure!

— Mais j'ai un travail rémunéré, père! Je n'ai pas pu m'absenter.

— Et le dimanche, tu travailles aussi?

— Je me repose et je m'occupe de laver et repasser mon linge.

Germaine suivait la discussion tout en déballant les légumes, les fruits et la charcuterie soigneusement empaquetée. Elle eut tout de suite pitié de la gouvernante qui, les paupières meurtries, livide et tremblante, reculait devant son père.

— Mademoiselle dit vrai, monsieur Millet, crut-elle bon de dire. Le dimanche est bien court. Souvent, madame Olympe confie de la couture à votre fille.

Bastien faisait des efforts pour rester sobre depuis que sa femme était souffrante. Cependant, la colère et la vexation le mettaient dans un état de nervosité proche de l'ivresse. Il pointa l'index en direction de la cuisinière.

— Où est-elle, votre madame Olympe? J'vais lui causer, moi. Si elle donne du boulot à Isaure le jour du Seigneur, je lui ferai savoir que ce n'est pas bien du tout. Si ça continue, vu que ma fille n'est pas majeure, je la ramènerai à la maison par une oreille, ouais, sauf votre respect!

— Père, je vous en prie, ne faites pas d'histoires. Je viendrai voir maman le plus tôt possible. Je ne veux pas perdre ma place. Je fais la classe à des enfants et je suis très bien payée. Ne gâchez pas tout.

Avec une moue perplexe, Bastien déambula dans la pièce. Il l'avait déjà inspectée en attendant Isaure, mais il examina encore une fois les belles casseroles en cuivre suspendues aux étagères, le colossal fourneau en fonte noire et ses poignées chromées, la grande table en chêne massif et le billot aux pieds ouvragés sur lequel Germaine découpait la viande.

— Pardi, gronda-t-il, tu te plais mieux là que chez tes parents. Pourtant, je claque des doigts, je cause à ta patronne et tu reviens trimer aux champs.

— Allons, monsieur Millet, protesta Germaine, qui avait envie de le mettre dehors. Votre fille est sérieuse et compétente. Vous pourriez raconter n'importe quoi à madame Olympe qu'elle la garderait quand même. Maintenant, laissez-nous travailler. Oh! malheur, ma sauce!

La cuisinière se précipita vers le fourneau d'où s'élevait une forte odeur de brûlé.

— Et voilà! Ma béchamel a cramé, misère!

— Bon, je m'en vais, mais n'oublie pas ce que j'ai dit, Isaure. Si tu ne viens pas dimanche soigner ta mère, il se passera du vilain.

— Je viendrai, père, sortez vite, répondit-elle d'une petite voix faible.

Le métayer la menaça du regard, puis il souleva du pouce sa casquette. Elle remarqua ses ongles noirs, ses doigts noueux, ses traits affaissés et sa peau jaunâtre sillonnée de rides. Un profond dégoût la saisit en pensant qu'elle était née de cet homme.

Enfin, il disparut. Honteuse et les jambes coupées par l'émotion, Isaure s'assit sur un banc.

— Je suis confuse, Germaine, pour votre sauce. J'espère que mon père ne vous a pas trop importunée.

— Bah, j'en ai vu d'autres, ma pauvre petite! Dieu merci, j'ai pu le retenir ici grâce à mon fils qui l'a fait entrer par l'office. Ne vous inquiétez pas, madame Olympe n'en saura rien. Mon Denis sait tenir sa langue. C'est un bon gars.

— Je vous remercie, Germaine.

Isaure semblait si bouleversée que la cuisinière lui servit un verre de vin de Madère, accompagné d'une part de cake.

— Buvez donc, ça vous requinquera, chuchota-t-elle. Il n'a pas l'air commode, votre père.

— Je vous assure qu'il était très aimable, aujourd'hui, soupira Isaure. C'est mal de dire ça, Germaine, mais je le hais.

Un profond silence se fit après cet aveu. Sophie y mit fin en déboulant dans la pièce, un cahier à bout de bras.

— Je vous cherchais partout, mademoiselle, s'écriat-elle. J'ai terminé la carte de France que vous m'avez demandé de dessiner. Bonne-maman dit qu'elle est réussie. Je voulais vous la montrer. Regardez, après, vous me donnerez une note!

Sophie exhiba la page du cahier où figurait le dessin, coloré avec soin. Isaure dévisagea la fillette; les joues roses, ses boucles châtain clair nouées d'un ruban bleu, elle était radieuse. Elle lui sembla le symbole de l'innocence et de la pureté. D'un élan spontané, elle l'attira par la taille et la serra contre son cœur un court instant.

— Tu t'es appliquée, affirma-t-elle en la libérant. Je suis fière de toi, Sophie. Tu auras un dix, la meilleure note.

— Mais vous n'avez pas l'air contente en vrai, mademoiselle, s'alarma la petite fille.

— Si, je suis contente. J'ai seulement une forte migraine. Ça ira mieux cet après-midi.

Rassérénée, Sophie repartit en gambadant. Isaure la suivit des yeux. Pour la première fois, elle songea aux jours où elle serait une maman à son tour et elle souhaita pouvoir chérir une enfant aussi jolie et douce que celle-ci.

Bureau de poste de Faymoreau, le lendemain matin, vendredi 18 février 1921

Isaure avait marché très vite jusqu'au bureau de poste du village. C'était sa première sortie sur la rue principale depuis des semaines. Par le plus grand des hasards, Olympe Mercerin l'avait priée d'expédier un colis à sa fille aînée, qui habitait Paris.

Après une soirée à méditer sur ce qu'elle avait de mieux à faire pour échapper à son père et une nuit peuplée de cauchemars, la jeune femme éprouvait le besoin obsédant de parler à Justin. Elle comptait profiter de l'occasion pour lui téléphoner, malgré les réticences que lui inspirait l'appareil voué à cet usage.

Il était encore tôt et seules quelques ménagères mettaient le nez dehors, soit pour secouer une carpette, soit pour balayer le devant de leur porte. Vêtue d'un manteau ayant appartenu à Geneviève, un foulard sur les cheveux, Isaure entra tête basse dans le local de la poste.

Son cœur cognait fort dans sa poitrine à la perspective d'utiliser la cabine téléphonique qui occupait un angle, sur sa droite.

Elle écouta, l'air concentré, les explications de la postière qui lui donna un jeton. Bientôt, elle réclamait le commissariat de La Roche-sur-Yon, la bouche sèche, le front brûlant. Après des minutes d'attente, une voix d'homme aboya un «allo».

— Bonjour, monsieur, je voudrais parler à l'inspecteur Devers, je vous prie.

— De la part de qui?

— Isaure Millet.

Elle crut percevoir une sorte de ricanement étouffé et faillit raccrocher le combiné. Son interlocuteur appela Devers d'un ton moqueur, tandis que résonnait le bruit métallique et saccadé d'une machine à écrire.

— Isaure? entendit-elle enfin. Qu'est-ce qui t'arrive? Tu as des ennuis?

Le policier semblait sincèrement affolé. De son côté, Isaure pouvait à peine respirer, tant elle était émue.

— Justin, j'ai l'impression que tu es là, près de moi, balbutia-t-elle. N'aie pas peur, je n'ai pas de vrais ennuis, mais voilà…

Elle débita tout bas les incidents de la veille, l'outrecuidance de Christian Fournier et ses allusions à une relation commune, puis elle lui raconta la visite de son père et ses menaces.

— Je me sentais seule, comprends-tu, expliqua-t-elle, au bord des larmes, et j'ai regretté mon attitude, à Paris. Justin, pourquoi suis-je parfois si sotte? Tu m'offrais la liberté, l'aisance, le bonheur, et j'ai refusé.

— Il n'est pas trop tard, ma chérie, murmura-t-il. Un mot de toi et demain nous partons. Je me fiche de mon emploi, tu es plus importante que tout. Bon sang, si je pouvais te consoler, là, te prendre dans mes bras!

— Est-ce que tes collègues t'entendent? dit-elle, réconfortée.

— Non, j'ai pris la communication dans mon bureau, mais, même s'ils entendaient, ça me serait égal. Isaure, ma chérie, ne va surtout pas à la métairie dimanche. Nous irons à Luçon comme prévu et, si tu tiens à rendre visite à ta mère, je t'accompagnerai en tant que fiancé. D'accord? Peu importe si ce n'est pas la vérité, tu ne mettras plus les pieds chez tes parents sans moi.

— Merci, Justin, merci.

Par pudeur, par une crainte inexplicable, elle retint un «je t'aime» qui lui montait aux lèvres.

— Sois courageuse, ma chérie, dit encore Devers avec tendresse. Quant à Fournier, j'ai hâte de l'avoir en face de moi. Il va apprendre à respecter la femme que j'adore.

Ils échangèrent un au revoir chaleureux et se rappelèrent leur rendez-vous à huit heures devant la gare de Faymoreau. En quittant l'étroite cabine, Isaure avait les mains glacées et une terrible angoisse pesait sur sa poitrine. Elle s'estimait vaincue, obligée de se lier à un homme pour avoir le droit de vivre la tête haute, à l'abri des commérages et des violences de son père, de même que de la convoitise d'un individu comme Fournier. Cependant, elle trouvait un apaisement délicieux dans sa certitude d'avoir fait le bon choix et dans sa satisfaction de ne plus se poser de questions. «Je serai une épouse dévouée, parce que Justin est le meilleur homme de la terre. Nous vivrons à Paris et je l'aimerai. Je l'aime déjà beaucoup!»

Elle posta le colis d'Olympe et sortit. Il pleuvait, à présent, une pluie fine et drue qui acheva de la calmer. D'un pas rapide, elle longea la vitrine du restaurant de la Poste, pressée de se réfugier dans l'enceinte du parc pour revoir Sophie et Paul.

— Isaure!

Quelqu'un courut pour la rattraper. Sans se retourner, elle s'immobilisa. Thomas lui mit la main sur l'épaule.

— Eh bien, quelle allure! On dirait que tu as le diable à tes trousses, plaisanta-t-il. J'étais attablé dans le café. J'ai bondi de ma chaise pour te rattraper. Isauline, pourquoi laisses-tu tomber tes vieux amis, maman, Jérôme et moi?

Isaure fit un effort surhumain pour le regarder. Elle aurait voulu ne plus jamais le revoir, ne plus écouter sa voix câline, grave et sonore.

— Thomas, tu peux te réjouir, je vais me marier, lâcha-t-elle dans un souffle. Avec Justin Devers, évidemment.

— Ah, évidemment!

Elle espérait qu'il la féliciterait de légitimer une liaison au sujet de laquelle il lui avait fait de cinglants reproches. Mais Thomas restait muet, soudain pâle sous son hâle. Ses grands yeux verts exprimaient l'incrédulité et le chagrin.

— Je suppose que c'est la meilleure solution, soupira-t-il. Oh! je suis navré, Isauline, je devrais me réjouir pour toi, et je fais grise mine. J'étais tellement content de te voir. Tu vas t'en aller d'ici?

— Oui, Thomas, dit-elle péniblement. Nous irons à Paris. Mon Dieu, n'aie pas cet air-là!

Une rage subite la submergea. Elle le fixa, hébétée, luttant contre l'envie de le secouer, même de le frapper.

— Si mon mariage te peine, il fallait y penser avant, gronda-t-elle tout bas, magnifique dans sa colère désespérée. Le baiser que tu m'as donné à Saint-Gilles ne signifiait rien, tu as tenu à me le dire. Toutes ces années à me choyer et à veiller sur moi n'ont pas suffi à nous unir vraiment. Tu aimais Jolenta, tu aimes Jolenta et tu vas être père. Autant que tu le saches, Thomas, je t'ai aimé moi aussi, à la folie, avec passion. Je t'aime depuis toujours. Mais c'est trop tard, je ne peux pas gâcher ma vie à cause de toi. Adieu.

Isaure prit la fuite, certaine que, si elle demeurait une seconde de plus en face de Thomas, elle se jetterait à son cou en pleurant.

— Attends! cria-t-il.

Deux clients du restaurant avaient assisté à la scène, sans bien distinguer les paroles des jeunes gens. Une femme qui logeait dans une maison toute proche poussa une exclamation amusée en voyant Thomas rattraper Isaure et lui saisir le bras.

— Si Jolenta Marot apprend ça, la vaisselle va voler, confia-t-elle à sa cousine, qui était venue boire un café. Tu avais raison, Rosalie, la fille Millet, c'est une pas grand-chose.

Rosalie promit que, par amitié, elle n'en dirait rien à Jolenta.

7

Entre femmes

Faymoreau, même jour, même heure

Thomas lui avait crié d'attendre, l'avait saisie par le coude et entraînée sans un mot vers la ruelle étroite qui grimpait vers l'esplanade de l'église, entre deux murs percés de petites fenêtres aux carreaux sales. Isaure se retrouvait à présent prisonnière dans l'encoignure d'une porte. Le jeune mineur l'empêchait de fuir, les bras ouverts et les mains appuyées de chaque côté du chambranle.

— Tu vas être honnête une bonne fois pour toutes, Isaure, dit-il d'une voix sèche. Pourquoi m'avouer aujourd'hui que tu m'aimais autant après m'avoir annoncé ton prochain mariage?

Il avait pu réfléchir à toute vitesse, pendant qu'il l'emmenait là, loin des regards indiscrets. «Je voudrais la garder ici, à Faymoreau, et continuer à la voir, à être son ami. Je ne sais plus où j'en suis. J'ai des sentiments pour elle qui me dépassent et je suis jaloux de ce flic, oui, mais je ne peux pas détruire nos vies. J'aime aussi Jolenta. Elle va me donner un enfant. Isaure ne doit pas deviner ce que j'éprouve. Je n'ai qu'un choix à faire, la libérer. Qu'elle s'en aille enfin, qu'elle soit heureuse à Paris avec Devers.»

Isaure se reprochait d'avoir cédé à la rage, à l'envie de lui dire la vérité. C'était vain et cruel puisqu'il en avait épousé une autre.

— Réponds, insista Thomas. Tu aurais pu te confier à moi cent fois avant ce matin. Quand tu m'as rendu visite à l'infirmerie et que je t'ai annoncé la grossesse de Jolenta, ou le soir de Noël, après ce baiser qui a dû te donner de faux espoirs.

— J'ai souvent eu envie de te parler, de t'ouvrir mon cœur, mais j'étais certaine qu'il était trop tard à partir du moment où tu es tombé amoureux de Jolenta. J'ai souffert, Thomas, mais, au mois de novembre, quand j'ai appris votre mariage, qui devait être précipité vu qu'elle était enceinte, je n'ai pas voulu gâcher ton bonheur. Cela aurait servi à quoi que ta petite protégée, ton amie de longue date, brandisse son amour pour toi? J'étais dans une impasse, même si j'ai eu l'idée stupide d'accepter l'offre de Jérôme uniquement pour pouvoir vivre dans ton ombre.

— Seigneur, ne me dis pas que tu l'aurais épousé juste pour rester près de moi?

Isaure contenait mal des frissons d'angoisse, malgré l'infini soulagement qu'elle ressentait à révéler la vérité.

— Si, je me répétais que je te verrais tous les jours aux repas de famille, que je serais à tes côtés en tant que belle-sœur. Mais je ne l'ai pas fait.

Sur le coup, Thomas fut terrassé. Il perdit contenance. Il fixa une seconde de trop la jolie bouche d'Isaure dont les lèvres roses tremblaient un peu. Il faillit se pencher et l'embrasser, la prendre contre lui et la cajoler.

— J'ai vite compris que c'était idiot. Ton frère aussi. J'étais si malheureuse, je voulais tant échapper à mon père, être à l'abri, en sécurité! Ensuite, il y a eu l'inspecteur Devers. Je lui dois beaucoup.

— Il t'a changée, Isauline, tu es si différente, maintenant!

Il y avait un reproche dans le ton de sa voix.

— Ça te dérange? Tu voudrais que je sois encore sous l'emprise de mes parents, humiliée, affamée, méprisée, que tu puisses me plaindre ou me consoler de temps en temps? Grâce à Justin et à Geneviève Michaud, je n'ai plus eu peur ni froid, ni faim. L'un m'a offert son amour, l'autre des vêtements et un emploi.

Thomas respira à fond en s'exhortant au courage. C'était le moment de rendre un dernier service à Isaure, de lui laisser commencer une nouvelle existence où elle s'épanouirait.

— Si tu m'avais parlé plus tôt de tes sentiments, dit-il dans un sourire compatissant, je t'aurais fait la même réponse que ce matin. J'aime Jolenta de tout mon être, je l'aime, elle et elle seule. Je suis fou de joie quand je caresse son ventre tout rond et rien ne nous séparera. Hélas! ça ne m'empêchait pas de m'inquiéter à ton sujet, souvent, de vouloir continuer à jouer mon rôle de grand frère. Elle était jalouse de toi. Maintenant, elle a compris. Mais ce sera mieux pour nous tous que tu sois mariée et que tu vives à Paris. Je te souhaite d'être heureuse avec Justin comme nous le sommes, Jolenta et moi.

Isaure n'en pouvait plus d'être si proche de Thomas et en même temps de l'écouter affirmer son amour pour Jolenta. Elle s'appuya à la porte en fermant les yeux.

— Dans ce cas, nous n'avons plus rien à nous dire, murmura-t-elle. Tu serais gentil de t'en aller.

— Moi, si! ajouta-t-il d'une voix douce. Je suis rassuré que tu épouses Devers. Ça me gênait, ta liaison avec lui. Je pensais que ma petite Isauline prenait des risques et qu'elle n'avait pas la vocation de fille légère.

— Pitié, ne m'appelle plus Isauline, c'est douloureux. Isauline est morte le soir où tu m'as rejetée, bannie de ta vie parce que tu croyais que j'avais dénoncé ton beau-père. Sais-tu, c'est dans cette ruelle que je me suis réfugiée, chassée par mon père, le visage meurtri à cause de sa brutalité aveugle. Là, deux jeunes mineurs ivres m'ont fait des avances... Isauline est morte deux fois, ce soir-là, dans le pavillon des Aubignac. Elle est morte à nouveau le jour où nous avons enterré Anne, notre petit ange.

Bouleversé, Thomas recula. Il fit signe à Isaure de partir, si elle le désirait.

— Tu aurais pu en mourir, toi aussi, sans Devers et Geneviève, chuchota-t-il entre ses dents.

— Qui te l'a dit?

— Ton futur mari, en me conseillant de ne plus te tourmenter. J'obéirai, qu'il soit sans crainte. Au revoir, Isaure. Je suis désolé de t'avoir volé un baiser, il n'y en aura plus jamais d'autres.

— Et un baiser d'amitié? quémanda-t-elle d'une petite voix.

Thomas ne put résister. Il l'enlaça en la serrant contre lui. Isaure retrouva la merveilleuse sensation d'harmonie et d'intense félicité que lui avaient toujours procurée les bras du jeune homme. Il posa un instant ses lèvres chaudes sur son front, en chuchotant:

— Quoi qu'il arrive, tu seras à jamais mon Isauline. Je veux que tu le saches, tu es très importante pour moi. Au revoir. Sois heureuse, surtout.

Sur ces mots, au prix d'un effort surhumain, Thomas lui tourna le dos et dévala la ruelle pentue dont les pavés luisaient sous la pluie. Il ne savait plus qui il était ni ce qu'il ressentait pour Jolenta et pour Isaure. Quand il l'avait tenue dans ses bras, à l'instant, il avait souhaité pouvoir la garder ainsi des heures, des jours, des années, tant son âme et son corps vibraient d'une paix et d'un bonheur intenses.

*

Après être rentrée à pas lents, le cœur brisé, Isaure s'enferma dans le pavillon. Olympe Mercerin devait guetter son retour, mais la jeune femme s'en moquait. Elle s'allongea sur son lit, avide de pleurer, sans parvenir à verser une larme. Les dernières paroles de Thomas résonnaient dans son esprit en une ronde infernale, avec en toile de fond les expressions de son visage, la détresse étrange qui se lisait dans son regard.

— Une page se tourne, une page se tourne, gémit-elle à voix basse. Mon Dieu, que vous existiez ou non, aidez-moi à aimer Justin de tout mon être comme Thomas aime Jolenta.

Elle n'en voulait même pas à son amant d'avoir révélé sa triste tentative de suicide. Plus rien ne comptait, hormis son projet de quitter Faymoreau, de tirer un trait sur son passé, de reléguer son enfance aux oubliettes. «Mais nous irons à Luçon dimanche. J'en profiterai pour faire mes adieux à Armand et à Geneviève. Je leur annoncerai notre mariage. Justin viendra avec moi. Je ne veux plus être seule.»

Elle caressa cette pensée, qui apaisa ses nerfs. Elle rêvait à son avenir lorsqu'on frappa à la porte du pavillon.

— M'selle Millet, c'est Denis. Madame Olympe vous réclame, et ça presse!

— J'arrive. Dis-lui que j'arrive tout de suite.

Agacée, elle se leva et ôta son foulard humide. Elle arrangea ses cheveux et observa son reflet dans le miroir du lavabo.

— Je suis convenable, soupira-t-elle.

Une mauvaise surprise l'attendait dans le grand salon où le feu de bois crépitait. Viviane était descendue de sa chambre, ce qui était déjà exceptionnel, et elle discutait en minaudant avec Christian Fournier sous l'œil bienveillant de sa mère. Cependant, Olympe Mercerin perdit son air aimable en voyant Isaure sur le seuil de la pièce.

— Isaure, enfin! s'écria-t-elle froidement. Vous prenez vos aises avec les horaires de votre fonction.

— Maman, je t'en prie, intervint Viviane, ne réglons pas nos soucis domestiques devant notre visiteur.

La remarque blessa Isaure, car elle croyait avoir créé des liens d'amitié avec Viviane.

— Tu n'es pas au courant de tout, ma chère enfant. Laisse-moi tirer une certaine affaire au clair. Monsieur Fournier m'a appris une histoire très intéressante, alors que tu étais encore à l'étage. Et, si j'ai envoyé Nadine te chercher, c'est pour une bonne raison.

Nadine était au service des Aubignac l'année précédente et elle avait repris sa place la veille. C'était une très jeune fille d'une grande douceur de caractère, mais malicieuse, qui était préposée au ménage et à l'entretien du linge.

— Approchez, Isaure, ordonna Olympe. Il est inutile que je vous présente monsieur Fournier, il affirme qu'il vous a déjà rencontrée. De plus, il est le neveu par alliance de la fille d'une de mes anciennes amies de pension, Clotilde de Régnier. J'étais invitée à votre baptême, Christian, n'est-ce pas?

— Assurément, mais je n'ai pas gardé de souvenir personnel de ce jour, plaisanta-t-il.

— En quoi suis-je concernée, madame? demanda Isaure.

— Mais c'est un monde! s'indigna la septuagénaire en bombant la poitrine. Vous n'avez pas à m'adresser la parole ainsi sans que je vous y autorise. Ciel, Christian, vous disiez vrai, mademoiselle Millet n'a qu'une éducation de surface!

Pendant la diatribe de sa mère, Viviane considérait

Isaure d'un air apitoyé. Elle lissait ses boucles blondes d'une main en vérifiant les plis de sa jupe, inquiète de ne pas être à son avantage. La visite impromptue de ce bel homme l'exaltait en secret et elle cherchait à attirer son attention.

— Qu'ai-je fait de contraire à la bonne éducation, madame Olympe? ajouta Isaure, déterminée à se défendre. Vous étiez satisfaite de la manière dont je m'occupais de vos petits-enfants et dont je gérais les menus. Mais monsieur Fournier a dû vous confier la mauvaise opinion que sa tante a de moi. Votre fille était au courant. La comtesse de Régnier m'a congédiée le soir où j'ai eu besoin d'une main secourable. Je ne l'amusais pas quand j'étais désespérée, quand j'exprimais mes peurs ou mes chagrins. Mon seul tort est de lui avoir déplu.

— Viviane, Isaure t'avait-elle parlé de tout ceci? s'enquit Olympe.

— Mais oui, maman! J'étais si fatiguée, à l'époque où je t'ai parlé d'Isaure! Je n'ai pas pensé à ses ennuis avec la comtesse.

— Tu vas mieux, à présent, tu aurais dû m'avertir. Je crains pour Sophie et Paul. Clotilde a reçu Christian hier soir à dîner et elle frissonnait en rapportant les propos odieux que vous lui avez tenus, Isaure. Il paraît que vous aviez un regard presque halluciné en citant Gilles de Rais, ce monstre. Il y a pire, vous auriez souvent affirmé que vous croyez en l'existence des fées, des loups-garous et des sorcières. Il est hors de question que vous remplissiez l'esprit de mes petits-enfants de ces fadaises.

Isaure décocha un regard noir à Fournier. Elle se demandait quel était son intérêt en venant dans cette maison débiter les stupidités de sa tante. Forte de sa décision d'épouser Justin et de quitter le village, elle n'hésita pas à s'en prendre à lui.

— Madame Olympe, j'ai tenu ces propos une fois seulement, et c'était pour exaspérer la comtesse, dit-elle dans un sourire teinté d'insolence. Si j'admets qu'il y aurait de quoi vous alarmer, soyez rassurée. Sophie et Paul ne subiront pas longtemps ma mauvaise influence, car je ne resterai pas à votre service. Quant à vous, monsieur Fournier, ce n'est guère élégant de chercher à me nuire. Agissez-vous ainsi chaque fois qu'une jeune femme ne succombe pas à votre charme? Je pourrais parier que vous ne seriez pas venu colporter vos ragots aujourd'hui si je m'étais montrée sensible à vos compliments hier, si j'avais été flattée, moi, une humble domestique, d'éveiller votre convoitise.

Un profond silence suivit les paroles d'Isaure, énoncées de sa suave voix grave. Viviane toisa avec rancœur leur visiteur, qui semblait l'ignorer en dépit de ses efforts. Fournier, très pâle et l'air ébahi, triturait sa cravate. Olympe Mercerin plissait les paupières sur ses yeux gris-vert; elle était partagée entre l'indignation et un début d'admiration pour sa gouvernante. «Cette fille a du cran, se disait-elle. Que dois-je faire? Paul et Sophie lui sont attachés; elle leur manquera si je la congédie.»

Elle choisit de tergiverser, le temps de prendre la bonne décision.

— Une minute, Isaure, vous parlez de quitter votre place, mais je ne vous ai pas encore donné votre congé. Il est hors de question que vous me laissiez dans l'embarras. Si vous comptez partir, je dois chercher une personne très compétente. Cela ne se fera pas en une journée. Accordons-nous un mois, je vous prie. Je ne voudrais pas causer de la peine à mes petits-enfants. Mais, par pitié, n'employez plus sous mon toit un terme aussi choquant que convoitise, notamment adressé à un homme bien élevé et courtois comme monsieur Fournier.

— Je suis d'accord avec vous, mais je n'en ai pas

trouvé de plus approprié, madame Olympe. Pour ce qui est de me remplacer, je comprends qu'il vous faut un peu de temps. Aussi, j'essaierai de rester un mois, si c'est possible. Puis-je me retirer, à présent? C'est l'heure de la leçon de géographie des enfants.

— Mais oui, Isaure, montez vite, ils doivent vous attendre et, si nous tardons encore, ils ne seront pas prêts pour le déjeuner, répondit Viviane, au grand mécontentement de sa mère.

Dès que la jeune femme fut sortie de la pièce, Christian Fournier manifesta une vive surprise.

— Une domestique ose vous parler sur ce ton et vous ne la jetez pas dehors immédiatement? Cette fille est d'une prétention, d'une insolence!

— Elle a du caractère et ne se laisse pas impressionner, ce que j'estime courageux de sa part, argumenta Viviane. Peut-être dit-elle la vérité à votre sujet, monsieur!

— Ma chère petite Vivi, si tu remontais dans ta chambre, suggéra sa mère froidement. Tu es encore faible et les cachets que tu prends perturbent ton jugement, il me semble.

— Je n'ai pas avalé de sédatifs ce matin, maman, et je suis ravie d'être là, dans le salon. C'est une pièce si agréable! Monsieur Fournier, pour en revenir à Isaure, qui m'a pratiquement sauvé la vie, quand donc l'auriez-vous regardée avec convoitise?

Gêné, Fournier raconta l'incident de la veille, qu'il arrangea à sa manière en concluant:

— En effet, par galanterie, j'ai complimenté mademoiselle Millet sur sa beauté, puisque nous faisions le trajet ensemble. Je suis très sensible au charme féminin, que voulez-vous, mais sans jamais me conduire en goujat, évidemment. Votre chauffeur peut en témoigner. Ah, un détail me revient, en prenant congé de votre gouvernante, je lui ai fait le baisemain, un réflexe, chez moi. Elle a dû être choquée, n'en ayant pas l'habitude. Sans doute a-t-elle vu là une invite, tant elle est naïve.

Olympe Mercerin hocha la tête et se leva, digne et superbe dans une longue robe de velours violet, ses cheveux gris relevés en chignon.

— Eh bien, je tirerai cette affaire au clair, mon cher ami. Mais vous ne m'avez pas précisé la raison de votre visite?

— Suis-je étourdi! Ma tante Clotilde tient à vous inviter au château, demain soir. Elle s'ennuie tellement, à la campagne! Ma nomination ici lui a redonné de l'énergie et, ayant retrouvé en vous, madame, une amie de sa défunte mère, elle nous veut tous à dîner.

Viviane retint une exclamation de joie. Depuis la tragédie qui avait envoyé son mari à l'hôpital, puis en prison, elle se croyait condamnée à ne plus quitter la maison.

— J'irai seule, ma pauvre chérie, annonça tout de suite Olympe. Tu es encore trop nerveuse pour affronter le monde.

— Oh non, maman, je t'en supplie! Je crains de sortir dans le parc à cause de cette femme qui m'a insultée, mais là, il n'y aura aucun risque. Roger nous conduira en voiture et il fera presque nuit. Personne ne me verra. N'est-ce pas, monsieur?

Elle implorait son aide. L'émotion rosissait ses joues, ses yeux clairs brillaient de larmes contenues et sa bouche entrouverte dévoilait de jolies dents très blanches. Fournier fut sensible à son désarroi.

— Pourquoi priver votre fille d'un repas chez ma tante, chère madame? dit-il d'une voix enjôleuse. Nous serons en petite compagnie; il n'y aura que le comte, ma tante, vous deux et moi.

— Très bien, condescendit Olympe Mercerin, nous viendrons. Je vous raccompagne, monsieur Fournier.

— Appelez-moi Christian, enfin, vous qui m'avez vu en robe de baptême!

L'attitude du visiteur changea une fois qu'il fut dans le vestibule. Il se pencha vers son hôtesse avec une mine de conspirateur.

— Il y a une autre raison à ma venue, que je n'ai pas voulu aborder devant votre fille, mais j'aurais besoin des dossiers de Marcel Aubignac, ceux qui traitent de la gestion de la compagnie minière. Il me manque des plans du puits du Couteau et aussi des livres de comptes, je crois.

— La police a emporté tous les documents de mon gendre. Il faut vous adresser au commissariat de La Roche-sur-Yon. Je suis navrée.

— Tant pis! J'ai été enchanté de faire la connaissance de votre fille et j'ai hâte à demain soir.

Fournier salua en s'inclinant et sortit. Olympe Mercerin eut un sourire ironique. «Il ne m'a pas serré la main, encore moins fait le baisemain. Il doit réserver la chose aux demoiselles!» songea-t-elle.

D'un pas résolu, elle se dirigea vers l'office. Germaine préparait des œufs en gelée qu'elle servirait autour d'une salade de chou rouge finement émincé. Roger déjeunait déjà selon son habitude; comme il se levait tôt, il était affamé avant midi.

— Madame! bredouilla-t-il en se levant et en ôtant la serviette blanche qu'il avait passée dans le col de sa veste.

— Je ne vous dérangerai pas longtemps, Roger. Hier, vous avez ramené monsieur Fournier jusqu'à Faymoreau. Est-ce qu'il s'est montré respectueux avec mademoiselle Millet?

Le chauffeur hésita, intimidé. Il était conscient du fossé qui séparait les domestiques des patrons et, sans conteste, le directeur de la compagnie minière appartenait à la seconde classe.

— Dites la vérité, je ne vous en tiendrai pas rigueur, insista Olympe.

— Pour être franc, madame, il m'a paru désagréable. Ses façons de causer m'ont fait regretter de m'être arrêté, mais je ne pouvais pas faire autrement. Vous êtes d'accord?

— Bien sûr, d'autant plus que Christian Fournier est le neveu d'une de mes connaissances ici.

— Mademoiselle Millet se tenait à distance de lui, dans son coin. Elle n'était pas bavarde, mais il faisait tout pour attirer son attention et l'agacer, à mon humble avis. Il lui tenait des propos comme quoi elle avait grandi dans une métairie… enfin, des sottises de ce genre. Et puis, il me disait mon brave; ça ne me plaisait pas. Je ne suis pas un valet de ferme.

— Je vous remercie, Roger.

Olympe regagna le salon, l'esprit agité. Viviane était assise à la même place, près de la cheminée, en pleine rêverie. En entendant un bruit de pas, elle se tourna vers sa mère.

— Maman, il faut garder Isaure. Je n'aurai jamais confiance en quelqu'un d'autre.

— J'aurai d'abord une discussion avec elle, mais, effectivement, je serais désolée de me priver de ses services. Quant à toi, ma chérie, un conseil, ne t'amourache pas de ce bellâtre, qui doit cacher une nature débridée sous sa faconde d'homme du monde. Tu as assez souffert à cause de ces messieurs.

Viviane ne répondit rien. Elle se remit à contempler le feu, hantée par les images de son bonheur perdu, les baisers d'Alfred Boucard, le malheureux porion assassiné par son mari, ses bras autour de son corps nu, leurs étreintes délirantes dans la cabane au bord de l'étang. Elle essuya une larme en frissonnant à l'idée d'un avenir sans les joies de l'amour partagé, sans la volupté d'être désirée.

— Je n'ai que trente-trois ans, maman, murmura-t-elle enfin.

— Je sais. Après le procès, quand nous irons vivre loin d'ici, tu pourras penser à te remarier, Vivi. Ne sois pas triste.

Cédant à la tendresse, Olympe se pencha sur sa fille et l'embrassa sur ses boucles blondes, fines et soyeuses.

*

Isaure se tenait devant la fenêtre de l'ancien bureau de Marcel Aubignac. Elle observait le ruissellement persistant de la pluie sur les arbustes du parc, les buis et les camélias, les rosiers et les lilas aux jeunes feuilles. Ce n'était plus d'innocentes averses, mais un vrai déluge qui couchait les premiers crocus, si délicats, et les jonquilles dont le bouton floral se dressait déjà. «Pendant le déjeuner, madame Olympe n'a pas dit trois mots; Viviane semblait absente et morose; du coup, les enfants se sont montrés inquiets, songeait-elle. Que dois-je faire? Il vaut mieux que je travaille encore un mois, car, même s'il prétend pouvoir partir très vite à Paris, Justin sera peut-être obligé de terminer l'enquête en cours.»

De toutes ses forces, elle refusait de penser à Thomas. Elle ne voulait plus souffrir et, si elle se remémorait l'instant où il l'avait serrée contre lui, elle serait au supplice.

Olympe Mercerin entra et la vit ainsi, en contre-jour sur fond de lumière grise. Elle apprécia en esthète sa silhouette droite et mince ainsi que son port de tête comme souligné par la lourde natte noire qui rassemblait sa chevelure.

— Isaure, il est temps que nous ayons une conversation décisive, toutes les deux. Je me suis montrée sévère à votre égard, ce matin, mais il faut me comprendre, je tiens à protéger mes petits-enfants de la moindre influence pernicieuse. Cependant, je n'aime pas juger sans disposer de tous les éléments. J'ai interrogé mon chauffeur. Roger a confirmé vos allusions quant à l'attitude irrespectueuse de monsieur Fournier. Je ne tiendrai donc pas compte de lui et je souhaite vous garder le plus longtemps possible. Paul et Sophie vous sont attachés, ma fille également. Viviane a besoin de vous; votre présence lui fait du bien. Hélas, je ne me suis guère souciée de son instruction, certaine qu'elle ferait un beau mariage et qu'elle se consacrerait à une vie mondaine. Le résultat n'est pas fameux, n'est-ce pas?

Isaure demeura silencieuse, étonnée de la soudaine amabilité de madame Olympe.

— Oui, je vois, vous n'osez pas répondre, mais il est évident que ma chère Vivi manque de lucidité, de jugement et de sagesse. Si on ajoute à cela sa nervosité maladive et sa nature exaltée, il paraît capital de la protéger d'elle-même. Je compte sur vous, Isaure.

— Madame, j'ai beaucoup d'affection pour votre fille et pour vos petits-enfants, et je pense pouvoir rester encore un mois à votre service, mais je disais vrai, ce matin, je dois m'en aller.

— Pourquoi?

— Je vais me marier avec l'inspecteur Devers.

Surprise, Olympe prit place dans l'unique fauteuil de la pièce et fixa Isaure d'un air incrédule.

— Voyons, vous avez changé d'avis! Et votre soif de liberté, votre désir d'indépendance?

— C'était stupide. Autant être franche, madame Olympe, mon père est venu chez vous hier matin. Il m'a menacée de me ramener à la métairie sous le prétexte que je ne suis pas majeure. Je venais de subir les flatteries de monsieur Fournier et ses regards explicites qui m'avaient humiliée. J'ai préféré renoncer à ma liberté, oui… Je vais épouser l'homme qui m'aime de toute son âme et qui veut me rendre heureuse. Personne ne m'a jamais aimée comme lui.

— Et vous l'aimez, Isaure?

La jeune femme hésita quelques secondes, ce qui alerta son interlocutrice.

— Oui, bien sûr, madame.

— Sans doute avec moins de passion, trancha Olympe, mais la base d'une union réussie peut reposer sur la confiance, l'amitié et le respect mutuel. De plus, l'inspecteur Devers est sans aucun doute plus âgé que vous. C'est préférable. Isaure, je ne peux pas vous empêcher de vous marier, si c'est votre choix, et de trouver l'aisance et le bonheur. Je vais me mettre à la recherche d'une personne sérieuse pour vous succéder, mais je tiens au délai d'un mois dont je vous ai parlé.

— Oui, madame, j'en profiterai pour me fiancer et prévenir le maire que je renonce à mon poste d'institutrice à la prochaine rentrée scolaire. Je vous remercie de votre gentillesse et de votre compréhension.

Olympe Mercerin hocha la tête d'un air satisfait. Pourtant, elle se posait bien des questions. La parfaite élocution d'Isaure et son intelligence manifeste la confondaient. La jeune femme aurait pu évoluer dans la haute société sans trahir ses origines.

— Dites-moi, Isaure, Christian Fournier m'a aussi révélé que vous aviez bénéficié de la générosité de la comtesse de Régnier, sans qui vous n'auriez pas pu obtenir le diplôme d'enseignante. Il a précisé à ce propos que vous vous seriez montrée ingrate envers votre bienfaitrice. Elle prétend vous avoir servi de marraine en veillant sur votre langage et votre éducation. C'est une immense faveur, que Clotilde vous a accordée.

— J'en suis consciente, madame Olympe, mais, comme j'ai eu l'imprudence de le dire hier à monsieur Fournier, j'en ai payé le prix.

— Seigneur, vous m'intriguez. Il me faut du café. Allez en demander à Germaine, je vous prie. Nous en boirons ici, toutes les deux.

Ce fut un soulagement pour Isaure de courir jusqu'à la cuisine, l'endroit le plus chaleureux de la grande maison, selon elle. Elle éprouvait un léger sentiment de délivrance d'avoir annoncé son mariage, mais l'entretien qui suivrait sa courte escapade lui causait une sourde angoisse. Germaine l'accueillit avec une mine soucieuse.

— Vous n'avez pas d'ennuis, au moins, mademoiselle? hasarda-t-elle tout bas.

— Non, soyez tranquille. Madame Olympe désire du café. Je porterai le plateau.

— Une chance, je viens d'en faire du frais. Après la vaisselle, c'est mon régal. Je peux m'asseoir et boire une petite goutte de gnole pour me requinquer. Dites, si je vous en versais un dé à coudre? Vous êtes blanche à faire peur.

— C'est inutile, Germaine.

Isaure garnit le plateau rond d'un napperon et y disposa la cafetière, le sucrier en argent, deux tasses en porcelaine blanche et des cuillères. L'arôme du café l'assaillit, la ramenant à un passé récent, quand Honorine Marot lui proposait son café au parfum moins puissant, mais qu'elle, Isaure, sirotait avec délectation après y avoir mis trois sucres et du lait afin de calmer sa faim. C'était à la fois loin déjà et pourtant si proche dans le temps! Envahie par une amère nostalgie, elle réprima un sanglot sec.

— Merci, Germaine, balbutia-t-elle, et reposez-vous.

La cuisinière la regarda s'éloigner d'un œil maternel.

*

Olympe Mercerin poussa un soupir comblé. Elle se sentait revigorée par le café et prête à entendre les explications d'Isaure.

— Où en étions-nous? Ah oui, vous disiez avoir payé le prix à la suite des bontés de la comtesse. Pouvez-vous être plus claire?

— Déjà, elle a choisi mon prénom et, à l'école du village, j'ai dû endurer beaucoup de moqueries. Isaure! Ce n'est pas commun! Ça faisait rire mes camarades. Mais s'il n'y avait eu que ça! Mes parents m'ont élevée dans la crainte de la comtesse, du moins durant un certain nombre d'années. Toute petite, maman m'a mise en nourrice, chez ma chère Huguette qui connaissait toutes les légendes de la Vendée et le secret des plantes. Ils m'ont reprise quand j'ai eu cinq ans et j'ai été alors un objet de raillerie pour mon père et mes frères. Le dimanche, je devais porter les belles toilettes que la comtesse nous donnait, ne pas me salir et souvent aller au château. J'avais droit à des leçons de bonnes manières et à des sermons dès que je riais ou que je me salissais à table. Ensuite, j'ai obtenu le certificat d'études et madame la comtesse a décidé que je deviendrais institutrice. Elle payait mes vêtements et mes études en pension. Pendant les vacances, elle continuait à surveiller mon vocabulaire et mon niveau d'instruction.

— Mais de quoi vous plaigniez-vous, au fond? C'était une bonne action de sa part, de vous guider ainsi, de faire de vous la jeune fille que vous êtes.

— Je lui ai demandé, un jour, pourquoi elle s'occupait de moi, poursuivit Isaure. Sa réponse m'a beaucoup troublée. Elle attribuait ses largesses et son intérêt au fait que je sois née si jolie, une vraie poupée, me répétait-elle souvent. Je l'ai dit à Ernest, mon frère aîné, et il m'a traitée de joujou, oui, de jouet de madame la comtesse. Je ne comprenais rien à rien. Moi, j'aurais voulu vivre normalement et ne pas être obligée de rendre visite à ma bienfaitrice, comme vous dites. J'aurais surtout voulu avoir des parents affectueux qui m'auraient prouvé leur amour et qui m'auraient protégée.

— De quoi, grand Dieu?

— Je n'en sais rien. Pendant la guerre, je les ai aidés aux travaux des champs, puisque mes frères étaient mobilisés. J'ai travaillé dur comme un garçon sans jamais un merci ou un mot gentil. Ça a été une période terrible. Mon seul ami, un galibot, était au front, lui aussi. Mais je vous ennuie, madame Olympe, je n'ai pas à vous raconter ma vie.

— C'est nécessaire afin que je vous connaisse mieux, Isaure. Demain soir, Viviane et moi dînons au château des Régnier. Je risque d'entendre des choses déplaisantes sur votre compte, je veux pouvoir vous défendre, le cas échéant.

— Madame la comtesse vous dira sûrement que je l'ai déçue et contrariée. En fait, l'unique fois où j'ai imploré son aide, elle m'a chassée.

Olympe retint un soupir d'impatience. Elle se promit d'avoir une conversation avec Clotilde de Régnier au sujet d'Isaure et d'apprendre, peut-être, pourquoi la comtesse s'était tellement souciée du sort de la fille de ses métayers.

— Je vous remercie d'avoir été franche, Isaure. Vous me semblez épuisée. Je vous donne congé pour l'après-midi et même la soirée. Vous avez sans doute de la correspondance à faire, s'il y a un mariage dans l'air. Le futur élu sera heureux de vous lire. Allez, filez, je suis encore capable de diriger seule le navire.

Contente de son mot d'esprit, la fringante septuagénaire éclata de rire.

— C'est très aimable à vous, madame Olympe. En effet, j'avais prévu écrire à mon fiancé.

Isaure sortit en oubliant le plateau du café. Elle s'enveloppa de son châle, mit son manteau sur son bras et traversa le parc sous la pluie battante. La seule perspective d'être seule plusieurs heures et de pouvoir réfléchir sans être sollicitée ou dérangée lui paraissait presque miraculeuse.

Coron de la Haute Terrasse, même jour, sept heures du soir

Thomas venait de rentrer chez lui, les muscles douloureux, complètement trempé par le déluge qui s'acharnait sur le village minier. Il ôta son ciré ruisselant qu'il suspendit dans le couloir. La petite maison était étrangement silencieuse. Aucune lumière ne brillait dans la cuisine, mais il sentit l'odeur du fourneau en fonte surchauffé.

— Jolenta?

Il se débarrassa de ses godillots, certain que sa femme était encore chez Rosalie, leur voisine. Cependant, il pensait trouver une part de gâteau sur la table et de l'eau bouillante pour la chicorée qu'il buvait à son retour de la mine.

— Bon sang, je suis bon pour enlever tout mon linge!

Sûr d'être seul, il se déshabilla, ne gardant que son caleçon, et il alla mettre ses vêtements dans la panière réservée à cet usage. Chemin faisant, il aperçut une silhouette féminine assise dans la pénombre près du buffet.

— Jolenta? Que fais-tu dans le noir?

— Il ne fait pas vraiment noir, répliqua sa jeune épouse d'un ton sec. Je t'attendais, Thomas.

— Je l'espère bien, mais allume donc, enfin!

— Allume, toi, je n'ai pas envie de bouger.

Tout de suite, il s'affola, en songeant au bébé. Dès que la lumière inonda la pièce, il se précipita vers Jolenta qui se tenait figée sur une chaise comme si elle patientait dans un hall de gare. Son beau visage aux pommettes hautes et au teint rose était marbré de larmes; ses paupières étaient meurtries.

— Seigneur, qu'est-ce que tu as? C'est notre enfant? Tu as mal au ventre? Mais parle-moi, Jolenta!

— Je souffre, oui, là, dans mon cœur. Et toujours à cause de la même personne, ta chère Isaure.

Thomas étouffa un juron. Comment avait-il pu croire que Jolenta ignorerait la scène de la matinée, au centre du village, près du restaurant de la Poste? Une bonne âme s'était empressée de tout rapporter à sa femme.

— Je vais t'expliquer ce qui s'est passé et tu comprendras, dit-il. C'était une querelle, rien d'autre.

— Tu as couru après elle, tu l'as prise par le coude et tu l'as entraînée je ne sais où pour faire je ne sais quoi! hurla Jolenta.

— Pas du tout, tu te trompes, lâcha-t-il avec un tel manque de conviction qu'elle se leva et se mit à le frapper en pleine poitrine, sur sa peau nue.

Thomas recula et grimpa quatre à quatre à l'étage. Il se sentait ridicule, en caleçon. Il enfila un pantalon en velours et une chemise. Jolenta le rejoignit, les yeux étincelants de fureur, les joues rouges.

— Si je n'étais pas enceinte, je m'en irais ce soir, cria-t-elle. Je vais être la risée de toutes les femmes du village à cause de toi, à cause de ton Isaure, une traînée, une catin! Rosalie me l'a dit, elle court plusieurs lièvres à la fois, le policier, toi, le chauffeur de sa patronne et peut-être le directeur Fournier.

Cet amalgame de calomnies mit Thomas hors de lui. Il pointa l'index sur Jolenta et ordonna froidement:

— Tais-toi, plus un mot, ce sont d'affreux ragots. Et tu vas m'écouter, à la fin? Ce matin, avant d'embaucher, j'ai bu un coup rue de la Poste. Soudain, Isaure est passée sur le trottoir. Comme je ne l'avais pas vue depuis longtemps, je l'ai rattrapée pour la prier de rendre visite à ma mère et à Jérôme. Là, elle m'a annoncé qu'elle se mariait très bientôt avec l'inspecteur Devers et, en plus, elle était pressée, sa patronne l'attendait.

Jolenta s'assit au bord du lit conjugal, s'accrochant sans y croire à cette histoire de mariage.

— Mais pourquoi tu la tenais par le coude? Pourquoi vous avez disparu tous les deux?

Désemparé, n'ayant aucune explication, Thomas ébouriffa ses boucles blondes d'un geste las. Il s'installa près de Jolenta et lui prit la main.

— J'étais triste à l'idée de son départ. Isaure compte pour moi, je ne te l'ai jamais caché. Je lui ai dit qu'elle avait raison de se marier, mais je voulais être sûr qu'elle serait heureuse avec Justin Devers. Nous étions émus. C'est permis, nom d'un chien, d'être émus en se disant adieu! Tu as tort, Jolenta, de fréquenter Rosalie et de lui faire confiance. Elle te monte la tête pour pas grand-chose. Tu ferais mieux de tenir compagnie à maman; elle ne se remet pas du décès de notre petite Anne.

— Tu l'aimes, décréta sa femme. Sinon, tu t'en ficherais, qu'elle s'en aille.

— Je l'aime d'amitié, Jolenta, je l'aime comme une sœur. Si tu es trop bête pour l'admettre, je n'y peux rien. Bon sang, j'étais pressé de rentrer ici te retrouver, de manger avec toi avant d'aller dormir, et tu gâches tout.

Jolenta avait rarement vu Thomas aussi froid, aussi furieux. Mais elle ne se laissa pas impressionner.

— Est-ce que tu l'as embrassée? insista-t-elle. Je pourrais te tuer si tu me trompes avec elle!

— Alors, vas-y, tue-moi, idiote, car je l'ai embrassée, oui, sur le front ou les cheveux, je ne sais plus, comme je l'aurais fait pour mes sœurs. Isaure habitera à Paris; elle ne reviendra pas.

Jolenta bondit sur ses pieds et alla se plaquer contre le mur le plus proche. Elle dévisagea son mari avec horreur.

— Tu m'as traitée d'idiote? Oh non, Thomas, Rosalie dit la vérité. Tu préfères Isaure, tu couches avec elle, avoue-le!

— Et quand? La semaine, je travaille au fond du puits du Couteau où l'eau s'infiltre sans arrêt et où on sue sang et eau à étayer. Le dimanche, je ne te quitte pas une seconde. Quand est-ce que j'aurais l'occasion de coucher avec Isaure?

— Ce matin, chez elle, avant que tu embauches…

D'un tempérament ordinairement doux et patient, Thomas s'effrayait lui-même de la rage qui grondait en lui. Il avait envie de tout casser ou de s'enfuir pour ne plus voir l'expression de Jolenta, mélange de mépris, de soupçons odieux et de haine.

— Tu me rendras fou avec ta jalousie, dit-il en tentant de se calmer. Tu détruis notre ménage, tu salis notre amour, alors que tu seras débarrassée de ta prétendue rivale dans quelques jours.

Elle prit peur au point de se mettre à trembler. Un grand froid l'envahit, qui balaya sa colère et sa rancune. Thomas avait raison, elle allait ruiner leur mariage.

— Pardon, gémit-elle, pardonne-moi, Thomas. Je n'aurais pas dû écouter Rosalie ni sa tante. Elles racontent toujours de vilaines histoires sur les femmes trompées, sur les hommes qui ne se contentent jamais de leur épouse. Je deviens folle dès que je vous imagine, Isaure et toi, tous les deux nus dans un lit comme nous la nuit.

— Tais-toi, ne dis pas des choses pareilles! s'indigna-t-il.

Une main sur ses yeux fermés, Thomas repoussa la vision qu'avait évoquée Jolenta. Jamais encore il n'avait osé concevoir la nudité d'Isaure et, là, à cause de l'image suggérée, il éprouva une sorte de brûlure intime qui l'enfiévra.

— Thomas, j'avais fait des efforts depuis l'enterrement de ta sœur, et même avant. Je te promets de ne plus aller chez Rosalie et de ne plus te faire de scène. Je te promets d'être la meilleure femme de la terre, pour toi. Et il y a notre bébé.

Elle s'était agenouillée devant le lit. D'un geste autoritaire, elle saisit la main de son mari et la posa sur son ventre arrondi.

— Il bouge, maintenant, il bouge souvent. Je ne devrais pas crier, il n'aime pas ça. Tiens, tu as senti?

Thomas fit oui de la tête. Il avait perçu sous le tissu en laine, à la hauteur du nombril, un mouvement très net. C'était comme une vague.

— Pardon, mon chéri, implora Jolenta. Il faut oublier, hein, sinon je serai trop malheureuse. Nous allons manger la soupe et un peu de fromage.

Elle rejeta ses longs cheveux blonds en arrière et noua ses bras autour de son cou. Ses seins épanouis par la grossesse tendaient sa robe. Thomas devina qu'elle essayait de provoquer son désir. Il était si nerveux et troublé qu'il s'abandonna au feu de ses reins.

— C'est bon, je te pardonne, mais tu as intérêt à tenir tes promesses, murmura-t-il en l'attirant sur leur couche.

— Je promets, je promets tout ce que tu veux, si tu m'aimes comme je t'aime.

Il retroussa son jupon et lui enleva sa culotte en coton blanc. Elle s'empressa d'ôter sa robe, avide de plaisir et surtout d'une réconciliation sur l'oreiller.

— Tu es belle, gronda-t-il en caressant sa poitrine qu'elle exhibait, délivrée de son soutien-gorge. Tu es tellement belle que moi aussi je pourrais être jaloux, mais j'ai confiance, vois-tu, oui, j'ai confiance en toi. Alors, fais de même.

Jolenta était soulagée. Fébrile elle aussi, elle ne prêta aucune attention au comportement de son mari, qui ne lui accordait aucun baiser sur la bouche et qui prenait possession de son corps les paupières closes, un masque douloureux sur son visage livide.

— Oui, oui, geignait-elle sous ses assauts.

Perdu dans son délire, Thomas s'abîmait en haletant dans les chairs chaudes et tendres de sa femme. Il peinait cependant à atteindre le plaisir, encore furieux, mais contre lui-même. Il savait pertinemment, désormais, à quel point la jalousie de Jolenta était justifiée, à quel point elle puisait sa source dans un instinct plus implacable que tous les raisonnements. Rien ne put empêcher son esprit échauffé de se représenter Isaure sous lui, livrée à son sexe d'homme, sa chevelure noire répandue sur le blanc du drap. Dès qu'il eut cette pensée coupable, un spasme violent lui vrilla le bas du dos et il répandit sa semence en criant de joie.

— Mon amour, mon amour, répétait Jolenta, comblée de lui avoir procuré une telle jouissance.

Il roula à côté d'elle, ouvrit les yeux et fixa le plafond, aussi honteux qu'hébété.

— Moi aussi, j'ai été heureuse, chuchota son épouse.

— J'ai été un peu brutal, pour le bébé, non? s'inquiéta-t-il, de plus en plus confus.

— Mais non, je vais rester au lit un moment. Tu me monteras un bol de soupe, dis?

— Bien sûr, il faudra être plus prudents, à l'avenir. Jolenta, j'ai oublié de te prévenir. Grandieu tenait à organiser une réunion ce soir, au restaurant de la Poste, avec d'autres gars de la mine. J'avais refusé d'y assister pour ne pas te laisser seule, mais c'est très important. Si le nouveau directeur persiste dans ses projets de baisse des salaires, nous ferons la grève. J'irai y faire un tour après le dîner, tu es d'accord?

Par crainte de le décevoir encore une fois, Jolenta accepta en le couvrant de baisers.

Deux heures plus tard, Thomas frappait au volet du pavillon où logeait Isaure, après s'être glissé comme un voleur dans le parc des Aubignac.

8

Soir de pluie

Pavillon des Aubignac, même soir

Isaure se préparait du thé à la bergamote après un léger dîner composé d'un potage au vermicelle et d'un œuf dur. Elle avait passé un après-midi agréable, occupée à sa correspondance et au rangement de sa modeste garde-robe.

En chemise de nuit blanche, celle qu'elle portait quand elle dormait au pensionnat des Pontonnier où elle était surveillante, elle évoluait d'un pas tranquille dans son petit domaine. « J'ai écrit à la mère de Justin et à Justin, mais lui, je pourrai lui donner sa lettre dimanche matin », se disait-elle.

Elle avait aussi rédigé un brouillon de courrier à l'intention de l'Instruction publique, où elle déclinait le poste qui lui était réservé à Faymoreau et en sollicitait un dans le cinquième arrondissement de Paris.

Tout en respirant avec délice le parfum du thé, elle brossait la masse ondulée de sa somptueuse chevelure noire.

— Je ne reculerai pas, murmura-t-elle tout bas. Pendant un mois, j'éviterai Thomas, autant pour lui que pour moi. Ensuite je deviendrai une Parisienne, madame Isaure Devers.

Elle s'exhortait à l'allégresse en imaginant sa robe

de mariée et sa coiffure. Il valait mieux épouser un homme libre et amoureux que se languir de mélancolie entre les bâtiments de la mine et l'école du village. Comme viatique, quand elle éprouverait un brin de nostalgie, elle chérirait les mots doux qui la hantaient encore, chuchotés par Thomas : « Tu seras toujours mon Isauline… »

Un bruit ténu contre un volet la tira de ses songeries. On aurait dit qu'un chat grattait le bois avec ses griffes. Isaure eut un sursaut de joie en espérant qu'il s'agissait peut-être de Justin. Il était capable de faire le trajet dans le seul but de la réconforter, après le coup de fil qu'il avait reçu dans la matinée. Vite, elle alla ouvrir sa porte et scruta les ténèbres pluvieuses. Saturée d'eau, la terre exhalait une odeur particulière, une odeur qu'elle ne devait jamais oublier.

Un homme se précipita vers le rai de lumière qui se dessinait sur le sol, mais ce n'était pas l'inspecteur Devers. Stupéfaite, Isaure reconnut Thomas, la capuche de son ciré noir rabattue jusqu'au milieu de son front. Il ne souriait pas ; il avait un air égaré et ses yeux étaient voilés par une mystérieuse rêverie.

— Est-ce que je peux entrer ? demanda-t-il d'une voix rauque. Je n'ai que deux heures, Isaure, mais je voulais te parler.

— Entre, bien sûr, répondit-elle, la gorge nouée.

Il se débarrassa de son vêtement de pluie et l'accrocha à la patère. Le cœur battant, Isaure tourna le verrou par précaution.

— J'aurais des ennuis si quelqu'un te voyait ici, soupira-t-elle. Germaine et son fils ne partent pas avant huit heures du soir et c'est Roger qui les ramène chez eux avec la voiture. Il n'est pas revenu ; il aurait pu te surprendre.

— Bah, ce n'est pas très grave, puisque tu te maries

bientôt, trancha-t-il d'un ton sec. Si ta patronne te congédie, tu pourras habiter chez ton futur mari. Je suppose qu'il loue un logement à La Roche-sur-Yon.

Thomas évitait de la regarder. Il faisait les cent pas dans la pièce. Il jeta en passant un coup d'œil sur les enveloppes posées sur le manteau de la cheminée et effleura la fonte du poêle de la main.

— Tu es à ton aise, au fond, dans ce pavillon, nota-t-il.

— Ce n'est pas nouveau! Thomas, qu'est-ce qui se passe? Ta mère est souffrante? Ou Jérôme?

— Non, maman pleure la moitié du temps, mais elle prétend le contraire. Jérôme courtise Christine, la fille de la postière. Il y aurait des fiançailles prévues au mois de mai. Mais ça ne t'intéresse plus!

Nerveuse, Isaure s'enveloppa d'un châle par pudeur. Il faisait chaud. Cependant, elle était nue sous sa chemise et le tissu frôlait sans cesse la pointe de ses seins.

— Si tu me déranges pour me faire des reproches, tu peux t'en aller immédiatement, dit-elle. Si tu veux bien te calmer, je t'offrirai avec plaisir une tasse de thé.

— Tu n'as pas de vin?

— Non, et même si j'en avais, je crois que tu ne devrais pas en boire.

Thomas approuva d'un signe de tête et se décida à faire face à la jeune femme. Il avait eu un besoin viscéral de la revoir, de se trouver en sa présence pour effacer la vision fantasque d'elle qui lui était apparue et qui l'avait conduit à une jouissance d'une rare intensité.

— Tu ressembles à une pensionnaire, dans cette longue chemise blanche, marmonna-t-il. Et tes cheveux! Qu'ils sont beaux! Je ne les avais jamais vus défaits.

Il tendit la main comme un aveugle et caressa les souples ondulations qui couvraient les épaules d'Isaure. Elle n'osait plus bouger; à peine respirait-elle.

— Jolenta m'a fait une terrible scène de jalousie, ce soir, quand je suis rentré à la maison, débita-t-il doucement. Rosalie, une nouvelle voisine, se prétend son amie et l'encourage dans ses délires. Pourquoi serait-elle jalouse? Je suis son mari et nous aurons un enfant au début de l'été.

— Thomas, dans ce cas, tu devrais retourner auprès d'elle. Je n'ai pas envie de te causer le moindre problème ni d'en avoir. Justin pourrait arriver et il serait sûrement contrarié de te trouver chez moi. Je lui ai téléphoné ce matin. Je me sentais menacée par mon père... par le monde entier.

Isaure avait failli parler de Christian Fournier, mais elle avait jugé préférable de se taire. Elle reprit d'un ton persuasif:

— Comprends-moi, que ce soit pour Jolenta ou pour Justin, tu n'as pas à être ici. Au moins, éloigne-toi un peu; tiens, assieds-toi, nous allons boire le thé ensemble.

Il obéit sans discuter, mais ses yeux verts avaient un éclat inhabituel. Gênée, Isaure en subit le feu ardent. Elle lui adressa un rapide coup d'œil, fascinée par sa beauté et son charme, le dessin de sa bouche aux lèvres pleines. Thomas alliait une blondeur dorée à un teint hâlé et, quand il souriait, elle avait toujours eu l'impression d'être emportée dans un pays ensoleillé, un petit paradis où plus rien ne pouvait l'atteindre et la blesser, hormis lui, en fait.

— On m'aura vu te rattraper dans la rue et t'emmener à l'écart ensuite, lâcha-t-il très vite. Je m'en fiche, nous avions le droit de bavarder.

— Ce n'était pas vraiment du bavardage, fit-elle remarquer en versant le thé fumant dans les tasses. Tu m'as dit et redit que tu adorais ta femme, et moi, pauvre sotte que je suis, je t'ai avoué mon grand amour de gosse. Mais c'est fini, Thomas, je t'aime comme un ami, à présent, et je suis enchantée de me marier. Alors, si tu m'expliquais pourquoi tu es venu, ce soir, malgré la pluie diluvienne et une épouse folle de jalousie?

Isaure se dominait, intérieurement bouleversée d'être seule avec lui. Elle devinait, d'instinct, qu'il avait suivi un élan irraisonné. Quant à la nature de cet élan, elle en repoussait l'évidence, avertie par son expérience amoureuse.

— Tes aveux, ce matin, m'ont troublé, admit-il. Il y a de quoi! Je n'ai pas arrêté d'y penser, en travaillant. Je suis désolé, Isaure, tu as dû beaucoup souffrir le jour de mon mariage, et avant, même, quand j'étais à l'infirmerie, quand tu as tout abandonné pour accourir à mon chevet. Je n'ai rien arrangé par ce baiser, le soir de Noël.

— Nous avons déjà discuté de cela, Thomas. Il est inutile de te tourmenter, c'est du passé. Ma vie a tellement changé en trois mois! J'ai pu échapper à mes parents, Armand est réapparu bien vivant et, malgré ses horribles blessures au visage, il est heureux auprès de Geneviève. Sans compter que j'ai un emploi avantageux et que j'aime Justin.

Thomas se pencha vers elle au-dessus de la table. Il la fixa d'un œil impérieux pour demander:

— L'aimes-tu plus que moi, plus que tu disais m'aimer?

— Pas de la même façon. Et autre chose entre en jeu.

— Quoi donc?

Soucieuse de garder la maîtrise de la situation, elle ne voulait pas mentir.

— C'est embarrassant d'aborder le sujet, mais notre liaison n'a rien de platonique. J'ai découvert les liens qui se créent ainsi, dans l'intimité.

En exhalant un soupir, Thomas passa ses mains sur

ses joues et lissa ses boucles dorées vers l'arrière. De nouveau, l'image d'Isaure dans les bras d'un homme, nue, pâmée et en proie au plaisir, traversa son esprit.

— Tu n'es plus mon innocente petite Isauline. Je dois l'accepter, sans doute, déclara-t-il entre ses dents. Je te l'ai déjà dit, je ne t'ai pas vue grandir et devenir une femme, mais tu es une femme.

Il mit dans ce dernier mot une intonation douloureuse, néanmoins teintée d'une émotion singulière. Isaure le fixa à son tour, peu à peu captivée par son regard vert et or où elle lisait du désir, sinon de l'amour. Elle eut chaud et froid. Elle avait la bouche sèche et le cœur survolté. Ce dont elle avait si souvent rêvé se produisait : Thomas la contemplait d'un regard passionné.

— Tu dois partir, maintenant, murmura-t-elle d'une voix dolente.

— Je sais.

Le bruit d'un moteur et le crissement de roues sur les graviers de l'allée les firent taire. Isaure en profita pour se lever et aller baisser la mèche de la lampe à pétrole.

— Roger est de retour. Il dort dans une pièce derrière la cuisine, un ancien cellier aménagé, précisa-t-elle dans un souffle.

— Si Devers arrivait, il garerait sa voiture loin du portail, je pense, hasarda Thomas. N'aie pas peur, nous trouverions une excuse.

— De toute façon, tu dois t'en aller, gémit-elle.

Mais il se leva lui aussi et la rejoignit près de la cheminée. Elle recula prestement, affolée.

— Ne crains rien, soupira-t-il en l'attirant contre lui, non, ne crains rien de moi. Je veux te dire au revoir sans témoin.

— Il ne faut pas, Thomas. D'être dans tes bras, déjà, ce n'est pas bien. Je n'ai guère de moralité, tu me l'as toi-même reproché, mais je ne veux pas trahir Justin et ça lui déplairait de nous voir en ce moment.

— Personne ne le saura, chuchota-t-il à son oreille, émerveillé de la tenir près de lui, très près. Tu sens bon, tu es douce, toute douce…

Isaure ferma les yeux pour savourer le contact de Thomas. Il frotta sa joue sur ses cheveux, puis sur sa joue à elle, et la berça tendrement. Tant qu'il n'y aurait pas de gestes plus audacieux, elle pouvait bien s'accorder un tel bonheur. Mais, d'une main, il fit tomber son châle et dénoua le ruban qui fermait le col de sa chemise.

— Tu es si blanche! Ta peau est nacrée, dit-il. Tu es une fée de la forêt, une complice de Mélusine, dont tu me racontais l'histoire quand nous nous promenions dans les bois.

— Thomas, aie pitié, implora-t-elle tandis qu'il caressait de l'index la chair de son cou. Qu'est-ce que tu fais, enfin?

Il haussa les épaules, comme halluciné, et l'embrassa sur le front. Isaure était incapable de lutter davantage. Celui qu'elle adorait depuis des années, son grand amour interdit la voulait pour sienne, elle le savait. Chaque fibre de son corps répondait à son désir d'homme. En émettant une petite plainte effarée, elle balaya ses scrupules et chassa tout ce qui n'était pas Thomas. Lui seul avait de l'importance. D'un élan tragique, elle l'étreignit et ce fut elle qui baisa ses lèvres, avec hardiesse et désespoir.

L'univers autour d'eux s'abolit en quelques secondes. Leurs bouches s'unirent, savantes, délicates, avides l'une de l'autre. Isaure sentait ses seins écrasés contre le torse du jeune homme et un feu délicieux se répandait dans son ventre, tandis que son cœur cognait comme un fou. Leur baiser se fit interminable. Il les transporta d'une joie infinie dont ils n'auraient jamais osé rêver.

— Isauline, Isauline, psalmodia enfin Thomas en reprenant son souffle.

Elle leva son visage vers lui, tremblante et haletante. Il sourit de ce large sourire ébloui qui la rendait faible et la poussait au bord des larmes. Sans un mot, elle acheva de délacer sa chemise qu'elle fit glisser sur le sol. Nue, elle était nue, avec comme parure ses longs cheveux noirs et ses beaux yeux d'un bleu sombre.

Ébloui, Thomas aperçut la ligne de ses hanches et de ses cuisses, puis sa gorge laiteuse comme deux magnifiques pommes rondes aux mamelons bruns et, en bas de son ventre plat, le discret triangle d'une courte toison frisée.

— Que tu es belle!

Il ne put rien ajouter. Elle lui tendit les bras. Il la souleva et la porta sur le lit. En toute hâte, il ôta ses vêtements, sans la quitter du regard. Elle attendait, alanguie, mais frémissante. «Même si je n'ai que ça, je m'en contenterai ma vie durant. Être admirée une fois par lui après avoir échangé un baiser, cela me suffira», songea-t-elle, ivre de bonheur, en sachant cependant que c'était une illusion.

Mais il était nu lui aussi, à présent, debout près de la table de chevet, superbe de proportions, tout en muscles fins, les cheveux d'un blond chaud, mais la peau mate, les épaules carrées, les traits sublimés par la violence de son désir. Isaure en eut le souffle coupé. En règle générale, elle évitait de regarder Justin et ils s'aimaient souvent sans se déshabiller totalement.

— Viens, appela-t-elle tout bas en articulant à peine.

Il s'allongea à ses côtés et la caressa du bout des doigts pour ne pas la brusquer. Il fut étonné quand elle lui rendit la pareille, qu'elle le toucha et parcourut son corps de ses mains menues, comme si elle voulait graver dans sa mémoire chaque parcelle de sa chair chaude et drue. Ses gestes doux et habiles, son attitude naturelle que n'entravait aucune pudeur ni aucune réserve surprirent Thomas dont l'excitation n'eut plus de limite.

Il était incapable de penser à ce qu'ils faisaient, aux possibles conséquences de leur acte, entraîné qu'il était dans une volupté totale dont il ne soupçonnait même pas l'existence. Tenir Isaure tout contre lui, boire à ses lèvres, s'imprégner de son parfum de femme, de la saveur de sa peau, cela allait au-delà du simple plaisir physique. Avec elle, il découvrait l'harmonie de l'amour, la parfaite entente de deux êtres, proche d'une communion mystique magnifiée par l'ivresse de leurs sens.

Et il sentait confusément qu'elle éprouvait le même apogée de pur bonheur. Ils auraient pu demeurer ainsi, enlacés, bouche contre bouche pour l'éternité des siècles. Ce fut Isaure qui, la première, se fit exigeante en l'attirant sur elle et en guidant son sexe entre ses cuisses. Il la prit lentement, comme intimidé, tandis qu'elle l'étreignait à pleins bras, cambrée, éperdue, entièrement offerte, avide de lui, déjà secouée de frissons et de spasmes. Plus il la pénétrait, plus elle gémissait, la tête renversée au creux de l'oreiller, le regard voilé dans une extase infinie.

— Oh! Mourir ainsi, mourir maintenant! chuchota-t-elle en riant et en pleurant.

Thomas ne déployait aucune science amoureuse; il ne cherchait pas les raffinements érotiques dont usait Justin Devers. Il se donnait lui aussi de tout son être, de toute son âme, ébloui, sidéré par la houle de sensations subtiles qui le submergeait. Il l'emmenait dans son euphorie, dans son délire, par des mouvements réguliers et profonds, en appui sur ses bras pour mieux la voir, pareille à l'Isaure de sa vision, nue, la chevelure éparse, le visage illuminé d'un vague sourire, la porcelaine de ses prunelles voilée par l'acuité de sa jouissance. Il cueillit d'un baiser une larme qui brillait sur sa joue, puis il décupla ses coups de reins, comme elle l'en suppliait, les mains crispées en bas de son dos.

Isaure se vit alors telle une terre fertile, fraîche et souple, qu'un jeune dieu s'appropriait pour la féconder. Elle poussa un cri sourd quand Thomas laissa échapper une plainte rauque, à l'instant crucial et fatidique de l'acte d'amour où, depuis des générations, l'homme ensemençait la femme dans l'espoir primitif de perpétuer sa race, son sang.

Ils en eurent à peine conscience, trop loin de tout, le corps comblé, l'esprit volatil, dispersé sur la trame de leur joie, le cœur battant. Ils restèrent étroitement unis. Subjugué, chacun s'avouait en secret qu'il n'avait jamais connu un tel accomplissement, l'un dans les bras Jolenta, l'autre dans ceux de Justin.

— Isauline, ma précieuse petite fée! murmura enfin Thomas en couvrant ses seins de baisers brûlants.

— Je croyais t'aimer à la folie, dit-elle, mais je t'aime encore plus que ça.

Dix coups étouffés par la pluie persistante sonnèrent au clocher de l'église. La réalité quotidienne de leur existence s'imposait à nouveau.

— J'ai peur pour toi, soupira Isaure. Qu'as-tu dit à Jolenta pour excuser ton absence?

Elle regrettait d'avoir à prononcer ces mots et ce prénom. Il secoua la tête avec une mine de gamin insouciant.

— Je suis censé être à une réunion au restaurant de la Poste. J'y passerai en rentrant et demanderai aux camarades de me couvrir. Le patron nous prête une petite arrière-salle, et puis, le soir, les commères sont au coin du feu. Ne parlons pas de ça, c'est mon problème.

Il la contempla encore, bouleversé par sa beauté et sa pose abandonnée sur le lit.

— Maintenant, nous devons reprendre chacun notre chemin avec courage, Isauline. Je serai un bon mari pour ma femme et tu devras rendre Justin heureux. Il n'y a pas d'autre solution, hélas! Quand même, si j'avais compris que tu m'aimais...

Elle se redressa, triste à pleurer, mais résignée néanmoins.

— Non, ça n'aurait rien changé, Thomas. J'avais quinze ans à l'époque où tu es devenu amoureux de Jolenta. Tu me considérais comme ta sœur, comme une enfant à protéger. Je le confesse, l'été dernier, je me disais que j'avais peut-être une chance, car j'avais grandi, j'étais diplômée et tu étais toujours affectueux avec moi. Je rêvais de te conquérir, mais on se voyait rarement et, en octobre, j'ai pris le poste de surveillante à La Roche-sur-Yon. Tu connais la suite...

— Je t'ai annoncé mon prochain mariage et mon imminente paternité. Mon Dieu, qu'est-ce qui nous arrive? dit-il en se levant brusquement. Tu dois le savoir, j'aime Jolenta. Mais elle n'est plus vraiment la même. Maman prétend que la grossesse perturbe le caractère des femmes. L'avenir dira si c'est de cela qu'il s'agit.

Isaure eut un faible sourire. Elle calculait des dates dans son for intérieur, un peu affolée. C'était une période à risque de son cycle féminin. «Non, il ne faut pas! Je n'élèverai pas un enfant de Thomas en étant mariée à Justin et en lui racontant que c'est le sien, non...» songea-t-elle sans se soucier de sa radieuse nudité.

— Tu devrais te rhabiller, lui conseilla-t-il, dégrisé et soudain gêné. Je suis désolé, Isaure, j'ai dépassé les limites en venant chez toi, l'esprit à l'envers.

— Je t'en prie, n'aie pas de regrets, surtout, ce serait humiliant pour moi. Tu n'as pas cédé à une simple envie, nous le savons tous les deux. Je n'ai jamais ressenti ça avant, non, jamais. Peut-être que je l'ai su très tôt, ce qu'il y avait d'unique entre nous.

— Peut-être, concéda-t-il, mais, moi, j'ai été aveugle et sourd. Seigneur! Penser que tu vas t'en aller à Paris alors que tu fais partie de ma vie!

Elle remit sa longue chemise de nuit dont elle noua le col. Il lui semblait impossible d'envisager son exil, désormais.

— Je crois que, après ce qui s'est passé, je ne peux plus épouser Justin, déclara-t-elle, ni poursuivre ma liaison avec lui.

— Si, il le faut, je t'en conjure, s'écria-t-il.

Alarmé par la fuite des minutes, il enfila ses vêtements et lissa ses cheveux. L'air grave, il alluma une cigarette, tout en faisant les cent pas dans la pièce.

— Tu souffriras trop, Isauline, si tu restes ici, Jolenta aussi. Elle a besoin de calme et d'attentions, à cause du bébé. Je me suis engagé devant Dieu à la chérir et à lui être fidèle. Je viens de la tromper, mais je ferai en sorte de ne pas recommencer. Tu m'aideras en quittant le pays.

Isaure se jeta à son cou et se cramponna aux pans de sa veste de laine.

— Sauvons-nous ensemble, Thomas! J'ai mon salaire de janvier; je n'y ai pas touché. Nous pourrions prendre un bateau pour filer en Angleterre. Nous trouverons du travail là-bas. Je t'aime tant! Et tu m'aimes, tu viens de le prouver.

— Et mon enfant? Je ne vais pas priver un innocent de son père ni abandonner sa mère qui était neuve lorsqu'elle s'est donnée à moi. Tu imagines le désespoir de Jolenta si elle accouchait seule en étant la risée du village? Elle n'aurait plus le cœur d'aimer le bébé. Et mes parents? Ils me maudiraient.

Vaincue par ces arguments implacables, Isaure approuva en silence. Elle n'avait plus aucun courage; l'avenir lui semblait sombre et terne malgré l'empreinte encore vive de leur bonheur au sein du paradis illuminé où ils avaient pu s'aventurer.

— C'était une sottise bien digne d'Isauline, ironisait-elle, de te demander une chose pareille. Thomas, pourquoi avons-nous eu cette conversation? J'ai l'impression de salir la merveilleuse joie que nous avons eue par miracle. Pars vite, je vais penser à toi toute la nuit.

Il la prit dans ses bras et la serra très fort en lui donnant un dernier baiser d'une amère volupté. Son corps s'enflamma à nouveau de désir et de joie. Il en aurait pleuré.

— Mon Isauline, ma petite fadette, si j'avais su plus tôt que tu étais mon havre, mon seul refuge, mon âme sœur! J'ai mal de te laisser. Pourtant, le temps presse.

— Je garderai ces mots si doux comme un trésor, même si nous sommes séparés des années.

— Je t'en prie, réfléchis bien. Il vaut mieux pour toi épouser Justin. Promets-le-moi.

— Je ne peux rien te promettre, mais, oui, je vais réfléchir. Au revoir, mon chéri, mon amour, mon Thomas.

Il dut faire un terrible effort de volonté pour la quitter, le ciré juste posé sur les épaules. Isaure referma la porte et appuya son front contre le panneau de bois. «C'est à la fois affreux et merveilleux, se dit-elle. Affreux parce qu'il y a Jolenta et Justin, merveilleux parce que nous avons été un seul corps et un seul être. Et puis, il m'aime, oui, il m'aime.»

Elle ne s'estima victorieuse que quelques secondes; l'instant d'après, elle fondit en larmes. Il lui fallait continuer à vivre, à sourire et à mentir, et cela lui paraissait la pire des épreuves parmi celles qu'elle avait déjà affrontées.

***Château de la famille Régnier, samedi 19 février 1921,
le soir***

Viviane Aubignac exultait en entrant dans le vaste salon du château. Elle avait cru renaître durant la délicieuse journée qu'elle avait passée à se préparer pour l'événement, un dîner chez le comte et la comtesse de Régnier. Elle avait pris un bain chaud aux sels parfumés et lavé avec soin ses boucles d'un blond platine qu'elle avait ornées d'un bandeau en lamé argenté assorti au long fourreau couvert de strass qu'elle portait. Légèrement maquillée, le teint pâle, du rose aux joues et aux lèvres, elle avait provoqué l'admiration de Christian Fournier lorsqu'il était venu les chercher, sa mère et elle.

Efficace et aimable, Isaure avait aidé les deux femmes tout l'après-midi. Sophie avait été autorisée à assister aux essayages des diverses toilettes et elle s'était amusée comme une folle parmi les jupes en taffetas, les corsages en soie et les foulards. Sur les conseils de sa jeune gouvernante, Paul, que ce genre de distractions n'intéressait pas, s'était plongé dans la lecture d'un roman de Charles Dickens, *Oliver Twist*.

Enfin, à dix-huit heures trente, Fournier s'était garé près du perron et avait aidé Olympe et Viviane à s'installer sur la banquette arrière de sa voiture.

— Ma très chère amie! s'exclama Clotilde de Régnier en tendant les bras vers Olympe. Quelle joie de vous recevoir! Et voici Viviane dans tout l'éclat de sa beauté. Ciel, votre robe est superbe, ma chère!

— Merci, madame. C'est un modèle que j'ai acheté à Paris, il y a déjà un an, lors de mon dernier séjour chez ma sœur.

Olympe connaissait le château et elle promena un regard satisfait sur la décoration du grand salon, dont le mobilier de style Louis XV, élégant et peint en gris clair, la comblait d'aise. Les hautes fenêtres étaient encadrées de lourds rideaux en velours rose foncé, retenus par des embrasses dorées. Des tableaux imposants représentant les ancêtres du comte et des stèles supportant de gracieuses statues conféraient une touche surannée à l'ensemble. Le château, comme l'appelaient les gens du pays, n'était tout au plus qu'un manoir de dimensions modestes cerné de grands sapins et qui, à la belle saison, mirait ses murs de calcaire dans l'eau d'un étang. Sur une pointe de terre nichaient des cygnes, dont les gracieuses évolutions et les battements d'ailes avaient souvent diverti la comtesse.

Issue d'une famille de commerçants aisés, Clotilde tenait plus à son titre que l'unique aristocrate du lieu, le comte Théophile. Pour l'instant, il se trouvait à l'étage, agacé de devoir s'astreindre à un interminable repas en compagnie de trois femmes bavardes et de son neveu, qu'il jugeait fat et imbu de sa personne. « Enfin, cette pauvre Viviane est agréable à regarder », se dit-il en ajustant son nœud de cravate.

Son épouse avait invité plusieurs fois les Aubignac à dîner, mais Théophile de Régnier s'arrangeait, ces soirs-là, pour aller jouer au bridge chez le notaire de Vouvant, un fidèle ami.

— Eh bien, allons-y, marmonna-t-il d'un ton las en étudiant son reflet dans le miroir de son armoire sous l'œil attentif de son vieux valet de chambre. Qu'est-ce qu'il y a au menu, Firmin ?

— Des truites aux amandes, monsieur le comte, et un gigot de chevreuil, la bête que vous avez chassée à courre, mercredi.

— Parfait ! Et le dessert ?

— Une charlotte meringuée au chocolat.

— Ah, dans ce cas, je suis de meilleure humeur.

Il s'observa encore d'un œil perplexe. Il avait des yeux noirs, un nez en bec d'aigle et de courts cheveux raides d'un brun semé de blanc aux tempes. Un collier de barbe soulignait ses mâchoires volontaires. Âgé de quarante-huit ans, il arborait une ride profonde entre les sourcils.

Dès qu'il eut rejoint ses invités, Olympe Mercerin lui dédia un sourire songeur.

— Cher Théophile, je suis ravie de vous revoir.

— Moi de même, madame. Nous avions fait connaissance au baptême de mon sacripant de neveu, dit-il en riant.

— Oui. Je n'ai guère pu revenir à Faymoreau par la suite, murmura-t-elle. Vous savez les tristes circonstances qui ont présidé à mon installation ici! Je fais mon devoir de mère et de grand-mère.

Le comte acquiesça d'un signe de tête et se pencha sur Viviane qui lui tendait sa main gantée de satin blanc.

— Toujours aussi exquise, chère amie, dit-il en effleurant ses doigts de ses lèvres.

Christian Fournier était vexé. Il lui déplaisait d'avoir été traité de sacripant devant Viviane, à qui il faisait une cour très discrète. Mais, comme elle riait du plaisir de se trouver là, il releva la pique de son oncle pour la tourner en dérision.

— De m'entendre qualifier ainsi me rajeunit. C'était un de mes surnoms d'enfant, car j'étais très déluré et je jouais de sales tours à mes parents.

— Avez-vous vraiment changé? susurra Viviane, la bouche en cœur.

— Peut-être pas. Je suis capable du pire et du meilleur, riposta-t-il en lui décochant un regard qu'il croyait irrésistible.

Ils se sourirent, complices, puis poursuivirent une aimable joute verbale, tissée de propos d'une banalité affligeante, car l'essentiel était de ne rien évoquer de la tragédie qui avait causé un vrai scandale, à la fin de décembre.

La comtesse respectait la même ligne de conduite. Pourtant, elle aurait voulu en apprendre plus sur l'affaire Aubignac. Mais, entre gens de la bonne société, la curiosité aurait été déplacée. Clotilde se contenta pendant l'apéritif et le dîner de discuter surtout avec Olympe, notamment de l'éducation des enfants, la clé de leur réussite future.

— Seigneur! s'écria-t-elle après le gigot de chevreuil, je viens de fêter mes quarante ans et Théophile affirme que je ne les fais pas. Mais si mes enfants n'étaient pas pensionnaires à Niort dans une excellente école privée, on me donnerait sans doute le double de mon âge, tant ils sont épuisants. Les vacances me suffisent.

Sur ces mots, Clotilde lissa d'un doigt la mèche châtain qui dansait sur son front. Elle tenait à suivre la mode, même depuis le fin fond de la campagne, comme elle le répétait à loisir. Coiffée d'un carré court frôlant la nuque, elle portait un sautoir de grosses perles roses sur une robe droite en soie parme qui laissait les bras nus et dévoilait les jambes.

Olympe Mercerin, qui l'écoutait avec bienveillance, tentait d'imaginer Isaure dans ce décor, en face de la comtesse, d'abord fillette intimidée, soumise aux caprices de sa riche et prétendue marraine, puis adolescente réservée au cœur plein de révolte.

— Ma chère Olympe, êtes-vous satisfaite du professeur de piano que je vous ai conseillé? demanda soudain Clotilde.

— Une perle, comtesse, charmante et patiente! Paul montre des dispositions étonnantes. Isaure me le disait encore ce matin. Une perle également, cette jeune fille. Je me félicite de l'avoir gardée à mon service.

Tout de suite, la comtesse se raidit et sa bouche se crispa. Mais elle reprit vite sa contenance après avoir siroté une gorgée de vin rouge, un grand cru du Bordelais.

— Si vous en êtes contente, tant mieux! Pour ma part, je suis soulagée qu'elle ne soit pas devenue la répétitrice de mes fils comme c'était prévu. Ce sont deux garnements; elle n'aurait pas fait le poids.

— Des sacripants à mon image? pérora Christian Fournier.

— Encore pire que toi, si c'est possible, répliqua sa tante. Mais j'ai trouvé une excellente solution. Pendant les congés de Noël, ils n'ont passé que trois jours ici. Je les ai ensuite expédiés chez ma mère, qui vit à Parthenay. Ils me fatiguent tellement! Vous me comprenez, Viviane, vous qui ne preniez vos enfants que pour les vacances.

— J'obéissais à Marcel, répondit la jeune femme en déplorant d'avoir à évoquer son mari, un criminel maintenant notoire.

— Vivi, je t'en prie, gronda tout bas Olympe.

— Oh, maman, je ne pourrai pas toujours éviter le sujet. Oui, je suivais les consignes de mon mari et je le déplore aujourd'hui, car Paul et Sophie semblent gênés en ma présence; ils osent à peine m'embrasser et ils ont souvent peur de me déranger. Je crois même qu'ils préfèrent la compagnie d'Isaure.

— Mon Dieu, vous vous trompez sûrement, Viviane, ce serait le monde à l'envers, s'offusqua alors Clotilde. Je vous mets en garde, vous aussi, ma chère Olympe : Isaure Millet, selon moi, a l'esprit perturbé. Enfin, ici même, elle a tenu des propos qui dépassent l'entendement. Je le disais à Christian avant-hier. Des histoires de feux follets et de sorcellerie. J'ai été très déçue, moi qui avais veillé sur son éducation. Elle s'est montrée d'une telle ingratitude! Elle est allée jusqu'à me reprocher de n'avoir pas de cœur.

— Vraiment? s'étonna Olympe. Il faut croire qu'à l'instant où elle vous a dit ceci, elle était bien malheureuse! Vous serez sans aucun doute surprise, Clotilde, mais Isaure m'inspire une totale confiance. J'apprécie également sa force de caractère, sa fierté et sa dignité. Elle doit se marier prochainement et je la regretterai.

— Isaure? Se marier! répéta la comtesse, amusée. Qui est l'heureux élu?

— Un inspecteur de police, celui-là même qui s'est montré très compréhensif avec Viviane. N'est-ce pas, ma chérie?

— En effet, j'ai trouvé l'inspecteur Devers prévenant et galant, humain en somme, pour un policier, affirma l'interpellée.

— J'ai déjeuné avec lui, se récria Fournier. Et il épouse votre petite gouvernante! Drôle de couple! Mademoiselle Millet ne m'en a pas touché un mot quand j'ai cité l'inspecteur.

— Je penche pour une union précipitée, insinua la comtesse, l'air outré. Isaure aura brûlé les étapes; vous me comprenez?

Choquée par cette éventualité, Olympe protesta avec fermeté.

— N'exagérons rien, Clotilde. Je tiens à la bonne moralité de mes employées et votre supposition est infondée. Isaure ne sort presque jamais de l'enceinte de la propriété, et elle ne reçoit personne. Certes, le lundi et le jeudi matin, mon chauffeur la conduit à Fontenay-le-Comte, au marché couvert, mais, s'il avait remarqué quoi que ce soit d'inconvenant, il m'en aurait informée. Isaure n'est pas de ce genre-là.

— Souhaitons-le, mon amie, soupira la comtesse.

Le comte Théophile retint un soupir irrité. Il s'ennuyait ferme et ce repas lui pesait. Sa plus grande passion était la chasse à courre, alors que personne à la table n'était en mesure d'en discuter avec lui. Il gratifia son neveu, occupé à admirer le décolleté de Viviane, d'un regard méprisant. Christian avait comme intérêt principal la conquête des jolies créatures et il ne s'en cachait guère. De plus, des rumeurs étaient parvenues au château sur sa façon déplorable de gérer la compagnie minière.

Afin de se distraire, il l'attaqua sur ce point.

— Dis-moi, Christian, où en es-tu avec tes projets de baisse des salaires? Les gueules noires te feront des misères, si tu persistes dans cette voie.

— Je vous en prie, mon oncle, pourquoi parler de ça?

— Tu as été nommé dans la région. Autant savoir comment tu diriges la mine, trancha le comte.

— En tout cas, à mon idée, je pourrai imposer cette mesure en usant de fermeté et en mettant de l'avant quelques innovations comme la restauration du puits du Couteau, fermé au début de la guerre. J'ai une bonne équipe attelée à la réouverture de la galerie principale.

Nerveux, Fournier alluma une cigarette américaine. Il n'avait pas l'intention d'en dire davantage. Cependant, les infiltrations d'eau qui compliquaient le travail des mineurs lui causaient du souci et, chaque matin, il guettait le ciel en espérant le trouver dégagé de tout nuage.

Par chance, la charlotte meringuée au chocolat détourna l'attention du comte et des convives. Viviane s'extasia devant la beauté du gâteau en minaudant si ostensiblement que sa mère se promit de la sermonner dès leur retour à Faymoreau. Le dîner se termina et Clotilde emmena ses invités au salon, où était servi le café. À la surprise générale, le comte prit congé sur un salut quasiment militaire.

— Je me lève aux aurores, expliqua-t-il. Une battue aux sangliers a lieu dans la forêt de Vouvant. Je pars à cheval. Veux-tu en être, Christian?

— Sans façon, mon oncle! Seigneur, je n'ai aucun goût pour l'équitation et je déteste tuer de pauvres bêtes.

— Des bêtes qui ravagent les récoltes et qui pullulent si on ne régule pas leur nombre. Bonsoir, mesdames. Bonsoir, Clotilde.

Il sortit d'un pas rapide, le dos bien droit. Sa tête arrogante restait obstinément tournée vers le hall au carrelage noir et blanc d'où partait un large escalier en marbre.

*

Pendant ce temps, Isaure veillait sur le sommeil de Sophie, qui venait de se rendormir après avoir fait un cauchemar. La mine effrayée, la fillette lui avait raconté son mauvais rêve.

— Maman était en prison et mon autre grand-mère me secouait par les épaules en me disant que je ne la reverrais jamais. Je pleurais très fort, si fort que je me suis réveillée.

Il avait fallu beaucoup de bonnes paroles et de câlins pour apaiser l'enfant. Assise sur un tabouret près du lit garni d'un baldaquin en mousseline rose, Isaure se concentrait sur l'angoisse de Sophie pour échapper à ses propres craintes. «Viviane doit absolument se rapprocher de ses enfants. Elle ne s'en est jamais occupée et n'est pas habituée à eux. Le fait qu'ils restent confinés ici n'aide en rien. S'ils pouvaient aller tous les trois se promener, passer du temps ensemble, sans leur grand-mère, sans moi…»

Elle décida de proposer à madame Olympe une journée à Saint-Gilles-sur-Vie. Même si Paul et sa sœur séjournaient fréquemment au bord de la mer, une sortie avec eux ferait du bien à Viviane. «De toute façon, ce n'est pas bon pour elle de loger encore dans cette maison où elle a connu des moments épouvantables. Son mari était possessif et coléreux. Il l'a forcée à avorter, en plus. Moi, à sa place, je mettrais la propriété en vente et j'attendrais le procès dans une ville voisine.»

Penser au sort d'autrui la soulageait en l'empêchant de rêver à Thomas, de revivre seconde par seconde ce qui s'était passé la veille. Toute la journée, elle avait agi en somnambule, un doux sourire sur les lèvres qui effaçait sa moue boudeuse. Elle posait des gestes précis, mais empreints de détachement. Elle était hantée par les baisers de Thomas et le souvenir de leurs corps enlacés. La joie qu'ils avaient éprouvée en parfaite symétrie l'avait laissée dolente, affaiblie et en même temps émerveillée, comme ivre et pétrie de la certitude qu'ils étaient faits l'un pour l'autre.

Pourtant, dans la pénombre de la chambre où Sophie dormait enfin tranquillement, des remords lui venaient. Elle avait eu le malheur d'imaginer le chagrin de Jolenta si elle apprenait la vérité. Elle la voyait en larmes, les mains sur son ventre et le visage torturé.

Oppressée, elle se leva sans bruit et descendit au salon. Des bûches incandescentes se consumaient derrière le pare-feu en cuivre. Une seule lampe était allumée, sur la commode en acajou. Les chuintements des flammes troublaient le silence profond et pesant. Isaure frissonna. Elle se rappela la terrible nuit de décembre où elle était entrée dans la luxueuse demeure plongée dans l'obscurité, désertée par les domestiques sur l'ordre de Marcel Aubignac. «Viviane était à l'étage, dans la chambre de son mari. Elle guettait son retour, le pistolet au poing pour le tuer.»

Elle chassa vite cette image, cependant moins cruelle, à son sens, que celle de Jolenta trahie et désespérée.

— Je l'ai détestée et même haïe, dit-elle tout bas en

s'asseyant près de la cheminée. Mais Thomas l'a épousée devant Dieu et elle porte leur bébé. Il a raison, je dois respecter leur engagement.

Son cœur se serra à la perspective de revoir Justin le lendemain matin. Comment parviendrait-elle à jouer la comédie de la tendre fiancée alors qu'elle avait eu la révélation du mystère qui l'avait si souvent intriguée? «Justin est un amant expérimenté. Il me trouble, il éveille mon désir, mais il n'y a que mon corps qui éprouve du plaisir. Avec Thomas, c'était tellement différent! J'aurais pu en mourir, car j'ai cru atteindre une autre dimension; je volais dans un monde inconnu où tout était harmonie et où j'étais légère comme une âme libérée.»

Elle restait imprégnée des légendes que lui racontait sa nourrice Huguette. Comme bien des enfants solitaires obligés d'accomplir certains travaux à la nuit tombée, elle avait connu la peur des coins d'ombre où pouvaient se terrer spectres et démons et, les soirs d'hiver, elle devait se pelotonner sous sa couverture pour lutter contre le froid. Mais elle avait appris à détacher son esprit du monde réel et à prier les fées de la forêt de la protéger. Fillette, elle réussissait ainsi à s'évader, à parcourir des paysages fantastiques qu'elle créait et où, adolescente, elle rejoignait Thomas avec cette impression si particulière qu'ils n'étaient plus, tous deux, que des âmes libres de rire, de jouer et de s'aimer. Or, dans ses bras, pleine de lui, elle avait évolué très loin du terne quotidien.

Cet immense bonheur, une expérience qui devait demeurer unique, Isaure n'osait plus s'en réjouir. Elle hésitait maintenant à se marier avec Justin, craignant de ne plus pouvoir coucher avec lui pour se plier à ses fantaisies.

— Je ne suis pas tout à fait responsable, murmura-t-elle, effarée. C'est Thomas qui a frappé chez moi. J'aurais dû le repousser, le chasser, l'insulter, mais non, je l'ai embrassé. Comment me refuser à lui? Mon vrai fiancé, mon véritable époux, c'est lui.

Le bruit d'un moteur au-dehors la fit bondir de son siège. Elle courut jusqu'au vestibule et entrebâilla un des battants de la double porte. Il pleuvait toujours, des trombes d'eau qui drainaient les graviers de l'allée et détrempaient le sol. Les gouttières faisaient entendre un ruissellement permanent. La voiture noire, dont les essuie-glaces menaient un ballet frénétique, se gara au plus près de la maison. Christian Fournier en sortit, déploya un large parapluie en tissu écossais et se rua vers une des portières. Il aida Viviane à descendre, l'abrita le temps nécessaire, puis il repartit et fit de même pour Olympe Mercerin, qui maugréait contre le climat vendéen.

— Bonsoir, mesdames. J'ai passé une excellente soirée, cria-t-il, prêt à reprendre le volant. Bonsoir, mademoiselle Millet, et mes félicitations pour votre futur mariage.

Isaure ne daigna pas répondre. Elle s'empressa de refermer la porte et de débarrasser les deux femmes de leur manteau.

— Je suis épuisée, soupira Viviane, mais je boirais bien une infusion de tilleul sucrée au miel. Et toi, maman?

— Je prendrai un verre de cognac afin de me calmer. Seigneur, Clotilde m'agace, mais elle m'agace! Je ne devrais pas critiquer la comtesse en votre présence, Isaure. Cependant, sa mère était une très bonne amie au cœur d'or. Comment a-t-elle élevé sa fille unique? On se le demande?

Viviane s'étira, ravissante dans son long fourreau étincelant de strass. Elle s'interrogeait sur Fournier, qu'elle appelait Christian, à présent. Lui plaisait-elle, serait-il bientôt amoureux d'elle comme l'avait été tout de suite son cher Alfred? Devant son reflet, que lui renvoyait le grand miroir vénitien du salon, elle compara les deux hommes. «Un directeur séduisant, riche, galant et jeune encore, et un porion solide, beau, audacieux, timide et si tendre. Oh! le plaisir qu'il me donnait!»

Bouleversée par le souvenir de son amant assassiné, elle se lova sur la méridienne tapissée de chintz et éclata en sanglots.

— Voilà le résultat, déplora sa mère. Vous êtes témoin, Isaure. Ma pauvre Vivi a cru s'amuser et maintenant ses nerfs lâchent. Si vous pouviez lui préparer sa tisane et monter chercher ses cachets! Je suis navrée, ce n'est pas dans vos attributions, mais j'ai donné congé à Nadine, ce soir.

— Madame, je suis enchantée de vous rendre service, protesta Isaure… La soirée s'est bien passée. Les enfants ont été très sages, ils ont bien dîné et se sont couchés tôt. Mais Sophie a fait un cauchemar. Elle va vous le raconter demain, je pense.

— Très bien, je vous remercie. Mon Dieu, comment ferons-nous sans vous? déplora Olympe d'un ton sincère. Et, excusez-moi, j'ai parlé de votre prochain mariage, au château, d'où les félicitations de Christian.

— Ne vous faites pas de soucis pour cela, madame.

— Vous en êtes sûre? Vous avez rougi, pourtant.

— C'est un peu embarrassant, rien d'autre. Je n'ai pas prévenu officiellement mes parents. Enfin, mon père est au courant. Demain, je le dirai à mon frère Armand. Vous n'avez pas oublié, madame Olympe; je pars à sept heures en train.

— Je n'ai pas oublié. Passez une bonne journée.

*

Une demi-heure plus tard, Isaure regagnait le pavillon après avoir traversé le parc en tenant fermement un parapluie que le vent tentait de lui arracher. Elle avait laissé Viviane et sa mère près du feu, l'une avec sa tisane, la seconde un verre d'alcool à la main.

— Quel sale temps! gémit-elle en verrouillant sa porte.

Le poêle était éteint et la pièce sentait l'humidité. Elle alluma la lumière et contempla d'un regard attristé le décor où Thomas l'avait aimée. Le lieu qu'elle appréciait tant lui sembla vide, dénué du moindre attrait, car il y manquait la haute silhouette du jeune mineur, ses boucles blondes, l'éclat fascinant de ses yeux verts et son sourire éblouissant.

Sans enthousiasme, elle choisit la toilette qu'elle mettrait le lendemain, qu'elle disposa sur une chaise. Elle dénoua sa natte et brossa ses cheveux. Frileuse, elle se coucha en combinaison, enroulée dans un châle, sans enlever ses bas. Ses draps étaient froids et l'édredon pesait sur ses jambes.

Victime d'un subit accès de chagrin, elle se mit à pleurer, le nez dans son oreiller. Jamais elle n'aurait le courage d'affronter le regard de Justin le lendemain, jamais elle n'oserait revoir aucun membre de la famille Marot, encore moins Thomas, qui était déterminé à rendre Jolenta heureuse.

Aux douze coups de minuit de l'église, elle sombra dans un sommeil agité après avoir souhaité ne jamais se réveiller.

9

Les hasards de la route

Faymoreau, dimanche 20 février 1921

Isaure s'était assise sous l'auvent de la petite gare pour attendre l'arrivée de Justin, qui était en retard de vingt minutes, déjà. Elle se sentait étrangement calme, résignée à suivre le chemin tout tracé que le sort lui réservait. Elle allait se marier avec son amant. Beaucoup de jeunes femmes l'envieraient assurément et rêveraient d'être à sa place.

Après réflexion, elle avait conclu que leur union pouvait être une réussite, fondée sur une grande part d'amitié et de complicité. Si le policier l'aimait sans aucun doute passionnément, ce n'était pas son cas, mais le temps ferait son œuvre et elle finirait par s'attacher à lui. Vivre ensemble au quotidien, partager le même lit, avoir des enfants, c'était là la routine ordinaire de deux époux dont elle était prête à se contenter.

Si elle n'avait pas annoncé sa venue par courrier à Geneviève et à Armand, elle aurait peut-être renoncé à ce voyage jusqu'à Luçon. Il pleuvait encore, un déluge incessant qui noyait le paysage gris et brun. Seuls les talus reverdis offraient une touche de couleur, ponctuée parfois par l'éclat jaune d'une fleur de pissenlit.

L'heure tournait. Le chef de gare la salua, son drapeau sous le bras.

— Vous n'achetez pas votre billet, m'selle? demanda-t-il en tournant un œil avisé sur la grosse pendule accrochée au mur.

— Non, on vient me chercher ici, monsieur.

— Très bien. Au moins, vous êtes à l'abri. Bon sang, quel temps de chien! Si ça n'arrête pas, il y aura des dégâts, je vous dis que ça, surtout au chantier du puits du Couteau. Mon gars y bosse. Paraît que le plafond de la galerie pourrait s'effondrer à cause des infiltrations d'eau.

— Mais ils doivent refuser de courir un tel danger, répondit-elle en pensant à Thomas.

— Bah, Ardouin, le contremaître, veille au grain. Si ça devient vraiment dangereux, il fera stopper les travaux.

Isaure soupira, inquiète. Plus que jamais, elle redoutait un nouvel accident dans la mine qui pourrait tuer des hommes, dont son homme à elle. Elle pria en silence. «Mon Dieu, je suis une pécheresse à vos yeux, mais je vous en prie, épargnez Thomas, épargnez mon Thomas. Je n'ai pas le droit de parler ainsi, je vous demande pardon. Je me repentirai, je mènerai une vie exemplaire… Je préfère encore ne jamais le revoir, mais qu'il vive de longues années avec Jolenta et leur enfant.»

Afin de tromper son ennui, Isaure fit l'inspection de sa toilette; elle portait le manteau de drap de laine brun que lui avait donné Geneviève sur une robe en jersey bleu marine à col blanc, un cadeau de Corinne Devers. Elles avaient acheté le modèle ensemble dans une boutique de la rue de Rivoli. Mais en raison du sol détrempé, elle avait mis ses bottines en cuir qui la protégeaient jusqu'aux chevilles.

Une cloche retentit; un convoi approchait de la gare. Isaure entendit le sifflement caverneux de la locomotive. Dépitée, elle regarda à nouveau l'heure. «Justin est vraiment très en retard, j'espère qu'il n'a pas eu d'empêchement. Non, il m'aurait prévenue. Tel que je le connais, il n'aurait pas peur d'appeler le numéro des Aubignac », se dit-elle.

Cependant, elle avait compris que, dans la police, les imprévus étaient fréquents et, en cas d'urgence, on retenait inspecteurs et gendarmes à leur poste les jours fériés. Désemparée, elle se leva et alla interroger le chef de gare. Le train repartait dans une dizaine de minutes. Isaure patienta encore en scrutant la route qui venait de Fontenay-le-Comte.

— Je ne sais pas quoi faire, murmura-t-elle.

Si Justin ne venait pas la chercher et qu'elle ne prenait pas un billet immédiatement, elle n'irait pas à Luçon ce dimanche. Son frère et Geneviève seraient déçus. Elle aurait néanmoins choisi d'attendre encore, n'eût été un hennissement assez proche assorti du bruit caractéristique d'un attelage lancé au trot. Elle aperçut une calèche menée par son père. Vite, elle entra dans le hall de la gare et se précipita au guichet. Cinq minutes plus tard, elle prenait place dans un des compartiments, certaine que Bastien Millet ne l'avait pas vue. « Dimanche prochain, je rendrai visite à maman, mais avec Justin comme il me l'a conseillé. Et nous annoncerons notre mariage », se promit-elle.

Route de Mervent à Foussais-Payré, même heure

L'inspecteur Devers geignait faiblement, en proie à de terribles douleurs. À demi inconscient, il n'aurait pas pu localiser les parties de son corps qui le faisaient souffrir ainsi. Depuis un temps indéterminé, il évoluait dans un univers chaotique à la fois familier et étranger. « Où je suis ? Qu'est-ce qui m'arrive ? »

Ses pensées étaient confuses. Pourtant, il comprenait que sa situation était anormale, autant que sa souffrance. Des chants d'oiseaux assourdis lui parvenaient et, quand il réussissait à entrouvrir les yeux, il distinguait vaguement des branches d'arbres noires se détachant sur le ciel d'un gris opaque.

La capote de la Citroën était arrachée. La pluie battante finit par le ranimer tout à fait. Avec effort, il effleura son front de la main et y sentit un liquide poisseux qu'il porta à ses lèvres. Le goût âcre du sang le renseigna. « J'ai eu un accident, oui, c'est ça. »

Justin revit une forme brune traversant la route à toute allure, un gros sanglier. La scène lui revint, plus précise. Pour éviter le choc avec l'animal, il avait freiné et fait une embardée, mais la chaussée était glissante, de sorte que la voiture avait dérapé, heurté un arbre et s'était renversée. Ses souvenirs n'allaient pas au-delà. Il se demandait même, entre deux plaintes haletantes, pourquoi il roulait à travers les bois, ayant oublié qu'il avait souvent emprunté ce raccourci pour rejoindre Faymoreau.

Malgré les élancements qui vrillaient sa jambe gauche, il tenta de se redresser, cramponné au volant, mais un aiguillon de feu irradia le bas de son dos.

— Au secours! appela-t-il. À l'aide!

Le son de sa voix lui parut lointain et dérisoire. Maintenant, la pluie mouillait sa veste, son cou et ses cheveux, car il n'avait plus son chapeau. Il fit un effort pour ordonner ses idées, pour chercher quel jour de la semaine on était et où il allait.

— Dimanche, c'est dimanche… Isaure!

La vision de la jeune femme passa très vite dans son esprit à la façon d'une esquisse : deux yeux bleu foncé très brillants, une bouche rose vif, une lourde natte noire sur l'épaule.

— Isaure! chuchota-t-il. Rendez-vous manqué, ma chérie!

Pendant quelques secondes, il se crut lucide. Il s'était souvenu de la chose la plus importante pour lui. Isaure l'attendait devant la gare de Faymoreau et il devait l'emmener à Luçon.

Un voile lumineux aux reflets pourpres l'aveugla. Il sombrait, épuisé, transi, torturé par une somme de douleurs comme il n'en avait jamais connu, même pendant la guerre.

Secoué de tremblements incoercibles, l'inspecteur Devers était certain de hurler, de crier, de maudire ce coin de campagne et ces sous-bois déserts. Pourtant, il serrait les dents, les lèvres pincées et la respiration de plus en plus irrégulière.

Une heure plus tard, deux cavaliers débouchèrent au galop d'un sentier voisin et mirent leurs montures au pas sur l'étroite route bordée de halliers et de châtaigniers.

— Théophile, là-bas! Une voiture contre un arbre.

— Malheur, s'écria le comte de Régnier.

Trois autres hommes à cheval les rejoignirent, des fermiers des environs qui participaient activement à la battue aux sangliers. Tous mirent pied à terre, mais le comte fut le premier à se pencher sur le corps inerte qui gisait sur la banquette avant, le front en sang et d'une pâleur mortelle.

Luçon, même jour, midi moins le quart

Isaure avait pris un taxi pour arriver plus vite sur la place des Acacias où habitaient Geneviève et Armand. Elle considéra avec bienveillance les façades claires des maisons et les devantures des magasins peintes en couleur pastel, le plus souvent du jaune ou du vert. À son grand soulagement, il ne pleuvait plus. Le soleil perçait même entre les nuages.

Pendant le trajet en train, elle avait somnolé la plupart du temps, mais, chaque fois qu'elle se réveillait, elle était prise de remords de ne pas avoir attendu Justin. «Il me rejoindra ici, peut-être», songeait-elle en étudiant la vitrine d'une mercerie. Un corsage blanc à plis fins était disposé sur un tabouret en velours rouge et des cartons de rubans s'alignaient dans un coffret ouvert. Il y avait aussi une panière garnie de cretonne fleurie contenant des ciseaux et des pochettes d'épingles. Sur la porte vitrée, on lisait une inscription en jolies lettres blanches : *Repassage et travaux de couture.*

Elle recula à regret, en quête du numéro 6 de la place. Une femme chargée d'un cabas de légumes, suivie d'une fillette rousse endimanchée, la dévisagea avec curiosité.

— Vous n'êtes pas d'ici, mademoiselle, lui dit l'inconnue. Seriez-vous égarée?

— Non, madame, je cherche le 6, chez Geneviève Michaud.

— Mais c'est la mercerie! s'esclaffa la ménagère. Seulement, aujourd'hui, la boutique n'ouvre pas. Sonnez à côté, l'autre porte marron.

— Merci beaucoup, madame.

Ainsi, en deux mois à peine, Geneviève avait mené à bien son projet de petit commerce. Isaure était ravie. Peu après avoir appuyé sur un bouton en cuivre serti dans un rond de marbre, elle se trouvait dans les bras de sa future belle-sœur.

— Isaure, que je suis contente de te revoir! Tu es de plus en plus belle. Viens vite, Armand avait hâte de te retrouver. Il est dans le jardin. J'ai mis un poulet à rôtir en ton honneur.

Armand Millet taillait les rosiers qui couraient sur une treille le long d'un mur en pierre de taille, un tablier de toile bleue noué sur ses hanches et chaussé de sabots. Il sursauta en entendant la voix de sa compagne. Aussitôt, il se retourna.

— Ma petite sœur, enfin! s'exclama-t-il en jetant son sécateur par terre. Dieu merci, j'avais peur que tu nous fasses faux bond!

— Je n'aurais manqué notre rendez-vous pour rien au monde, Armand, répondit-elle, émue aux larmes, car il s'exprimait plus aisément.

Son frère avait meilleur aspect. Isaure remarqua l'éclat de son œil intact, d'un brun clair, et la qualité du masque en cuir fin qui dissimulait le côté ravagé de son visage. Il lui souriait. Vite, elle se blottit contre sa poitrine en étouffant un sanglot.

— Armand, je suis folle de joie! Tu as l'air en pleine forme, et si heureux!

— Comment ne pas être heureux, Isaure? Geneviève veille sur moi nuit et jour. Elle rend ma vie facile, elle me dorlote comme si j'étais un prince.

— Mais…, mais, balbutia-t-elle, ta bouche… elle est réparée?

— Presque, sœurette, encore deux mois et je ne serai plus un odieux baveux. Un chirurgien de Poitiers a fait des merveilles. Mais parlons de toi.

— Vous causerez à table, trancha Geneviève, radieuse.

Elle resplendissait de tendre fierté et de douceur. Sans être vraiment jolie, elle était gracieuse et dotée d'un charme rare, avec sa chevelure châtain doré coupée aux épaules, vêtue d'une jupe droite en lainage brun et d'une tunique brodée. Tous ses rêves s'étaient concrétisés. Son fiancé disparu à la guerre était revenu, ils s'aimaient encore plus que par le passé et elle avait ouvert une boutique.

— Venez, nous déjeunerons dans la cuisine sans manières, à la bonne franquette, comme on dit. La pièce est tellement agréable, avec sa porte-fenêtre qui donne sur le jardin! As-tu vu, Isaure, les lilas ont des bourgeons et mes narcisses vont fleurir. Armand a planté des bulbes de tulipes et de lys.

— Votre jardin est déjà adorable en hiver; il sera superbe en été, répliqua-t-elle en admirant ce lieu bien clos où poussaient un figuier et un cerisier, et où un vieux banc en bois s'abritait sous une tonnelle.

— Il faudra me raconter comment tu as pu garder ta place de gouvernante, ajouta Geneviève. Quand j'ai lu ta lettre, celle où tu dépeignais si drôlement l'arrivée d'Olympe Mercerin, je n'en croyais pas mes yeux. Tu as de la chance! Te voici logée, nourrie et blanchie pour encore plusieurs mois.

— Oui, jusqu'au procès de Marcel Aubignac. Si je n'avais pas un autre projet, je pourrais même suivre madame Olympe en Suisse avec Viviane et les enfants.

— Je me félicite de t'avoir proposée pour me remplacer, lui dit Geneviève.

— De quel projet parles-tu? s'enquit Armand, intrigué.

— Je vous expliquerai plus tard, je suis affamée. Je n'ai pris qu'une tranche de pain et un quartier de pomme en me levant.

Le repas était délicieux et Isaure se régala. Geneviève avait servi des praires[5] farcies en entrée et le poulet était accompagné de pommes de terre sautées. Quant au dessert, un clafoutis aux cerises confites, il eut un franc succès.

Ils échangèrent d'abord des banalités sur leurs voisins, la marche du magasin, les premières clientes et leurs exigences. À l'heure du café, Armand devint plus grave.

— Isaure, je sais que tu as beaucoup de choses à nous raconter à propos de ton séjour à Paris et de ton fameux projet, mais je voudrais te parler de maman.

---

5. Coquillages de la côte atlantique.

Sais-tu que notre père m'a écrit deux fois? De bien pauvres bafouilles, ma foi, pratiquement illisibles tant il n'a pas l'habitude.

— Que te disait-il?

— Il est très soucieux au sujet de maman qui serait malade, sérieusement malade. Elle reste alitée la moitié du temps, tout en se levant pour lui faire à manger. La nuit, il l'entend gémir.

Isaure devint livide. Depuis son départ de la métairie un soir de violence et d'horreur qu'elle essayait de rayer de sa mémoire, elle n'avait pas revu sa mère et elle évitait même d'y penser.

— J'ai croisé père, une fois. Il m'a demandé de venir voir maman et, jeudi, il m'attendait dans la cuisine, chez les Aubignac. Tu voudrais que je retourne là-bas?

Là-bas, pour elle, c'était la métairie, la cour fangeuse en hiver, le tas de fumier énorme adossé au hangar, le chien maigre au bout de sa chaîne, la maison mal chauffée, sombre et sinistre.

— Tu n'es pas obligée, sœurette, mais ça me rassurerait que tu constates toi-même l'état de maman. Et tu pourrais la convaincre de faire venir le docteur.

— J'ai proposé à Armand d'y aller bientôt, à la fin du mois, renchérit Geneviève.

— Hélas, s'il le faut, mais je n'en ai aucune envie, soupira-t-il.

— Soyez tranquille, j'irai dimanche prochain avec Justin.

— L'inspecteur Justin Devers, évidemment, dit Geneviève, désireuse de détendre l'atmosphère. Nous sommes de jeunes femmes modernes, Isaure. Moi, je vis avec Armand sans être passée à la mairie ni à l'église; toi, tu visites Paris en compagnie d'un policier qui pourrait être ton père. Est-ce un simple ami, ou un peu plus? Mais ça a dû scandaliser les honnêtes gens de Faymoreau.

— Mon père, tu exagères! Il m'aurait eue à quatorze ans. Quelle précocité! plaisanta Isaure. Bon, autant vous l'annoncer tout de suite, je vais l'épouser.

La nouvelle sidéra Armand. Il scruta les traits de sa sœur, puis lui prit la main.

— Es-tu sûre de toi? murmura-t-il. Ou bien c'est pour réparer un incident qui se serait produit à Paris, un moment d'abandon de ta part après que ce type t'aurait séduite? Je l'appréciais, mais de là à lui pardonner une chose de ce genre…

— Armand, ne t'emballe pas. Justin est quelqu'un de bien, un homme loyal et généreux. Il me respecte et surtout il m'aime passionnément. Nous vivrons dans la capitale. Il quittera la police pour être détective privé, et moi, je solliciterai un poste d'enseignante. Sa mère, Corinne, est une femme exquise. En plus, nous avons un logement boulevard des Capucines.

Plus elle évoquait son avenir avec Justin, plus Isaure chassait de son esprit et de son cœur le souvenir brûlant de Thomas, de sa beauté rayonnante, de son grand corps nu, de leur joie ineffable.

— Je vous inviterai à la noce, déclara-t-elle d'un ton net.

— Et toi, tu l'aimes? demanda Geneviève, sachant qu'Isaure vouait une vaine adoration au fils aîné de la famille Marot.

— Oui, je l'aime. J'ai dû prendre le train, ce matin, mais Justin tenait à me conduire ici en voiture. Il était tellement en retard que j'ai acheté un billet. Il a votre adresse. Peut-être qu'il va sonner à la porte cet après-midi.

— Dans ce cas, il sera le bienvenu, affirma Armand. Je suis content pour toi, sœurette, mais c'est loin, Paris. On ne te verra plus du tout.

— Mais si, je viendrai de temps en temps, s'écria Isaure.

Elle se lança vite dans le récit enthousiaste de son séjour parisien. Fascinée, Geneviève l'écouta vanter la beauté rutilante de l'Opéra, ce Palais Garnier où elle avait assisté à un ballet, et les magnifiques vitrines des Galeries Lafayette décorées pour Noël. Armand, lui, savoura sa description du musée du Louvre, des quais de la Seine et de ses bouquinistes.

Geneviève refit du café et proposa une liqueur de cassis. Ils discutaient et évoquaient leur enfance, parfois égayés, parfois attristés. Isaure esquissa des portraits favorables de Sophie et de Paul en précisant quelles leçons elle leur dispensait. Il lui fallut aussi parler de Viviane et de ses nerfs fragiles, sans oublier de dépeindre à nouveau Olympe Mercerin, une grande dame à la forte personnalité, mais tolérante et imprévisible.

L'heure avançait, mais la sonnette restait muette. Justin Devers semblait avoir oublié Isaure.

— Il n'a pas pu se libérer, déplora-t-elle. Tant pis, je vais devoir reprendre le train, celui de dix-sept heures.

Elle ne le montrait pas, mais elle éprouvait un pénible pressentiment. Justin était toujours fidèle à leurs rendez-vous, quitte à duper ses collègues du commissariat.

Devant la gare, elle scruta soigneusement les voitures stationnées, espérant encore.

— Il t'expliquera ses raisons demain ou ce soir, lui dit Geneviève, qui avait tenu à l'accompagner.

Les deux jeunes femmes avaient marché bras dessus, bras dessous dans les rues. C'était l'occasion d'échanger à voix basse d'ultimes confidences.

— Tout s'arrange pour toi; j'en suis ravie, avait dit Geneviève. Mais, ce mariage avec un homme que tu connais depuis à peine trois mois, est-ce bien sérieux?

— Je suis sa maîtresse et il tient à régulariser notre situation, avoua Isaure. J'ai préféré ne pas entrer dans les détails devant Armand. Il semble tenir à mon honneur.

— Je pense qu'il a deviné. Il n'a pas posé de questions précises pour ménager ta pudeur. Vite, dis-moi, est-ce que ça s'est bien passé, ta première fois?

— Très bien, je t'assure. Justin est délicat et plein d'humour. Avec lui, les choses sont simples et évidentes. Il me rend heureuse.

Si Geneviève avait décelé dans cette réponse une petite note qui sonnait faux, elle n'en montra rien. Mais, sur le quai, au moment où le train arrivait, elle eut droit à un aveu d'Isaure, un aveu murmuré dans un débit rapide et haletant.

— Je suis peut-être anormale, Geneviève. Souvent, dans les bras de Justin, je me demandais ce que j'éprouverais avec un autre que lui, surtout si je couchais avec Thomas, que je ne pouvais oublier. C'était une sorte de curiosité dont j'avais honte. Je l'ai su vendredi soir, parce que Thomas est venu, oui, et nous nous sommes aimés, nous avons vraiment fait l'amour. Ça a été extraordinaire, Geneviève, incomparable. Maintenant, je dois vivre avec ce poids sur le cœur et sur la conscience. Enfin, quand je dis un poids, c'est aussi une lumière merveilleuse, une certitude absolue. J'aime Thomas comme tu aimes Armand. L'harmonie dont tu me parlais entre mon frère et toi, la fusion totale de deux êtres, je l'ai connue avec Thomas.

Médusée, Geneviève essuya du bout des doigts les larmes qui coulaient sur les joues d'Isaure.

— Malgré ce que tu sais à présent, tu vas quand même épouser Justin Devers? Est-ce honnête, vis-à-vis de lui?

— Thomas le souhaite. Nous n'avons pas le choix.

— Monsieur le souhaite! s'indigna son amie. Il a du culot, ton grand amour d'enfance! Isaure, il ne t'est pas venu à l'idée qu'il avait seulement envie de toi, qu'il ne trouvait pas satisfaction chez lui?

— Oh non, ce n'était pas ça, Geneviève, je peux te le jurer. Il a compris qu'il m'aimait.

— Tu es dans de beaux draps. Quelle poisse! Le train va partir. Écris-moi, réfléchis bien et sois prudente, Isaure, ne te laisse pas faire si Thomas ose revenir chez toi.

Elles s'embrassèrent, très émues, tristes de se séparer. Une fois assise dans un compartiment désert, Isaure ferma les yeux. Elle regrettait un peu de s'être confiée à Geneviève. Mais c'était son amie, sa sœur en quelque sorte, puisqu'elle était la compagne d'Armand.

Le voyage lui parut ennuyeux et interminable. À l'approche de Fontenay-le-Comte où elle changeait de train, la pluie ruisselait de nouveau sur les vitres du wagon. Dans les champs, des mares s'étaient formées, la terre étant saturée d'eau. Le blé qui pointait risquait de pourrir, comme les jeunes pousses d'orge et d'avoine. Les nuées grisâtres que charriait le vent d'ouest et le paysage désolé qui défilait derrière la fenêtre assombrirent l'humeur d'Isaure.

Un autre souci s'ajoutait à son accablement. Elle songeait à sa mère malade qui se contraignait, en dépit de sa faiblesse, à cuisiner et à s'occuper de son mari. «Je dois lui rendre visite. Elle s'est montrée gentille pour moi quand j'ai pris froid, cet automne. Elle me faisait de bons repas et me portait une brique chaude. Au fond, je la connais si peu, maman! Elle ne m'a jamais parlé d'elle, de sa jeunesse ni de son être véritable. C'est une étrangère. Elle m'est moins familière que madame Marot ou madame Olympe.»

Elle décida de descendre à la métairie durant la semaine, certaine d'obtenir l'accord de sa patronne, puisque Lucienne Millet était souffrante.

*

245

Isaure franchit le portail des Aubignac à sept heures dix du soir. Il faisait déjà nuit et le parc était plongé dans des ténèbres humides. Des lumières égayaient la façade de la grande maison où il devait faire bien chaud et où les enfants jouaient sans doute sur le tapis du salon, près de la belle cheminée en marbre.

Elle soupira en entrant dans le pavillon où l'accueillit une âpre odeur de cendres froides. Vite, elle alluma la lampe et entreprit de faire du feu, sans même ôter ses gants et son manteau. «J'en ai assez, se disait-elle. Je ne vois plus l'intérêt de vivre seule. Mon frère et Geneviève ont l'air tellement heureux, ensemble! Justin saura veiller sur moi. Il arrive toujours à me faire rire et il est si tendre, si original! C'est précieux, ça, de ne pas être un homme banal.»

Le poêle refusait de fonctionner correctement. De la fumée refluait dans la pièce, mais le petit bois ne prenait pas. Agacée, Isaure se pencha et souffla plusieurs fois avant de voir une flamme jaune s'élever, puis une autre.

Son déjeuner était loin. Affamée, elle décida de se préparer une soupe au vermicelle, comme tant d'autres soirs solitaires. Un détail lui revint; c'était ce qu'elle avait servi à Justin lors de leur premier dîner en tête-à-tête, dans ce pavillon.

— S'il arrivait maintenant? On ne sait jamais... murmura-t-elle.

Après avoir craint de le retrouver encore pleine du souvenir de Thomas, elle souhaitait sa présence, qui lui offrait un agréable sentiment de sécurité.

Quand on frappa à sa porte, elle se précipita pour ouvrir, sûre que c'était Justin. Mais elle fut toute surprise de se trouver devant Olympe Mercerin en personne. Aussitôt entrée, sa patronne replia son parapluie et fit quelques pas en jetant des regards curieux sur l'aménagement du pavillon.

— Madame! Oh, pourquoi vous êtes-vous dérangée? protesta Isaure. Il fait encore froid; le poêle démarre tout juste. Il fallait envoyer Denis. Est-ce que les enfants vous causent du souci? Ou madame Viviane?

Le silence de la septuagénaire l'étonna, autant que sa mine grave et tendue.

— Ma chère Isaure, commença-t-elle, j'ai une mauvaise nouvelle à vous annoncer. Je tenais à vous l'apprendre moi-même afin d'atténuer le choc.

Très pâle et le cœur serré, Isaure se cramponna au dossier d'une chaise.

— Mon Dieu, c'est ma mère? Elle est morte?

— Non, non, Isaure…

— Il n'a pas pu y avoir un autre accident dans la mine, nous sommes dimanche. Les équipes ne descendent pas, le dimanche.

Son exclamation affolée déconcerta Olympe qui s'interrogea. Elle conclut que la gouvernante avait sûrement des amis proches parmi les familles de mineurs.

— Laissez-moi vous expliquer, ma pauvre enfant. Le comte de Régnier s'est présenté chez nous vers midi. Comme il avait appris hier soir que vous alliez épouser l'inspecteur Devers, il a estimé de son devoir de vous prévenir.

Un terrible manteau de glace pesa sur Isaure, qui perdit le peu de couleurs qui lui restaient. Son pressentiment n'était pas faux, il était arrivé malheur à Justin.

— Oh! non, Seigneur, il a été tué? Il est mort, c'est ça?

Pleine de compassion, Olympe s'approcha d'Isaure et lui prit la main. Elle répondit avec douceur:

— Le comte et des hommes du pays l'ont découvert inanimé dans sa voiture, qui s'était renversée après avoir percuté un arbre. Monsieur Devers est hospitalisé, à présent. Il est entre la vie et la mort, selon le médecin que j'ai eu au téléphone, car j'ai demandé des nouvelles deux fois cet après-midi. Je n'ai pas pu en savoir plus. Pourtant, j'ai menti en me disant une de ses parentes. Je suis navrée, Isaure. En plus, vous étiez absente et je n'avais pas l'adresse de votre frère à Luçon. Vous alliez bien chez votre frère?

— Oui, en effet, j'étais là-bas, madame, répliqua Isaure dans un souffle, la gorge tellement nouée qu'elle avait du mal à articuler et à respirer.

— Allons, allons, il faut espérer. La médecine a fait beaucoup de progrès. Ils ont peut-être prévu une opération. Isaure, venez à la maison, vous utiliserez le téléphone pour appeler la famille de votre fiancé. Appelons-le ainsi, même si les fiançailles ne sont pas officielles, je crois.

— Nous ne sommes guère conventionnels, Justin et moi; nous voulions nous marier très vite après le délai de publications des bans. Mon Dieu, sa mère va être complètement bouleversée! Elle n'a que lui. Il est fils unique, balbutia Isaure, en larmes. Madame Olympe, je ne veux pas le perdre, non, pas déjà.

— Pleurez un bon coup dans mes bras, ma pauvre petite. Ensuite, il vous faudra du courage, beaucoup de courage.

Isaure sanglota un moment, la joue appuyée contre l'épaule de sa patronne, qui était un peu plus grande qu'elle. Le premier choc passé, elle fut envahie par la culpabilité, la conscience aiguë de s'être comportée en égoïste. «Quand j'ai eu Justin au téléphone, je lui ai simplement dit que je regrettais d'avoir refusé sa demande en mariage, à Paris. Je n'ai pas osé lui dire que je l'aimais. S'il meurt dans la nuit, il ne saura jamais que j'étais décidée à vivre avec lui et je n'aurai même pas pu lui dire adieu. Moi qui ne pensais qu'à Thomas, qu'à nos baisers, ce matin encore, dans le train! Pendant ce temps, Justin avait un accident. »

Olympe lui tapota le dos d'un geste maternel en la repoussant délicatement.

— Préparez-vous, ma chère, nous ne pouvons plus attendre pour prévenir la mère de votre fiancé. Prenez des affaires de toilette; vous dormirez dans une des chambres d'amis. Il ne faut pas rester seule ici. Ciel, l'endroit n'est pas gai, malgré vos efforts pour le décorer.

— Je m'y plais, madame Olympe. C'est presque un palais, à mes yeux, comparé à ce que j'ai connu chez mes parents.

— Je comprends, mais Viviane aurait pu se soucier un peu de l'aménagement de ce pavillon. Il y a, relégués dans le grenier, des meubles, des tentures, des bibelots de l'ancien temps…

Elle se tut, gênée d'évoquer des futilités dans des circonstances aussi tragiques. Peu après, Isaure marchait à son bras, toutes deux s'abritant sous le parapluie.

— Je vous remercie de tout mon cœur, madame Olympe, d'être aussi gentille à mon égard, de vous être déplacée pour moi, dit-elle d'une voix faible.

— Nous sommes tous égaux devant le malheur, Isaure, riches ou pauvres, patrons ou employés. En fait, nous devrions l'être sur bien d'autres plans. J'ai souvent honte de moi quand j'abuse par étourderie ou nervosité de mes prérogatives de femme aisée, habituée à compter sur les domestiques. Ce soir, je voudrais vous aider, vous donner de l'affection, vous qui en avez tant manqué.

— Merci. Sans vous, en effet, je ne sais pas ce que je ferais.

Isaure était sincère. Elle éprouvait une infinie gratitude pour Olympe et jamais elle n'oublierait cette charmante vieille dame au grand cœur.

*

Une heure plus tard, Viviane et sa mère se tenaient au salon. Elles discutaient tout bas autour d'une infusion de verveine en guettant les moindres paroles d'Isaure, qui ne quittait guère le coin du vestibule où était installé le téléphone. L'usage de cet appareil qui auparavant lui répugnait n'avait plus aucun secret pour elle, à présent. Cependant, désespérée et angoissée, elle le maudissait en silence, car elle avait tenté en vain de joindre la mère de Justin.

Deux fois, aussi, Isaure avait appelé l'hôpital de La Roche-sur-Yon en suppliant la réceptionniste de lui passer un docteur ou une infirmière. Enfin, à force d'insistance, un médecin avait bien voulu la renseigner. Justin était entre les mains des chirurgiens; il subissait une opération décisive, longue et périlleuse. «Ils vont le sauver, ils doivent le sauver!» se répéta-t-elle en pleurant sans bruit.

Lorsqu'elle rapporta l'information aux deux femmes, Viviane se signa, effarée, tandis qu'Olympe avala son deuxième petit verre de cognac.

— Il faut avoir confiance, affirma-t-elle. Et madame Devers?

— Je vais encore essayer.

Ce fut à nouveau un échec; la tonalité lancinante résonnait au creux de son oreille. Elle eut soudain l'idée de demander le numéro de Marthe Seguin, la sœur de Corinne Devers. Après une pénible attente, grâce à la compréhension d'une employée des postes et télécommunications nationales, elle eut Agnès, la cousine de Justin, au bout du fil. Terrassée par la mauvaise nouvelle, la jeune fille lui promit de faire l'impossible pour avertir sa tante.

Les nerfs à vif et la tête lourde d'avoir tant pleuré, Isaure regagna le salon. Sans façon, Olympe lui servit un verre d'alcool.

— Buvez, ça vous fera du bien, dit-elle. Alors?

— J'ai pu parler à Agnès Seguin, sa cousine. Je me suis permis de lui donner le numéro de votre ligne; il était inscrit sous l'appareil. J'espère que madame Devers ne sera pas seule quand elle saura pour son fils. C'est une femme de santé fragile. Pourquoi est-ce arrivé? Pourquoi?

— Théophile de Régnier a émis une hypothèse, dit Olympe d'une voix saccadée. Il dirigeait une battue aux sangliers dans ce secteur de la forêt de Vouvant. Le comte suppose qu'une bête a pu traverser la route. Selon lui, et c'est un connaisseur en gros gibier, monsieur Devers n'aurait pas heurté l'animal. Il n'a relevé aucune trace de poil ou de sang sur le pare-chocs. Enfin, il n'est sûr de rien à cause de la pluie diluvienne. Mais il s'est demandé ce que faisait votre fiancé de bon matin sur ce trajet peu fréquenté.

De ses yeux rougis dont le bleu semblait plus sombre encore, Isaure fixa un point invisible de l'espace. Elle révéla une partie de la vérité seulement, par pudeur.

— Justin savait que je prenais le train pour Luçon ce matin. Je suis sûre qu'il voulait me faire une surprise, qu'il entendait être là assez tôt pour me conduire chez mon frère.

— Mais, Isaure, comment le savait-il? s'étonna Viviane. Vous n'utilisez jamais le téléphone et vous sortez bien peu d'ici, hormis le lundi et le jeudi matin.

— Je lui avais écrit. J'ai posté la lettre vendredi matin, mentit-elle.

— Oh, mais c'est épouvantable, gémit Viviane. Ce malheureux a dû rouler trop vite pour vous faire une charmante surprise, et voilà!

— Oui, et voilà, redit Isaure d'un air absent. C'est ma faute.

— Non, non, ma chère enfant, ne vous affligez pas

davantage, s'écria Olympe. Je suis certaine qu'en raison des obligations de son métier, l'inspecteur Devers était souvent sur les routes. Un accident pouvait se produire n'importe quand, n'importe où. J'en parle en connaissance de cause, puisque mon époux a trouvé la mort au volant d'une automobile six ans avant le début de la guerre. Du verglas dans un virage et je me suis retrouvée veuve. Ce sont de sales machines, qu'il n'aurait pas fallu inventer.

— Désolée! murmura Isaure, d'une voix presque inaudible.

Viviane se leva et se pencha sur sa mère pour l'embrasser.

— Papa a été tué sur le coup, précisa-t-elle.

— Le comte de Régnier, lui, préfère les chevaux et les attelages, fit remarquer Olympe. Cela dit, c'est peut-être une façon pour lui de consigner Clotilde au château. Elle se plaint assez de ne pas aller en ville!

— C'est aimable à lui d'avoir fait une démarche exprès pour me prévenir de l'accident, soupira Isaure. Quand la comtesse me recevait, il n'était jamais là. Je l'ai croisé à peine six fois pendant toutes ces années.

— Disons que c'était la moindre des choses, ma pauvre enfant. Bon, je suis épuisée. Je monte me coucher. Et toi, Viviane?

— Je vais rester un peu avec Isaure, maman. Si elle reçoit un appel de Paris, je pourrai la réconforter.

Olympe approuva, satisfaite malgré tout de trouver sa fille moins apathique, même énergique, attentionnée envers leur gouvernante.

— Je suis tellement désolée pour vous, Isaure! déclara Viviane dès que sa mère fut à l'étage. Soyez franche, je crois que vous parveniez à rencontrer l'inspecteur Devers de temps en temps.

— Oui, à Fontenay. Il s'arrangeait pour se libérer.

Pourquoi vous mentir, au point où j'en suis? J'ai l'impression que le sort s'acharne sur moi. J'allais changer de vie et tout s'écroule.

— Gardez espoir; votre fiancé peut se rétablir. Isaure, si vous saviez comme je compatis à votre peine! Quand j'ai appris la mort d'Alfred, j'ai cru recevoir un coup de couteau dans le cœur. Il n'y a rien de plus terrible que de perdre son amour, car je l'aimais sincèrement, même si les journaux ont raconté des horreurs sur notre liaison.

— Je n'en doute pas un instant, madame. Et vous avez été très courageuse. La situation vous obligeait à cacher votre chagrin, à jouer les épouses modèles.

— En effet, mais je tente de revivre et d'envisager un avenir paisible avec mes enfants. Ce matin, Sophie est montée sur mon lit et m'a embrassée sur la joue; alors, je l'ai prise dans mes bras et je l'ai chatouillée. Nous avons bien ri et j'en ai ressenti du bonheur. Paul reste distant, hélas!

— Les garçons sont moins démonstratifs, parfois, mais j'ai la certitude qu'il rêve de se rapprocher de vous.

Le tintement métallique du téléphone la fit taire. Elle se leva et courut dans le vestibule. Viviane patienta, n'osant pas la suivre. Elle entendait la voix de la jeune femme, sans bien distinguer ses propos.

— C'était la cousine de Justin? s'enquit-elle à son retour dans le salon.

— Oui, sa tante, enfin, Corinne Devers a été prévenue par le directeur de l'hôpital en début d'après-midi. Elle aurait pris un train immédiatement. Agnès l'a su en téléphonant à la concierge de l'immeuble, rue Saint-Sulpice.

— Cette dame est partie sans solliciter le soutien de sa famille?

— De toute évidence, oui. Je pensais qu'elle voyagerait avec sa sœur Marthe, dont j'ai fait la connaissance à Paris. Oh! mon Dieu, mon Dieu, je ne peux pas y croire!

Égarée, Isaure se réfugia au creux du fauteuil en cuir qu'avait si souvent occupé Marcel Aubignac. Là, elle cacha son visage entre ses mains, submergée par une sourde révolte où entrait une cruelle part de nostalgie. «Nous étions heureux, là-bas, et je ne m'en rendais pas compte, idiote que je suis! Nos repas au restaurant, nos promenades, nos escapades dans l'appartement du boulevard des Capucines... Justin doit vivre, mon Dieu, pour que je sois sa femme. Qu'il m'emmène loin d'ici, loin de Thomas.»

Affolée, elle implorait Dieu avec ferveur. Si elle avait longtemps dédaigné le secours de la religion, maintenant elle rêvait d'être écoutée des puissances célestes et d'être exaucée.

— Isaure, nous devrions monter, conseilla Viviane. Vous serez mieux dans un bon lit, pour pleurer et prier. Maman n'a pas eu l'occasion de vous le dire, mais elle a prévu mettre Roger à votre disposition, demain matin. Il vous conduira à La Roche-sur-Yon pour que vous puissiez aller à l'hôpital. Prévoyez quelques vêtements pour le cas où vous prendriez une chambre d'hôtel. Je vous paierai votre salaire de février un peu en avance, afin que vous n'ayez pas de souci d'argent.

Isaure baissa ses mains pour regarder la jeune femme qui lui souriait d'un air affectueux. Sans ses fards ni ses bijoux et en robe d'intérieur, elle était très jolie. Pour la première fois, elle remarqua à quel point Sophie ressemblait à sa mère.

— Comment vous remercier, madame? Mais, le lundi, je dois m'occuper des menus et des courses à Fontenay.

— Nous nous débrouillerons, maman et moi. La

gestion de la maison n'est pas la chose plus importante pour nous, en ce moment. Et Germaine sait cuisiner avec trois fois rien.

Viviane lui tendit la main d'un geste gracieux un peu puéril. Apaisée, Isaure s'en empara et l'étreignit. Après avoir éteint les lampes, elles montèrent à pas lents l'escalier, avec au cœur la douceur d'une amitié naissante.

Coron de la Haute Terrasse, chez Thomas Marot, même soir

Toute souriante, Jolenta regarda la pendule accrochée au-dessus du buffet. Il serait bientôt minuit et le merveilleux dimanche qu'elle avait passé s'achèverait. Thomas et Jérôme discutaient, toujours attablés autour d'un plat à gâteau où subsistait une part de génoise nappée de confiture.

Assis près du fourneau, Gustave Marot confectionnait un panier en lamelles de châtaignier, un passe-temps qu'il s'accordait rarement.

— C'est agréable de chômer demain, dit-il à ses fils. On peut se coucher tard.

Honorine, qui tricotait une brassière en laine, hocha la tête, l'air peu convaincu. Ils avaient été invités à dîner par Jolenta et, fait exceptionnel, ils veillaient sous la lampe, contents d'être ensemble.

— Je voudrais que tous les jours à venir soient comme celui-ci, dit soudain la jeune femme. Thomas ne m'a pas quittée une seconde. J'ai pu lui montrer le trousseau du bébé et il a enfin repeint le berceau en osier.

— Le berceau de Zilda, ma première-née, ajouta Honorine. Je suis contente qu'il serve encore. Lorsqu'Adèle est venue au monde, je ne l'avais pas; la voisine qui me l'avait emprunté ne se décidait pas à le rendre. Gustave m'a alors fabriqué un petit lit en bois, aux montants arrondis. Je pouvais bercer mes nourrissons du bout du pied.

Jérôme cessa de gratter le morceau de bois qu'il sculptait. Son visage aux traits réguliers, en dépit des lunettes en verre fumé qu'il portait toujours, rayonnait de satisfaction.

— J'espère en avoir besoin d'ici un an ou deux, hasarda-t-il. J'hésitais à vous l'annoncer, mais le repas de midi chez les parents de Christine s'est très bien passé. Ils me prendront volontiers pour gendre. Nous nous fiancerons au mois d'avril et la noce pourrait se faire en juillet.

Thomas donna une bourrade affectueuse à son cadet. Rien ne pouvait le réjouir davantage que de voir son frère aveugle épouser une jeune fille réputée pour sa douceur et sa gentillesse.

— Félicitations, mon vieux! s'écria-t-il. Je suis sûr que vous serez heureux, Christine et toi.

— Autant que nous deux, renchérit Jolenta.

— Moi qui pensais que tu avais encore le béguin pour Isaure! dit négligemment Gustave. Je préfère cent fois que tu épouses Christine. Elle te fera une petite femme dévouée.

Refroidi par l'allusion de son père, Jérôme soupira, agacé. Il ignorait comment son adoration pour Isaure s'était éteinte, ne lui laissant qu'une vague mélancolie au cœur lorsqu'il évoquait sa beauté d'adolescente et sa voix grave.

— Je n'avais pas envie de rester célibataire, papa. Alors, je me suis raisonné. Et puis, d'être aimé quand on est infirme, ça donne des ailes. Je ne laisserai pas passer ma chance. Nous discutons beaucoup, Christine et moi. Elle m'a avoué que je lui plaisais déjà quand nous étions gosses. Pendant la guerre, elle priait pour moi matin et soir. Tout ça, je ne pouvais pas le deviner, à l'époque. Mais elle s'est débrouillée pour croiser mon chemin ces dernières semaines. Le plus dur pour elle, c'était de vaincre sa timidité maladive.

— C'est une honnête fille, concéda Honorine, mignonne et sérieuse, en plus.

« Pas comme une certaine personne que je connais! » songea Jolenta, qui se retint *in extremis* de penser tout haut. Depuis la réunion de vendredi soir, dont il était revenu à l'heure prévue, Thomas se montrait attentionné et tendre. Elle ne voulait surtout pas le contrarier en médisant sur Isaure.

— Oui, elle est mignonne, reprit Jérôme. Je me souviens d'elle. Christine est rousse et tout en rondeurs. Hier, j'ai caressé son visage et j'avais l'impression de la voir. Elle a toujours son petit nez retroussé.

Honorine arrêta de tricoter pour contempler son fils d'un air apitoyé. Des larmes perlèrent à ses yeux, de bons yeux intacts qu'elle aurait volontiers offerts à son enfant si un tel miracle avait été possible.

— Viendra-t-elle habiter chez nous, après le mariage? demanda-t-elle.

— Si ça ne te dérange pas, maman. Mais son père propose de nous donner une grande chambre au premier étage de leur maison aux volets jaunes, près de la poste.

— Moi, je préfère te garder. Tu es habitué à la disposition des pièces et ça me ferait de la compagnie, une brave petite bru. Ne te vexe pas, Jolenta, toi, c'est différent, puisque Thomas a droit à un logement dans le coron. Christine, elle vivrait sous mon toit.

— Mais j'ai compris, belle-maman, et je ne me vexe pas.

Thomas attira sa femme contre lui d'un bras sur ses épaules. Il posa ses lèvres sur son front, près de la tempe où une mèche blonde s'était échappée de son chignon. Après le délire amoureux qui l'avait poussé à rejoindre Isaure et à la faire sienne, il s'efforçait de combler Jolenta, qui mesurait les sentiments à une prévenance constante et à des baisers échangés à la moindre occasion.

— Dis-moi, ma chérie, ce sera une année à mariage, lui dit-il à l'oreille. Isaure et l'inspecteur Devers, Christine et Jérôme, sans oublier ton père et son amie de Livernières.

Il la sentit se crisper. Mais, exceptionnellement, ce n'était pas d'avoir entendu le prénom Isaure qui la raidissait de colère.

— Papa ne doit pas trahir le souvenir de maman, murmura-t-elle. Je le lui ai fait comprendre.

Dépité, Thomas eut une pensée compatissante pour Stanislas Ambrozy, son beau-père. Le Polonais leur avait annoncé la veille qu'il courtisait depuis un an une aimable veuve d'un village voisin, Maria. D'abord tout fier et gêné, il avait subi les foudres de sa fille, indignée et outragée. S'estimant débarrassée de la menace que constituait Isaure, Jolenta s'apprêtait à mener un nouveau combat.

10

Les larmes du printemps

Hôpital de La Roche-sur-Yon, lundi 21 février 1921

La première personne que vit Isaure en entrant dans le vaste hall de l'hôpital, ce fut Corinne Devers, assise sur un banc de marbre. La mère de Justin tamponnait ses yeux à l'aide d'un mouchoir blanc, le dos un peu voûté, dans une attitude de profond accablement, de terrible chagrin. « Il est mort », se dit la jeune femme sans oser rejoindre la malheureuse.

Roger l'avait déposée devant l'établissement à neuf heures précises et, au moment de lui dire au revoir, il lui avait tapoté amicalement l'épaule. Elle avait souri de façon machinale et s'était éloignée avec, à la main, une petite valise en cuir fauve que lui avait prêtée Viviane.

Figée sur place, elle regarda autour d'elle afin d'éviter la vision poignante de Corinne en larmes. Un groupe d'infirmières descendaient un large escalier en pierre. Sur sa droite apparurent deux religieuses sortant d'une double porte en bois verni.

— Mademoiselle, vous avez besoin d'un renseignement ? Vous venez visiter un patient ? lui demanda l'une des sœurs.

— Oui, le fils de cette dame, là, mais je crains le pire, chuchota-t-elle.

Bien que murmuré, l'entretien tira Corinne Devers

de son abattement. Elle releva la tête et reconnut Isaure. Une expression surprenante se lut alors sur son fin visage, mélange de colère, de rancœur et de soulagement. Vite, elle se leva et marcha vers la jeune femme.

— Bonjour, Isaure, dit-elle assez froidement en lui tendant la main. Venez, je voudrais prendre l'air et je dois vous parler.

Malgré ses paupières meurtries et ses lèvres pâles, la frêle Parisienne paraissait pleine d'une énergie désespérée. Isaure confia sa valise à l'accueil de l'hôpital et se retrouva à nouveau dehors, sur la grande esplanade que les trois ailes du monumental bâtiment encadraient.

— Madame, je vous en prie, dites-moi ce qui se passe, implora Isaure, désemparée. Justin est-il…

— Ne prononcez pas ce mot, je vous prie, coupa Corinne d'un ton sec. Mon fils vivra, entendez-vous? Il ne peut pas me quitter ainsi, non, pas lui.

— Dieu merci, il est vivant, alors.

— Vivant, mais il s'en est fallu de peu, selon les médecins. Vous rendez-vous compte, Isaure, qu'il a failli mourir à cause de vos caprices?

— Mais, madame, je ne comprends pas, c'était un accident.

Corinne lui fit face, pathétique sous le ciel gris dont la lumière terne marquait ses traits.

— Un accident de voiture un matin où il aurait pu rester chez lui et se reposer d'une pénible semaine de travail. Vous semblez l'ignorer, Isaure, mais Justin me téléphone un jour sur deux, en soirée bien sûr, et il me raconte son quotidien, ses soucis et ses joies. Vendredi soir, il m'a appelée, exalté, tout content parce que vous aviez changé d'avis.

Les jambes tremblantes, Isaure se sentait mal. Elle

avait à peine dormi et n'avait avalé qu'un café au déjeuner. De plus, rien ne l'avait préparée à la véhémence hargneuse de Corinne Devers.

— Déjà, j'avais été désagréablement surprise par votre départ précipité de Paris et votre refus de vous fiancer à mon fils. Oui, il m'en a informé aussitôt. Si vous saviez comme il a souffert de votre dédain! Quelques semaines plus tard, vous réalisez votre erreur et renouez avec lui. Justin est tellement dévoué à ceux qu'il aime! Et il vous adore. Seigneur, je l'entends encore m'exposer ses projets, celui de vous conduire jusqu'à Luçon en premier lieu. Vous aviez rendez-vous très tôt devant la gare et il est parti. Il a dû rouler trop vite…

La voix de Corinne se brisa. Elle cessa de fixer Isaure comme si sa vue lui était soudain intolérable. Il en aurait fallu moins pour accroître le sentiment de culpabilité qui torturait la jeune femme depuis la veille.

— Je suis désolée, dit-elle dans un sanglot.

— Vous pouvez! trancha durement son interlocutrice. Si cet épouvantable accident s'était produit au cours d'une enquête, lors d'un déplacement obligatoire, ce serait différent. Mais, là, mon fils a emprunté un raccourci, il me l'a précisé au téléphone. Il prétendait apprécier cette petite route en forêt parce que vous lui faisiez penser à une fée des temps anciens, une créature fantastique. Mon Dieu, quel coup du sort, et comme Justin vous aime! gémit la pauvre mère.

— Il disait vraiment cela? s'étonna Isaure.

— Je n'invente rien.

— Madame, je suis tellement désolée! Je me faisais une fête de ce dimanche. J'avais l'intention de lui confirmer ma décision de l'épouser sans tarder. Moi aussi, je l'aime.

— Si vous l'aimez, pourquoi l'avoir repoussé, chez nous, à Paris?

— Je l'ignore, j'avais peur de m'engager, de changer totalement de vie en m'installant dans la capitale. Par la suite, j'ai réfléchi et regretté mon erreur et mes doutes. Madame, nous en discuterons plus tard. Je voudrais voir Justin.

— Il est inconscient pour le moment. L'opération a été longue et dangereuse. Ne vous infligez pas cette épreuve, il ne saura pas que vous êtes à son chevet, soupira Corinne, radoucie.

Elle allait ajouter quelque chose quand un bel homme de haute stature aux cheveux poivre et sel les rejoignit à grandes enjambées, un chapeau de feutre noir à la main. Il était très élégant. Isaure songea à un docteur en tenue civile, mais la réaction de Corinne Devers la détrompa tout de suite. De livide, la mère du policier devint toute rouge et balbutia :

— Edmond, je t'avais conseillé de m'attendre à l'hôtel.

— Je voulais des nouvelles, Corinne, répliqua-t-il. Tu devais me téléphoner.

— J'allais le faire, mais mademoiselle Millet est arrivée dans le hall de l'hôpital. Isaure, je vous présente Edmond Durieux, un ami qui m'a accompagnée pour me soutenir.

— Bonjour, monsieur, dit gentiment la jeune femme. Je suis rassurée, madame, je croyais que vous aviez voyagé seule et je m'inquiétais pour vous, hier soir.

— Alors, comment va ton fils? insista le nouveau venu.

— Justin a supporté l'opération, mais il est très faible. Je me fais peut-être des idées, mais j'ai l'impression que les docteurs me cachent la vérité. Edmond, je t'en prie, promène-toi en ville et achète des journaux pour t'occuper. Je viendrai déjeuner avec toi, mais là, je voudrais retourner près de mon fils.

— Dans ce cas, je peux le voir moi aussi! s'écria Isaure. Madame, je vous en supplie, je ne resterai pas longtemps dans la chambre.

— D'accord.

Edmond Durieux étreignit la main de Corinne dans un bref geste de compassion et s'en alla docilement.

— Votre ami doit bien connaître Justin, hasarda Isaure.

— Non, ils ne se connaissent pas. Quand mon enfant sera réveillé, inutile de lui parler de cet homme. Pouvez-vous au moins me rendre ce service et rester discrète?

— Je ferai ce que vous désirez, madame. Mais pourquoi?

— Autant vous dire ce qu'il en est afin d'être sûre de votre silence. J'entretiens une relation avec Edmond depuis cinq ans. Justin l'ignore et je tiens à ce qu'il continue de l'ignorer, quoi qu'il arrive. Il n'admettrait pas que j'aie une vie privée et surtout que j'aie pu trahir la mémoire de son père, qu'il idolâtrait.

Isaure était stupéfaite de découvrir une autre Corinne Devers, capable de cacher à son fils unique qu'elle aimait un homme.

— Madame, sans vouloir vous offenser, je pense que Justin se réjouirait. Il a souvent déploré votre solitude et il est ouvert d'esprit.

Elles pénétraient dans le hall et Corinne baissa la voix pour répondre :

— Je sais que mon fils se moque des conventions, je sais aussi qu'il est athée, mais ça n'a rien à voir. Je tomberais de mon piédestal de maman s'il apprenait l'existence d'Edmond et notre liaison. Chut! Plus un mot, voici l'infirmière qui s'occupe de lui.

Une petite femme en blouse blanche assez forte se dirigeait vers elles.

— Ah, madame Devers, je vous cherchais, dit-elle dans un sourire hésitant. Votre fils a repris connaissance. Le docteur vous autorise à le voir, mais très peu de temps, n'est-ce pas? Notre patient a besoin de repos. Il souffre beaucoup et je dois lui faire une injection de morphine dans un quart d'heure.

— J'y vais seule! décida Corinne en se ruant dans l'escalier sans même remercier l'infirmière.

— Vous, mademoiselle, êtes-vous de la famille? demanda la dame à Isaure, qui pleurait de dépit.

— Je suis la fiancée de Justin Devers. Ai-je le droit de lui rendre visite?

— Mais oui, montez donc, mademoiselle! Ça ne peut qu'être bénéfique pour ce pauvre monsieur. C'est une chambre particulière. Numéro 122, au premier étage.

Prête à braver Corinne, Isaure monta prestement les larges marches en marbre gris. Son cœur cognait fort dans sa poitrine et elle avait la bouche sèche. Des images de Justin se succédaient dans son esprit. Elle le revoyait allumant un cigarillo, un œil à demi fermé, l'autre pétillant de malice; ou bien elle se remémorait son sourire triomphant après l'amour, teinté d'une infinie tendresse. Lorsqu'elle parvint devant la porte de la chambre, une dernière vision s'imposa à elle; il lui disait au revoir sur le quai de la gare d'Austerlitz en tentant en vain de jouer l'ironie, mais profondément affligé par sa fuite précipitée. «Je veux qu'il vive, songea-t-elle. Mon Dieu, protégez-le! Je serai sa femme, je ne le quitterai plus jamais et jamais il ne saura que j'ai appartenu à Thomas.»

Même en pensée, elle refusait d'admettre qu'elle avait trompé le policier. C'était Thomas, son grand amour, c'était à lui qu'elle aurait voulu offrir sa virginité. En décidant d'épouser Justin, elle estimait qu'elle réparait une faute qui n'en était pas vraiment une, à son idée.

N'osant pas frapper et encore moins entrer sans le

faire, Isaure demeura immobile. Elle distingua ainsi des murmures, l'écho d'un sanglot, une plainte et de nouveaux murmures. Soudain révoltée par sa propre timidité, elle donna deux coups légers contre le bois peint couleur ivoire. Presque aussitôt, Corinne sortit et referma derrière elle.

— Comment va-t-il, madame? interrogea Isaure.

— Il est très faible et il a très mal.

— Vous lui avez dit que je suis là?

— Oui, évidemment.

— L'infirmière m'a encouragée à aller le voir; elle pense que ce sera bénéfique pour lui. Je vous en prie, laissez-moi y aller.

— Isaure, Justin ne souhaite pas votre présence. Suis-je assez claire? Il m'a suppliée de vous tenir à l'écart.

— Mais pourquoi? C'est stupide! Je ne vous crois pas!

— Je respecte la volonté de mon fils et celle de son médecin qui déconseille la moindre émotion forte. Demain, peut-être. Tenez, il m'a chargée de vous remettre ceci.

Corinne lui donna un écrin en cuir vert foncé orné de décorations dorées. Incrédule, Isaure l'ouvrit. Il contenait une bague de facture ancienne nichée dans du satin noir; il s'agissait d'un saphir de teinte sombre taillé en rond et serti de brillants, sur une monture en argent. La beauté du bijou de même que le sens de son choix terrassèrent Isaure.

— Justin comptait vous l'offrir dimanche, puisque vous aviez changé d'avis. Il l'a achetée à Paris pendant votre séjour, la fois où, de mon côté, je vous avais emmenée rue de Rivoli. Il en était si fier! Il me l'avait montrée la veille du Premier de l'an. Il disait que la pierre avait la couleur de vos yeux.

— Je ne peux pas l'accepter, dit-elle en pleurant. Je préfère le voir. Je me moque d'avoir une bague.

— Calmez-vous, Isaure. Justin se sent simplement trop faible. S'il tient à vous offrir ce cadeau maintenant, c'est sans doute pour atténuer la peine que vous cause sa décision.

Mais la jeune femme ne céda pas. Elle redonna d'autorité l'écrin à Corinne Devers.

— Dites à Justin qu'il me passera lui-même ce bijou au doigt, sinon je n'en voudrai pas.

Confrontée aux larmes et au désespoir d'Isaure, Corinne fit enfin montre de compassion. Elle effleura sa joue du revers de la main en expliquant tout bas :

— Comprenez-le, il ne veut pas susciter votre pitié. Cela le gêne d'être alité et tellement mal en point. Justin est orgueilleux, plus que vous ne l'imaginez. Dès qu'il ira mieux, il se fera une joie de vous retrouver.

— S'il s'agit de ça, il fallait me le dire tout de suite au lieu de vous venger de moi parce que vous me jugez coupable de son accident. Qu'il le sache, l'orgueil n'est plus de mise dans des moments pareils. Et s'il allait mourir sans que je puisse lui dire adieu?

— Voyons, il ne va pas mourir, Isaure. Il ne faut plus parler de mort, mais de guérison.

— Très bien. Dans ce cas, je dois trouver un hôtel. Je resterai en ville le temps nécessaire.

— Nous sommes descendus à l'*Hôtel Napoléon*, mon ami et moi, chuchota Corinne, mais c'est sûrement un peu cher pour votre bourse.

— J'en aviserai moi-même, trancha la jeune femme en s'éloignant, exaspérée, malade de chagrin et d'humiliation.

Faymoreau, village minier, même jour, quinze heures
Thomas Marot, Stanislas Ambrozy et Claude Chaumont, le piqueur recruté au début du mois de janvier,

faisaient les cent pas devant le hangar où s'effectuait d'habitude le fastidieux triage de la houille. Ils attendaient Grandieu, leur porion.

— Quel silence! commenta le Polonais. Depuis que je travaille ici, je n'ai jamais connu un lundi aussi silencieux.

— Bah, ça nous a permis de veiller un dimanche soir, répondit Thomas. Je n'aurais pas cru Fournier capable de nous faire tous chômer en semaine.

— Sûrement que les ingénieurs ne se seraient pas sali les pattes un jour férié, s'esclaffa Chaumont avec son accent du Nord. Je suis bien content, moi. Je n'étais pas tranquille sur le chantier du puits du Couteau. Dans le puits du Centre, c'était la même chose, le boisage est en mauvais état.

— Pas tant que ça, grogna Ambrozy. J'espère qu'ils vont bientôt terminer leur inspection, ces messieurs les ingénieurs, parce que je dois descendre nourrir les bêtes, moi.

— Ça vous plaît bien, votre nouveau boulot, beau-père, n'est-ce pas? lui lança gentiment Thomas. Pierre me l'a dit: dans votre pays, vous étiez le meilleur pour soigner les chevaux.

— Oui, je suis content et j'ai mon petit gars avec moi. Entre taper des heures sur les veines de charbon et brasser du foin et du grain, même si c'est dans les entrailles de la terre, je n'ai pas hésité longtemps.

Le Polonais, un colosse aux cheveux blancs, aux yeux bleus et aux traits marqués, mais hautains, avait succédé au vieux Macaire, qu'un animal affolé avait atteint d'une ruade le mois précédent.

— Vous avez donc tout pour être heureux, blagua Claude Chaumont.

— Pas tout à fait, répliqua Stanislas Ambrozy en se roulant une cigarette.

Il avait en tête un autre souci que l'état des galeries de mine. L'indignation de sa fille Jolenta à propos de son remariage lui causait une vive déception. Pourtant, il aimait sincèrement Maria Blanchard, cette jolie veuve de guerre qui possédait sa propre maison à Livernières. Mais c'était une femme pieuse et sage; elle le recevait au grand jour et ne lui accordait qu'un baiser sur la joue à son arrivée et à son départ, rien d'autre. «Je ne peux pas me plaindre qu'elle soit honnête à ce point, se disait-il, mais si je ne l'épouse pas, je finirai par perdre mes chances.»

Il retint un soupir et essaya de s'intéresser à la discussion entre Thomas et Claude Chaumont.

— Le sort des chevaux de mine me révolte également, disait le nouvel engagé. Dans certaines mines, ils ne remontent au grand air qu'une fois morts. Ici, il paraît qu'ils ont droit à une semaine au pré, l'été. C'est peu pour ces pauvres animaux qui triment aussi dur que nous. Non, Marot, ça ne peut pas continuer. Il faut que les conditions de travail des ouvriers s'améliorent. Les mineurs font le labeur le plus ingrat qui soit. Tu as failli crever au fond d'une galerie effondrée, Marot, on me l'a raconté plusieurs fois. Je n'ai pas envie qu'on te remonte un de ces quatre réduit en macchabée et ça ne me dit rien d'y rester moi non plus, enfoui sous des tonnes de terre.

— Il y a eu très peu d'accidents à Faymoreau depuis le début de l'exploitation du charbon, répliqua Thomas. Et ça date de 1827, bientôt cent ans, mon gars.

— Peut-être, mais, sous la direction de Christian Fournier qui n'est pas qualifié du tout pour gérer la compagnie, il risque d'y avoir du grabuge, je te le redis.

Claude Chaumont secoua ses mèches brunes en bataille. Il avait un long nez aux narines pincées, un menton carré volontaire et un regard gris intelligent.

Thomas l'observa avec un léger sourire, car il le soupçonnait d'être responsable de ce lundi chômé et de la visite des ingénieurs de la compagnie. La décision de Fournier de suspendre toutes les activités était due à l'insistance d'Ardouin, son contremaître, qui s'était lié d'amitié avec le nouveau venu. Ils dînaient souvent ensemble le samedi, se rencontraient à l'heure de la débauche et on les voyait discuter en faisant les cent pas, l'air grave.

— Qu'est-ce qui t'amuse? demanda Claude Chaumont, intrigué par l'air égayé de Thomas.

— J'ai l'intuition que tu es de la race des agitateurs, mais ce n'est pas un reproche, loin de là.

— Disons que je m'intéresse à la politique, Marot. J'ai mes raisons. Mon père a été tué par un coup de grisou dans une mine près de Valenciennes. Mon frère aîné a fini estropié à cause d'une berline qui s'est détachée et qui lui a brisé les jambes. Pourtant, je ne voudrais pas faire un autre métier. Les mines, c'est dans le sang! J'aime ce travail. Je suis venu par ici, en Vendée, pour voir si les conditions sont meilleures chez vous.

— Tu devrais en causer à mon père. Il a débuté comme galibot au puits Saint-Laurent. Il n'a jamais eu à se plaindre et moi non plus. Marcel Aubignac était un bon dirigeant. Il n'avait pas peur de visiter lui-même les galeries et il faisait régulièrement appel à des ingénieurs pour surveiller les structures des chevalements et l'état des boisages. Mais Fournier, avec ses menaces de baisser les salaires et d'augmenter les loyers, il s'est rendu impopulaire. Si ce n'était que ça, encore! Il préfère plastronner sur sa moto neuve que de se pencher sur ses registres.

Las de les écouter, Stanislas Ambrozy alla déambuler sous le hangar. Il cherchait comment amadouer Jolenta, qui prétendait couper les ponts avec lui s'il épousait Maria.

— Dommage qu'Aubignac soit hors jeu, murmura alors Claude Chaumont. Encore une victime de la passion amoureuse! Bon sang, tuer un brave porion qui l'a fait cocu, quelle ânerie! La jalousie est le pire des poisons, Marot. Tu en sais quelque chose, hein!

Tout de suite, Thomas s'assombrit, alarmé.

— Pourquoi dis-tu ça, Chaumont?

— Ne te fâche pas. Il paraît que ta jolie petite femme est d'une jalousie terrible. Les gens causent, dans le village.

— Ils causent de travers.

— Ne crains rien, je t'ai couvert pour vendredi soir comme tu nous l'avais demandé, aux collègues et à moi, parce que figure-toi que Rosalie, votre voisine, elle est venue se renseigner auprès du patron du restaurant de la Poste pour savoir si tu étais à la réunion. Heureusement qu'on entre dans l'arrière-salle par la porte de service. Ce brave Gaubert a juré ses grands dieux que tu étais bien là, puisqu'on lui a commandé quatre bocks de bière à chaque tournée.

— Des bocks? répéta Thomas, irrité par ce qu'il apprenait.

— On dit comme ça, chez moi, dans le Nord. C'est un quart de litre.

— Je te remercie encore; j'avais une affaire urgente à régler, qui ne concernait pas ma femme.

— Une affaire en jupons, insinua Claude à voix basse. Ne t'inquiète pas, ton beau-père n'en saura rien.

— C'est plus sérieux que ça, Chaumont; sinon, je n'aurais pas manqué à l'appel, car je désapprouve tous les faits et gestes de Fournier. La prochaine fois, je serai des vôtres.

Thomas voulait détourner la conversation, d'autant plus que Stanislas revenait vers eux. Au même moment, le facteur déboula à vélo, sa sacoche noire en bandoulière.

— Qué silence! leur cria-t-il. On dirait que la compagnie a fait faillite, boudiou.

— Tu n'es pas au courant, Jacques? On chôme, aujourd'hui, expliqua Chaumont.

— Mais si, je suis au parfum! Pensez-vous, je l'ai su dès ce matin, pendant ma première tournée. De trouver les hommes au foyer un lundi, ce n'est pas ordinaire. Dites, on m'a raconté une sale histoire. Vous vous souvenez de l'inspecteur Devers, celui qui fouinait partout après l'assassinat de Boucard?

— Bien sûr, répondit âprement Thomas, sur la défensive.

— Le flic a eu un rude accident, hier, sur la route de Mervent à Foussais-Payré. C'est le comte de Régnier qui a découvert la voiture encastrée dans un arbre.

— Est-ce qu'il est mort? aboya Ambrozy.

— On n'en sait fichtre rien encore, répliqua le facteur, campé sur sa bicyclette.

Thomas éprouva un choc sourd au creux de la poitrine. Si Devers avait succombé dans l'accident, Isaure se retrouvait seule, sans espoir de mariage et sans personne pour l'aimer et la choyer. Il salua les trois hommes et prit la direction de l'église en toute hâte.

La Roche-sur-Yon, même jour, même heure

Isaure venait d'entrer dans la chapelle de l'hôpital. Elle se dirigea vers l'autel en pierre blanche drapé d'un tissu violet à parements dorés, ornés à chaque extrémité d'une statue d'ange en plâtre peint. Au fond du chœur, une rosace aux vitraux richement colorés dispensait une douce clarté.

Le lieu dégageait une sérénité dont elle avait besoin après les heures fastidieuses de la matinée. Par défi, la jeune femme avait pris une chambre dans le même hôtel que Corinne Devers, quitte à dilapider les deux mois de gages qu'elle avait emportés en espèces dans son sac à main.

L'établissement était cossu et confortable. Elle avait pu pleurer à son aise, couchée sur un grand lit à la courtepointe de satin rouge. Vers midi, le visage rafraîchi, mais encore marqué par les larmes, elle avait déjeuné d'une simple omelette dans le restaurant, sans revoir Edmond Durieux ni Corinne.

Elle était ensuite repartie à pied vers l'hôpital. En traversant la vaste place Napoléon, elle était passée près du kiosque à journaux où elle s'attardait à l'automne, là même où elle avait appris en lisant les gros titres la catastrophe survenue à la mine de Faymoreau. Le marchand l'avait fixée avec attention, mais elle s'était littéralement enfuie, n'ayant aucune envie de le saluer ni de bavarder.

Maintenant, sans même être montée au premier étage, elle se recueillait, à genoux sur un prie-Dieu. «Tout à l'heure, j'irai frapper à la porte 122, se disait-elle, mais je dois me préparer à un nouveau refus. J'ai été sotte! Je comprends Justin, il ne veut pas que je sois choquée par son état. Il est peut-être défiguré comme mon frère, et sa mère n'a pas osé me l'annoncer. Seigneur tout-puissant, Vous que j'invoque seulement quand je suis en pleine détresse, Vous que j'ai renié parfois, donnez-moi la force d'affronter le malheur et la souffrance d'un homme qui m'aime et que j'aime. Même si je ne l'aime pas autant qu'il le faudrait, je l'aime. »

Un bruit de pas résonna soudain sur le carrelage en larges pierres calcaires. Isaure le déplora; elle était désireuse d'être seule avec sa peine et sa peur, avide de prier et de quémander du réconfort, elle qui se sentait perdue et malheureuse. Elle redoutait de se trouver en présence d'une religieuse, d'un étranger ou de la mère de Justin. « Non, elle ignore que je suis ici. Pourquoi abandonnerait-elle le chevet de son fils? »

Dès qu'elle songeait à Corinne Devers, elle était en proie à un étonnement sans borne. La douce femme de la rue Saint-Sulpice d'allure fragile, aimable et accueillante s'était changée en une sorte de furie pleine de mépris, au regard froid, au timbre sec et hargneux.

Les pas sonores et lents s'arrêtèrent brusquement. Isaure ferma les yeux et joignit les mains afin d'éviter d'être dérangée. Elle ne pouvait faire mieux; tout le monde avait le droit de venir prier dans la chapelle.

— Mademoiselle Millet, fit une voix masculine très grave.

La jeune femme se retourna lentement et scruta les traits de l'homme. Elle fut sidérée de reconnaître le comte de Régnier.

— Monsieur, bonjour, balbutia-t-elle, désemparée de le voir là si proche, lui qu'elle n'avait fait qu'apercevoir de loin au château.

— Excusez-moi de troubler vos prières, mais j'ai voulu vérifier s'il s'agissait bien de vous.

— Pourquoi êtes-vous dans cet hôpital? murmura-t-elle.

— J'ai tenu à obtenir des nouvelles d'un patient, votre fiancé, m'a dit madame Olympe Mercerin samedi soir au dîner. Je me sens un peu responsable de l'accident. Si je n'avais pas décidé d'effectuer une battue aux sangliers, ce dimanche…

Très embarrassée, Isaure s'obstinait à fixer un des anges de l'autel. Jamais Théophile de Régnier ne lui avait parlé. S'il la croisait dans la cour du château ou dans le vestibule, il la saluait d'un signe de tête sans lui accorder un regard.

— Je suis allé tôt ce matin à l'endroit de l'accident, ajouta-t-il sur un ton affligé. Mon ami de Vouvant m'accompagnait. Je suis habitué à pister le gibier et j'ai relevé sur les bas-côtés de la route, la terre étant très meuble, les empreintes d'un vieux solitaire.

— Ils atteignent une taille considérable, répliqua Isaure. Justin aurait voulu éviter la collision?

Ce fut au tour du comte d'être surpris. Il avait mentionné ce terme de chasse sans réfléchir et il se disposait à l'expliquer à la jeune femme, mais, de toute évidence, c'était inutile.

— Oui, j'en suis certain. C'était la bête que nous rabattions en la traquant depuis l'aube, un animal agressif qui dévaste les cultures et qui a éventré un chien l'hiver dernier. Je suis désolé de vous importuner avec de tels détails.

Isaure était oppressée. Elle se représentait la scène, une énorme masse brune déboulant de la forêt, Justin qui freinait, Justin qui ne maîtrisait plus sa voiture, tout cela sous la pluie incessante.

— C'est moi, la vraie responsable, dit-elle dans un souffle. Mon fiancé devait m'emmener à Luçon; je l'attendais devant la gare de Faymoreau. Sa mère m'a fait de cinglants reproches à ce sujet.

Le comte demeura silencieux. Il observait la jeune femme et notait son profil si délicat à peine esquissé, souligné cependant par la moue naturelle de sa bouche charnue. Il la trouvait très jolie avec sa longue natte noire sur l'épaule.

— Je suis navré pour vous et votre fiancé, mademoiselle. Devant un grand malheur, les gens les meilleurs ne dominent plus leurs émotions. J'ai pu m'entretenir un instant avec madame Devers tout à l'heure; elle est très éprouvée. Et vous devez l'être aussi. Même si votre fiancé se rétablit, il sera infirme et c'est un lourd fardeau pour un homme dans la force de l'âge.

Alarmée, Isaure se leva et toisa le comte de ses prunelles élargies, d'un bleu de nuit.

— Infirme? Pourquoi serait-il infirme et comment êtes-vous au courant, monsieur? On ne m'a rien dit, à moi.

Tremblante, Isaure s'appuya d'une main au dossier d'une chaise voisine. Elle était livide, soudain.

— Je vous demande pardon, mademoiselle, je pensais que vous le saviez.

— Je ne sais rien, je n'ai pas pu le voir ce matin, il a refusé que j'entre dans la chambre.

— Seigneur, je l'ignorais.

— Mais qui vous a renseigné? Sa mère? interrogeat-elle durement, indignée d'avoir été tenue à l'écart.

— Non, ne vous montez pas davantage la tête, mademoiselle. Je me suis adressé au chirurgien qui a pratiqué l'opération. C'est un ami, un vieil ami. Il a compris que c'était important pour moi d'être informé de l'état de monsieur Devers.

— Eh bien, dites-moi la vérité, supplia-t-elle.

— Il a dû l'amputer de la jambe droite à mi-cuisse.

— Je vous remercie pour votre franchise, balbutia Isaure. Au revoir, monsieur.

Le comte la vit sortir en courant de la chapelle. Il réprima un juron, furieux contre lui-même. Il s'agenouilla à son tour et se mit à prier tout bas, ce qu'il n'avait pas fait depuis des années.

Faymoreau, même jour, même heure

Sans grand espoir, Thomas avait frappé trois coups rapides à la porte du pavillon. Les volets étaient clos et la cheminée en brique ne fumait pas. Il observa, indécis, la façade de la belle demeure des Aubignac, tapissée du réseau brun de la vigne vierge dépouillée de son exubérant feuillage par l'hiver. En ciré, son capuchon rabattu jusqu'en haut du front, il considérait l'allée de graviers, les massifs de rosiers et surtout les fenêtres tout éclairées.

Le ciel obstinément couvert et la pluie constante donnaient au milieu de l'après-midi des airs de crépuscule.

— Qu'est-ce que je fais? Je voudrais bien avoir des nouvelles, quand même, se dit tout bas le jeune mineur.

Il ignorait la configuration de la maison de maître, mais il remarqua sur sa droite un sentier pavé qui longeait le mur d'enceinte. Il le suivit, sûr de son droit de vouloir parler à Isaure, en raison des circonstances. Bientôt, il arriva devant la porte de service qui donnait d'abord sur un cellier, puis sur la grande cuisine. « Sans doute l'entrée des domestiques », songea-t-il.

Cette pensée l'arrêta net, le cœur serré. Il revit Claude Chaumont lui exposant ses idées d'égalité sociale; il se souvint aussi des souffrances de Pierre, prisonnier avec lui d'une étroite cavité, et de l'odeur de sa jambe, broyée sous une pierre. Au même instant, il perçut le parfum de la terre humide et de la végétation gorgée de sève neuve. « Chaumont dit vrai, les chevaux devraient courir librement dans les prés au vent du printemps et nous, les gueules noires, nous devrions trimer sans risquer notre vie... ou chercher du travail moins ingrat, moins pénible. »

Il en était là de ses réflexions quand on l'appela.

— Hé, monsieur, qu'est-ce que vous voulez?

C'était Denis, le fils de la cuisinière, qui l'avait vu par une des fenêtres. L'adolescent se tenait sur le pas de la porte, un tablier en toile bleue noué à sa taille.

— Je voudrais voir Isaure Millet. Je suis un ami, Thomas Marot.

— Fais vite entrer ce monsieur, Denis, cria une voix de femme assez haute au timbre doux.

Peu après, Viviane Aubignac recevait le visiteur. Un foulard cachait ses cheveux et elle était vêtue d'une large blouse qui protégeait sa robe; ses mains étaient blanches de farine. Sophie et Paul se tenaient derrière leur mère, eux aussi enfarinés, en tablier à carreaux.

— Excusez ma tenue, monsieur. J'ai eu envie de faire de la pâtisserie, aujourd'hui, avec mes enfants. Germaine me sert de professeur.

De son regard vert, elle désigna la forte femme qui pétrissait une boule de pâte couleur crème, debout près de la longue table.

Thomas s'attendait à un tout autre accueil. Gêné, il repoussa son capuchon en arrière, sans oser avancer à cause de ses chaussures boueuses.

— Je dérange! Je suis désolé, dit-il.

— Mais non, monsieur. Comme ma mère fait la sieste, j'ai décidé de m'amuser. Je vous présente Sophie, ma fille, et Paul, mon garçon.

Thomas adressa un franc sourire au trio, ce sourire lumineux dont il ne réalisait pas le charme ravageur.

— J'ai appris l'accident de Justin Devers, expliqua-t-il. Comme Isaure est une amie de longue date, je m'inquiétais pour elle. Ils allaient se marier.

Viviane approuva en soupirant. Elle courut vers l'évier et se lava les mains.

— Notre chauffeur a conduit Isaure à La Roche-sur-Yon ce matin, raconta-t-elle. Je lui ai conseillé de prendre une chambre d'hôtel. Elle ne rentrera pas ce soir. Vu qu'elle n'a pas téléphoné, je ne sais pas comment va l'inspecteur Devers. J'espère de tout mon cœur qu'il n'est pas trop gravement blessé. Germaine, si vous proposiez un café à monsieur… monsieur Marot, c'est ça? Et votre père se prénomme Gustave. Je ne peux pas oublier votre acte héroïque, au mois de novembre. Vous avez sauvé un jeune galibot. Il s'appelle Pierre, n'est-ce pas?

Surpris, Thomas hocha la tête. Il avait parfois aperçu l'épouse de Marcel Aubignac assise dans une voiture ou entrant dans l'*Hôtel des Mines*. Il en gardait l'image d'une jolie femme très élégante et maquillée; il peinait à la reconnaître. Il ne put s'empêcher de penser à Alfred Boucard, le porion de son équipe, mort d'avoir aimé Viviane.

— Vous m'étudiez, monsieur Marot, plaisanta-t-elle sans joie réelle.

— Mais non, nia-t-il, confus.

— Les enfants, j'enfourne la brioche! cria alors Germaine. Venez m'aider.

Paul et sa sœur se ruèrent vers l'énorme fourneau en fonte qui trônait au fond de la pièce. Viviane s'empressa de murmurer:

— Mes chers petits ne sont pas au courant du drame. Maman et moi faisons l'impossible pour les préserver des rumeurs. Je n'ai pas le droit de quitter le département avant le procès; aussi, j'ai pu revenir ici en attendant. Vous me jugez, n'est-ce pas? Je suis celle par qui le scandale est arrivé.

— Je ne juge personne, madame, répliqua-t-il très bas. Nous faisons tous des erreurs de parcours.

Thomas regretta ces paroles prononcées étourdiment, mais elles l'éclairèrent sur sa conduite. Depuis trois jours, il avait déployé une grosse somme d'efforts pour être un mari parfait auprès de Jolenta, au point d'avoir à peine songé à ce qui s'était passé dans le pavillon. Là, en face de Viviane Aubignac, il en prit conscience.

— Bien, je m'en vais, madame. Je vous remercie de m'avoir reçu. Si Isaure vous téléphone, dites-lui que mes parents et moi sommes de tout cœur avec elle.

— Je vous le promets, monsieur. Revenez demain, si vous le pouvez. Nous en saurons davantage.

« Quel beau jeune homme, se disait-elle, fascinée. Il est bon et gentil, en plus, ça se lit sur son visage. »

Une fois dehors, Thomas traversa le parc d'un pas rapide. Il franchit le portail et s'adossa au mur pour fumer une cigarette. Le moment était venu d'affronter la vérité, sa vérité, et il aurait été lâche de reculer.

Jamais il n'avait eu autant besoin d'un véritable ami capable de l'écouter, de l'aider à comprendre. Mais il devait se contenter d'un *mea culpa* silencieux. « Vendredi soir, j'ai menti à Jolenta. Quand je l'ai prise au retour du travail, j'ai imaginé Isaure à la place de ma femme. C'était mal, vraiment mal. Pourtant, comme un fou, j'ai couru rejoindre mon Isauline. Rien n'aurait pu m'arrêter, je devais être avec elle. Je la désirais de tout mon être, je la voulais, et elle n'a pas pu me repousser parce qu'elle me voulait aussi. Seigneur, pardonnez-moi de me confier à Vous sur un tel sujet. Pourtant, j'ai enfin eu une idée du paradis et j'ai compris ce qu'est la véritable fusion entre un homme et une femme. Il n'y avait pas que le plaisir intense, non, il y avait un amour immense. »

Hébété, Thomas dut accepter l'évidence. Il aimait Isaure depuis toujours, mais, à cause de leurs cinq ans d'écart, il avait cru chérir une petite sœur, une enfant maltraitée, sans mesurer la force des liens qui les unissaient. « Mais j'aimais Jolenta aussi; elle m'attirait. J'ai perdu la tête, l'été dernier, quand nous étions sous les arbres, au bord de l'étang. La chair nous brûle comme du feu, nous, les hommes, quand nous sommes près d'une belle fille amoureuse. »

Après avoir posé un regard pathétique sur le clocher de l'église, il se décida à rentrer chez lui. Il aurait pu se confesser, s'il avait eu encore la foi de son enfance. Cette seule perspective le fit frémir. Le brave père Jean n'avait pas à savoir qu'il avait commis l'adultère, avec Isaure de surcroît, déjà suspecte dans l'esprit des prétendues honnêtes femmes des corons. Au fond, le mot adultère lui semblait totalement inapproprié. Il avait rejoint Isaure pour connaître deux heures de passion et découvrir le secret qui sommeillait dans son cœur.

Hôpital de La Roche-sur-Yon, même jour, seize heures

Après avoir quitté la chapelle de l'hôpital, Isaure était montée au premier étage. Déterminée, elle s'était arrêtée au niveau de la chambre 122, prête à entrebâiller tout doucement la porte, mais il régnait un tel silence de l'autre côté qu'elle hésita. Corinne Devers pouvait s'y trouver; Justin dormait peut-être. Malgré l'élan impatient qui l'avait menée là, elle décida d'attendre dans le couloir.

Elle recula vers une haute fenêtre qui donnait sur la vaste cour pavée. Il pleuvait toujours. Un léger déclic la fit virevolter. Une infirmière sortait de la chambre, la mine soucieuse. C'était une femme encore jeune, grande et mince.

— Madame, comment va monsieur Devers? lui demanda Isaure à voix basse. C'est mon fiancé, mais je n'ai pas pu le voir, alors que je suis arrivée ce matin.

En cherchant manifestant une bague à ses doigts, l'infirmière jeta un bref regard sur la main gauche d'Isaure, qui avait ôté ses gants.

— Je suis sa fiancée! Pourquoi en doutez-vous? s'indigna-t-elle.

— Excusez-moi, on ne m'a pas dit que vous étiez là, mais je vous crois, mademoiselle. Monsieur Devers dort profondément, sous l'effet de la morphine. Il souffre beaucoup. Sa mère était à son chevet ces dernières heures, mais elle est sortie prendre une boisson chaude. Vous pouvez entrer.

— Je vous remercie.

Le cœur serré et le souffle court, Isaure se glissa

dans la pièce. Des rideaux blancs voilaient le jour gris et une odeur de camphre imprégnait l'air. D'abord, elle évita de poser les yeux sur le lit, où elle avait deviné une forme allongée. Puis, faisant appel à tout son courage, elle s'approcha et fixa le visage de Justin.

Un pansement entourait son front. Cependant, c'était bien lui, les paupières closes, les traits détendus, la bouche entrouverte. Ses cheveux étaient décoiffés. Elle prit place sur la chaise où Corinne devait s'asseoir et, la gorge nouée, elle vit enfin le vide sous la literie à l'endroit de la jambe droite.

— Oh non, le pauvre, gémit-elle, un poing sur sa bouche pour ne pas fondre en larmes.

Cependant, le premier choc passé, Isaure éprouva un grand calme et du soulagement. Justin était vivant, cela seul comptait. Il ne paraissait pas si mal en point, à son avis, malgré son teint pâle. «Pierre Ambrozy aussi a été amputé et il travaille dans la mine où il s'occupe des chevaux. Justin a une telle volonté qu'il saura s'adapter à son infirmité. On lui proposera sans doute un poste où il sera moins obligé de se déplacer, ou bien il quittera la police.»

Elle était tellement contente d'être à ses côtés et de l'entendre respirer qu'un faible sourire se dessina sur ses lèvres. D'un geste tendre, elle caressa sa joue.

— Dieu merci, tu es toujours avec moi, mon chéri, murmura-t-elle, heureuse de prononcer ce doux vocable amoureux. Tu ne pouvais pas m'abandonner. Qui d'autre me ferait rire? Qui me donnerait des leçons de vie?

Apaisée, Isaure sentit son corps se détendre. Elle osa saisir la main de Justin et la garder dans la sienne. Soudain, il répondit à sa timide étreinte avant d'ouvrir les yeux.

— Tu es là, toi? chuchota-t-il.

— Oui. Chut! Ne te fatigue pas, je t'en prie.

— Petite tête de mule! J'avais dit demain, pour ta visite, quand je serais présentable.

— Mais tu l'es, gros orgueilleux!

Elle riait de joie tout en pleurant. Un chant de gratitude s'élevait dans son âme, comme si elle assistait à un miracle.

— Isaure, la bague, dans le tiroir, je vais la mettre à ton doigt. Ce sont tes ordres, je crois.

— Ta mère a dû me trouver idiote quand j'ai refusé de la porter.

Justin ne répondit pas. Il dévisageait la jeune femme, tandis qu'elle prenait l'écrin et lui remettait le bijou.

— Une jolie scène, qui aurait dû avoir lieu hier, dimanche, marmonna-t-il. Sans ce fichu sanglier… Tant pis, le destin s'en est mêlé. Te plaît-elle, au moins?

— Elle est magnifique.

Péniblement, il réussit à lui passer la bague à l'annulaire. En tremblant un peu, mais le regard vif, il dit dans un souffle :

— Maintenant, Isaure, tu dois me faire une promesse et la tenir. Ma beauté, écoute bien, promets-moi de m'épouser, et le plus vite possible. Quand tu auras promis, tu t'en iras, que je puisse me rendormir tranquille.

— Mais, Justin, oui, je t'épouserai. Nous en discuterons lorsque tu iras mieux, quand tu seras rétabli.

— Tu as vu? J'ai perdu une jambe, balbutia-t-il.

— Je m'en moque, mon chéri. J'avais si peur de ne pas te revoir, de ne plus jamais pouvoir te parler, comprends-tu? J'ai prié pour toi toute la nuit et je prierai encore. Tu es sauvé, Justin.

— Isaure, vite, ta promesse, insista-t-il, épuisé.

— Je te promets de t'épouser le plus vite possible, déclara-t-elle d'un ton grave et solennel. Es-tu satisfait?

— Oui, mon amour. Laisse-moi, maintenant.

— Je reviendrai demain matin, murmura-t-elle en se levant et en se penchant pour l'embrasser sur la bouche. Je t'aime.

C'était sincère. Elle était bouleversée. Elle se sentait transportée de bonheur et d'amour. Cet homme serait son compagnon, tour à tour ami, complice, frère et amant. Ils suivraient la même voie ensemble, dans la gaîté et la fantaisie.

— Repose-toi. À demain.

Elle recula vers la porte. Lorsqu'elle l'atteignit, il s'était déjà assoupi, un léger sourire sur les lèvres.

11

Une promesse

Faymoreau, chez les Marot, jeudi 24 février 1921, le soir
Honorine avait invité Jolenta et Thomas à dîner, Stanislas Ambrozy lui ayant donné un poulet à rôtir acheté chez Maria Blanchard. Le Polonais s'était esquivé à peine la volaille offerte en prétextant une grosse fatigue.

— Vous évitez votre fille, Stanislas, lui avait-elle reproché. Il faudrait pourtant que vous discutiez, tous les deux. Mon Dieu, vous avez le droit de vous remarier.

— Une autre fois, madame Honorine, avait-il soupiré. Je n'ai pas le courage, ce soir. La journée a été dure, au puits du Couteau.

La brave femme s'était résignée, cependant contente de servir un bon plat à ses enfants et à son mari. Elle économisait sur chaque denrée indispensable et le poulet, élevé au grain, était une merveilleuse aubaine.

— Ma foi, un peu plus et tu chanterais, maman! s'écria Jérôme, qui mettait le couvert.

— Comment le sais-tu?

— Je sens quand tu es heureuse. Enfin, je veux dire moins triste que d'habitude.

— Ah, laisse donc, je m'arrange avec mon chagrin, fiston. Toi, fais attention, ne me casse pas d'assiette. En voilà, une idée, de brasser la vaisselle.

— Mais je le ferais les yeux fermés, si j'y voyais encore, blagua l'infirme. Je connais par cœur notre cuisine. Je sais où est le buffet et tout ce qu'il contient. Je m'entraîne. J'aiderai Christine, quand nous serons mariés. Pas question de me tourner les pouces.

— Continue plutôt à sculpter les manches de couteau. L'épicier en a vendu deux que tu avais décorés. Tu es doué, mon fils.

Attendrie, Honorine vint appuyer son front contre l'épaule du jeune homme. Elle espérait vraiment qu'il logerait chez elle avec son épouse.

— Dis donc, maman, ils ne se pressent pas, Jolenta et Thomas! fit-il remarquer. Pourtant, je n'ai pas entendu de querelles. Que font-ils?

— Va savoir? Pas un autre petit, de toute façon! plaisanta sa mère.

— Eh bien, ma femme, tu es de bonne humeur, pour dire une chose pareille, s'étonna Gustave, qui venait de descendre l'escalier.

— Oh, on ne peut pas toujours pleurer, mon homme.

Le couple échangea un regard tendre. En chemise propre et les cheveux peignés en arrière, Gustave déboucha une bouteille de cidre.

— Bon sang, ça fait plaisir d'être au sec et au chaud après avoir trimé dans la boue glacée, déclara-t-il. Ce n'était pas la peine que Fournier convoque les ingénieurs. On n'a pas su leur avis sur l'état de la galerie que nous élargissons et on a repris le chantier.

Honorine adressa un coup d'œil inquiet à son mari, qui avait les traits tirés et la bouche amère.

— Si tu trouves que c'est dangereux, mon homme, suis les conseils du nouveau, Claude Chaumont. Mettez-vous en grève.

— Ne causons pas de ça, Thomas arrive, coupa le mineur.

Jolenta entra la première, enveloppée d'un châle

rouge et le front couronné de nattes blondes maintenues par des épingles. Hannah, sa mère, se coiffait souvent de cette manière et, comme elle lui ressemblait beaucoup, elle avait ainsi l'impression de la faire revivre.

— Bonsoir, claironna-t-elle, rose de plaisir, un air de défi inscrit dans ses yeux d'un bleu limpide.

— Bonsoir, tout le monde, renchérit Thomas, apparemment moins gai.

Jérôme, dont les sens étaient aiguisés par la cécité, fut sensible au ton anxieux de son frère aîné. Se moquant bien de déplaire à sa belle-sœur, il demanda aussitôt :

— As-tu des nouvelles d'Isaure, mon vieux ? Et du policier ?

— Pas depuis mardi, quand Denis est venu chez nous avant l'heure de l'embauche. Isaure avait téléphoné et, tout de suite, Viviane Aubignac l'avait envoyé me prévenir. Il a promis de me tenir au courant s'il y a du nouveau.

— Je pensais qu'il deviendrait galibot, le fils de Germaine, nota Gustave. Il a tiré le gros lot en restant dans les jupons de sa mère en tant que commis cuisinier.

Jolenta garda son expression satisfaite, infiniment soulagée du fait que l'inspecteur Devers avait survécu à l'accident.

— La patronne d'Isaure l'autorise à rester à La Roche-sur-Yon ? hasarda Jérôme. Madame Mercerin, c'est ça, son nom ?

— Oui, la mère de Viviane Aubignac, soupira Thomas. Je ne l'ai pas vue, la vieille dame, lorsque je suis allé là-bas, mais je crois que c'est une personne charitable.

— C'est bien normal qu'Isaure ne quitte pas le chevet de son fiancé, quand même ! s'exclama Honorine. A-t-elle encore besoin de travailler, en plus ? Quand l'inspecteur sera rétabli, elle va se marier.

— Il l'a échappé belle, ce flic, maugréa Jérôme. Enfin, je trouve que nous devrions écrire une lettre à Isaure. Elle passe de sales moments.

Honorine approuva d'un signe de tête, Gustave grogna :

— Sans doute.

— Je lui ai déjà écrit, annonça Thomas.

— Et j'ai ajouté un petit mot au bas de la page, maintenant que j'arrive à écrire en français, se vanta Jolenta. J'ai mis : *Courage et cordiales pensées.*

Les propos de la jeune Polonaise semèrent la stupeur. Sa belle-mère songea que c'était un louable effort pour une fille aussi jalouse. Jérôme sifflota d'admiration et Gustave servit le cidre. L'odeur du poulet rôti qui emplissait la pièce aiguisait l'appétit. Une fois à table, ils mangèrent en silence, d'abord la soupe de citrouille agrémentée de croûtons, puis la viande bien blanche et fondante accompagnée d'une purée de pommes de terre.

— Bébé va se régaler, dans mon ventre, pouffa Jolenta, le teint vif, car il faisait très chaud.

— C'est grâce à ton père, ma jolie, répliqua Honorine. Sans lui, pas de volaille, sans Maria Blanchard non plus, parce qu'elle le vend une bouchée de pain, son poulet. Ne fais pas la grimace, voyons ! Je sais, tu as ton petit caractère et ta grossesse n'arrange rien, mais tu devrais arrêter de tourmenter ton père, qui a eu bien assez de soucis l'an dernier.

— Maman a raison, insista Thomas. Tu devrais te réjouir de ce mariage. Stanislas a le droit de refaire sa vie. Pierre est content, lui.

Prise au dépourvu, Jolenta médita sa réponse en cherchant des arguments sérieux à son caprice.

— Des gens racontent que Maria Blanchard fréquente d'autres mineurs et qu'elle n'est pas une honnête veuve, ça non !

— Qui ça, des gens? tempêta Jérôme. Ta voisine Rosalie, hein? Une langue de vipère, toujours à salir la réputation des uns et des autres!

— Si c'est une femme de ce genre, argumenta Honorine, on se demande pourquoi elle souhaite épouser ton père. Stanislas se confie à moi. Maria a prévu louer sa maison de Livernières et venir habiter dans le coron. Je suis certaine que le logement sera bien tenu, bien propre, et qu'elle s'occupera de Pierre.

Soudain, Jolenta perdit patience. Elle tritura nerveusement sa serviette de table en fixant sa belle-mère d'un air farouche.

— Il n'y a pas sept ans que maman est morte! tonnat-elle. Papa l'adorait. Il ne peut pas l'oublier et trahir sa mémoire! Cette femme de Livernières, c'est pareil. Son époux est mort à la guerre. Elle devrait le pleurer des années encore. Quand on se marie devant Dieu, on se promet fidélité jusqu'à la fin des temps!

Thomas baissa la tête et observa d'un regard assombri le fond de son assiette. Jolenta était douce et charmante, ces temps-ci. Elle délaissait son amie Rosalie pour tricoter seule au coin du fourneau. Même lorsqu'il lui avait annoncé l'accident de Devers et qu'il avait plaint Isaure, elle s'était montrée pleine de compassion et n'avait prononcé aucun mot désagréable.

— Mais le veuvage change la donne, murmura-t-il en lui prenant la main et en la portant à ses lèvres. Si je mourais, tu aurais le droit de te remarier, ma petite femme chérie.

— Jamais! Et ne parle pas de malheur, Thomas! Je n'en dors plus, à cause du chantier que tu fais en ce moment. Tu avais promis de retourner à la minoterie demander s'ils ont une place.

Gustave coupa court à la discussion. Il fit sonner son couteau contre son verre, imposant le silence à Jolenta.

— Mes enfants, vous réglerez vos problèmes de couple chez vous. Votre mère et moi, nous avons quelque chose à vous dire. Je cite à l'occasion monsieur le curé, quand il dit dans son prêche : « Dieu donne, Dieu reprend ! » Parfois, Dieu reprend un être cher, mais il donne en retour. Le Seigneur tout-puissant a dû avoir pitié de ma chère Honorine. Vas-y, ma femme, dis-leur la nouvelle, toi.

— Je suis enceinte, déclara-t-elle, rougissante comme une jeune fille. Le docteur Farlier m'a examinée ce matin. Le petit ou la petite naîtra à la fin du mois d'août.

— Nom d'un chien ! jura tout bas Jérôme, plus choqué que réjoui.

— Comment, à votre âge ? s'étonna Jolenta, confuse.

— J'étais surprise, ça oui, avoua sa belle-mère, mais je ne vais pas me plaindre. La femme de ce pauvre Passe-Trouille, elle a eu son dernier à quarante-six ans. Il se porte comme un charme ; c'est un beau poupon. J'ai un an de moins qu'elle…

— C'est un cadeau du ciel, un enfant, affirma Gustave. Nous avons perdu Anne, mais un angelot viendra veiller sur nos vieux jours.

— Si c'est une fille, nous la baptiserons Clémence, précisa Honorine, radieuse. Mon Dieu, j'ai consulté le docteur pour une douleur dans le dos. Quand il m'a annoncé ça, j'ai failli m'évanouir, tellement j'étais émue. J'ai tout de suite écrit à Zilda et à Adèle, mais j'ignore quand elles recevront ma lettre, maintenant qu'elles sont parties missionnaires. C'est si loin, l'Asie !

Jérôme vida son verre de cidre. La joie presque sensuelle de sa mère le gênait, autant que le fait de la savoir enceinte à son âge. Il ne songeait jamais à ses parents comme à un couple amoureux s'adonnant à l'acte sexuel.

— Dans ce cas, dit-il d'un ton déçu, il vaudra mieux que je déménage. Christine et moi, nous te dérangerons, maman.

— Mais non, protesta-t-elle. Il y a deux chambres de libres, celle de ton frère et celle où couchaient Zilda et Adèle.

— Hé, ça s'arrose! s'écria Thomas. Félicitations, maman, toi aussi, papa. Tu te rends compte, Jolenta? Notre enfant aura un oncle ou une tante plus jeune que lui.

— C'est un peu ridicule, chuchota-t-elle, vexée de ne plus être le centre de l'intérêt général.

Il s'ensuivit néanmoins une conversation animée où il fut question de berceau, de layette, de prénoms et de baptêmes. Deux heures plus tard, après les flans à la vanille et les tasses de chicorée, Jérôme raccompagna Jolenta et Thomas jusqu'au pas de leur porte, distante d'à peine un mètre cinquante.

— Bonne nuit, leur dit-il. Quelle histoire, grand frère! J'ai du mal à y croire. Bah, l'an prochain, ce sera mon tour, j'espère, d'être papa.

— Isaure sera sûrement maman très vite elle aussi, insinua avec perfidie sa belle-sœur.

— Peut-être, rétorqua l'aveugle en riant.

Thomas serra les poings au fond de ses poches. Il se revit au comble de la jouissance, négligeant de prendre la moindre précaution, subjugué par la beauté d'Isaure éperdue de plaisir. «Bon sang, si elle a un enfant, de qui sera-t-il? Je ne le saurai jamais.»

Cette nuit-là, il fut long à trouver le sommeil.

Hôpital de La Roche-sur-Yon, vendredi 25 février 1921
Fébrile, Justin attendait l'arrivée de sa mère. Le jour venait de se lever, mais Corinne Devers se présentait la première à son chevet. Isaure la remplaçait à onze

heures, après les soins donnés au malade. «Chienne de vie, si j'avais su ce qui me pendait au nez!» pensait-il, fidèle à sa manie d'ironiser.

Sans les injections régulières de morphine, qu'il recevait avec une sorte de joie sauvage tellement il souffrait, le policier aurait perdu, selon lui, toute dignité humaine. Chaque inspiration lui causait des élancements dans la poitrine et le bas du dos.

— Dépêche-toi, maman, murmura-t-il, les doigts crispés sur le drap.

Il distingua enfin son pas léger dans le couloir et sa façon de gratter à la porte avant d'entrer. Elle lui adressa un beau sourire en approchant du lit. Elle était fraîche et élégante; ses cheveux blonds étaient lisses et brillants et elle avait le regard attendri.

— Bonjour, mon fils chéri. Oh, tu as bonne mine, aujourd'hui! Je t'ai acheté des journaux et un croissant, même si l'infirmière te défend de manger gras.

— Merci, maman, mais qu'est-ce que ça peut bien faire, dis, ce que je mange?

Corinne s'affola immédiatement. Elle ôta son manteau de pluie et s'assit à son chevet.

— Justin, sois un peu raisonnable. Tu dois garder le moral, c'est important.

Elle lui caressa le bras. Il lui prit la main et la fixa avec une gravité inaccoutumée. Depuis trois jours, pendant les périodes où il était réveillé, il affichait un certain optimisme, il plaisantait et jouait les gamins malades comme pour être davantage dorloté par ses deux femmes, comme il surnommait sa mère et Isaure.

— Maman, je suis raisonnable. J'avais hâte que tu sois là. Je dois te parler. J'ai hésité longtemps pour savoir qui je préviendrais la première, toi ou Isaure. Je t'ai choisie, car j'ai besoin de ton aide.

Une sensation de froid intense fit tressaillir Corinne. Elle le dévisagea en éprouvant un début de panique.

— Je t'écoute, mon enfant chéri, mais, si c'est encore une de tes blagues, je ne la trouve pas drôle.

— Non, je n'ai pas le cœur à m'amuser. Maman, je veux épouser Isaure au début de la semaine prochaine, c'est-à-dire dès mardi. Il faut en faire la demande au procureur de la République. Lui seul peut nous dispenser des dix jours de publication des bans.

— Mais pourquoi si vite, Justin? Mon Dieu, que sais-tu que j'ignore?

— Ma petite mère, je suis désolé de te causer tant de chagrin. Je n'en ai plus pour longtemps. Je fais le fier devant vous deux, je vous ai laissées dans une douce illusion, mais les médecins me donnent quelques jours, dans le meilleur des cas. Je le dirai à Isaure tout à l'heure. Je voudrais pouvoir lui annoncer aussi notre mariage. Elle m'a promis, maman.

Corinne se jeta à genoux au pied du lit. Terrassée par le désespoir le plus cruel, elle posa sa tête blonde au bord du matelas. Justin effleura ses cheveux d'un geste apitoyé.

— Je t'en prie, ne proteste pas, la pria-t-il. J'ai senti que tu en veux à Isaure, que tu es froide avec elle.

— Je lui ai demandé pardon mardi matin, Justin. Nous sommes en bons termes. Mais pourquoi épouser Isaure, si tu es condamné? Tu ne vas pas mourir, dis? Je refuse de te perdre, je n'ai que toi.

— Je vais te répondre dans l'ordre, maman. D'abord, tu n'as pas que moi, il me semble. Il y a Edmond Durieux, et ce type t'aime, ou je ne comprends rien à l'amour.

— Edmond? Isaure t'en a parlé? Elle ne devait pas. Je lui avais défendu de le faire!

— Nous avons d'autres sujets de conversation, ma fiancée et moi, quand nous sommes seuls, affirma-t-il.

Edmond Durieux m'a rendu visite pendant que tu te reposais à votre hôtel. En homme intelligent, il a décidé de se présenter à moi, car il voulait sortir de l'ombre et me dire à quel point il tient à toi. Si j'étais croyant, je penserais que Dieu me l'a envoyé, car ce monsieur est avocat. Il est prêt à te guider dans la démarche auprès du procureur. Sache que j'approuve ton choix. Il me plaît, ce grand juriste distingué. Pourquoi m'as-tu caché ça, ma pauvre petite mère?

La voix rauque et altérée de son fils vrillait les nerfs de Corinne. Elle ne pouvait pas reprendre ses esprits, obsédée par l'idée de sa mort imminente, ulcérée de devoir étaler sa vie privée dans des circonstances aussi épouvantables.

— Tu n'étais jamais à Paris. Edmond et moi, nous vivions ensemble, enfin, surtout chez lui. Il me trouvait ridicule de te mentir, mais il respectait ma décision.

— Je pourrai partir en paix en ce qui te concerne, alors. J'avais peur de te savoir solitaire et inconsolable.

— Je serai inconsolable, mon chéri, mon enfant.

Justin eut un geste fataliste. Il ferma les yeux un instant afin de puiser un peu de force dans son corps meurtri et dolent.

— Le temps jouera son rôle, dit-il. Navré de ne pas m'attarder sur ce point-là. Si je tiens à épouser Isaure et, crois-moi, c'est là ce qu'on nomme une dernière volonté, c'est pour la mettre à l'abri du besoin sa vie durant. Je lui fais confiance, elle est avisée et intelligente. Une fois devenue ma veuve, elle héritera de l'appartement du boulevard des Capucines, de mes titres en bourse et de la moitié du capital que nous a légué papa, auquel nous n'avons pas encore touché. Tu n'es lésée en rien, maman. Il te reste l'appartement rue Saint-Sulpice et la maison de campagne. Et puis ton Edmond est fortuné; il me l'a assuré. Tu te marieras dans un an et tout ira bien. Comprends-tu, je ne pourrai pas protéger Isaure de mon vivant. Au moins, je m'en irai en étant certain qu'elle n'aura plus jamais ni faim, ni peur, ni froid. Je t'ai raconté brièvement son enfance et je t'ai parlé de la brutalité de son crétin de père. Je veux qu'elle soit libre, heureuse et assez riche pour aller où elle voudra.

— Mon Dieu, comme tu l'aimes! gémit Corinne, en larmes.

— Je l'aime, oui. J'ignorais qu'on pouvait aimer autant. Dire que, il y a quatre mois, elle n'existait pas pour moi. Maintenant, elle occupe toutes mes pensées.

— Quand même, réfléchis, Justin, marmonna sa mère.

— J'ai réfléchi. Vois-tu, tu ne sais pas toute la vérité. J'étais le premier, pour Isaure, elle s'est offerte sans calcul, innocente et superbe. Elle m'a donné un tel bonheur depuis que je la connais, un bonheur si entier que je le suis redevable pour l'éternité. Souviens-toi de ça, maman. C'est mon petit papillon, ma chérie, mon amour.

Il se tut, haletant. Corinne perçut un râle dans sa poitrine et elle poussa un cri horrifié.

— Non, mon fils, non, j'appelle un docteur!

— Inutile, je te jure que je tiendrai bon jusqu'à mon mariage. Il lui faudra une robe en soie ivoire avec des dentelles. Il faut prévoir des fleurs blanches dans ses cheveux noirs et un voile, mais pas trop long; le milieu du dos, ce sera suffisant. Achète aussi des roses. La chambre est sinistre, mais je veux qu'elle soit gaie. Promets, maman, toi aussi, promets comme Isaure a promis.

En réprimant les sanglots qui la suffoquaient, Corinne Devers chuchota à son tour une promesse. Justin la remercia d'un faible sourire et sombra aussitôt dans une somnolence agitée. Il rêva d'Isaure. Elle se promenait au milieu d'un jardin ensoleillé, un bouquet de marguerites serré contre son cœur. Un homme la suivait; il avait les traits de Thomas Marot.

*

Pressée de revoir Justin, Isaure longeait le couloir. Elle était anxieuse jour et nuit, estimant que son état de santé demeurait inquiétant. Pourtant, il prétendait se porter à merveille. Il se disait douillet, mais excédé par le confinement dans une chambre et le manque de tabac.

Ce matin-là, elle avait défait ses éternelles nattes, et sa longue chevelure noire perlée d'humidité couvrait ses épaules. Sous son manteau de drap brun, elle portait un corsage en broderie anglaise et une jupe droite à mi-mollet. En ville, elle croisait des femmes habillées à la dernière mode comme Viviane, mais son idée de l'élégance lui faisait mépriser les toilettes à la coupe droite, qui ne marquaient pas la taille. Justin était de son avis, car il appréciait de la voir le buste arrogant et les hanches moulées par du jersey, ce tissu souple fabriqué sur l'île du même nom depuis des siècles.

En trois jours, Corinne et elle avaient établi une relation assez cordiale, chacune faisant en sorte de ménager du temps libre à l'autre. Isaure ne fut guère surprise de voir la mère de Justin sortir de la chambre, même si, d'ordinaire, elle attendait qu'elle soit entrée pour s'en aller.

— Bonjour, madame, dit-elle à mi-voix afin de suivre les consignes de silence qui étaient affichées sur l'étage.

Tout de suite, elle comprit qu'il y avait un problème ou des complications, car Corinne Devers pleurait, les paupières et le nez rougis.

— Que se passe-t-il? murmura-t-elle, saisie par une peur atroce.

— Mon fils vous le dira lui-même. Excusez-moi, je vais retrouver Edmond. Nous avons des choses à régler.

Sur ces mots, elle courut presque jusqu'au palier, son vêtement de pluie sur le bras et sa toque à la main. Désemparée, Isaure ouvrit la porte avec prudence, comme si ce simple geste pouvait la précipiter dans un abîme de chagrin.

— Justin, dit-elle en le découvrant à demi assis, appuyé contre deux gros oreillers.

En esquissant un vague sourire ébloui, il lui fit signe d'approcher. Elle ôta son manteau et avança vers le lit.

— La beauté faite femme! soupira-t-il. Oh! Isaure, tu es sublime, les cheveux détachés! Viens, donne ta menotte.

Elle s'exécuta, effarée devant le teint cireux de son fiancé. Il n'avait plus de pansement sur le front, mais une plaie recousue commençait à y cicatriser.

— Ta mère semblait très malheureuse. Je l'ai croisée.

— Maman est très malheureuse, en effet, confirmat-il d'une voix si étrange qu'elle en frémit.

— Dis-moi, tu as un souci? Une infection? De la fièvre?

— Chut! Isaure, nous sommes tous les deux. Oublie que je suis gravement blessé. Causons de notre mariage; ça me rend joyeux d'y penser.

Elle retint un petit mouvement d'exaspération. Il était bien question de mariage, alors qu'il paraissait plus faible et plus amaigri.

— Justin, tu as ma promesse, ce sera dès que possible. Songe plutôt à reprendre des forces.

Mais il secoua la tête et se lança dans la description

de la robe et du voile dont il rêvait pour elle. Il y ajouta un collier de perles qui, prétendit-il, lui conviendrait à merveille.

— Calme-toi. La bague me suffit comme bijou, protesta-t-elle avec douceur. Je ne veux pas que tu dépenses trop d'argent pour moi.

Justin étreignit si fort ses doigts qu'elle poussa une plainte. Il débita ensuite d'un air égaré :

— Il faut nous marier mardi matin, ma chérie, ma bien-aimée. Nous boirons du champagne. Tant pis si je n'y ai pas droit, une noce, ça doit se célébrer au champagne.

— Tu délires, Justin. Je cours chercher une infirmière! s'écria-t-elle.

Cependant, il la retenait par la main avec une vigueur insolite.

— Reste ici, j'ai une confession à te faire, Isaure. Maman l'a écoutée, d'où sa peine immense. Que veux-tu, c'est une maman et elle n'a eu qu'un enfant. Je vais mourir, ma chérie. Je n'ai qu'une semaine à vivoter dans ce lit.

— Non.

— Si, je n'y peux rien. Le médecin-chef me jouait le couplet du «tout va bien, monsieur Devers», en me bourrant de morphine. Je l'ai mis au pied du mur hier soir. J'ai exigé la vérité. Bon sang, j'ai fait la guerre, j'en ai vu crever, des jeunes gars! Je suis encore assez lucide pour juger de mon état. Enfin, j'ai su… J'ai la cage thoracique enfoncée et un poumon touché. Comme j'ai été gazé, sur le front, je ne suis pas vaillant de ce côté-là. Mais ce sont les reins qui vont lâcher; je m'empoisonne lentement. Mon bassin est sérieusement endommagé. En plus, ils m'ont amputé. Je me demande si j'aurais eu le cran de vivre avec une seule jambe. En tout cas, je me serais enfui pour ne pas t'imposer un mari handicapé. C'est donc mieux ainsi.

Essoufflé, Justin se tut un moment. Isaure demeura pétrifiée, les yeux fixes. Elle refusait d'admettre l'évidence, que la vie d'un homme était brisée à cause d'un sanglier qui avait traversé une route. Il aurait suffi de quelques secondes, pourtant. La bête serait apparue juste après le passage de la voiture ou un peu avant. Isaure avait déjà vu des cerfs et des chevreuils franchir un chemin en trois bonds. C'était d'une folle rapidité, semblable à une fuite ailée. Et les sangliers allaient encore plus vite.

— C'est une terrible injustice, dit-elle sans sanglot ni larme. Jamais ça n'aurait dû arriver. J'en porterai le poids toute mon existence. Pourquoi ai-je décidé de te téléphoner vendredi matin, pourquoi? Tu n'aurais pas pris cette maudite route et tu serais sain et sauf. Justin, peut-être que les docteurs se trompent, que tu vas guérir.

— Isaure, nous n'avons pas le temps de nous lamenter, répondit-il gravement. Profitons de nos derniers jours ensemble, même si les conditions ne sont pas reluisantes. J'aurais pu mourir à la guerre, vois-tu. Je me demande souvent comment j'ai pu en réchapper. Il le fallait sûrement, pour que je te rencontre. Tu imagines la somme de hasards? J'étais las de Paris. J'ai pu être nommé en province et me voici à La Roche-sur-Yon, une ville dont je n'avais jamais entendu parler. Là-dessus, alors que je m'ennuyais dans des enquêtes banales, un directeur de compagnie minière décide de tuer l'amant de son épouse et je débarque à Faymoreau tel le chasseur qui a enfin un gibier intéressant à pister.

— Ensuite, dans un couloir de l'*Hôtel des Mines*, tu croises une jeune fille ravagée par l'angoisse, car un certain Thomas Marot est couché à l'infirmerie. Tu es froid, tu fais de l'ironie et tu me déplais. Mais, très vite, je suis contente quand je te vois et tu veilles sur moi; tu es bon, drôle et si séduisant! Mon Dieu, Justin, ça ne peut pas finir comme ça. Tu ne peux pas me quitter.

Il la regarda dans les yeux avec passion. Sous le feu désespéré de cet intense regard, Isaure se mit à pleurer en silence, droite et digne, pleine d'admiration pour cet homme qui acceptait la mort courageusement, sans révolte ni frayeur.

— Ma chérie, parler me fatigue beaucoup. Je ne voudrais pas me mettre à tousser et t'infliger un triste spectacle. Il faut que tu gardes une image convenable de ton premier amant. Réponds à une question; je me reposerai en t'écoutant. Pourquoi as-tu changé d'avis? Quand tu es partie de Paris, je n'ai pas été dupe. Tu voulais te retrouver à Faymoreau, près de Thomas. Nous avons renoué, mais tu te contentais de nos rendez-vous. Alors, pourquoi?

Justin détourna la tête et cligna des paupières comme s'il allait s'endormir. Cependant il continuait à serrer la main d'Isaure.

— Je te l'ai dit, entre la visite de mon père, ses menaces et les avances grossières de Christian Fournier, j'en ai eu assez d'être seule. Je voulais devenir ta femme pour être protégée de tout, pour te suivre à Paris et faire partie de ta vie. Je savais très bien que tu ne serais jamais le genre de mari à m'emprisonner, que tu voulais mon bonheur et qu'auprès de toi je serais vraiment libre, plus libre qu'en restant soi-disant indépendante.

— Et l'amour, dans tout ça? dit-il à mi-voix.

— L'amour était là, au fond de mon cœur, mais je suis sotte et je n'ai pas osé te dire que je t'aime, parce que j'étais dans cette cabine téléphonique, à la poste.

— Ne t'inquiète pas, Isaure, l'amitié, la tendresse et l'entente des corps suffisent à faire des unions solides.

— Justin, je refuse de t'épouser dans ces conditions.

— Tu as promis.

— Mais à quoi bon se marier, si tu meurs?

Il eut un sourire moqueur en la fixant de nouveau.

Puis, en quelques mots très simples, il lui expliqua ses raisons comme il l'avait fait pour sa mère. Isaure devint blême avant de s'empourprer sous le coup d'une indignation affolée.

— Je ne veux pas être ton héritière, Justin, c'est ridicule. Ta mère serait infiniment choquée, elle qui ne m'estime guère. Comment oses-tu envisager une chose pareille? Je n'ai aucun droit sur ton argent et tes biens immobiliers.

— Allons, ne me contrarie pas. Si j'étais un miséreux, certes, je ne t'aurais pas demandé ça. Tu mérites amplement d'être à ton aise et d'agir à ta guise. Plus personne ne te menacera, ni ton père ni les coureurs de jupon. Tu porteras mon nom et tu seras assez riche pour déployer tes ailes, mon petit papillon. Aie pitié, accepte, ne me refuse pas ce bonheur. Je ne crois pas en l'au-delà, mais je veux m'en aller en paix, en sachant que j'ai fait tout ce que je pouvais pour toi, ma chérie. Tu avais un projet dont tu m'as parlé une fois, quand nous déjeunions au Trocadéro. Tu t'en souviens? Tu rêvais de fonder une sorte d'école privée, non, un institut pour les orphelines.

— En effet, j'en ai eu l'idée au chevet d'Anne Marot, alors qu'elle s'éteignait. Pauvre petit ange!

— Eh bien, voilà, tu pourras concrétiser ce rêve. Je te vois bien en directrice, toi qui es si instruite et si généreuse, toi qui es si belle. Je te vois en robe noire à col blanc, coiffée d'un chignon soigné. On devient généreux quand on a les moyens de l'être, Isaure. Chérie, je n'en peux plus. Va chercher quelqu'un. Je souffre, il me faut une piqûre.

— Tu ne vas pas mourir, là, seul sans moi? s'alarma-t-elle.

Il fit non de la tête. Isaure sortit précipitamment, le cœur brisé, pétrie de remords, d'amour et de respect pour Justin. Elle était si bouleversée que l'infirmière se signa en la voyant, certaine de retrouver son patient dans les affres de l'agonie.

Mais l'inspecteur Devers avait une volonté de fer. Il lutterait de toutes ses forces pour tenir bon jusqu'au matin de son mariage avec la femme qu'il adorait.

Faymoreau, lundi 28 février 1921

Olympe Mercerin raccrocha le téléphone en soupirant d'étonnement. Ayant entendu la sonnerie, Viviane, qui était au milieu de l'escalier, l'interrogea du regard.

— Si tu savais, ma Vivi! Seigneur, quelle malheureuse histoire!

— Dis-moi, maman. Les enfants sont dans leur chambre, nous pouvons parler sans crainte. C'était Isaure, n'est-ce pas? Quand même, elle aurait pu appeler bien avant! Ce n'est pas gentil de nous laisser sans nouvelles.

— Dans certains cas, on préférerait ne rien savoir, crois-moi. Viens, allons dans le salon.

Intriguée, Viviane tendit ses mains vers le feu qui brûlait dans la cheminée, présence réconfortante dont la clarté joyeuse lui était précieuse. Malgré le chauffage central installé par Marcel Aubignac deux ans auparavant, elle tenait à voir une flambée dans la grande pièce, qui était son lieu de prédilection.

— L'inspecteur Devers est condamné, il peut mourir d'un jour à l'autre, annonça Olympe d'un ton grave.

— Oh, Seigneur!

— Attends la suite. Ce monsieur tient à épouser Isaure, qui lui avait promis son consentement. La famille est fortunée…, enfin, je n'ai pas tout compris, la pauvre enfant pleurait. Je dois effectuer certaines démarches pour l'aider, cet après-midi. Elle m'a aussi demandé d'être son témoin. La cérémonie a lieu demain à onze heures du matin. J'y serai, bien sûr! Je ne peux pas dire non.

Viviane était stupéfaite, mais surtout très émue. Elle se réfugia dans les bras de sa mère, qui lui tapota le dos tendrement.

— Je t'accorde que c'est un dénouement très particulier. Se marier à l'article de la mort!

— Comme je voudrais pouvoir embrasser Isaure, maman, et la consoler!

— Elle avait pensé à toi d'abord. Cependant, comme tu as fait l'objet d'une arrestation, tu ne peux pas remplir ce rôle. Mais tu pourrais m'accompagner à La Roche-sur-Yon avec les enfants. Nous déjeunerions tous les quatre dans un des meilleurs restaurants, à midi. Il n'y a aucun risque, là-bas.

— Non, je n'ai pas envie de sortir de la maison. En plus, Paul se plaint d'un mal de gorge et il est fiévreux. Il vaut mieux qu'il reste au chaud. S'il n'y a pas d'amélioration demain, j'enverrai Denis chercher le docteur Gramont.

— Ah, c'est vrai, Germaine m'a dit qu'un nouveau médecin avait pris ses fonctions le premier février. Il succède à cet odieux docteur Boutin, qui purge sa peine de prison.

Très gênée, Viviane retourna près de la cheminée. Elle s'assit dans un fauteuil, les yeux voilés par de sinistres souvenirs. Le docteur Boutin, un grand ami du couple Aubignac, avait été son amant durant quelques mois. Mais, poussé par Marcel, qui était en proie à sa fureur jalouse, il avait procédé à un avortement sur la jeune femme, enceinte du porion Alfred Boucard. «J'en serais presque au huitième mois de grossesse, se dit-elle. Si Alfred et moi avions eu le temps de nous enfuir tous les deux, j'attendrais la naissance du bébé avec lui… Oui, mais Paul et Sophie, que seraient-ils devenus, toujours en pension ou sous la férule de ma belle-mère? »

— Vivi, à quoi penses-tu? s'enquit Olympe gentiment.

— Aux bizarreries du destin, maman. J'ai l'impression que les événements se produisent pour mener chacun de nous sur un chemin tracé à l'avance. Isaure sera veuve à peine épousée et, moi, j'ai commis des fautes, j'ai failli devenir une criminelle, mais à cause de ce drame, j'ai récupéré mes enfants. As-tu remarqué que, depuis le départ de leur gouvernante, ils sont beaucoup plus affectueux à mon égard? Le soir, je leur fais la lecture et, le jour, nous élaborons des recettes dans la cuisine ou nous jouons au nain jaune.

— Mais tu ne leur donnes pas de leçons? Ils doivent étudier.

— Je ne m'en sens pas capable, maman. Isaure y veillera plus tard. Elle va rester chez nous, maintenant.

Olympe Mercerin eut une moue dubitative. Soudain, elle se rappela un détail.

— Viviane, à propos d'Isaure, elle souhaiterait que je lui apporte sa robe en velours noir, un cadeau de Geneviève qui est dans l'armoire du pavillon. Il paraît que tu connais ce vêtement.

— Mais oui, Geneviève l'avait achetée avec ses premiers gages. Elle l'a offerte à Isaure sur mes conseils, car le noir lui va à merveille.

— Eh bien, c'est une bonne chose, puisqu'elle sera en deuil un an au moins.

— Maman, tu ne devrais pas dire ça.

— Quand j'ai du chagrin, Viviane, je me durcis pour ne pas sombrer dans la mélancolie.

Après cet aveu, Olympe se dirigea vers une des fenêtres et observa d'un œil humide les rideaux de pluie qui tombaient du ciel. Le parc lui sembla d'une tristesse infinie sous ce déluge, tandis que le clocher de l'église sonnait dix coups assourdis. Le lendemain, elle devrait assister à l'union d'un mourant et d'une très jeune femme dans une chambre d'hôpital. L'épreuve à venir la désespérait.

— Vivi, je t'en prie, sers-moi un cognac, murmura-t-elle.

— Maman, si tôt le matin?

— Oui, j'en ai grand besoin.

*

Une heure plus tard, Denis frappait à une porte du coron de la Haute Terrasse. Jolenta lui ouvrit et le fit entrer. Honorine, qui tricotait assise près du fourneau, le salua avec entrain.

— Bonjour, mon garçon. Te voilà commissionnaire, on dirait, plaisanta-t-elle. Jolenta, propose-lui un café.

— Non, je vous remercie, madame, je n'ai pas le temps, répliqua l'adolescent en admirant la blonde Polonaise du coin de l'œil. Ma mère a besoin de moi pour plumer des canards.

— Tu feras mes amitiés à Germaine. Nous étions dans la même classe, à l'école.

— J'n'y manquerai pas, mais madame Viviane m'envoie pour vous annoncer une mauvaise nouvelle. Il faudra en causer à Thomas, votre fils.

— Tu peux me parler à moi aussi, siffla Jolenta. Thomas est mon mari.

Denis devint soudain écarlate, car la jeune femme était toute proche et il sentait son odeur chaude, mélange de savon, de linge propre et de chair drue.

— Je suis désolé, bredouilla-t-il. Je le sais bien, que c'est votre mari. Enfin, c'est rapport à l'inspecteur de police, le fiancé de la gouvernante. On a su ce matin qu'il est condamné. Il va mourir. Et mademoiselle Isaure vous remercie pour les lettres qu'elle a reçues de votre mari et de vous, madame.

Honorine se leva et posa son ouvrage sur la table. Pleine de compassion pour le policier et pour Isaure, elle porta une main à son cœur, la mine défaite.

— Mon Dieu, quel malheur! murmura-t-elle. Tu dis que vous l'avez appris ce matin?

— Oui, m'dame. D'après ce que j'ai compris, mademoiselle Isaure a téléphoné deux fois.

Jolenta avait saisi le dossier d'une chaise de ses doigts crispés; frappée par une terrible crainte, elle respirait à peine. Tout allait donc recommencer, alors qu'elle se croyait débarrassée de sa rivale. Isaure allait revenir à Faymoreau, seule et affligée. Et qui irait la consoler? Thomas, évidemment.

Denis, qui la regardait de côté, la trouva encore plus belle. Il prit pour de la tristesse la colère qui tendait son visage au teint rose.

— Ah, j'oubliais, s'écria-t-il, ma mère m'a donné ça pour vous.

Le garçon brandit un panier couvert d'un torchon blanc. Il en sortit deux bocaux de pâté, trois pots de miel et une bouteille de vin cuit.

— Nous ne demandons pas la charité, protesta Honorine, un peu vexée, ni ma belle-fille ni moi.

— Madame Mercerin, la mère de madame Viviane, tenait à vous faire ce cadeau. Ce serait bête de refuser, hein! Les temps sont durs.

— Remporte tout ça, trancha Jolenta. Vous êtes de mon avis, belle-maman?

Honorine n'eut pas le cœur de voir repartir ces précieuses victuailles. Elle songeait à Gustave, à Jérôme et à l'enfant du miracle niché dans son sein.

— Pour cette fois, j'accepte, dit-elle en souriant. Mais tu diras à tes patronnes que nous n'avons besoin de rien, à l'avenir.

Denis approuva d'un signe de tête. Il quitta la maison en faisant tournoyer le panier au bout de son bras. Il n'avait pas dit un mot sur le mariage d'Isaure et du policier pour la simple raison qu'il n'était pas au courant. Olympe Mercerin avait jugé préférable de tenir ses domestiques dans l'ignorance. Faymoreau et ses commères sauraient bien assez tôt que sa jeune et belle gouvernante allait changer de statut social en devenant madame Isaure Devers, une veuve riche et libre.

La Roche-sur-Yon, Hôtel Bonaparte, six heures du soir

Isaure était allongée sur son lit dans la chambre de l'hôtel, où elle passait seulement quelques heures par jour. Elle avait pris un bain et gisait comme une rescapée d'un naufrage, les cheveux mouillés, enveloppée d'une grande serviette en éponge.

Sur ses joues coulaient des larmes dont elle sentait la tiède caresse sans penser à les essuyer. C'était bon de pleurer, d'être alanguie par l'eau chaude, mais de percevoir la santé et la vigueur de son jeune corps.

— Justin mériterait d'être intact, lui aussi, dit-elle tout bas, et de me rejoindre maintenant.

Elle imagina que son amant entrait en costume, debout sur deux jambes solides, son air ironique sur le visage, non pas perclus de douleur, mais fou de désir pour elle. Avec quel élan, quelle ferveur amoureuse elle s'offrirait à lui!

— Mais ça n'arrivera plus jamais, gémit-elle.

Ses beaux yeux de faïence, dont le bleu était plus foncé encore dans la pénombre de la pièce, se posèrent sur sa robe de noce, étalée sur la commode. Une robe ravissante en velours de soie ivoire qui descendait aux

307

chevilles et dont le plastron était brodé de minuscules fleurs en nacre. Le voile de dentelle arachnéenne couvrirait ses épaules, maintenu par un cercle de fleurs d'oranger en tissu, une parfaite imitation. « Mon Dieu, aidez-moi, implora-t-elle, je ne peux pas faire ça, je ne peux pas. »

Elle se redressa sur un coude avec l'idée de s'enfuir le plus loin possible de la Vendée. Il lui restait assez d'argent pour acheter un billet de train et se rendre dans le port le plus proche, où elle prendrait un bateau pour l'Angleterre. « Ainsi, je ne verrai plus jamais personne d'ici ; je rayerai mes parents et Thomas de ma mémoire. Je me suis unie à lui, j'ai trompé Justin sans aucune honte, dans la joie la plus pure et la plus totale. Je croyais être dans mon droit, mais j'avais tort. Justin va mourir et, s'il savait ce que j'ai fait, son pauvre cœur épuisé cesserait de battre sur l'heure. »

Depuis deux jours, le remords la torturait. Elle avait déchiré sans les lire les lettres que lui avaient envoyées les Marot, autant celle de Thomas que celle de ses parents. Elle ne voulait plus songer ni à eux ni à son passé. Elle était à présent persuadée d'avoir provoqué l'accident, comme si, en se donnant à Thomas, elle avait renié Justin au point d'en faire la proie de la fatalité.

Huguette, sa nourrice, qui se prétendait savante en sortilèges, aurait sans aucun doute confirmé ses divagations de jeune femme épouvantée. Bastien Millet avait tant de fois traité sa fille de fada, prétendant qu'elle attirait le malheur. En mère indifférente, Lucienne racontait aussi à Isaure qu'elle était née sous une mauvaise étoile.

— Je ne peux pas me marier avec lui alors que j'ai causé sa perte, chuchota-t-elle, terrassée par une crise d'angoisse. Son argent ne servirait à rien de bon.

Par chance, on frappa à sa porte. Isaure dut allumer la lampe de chevet et enfiler le peignoir de bain qu'elle avait dédaigné.

— Oui, qui est-ce? demanda-t-elle, intriguée.

— C'est Corinne...

Isaure s'empressa de la faire entrer en l'accablant tout de suite de questions.

— Mais vous devriez être à l'hôpital avec lui! Que faites-vous ici? Dites-moi, est-ce qu'il est mort? Est-ce qu'il est parti sans que je sois près de lui?

Corinne Devers agita les mains en signe de dénégation, puis elle prit la jeune femme par les épaules.

— Ne vous affolez pas, Justin m'a priée de le laisser seul. Il veut passer une bonne nuit, aidé par la morphine, afin d'être au mieux demain lors du mariage. Edmond et moi voulons vous inviter à dîner. Isaure, je m'en veux d'avoir été si désagréable avec vous le jour où nous nous sommes revues devant l'hôpital. Je vous demande pardon de tout mon cœur. J'étais malade de chagrin et de peur. Je vous ai accusée sottement. Mon fils aurait pu avoir un accident de voiture n'importe quand, n'importe où. Comme il le répète, il aurait pu aussi mourir pendant la guerre, mais j'ai eu la chance de le revoir en vie, de l'embrasser et de le chérir, un bonheur que bien des mères n'ont pas eu, ces dernières années. J'essaie d'être forte, voyez-vous, car l'idée de sa fin prochaine m'est intolérable.

Isaure approuva en silence. Elle considéra Corinne d'un œil égaré.

— Ce mariage est absurde, madame, dit-elle d'une voix sourde. J'ai promis, mais on peut rompre une promesse. Si encore il n'y avait pas cet héritage! Justin ne m'a pas laissée m'y opposer. Pourtant, sans cela, je serais heureuse de l'épouser. Je suis d'accord pour recevoir son nom et pour porter son deuil. Je ne veux pas de l'argent ni du reste.

— Isaure, comprenez-vous quelle preuve d'amour il vous donne? Mon fils tient à vous savoir nantie. Il vous remet ce qu'il possède de grand cœur. Vous ne pouvez pas refuser. Nous devons être courageuses et réussir à sourire, demain. Viendrez-vous dîner avec Edmond et moi? Je n'ai aucun appétit; vous non plus, je suppose, mais un peu d'animation et une coupe de vin nous feront du bien.

La jeune femme avoua qu'elle était affamée malgré sa peine et son anxiété. Aussi accepta-t-elle l'invitation.

— Je ne m'attarderai pas à table, précisa-t-elle d'un ton absent. J'irai marcher un peu, sinon je ne pourrai pas dormir.

Troublée par son expression hagarde, Corinne refusa de la quitter.

— Je vous attends ici. Je tournerai la tête pendant que vous vous habillez. Je vous sens prête à faire une bêtise, Isaure. Vous avez l'air d'une coupable désireuse de disparaître. J'aurais peut-être la même envie, à votre place, si une mère désespérée m'avait jeté à la figure que j'étais la cause de la perte de son enfant. Je vous en prie, ne faites pas une chose que vous regretterez ensuite. Il ne faut pas, ma chère petite. Justin doit s'éteindre en paix dans vos bras. Le priverez-vous de ce dernier bonheur?

— Non, madame, vous avez raison. C'est vrai, j'ai eu l'idée de disparaître, mais vous n'êtes pas responsable de ces pensées. Je vous ai très vite pardonné, surtout que je pense comme vous.

— Je vous le défends, Isaure, et Justin nous gronderait s'il nous écoutait en ce moment. Il nous traiterait de gamines stupides en affirmant qu'un accident reste un accident, que d'autres avant lui sont passés par là.

— Merci, madame, de me dire ça. Je suis si triste!

Les mots étaient inutiles. Corinne la prit dans ses bras. Isaure fondit en larmes contre sa poitrine, doux asile maternel dont elle avait si souvent rêvé, fillette, sans jamais en obtenir le réconfort. Maintenant, elle pouvait tenir sa promesse.

12

La belle épouse

Faymoreau, puits du Couteau, mardi 1er mars 1921

Pierre Ambrozy était inquiet. Il levait vers le ciel lourd de nuages son visage aux rondeurs encore enfantines auréolé de mèches blondes. Ses yeux, d'un bleu très clair comme ceux de sa sœur Jolenta, avaient cependant une expression grave qui le vieillissait. Ses quatorze ans avaient été marqués à jamais par la tragédie de l'automne précédent, dont il était sorti vivant grâce à Thomas, mais une jambe en moins.

Pour l'adolescent, qui caressait d'un geste tendre l'encolure de Danois, son favori parmi les chevaux de la mine, le monde allait de travers. Un peu superstitieux, il se demandait si le mauvais sort ne s'acharnait pas sur sa famille et sur Faymoreau où il était arrivé à sept ans, petit Piotr ne sachant pas un mot de français.

Stanislas Ambrozy le rejoignit d'un pas lent. Il tenait par sa longe un demi-trait à la robe blanche nommé Quidam.

— Les bêtes sont contentes de se retrouver à la lumière et en plein vent, hé, fiston! lui dit son père.

— Oui, papa, mais ce n'est pas pour longtemps. Demain matin, on les descend dans le puits du Couteau. Maintenant, je regrette qu'on ait choisi Danois.

— C'est toi, Pierre, qui as choisi Danois, parce que

tu étais content qu'il puisse profiter de plusieurs heures au grand air, rectifia le Polonais. Allez, viens, ils vont passer la journée au pré, même si le pré est devenu un marécage, avec ce fichu temps.

Le père et le fils avancèrent sur un chemin de terre bordé de haies. Pierre continuait à brasser des idées noires, malgré le souffle fort de Danois qui respirait avec délice les odeurs grisantes du monde d'en-haut, comme le lui répétait l'adolescent dans l'écurie du puits du Centre.

— Un jour, mon Danois, je serai assez riche pour t'acheter et tu galoperas dans la campagne, dans le monde d'en-haut, lui disait-il en le brossant.

Pierre était lucide, cependant. Il savait bien qu'il n'aurait jamais l'argent nécessaire. Le beau cheval à la robe d'un brun intense et au front orné d'une étoile blanche finirait sûrement ses jours au travail, au fond de la mine.

— Papa, est-ce que Thomas sera dans notre équipe? demanda-t-il.

— Oui, il embauche à treize heures, fiston.

Cette certitude lui mit du baume au cœur, même si Thomas, son grand ami et son beau-frère, avait perdu sa belle humeur de même que son entrain. Il essayait de donner le change, il riait et souriait, mais ses yeux vert et or trahissaient une mystérieuse détresse qui causait une pénible angoisse à Pierre. «Aussi, Jolenta n'est pas commode, pensa-t-il. Elle fait bien de la peine à papa en voulant l'empêcher de se remarier. Moi, je l'aime beaucoup, Maria. Elle est gentille et elle sent bon.»

Stanislas avait emmené son fils chez la jolie veuve dont il était épris. Ravie de pouvoir s'occuper du galibot, Maria Blanchard avait lavé et repassé des vêtements de son époux et les avait offerts à l'adolescent. Elle avait cuisiné un lapin accompagné d'une potée de choux et fait un savoureux gâteau de Savoie avec les bons œufs de ses poules. Pierre avait retrouvé la douceur d'une présence maternelle et il exhortait son père à se moquer de l'avis de Jolenta.

— De toute façon, papa, ma sœur ne peut pas t'empêcher d'épouser Maria. Laisse-la ronchonner, avait-il déclaré la veille.

Mais Ambrozy, soucieux, hésitait à braver la colère de sa fille unique, qui brandissait le spectre de sa première femme, la regrettée Hannah, emportée par la phtisie avant la guerre.

*

Pendant ce temps, Thomas se présentait pour la deuxième fois à la porte de service des Aubignac. Germaine en personne lui ouvrit, son fils Denis étant sorti. Elle se montra très aimable.

— Bonjour, jeune homme, dit-elle en le faisant entrer. J'ai expédié mon rejeton à l'épicerie; il me manque du sucre. Depuis que madame Viviane s'est mis en tête de faire de la pâtisserie, les réserves se volatilisent. Un petit café?

— Non, je vous remercie. Et puis, je salirais votre carrelage.

Déjà en tenue de travail, une veste et un pantalon en grosse toile beige sur un vieux gilet en laine verte, Thomas demeurait sur le paillasson, ses godillots étant maculés de boue.

— Bah, ça se nettoie! Venez donc vous asseoir. Je n'ai pas souvent de visite. En plus, tout le monde nage dans l'émotion, aujourd'hui.

— De mauvaises nouvelles de l'inspecteur Devers? s'enquit-il.

— Non, mais j'ai su la chose ce matin, une drôle de chose. Seulement, madame Olympe m'a prié de tenir ma langue. Que voulez-vous? À moins d'être sourde, je ne pouvais pas faire autrement qu'entendre.

Thomas se décida à gagner la chaise la plus proche, certain que la brave cuisinière brûlait d'envie de lui confier ce qu'elle savait. Toute contente, elle s'empressa de servir deux tasses de café en posant une assiette de biscuits sur la table.

— Bon, puisque vous êtes un ami d'enfance de mademoiselle Isaure, je peux bien vous causer. Ils se marient à onze heures ce matin.

— Qui, ils? s'étonna-t-il, refusant d'envisager l'unique réponse possible.

— L'inspecteur Devers et notre gouvernante, pardi! Roger a démarré la voiture très tôt. Il conduisait madame Olympe là-bas, à l'hôpital. C'est elle, le témoin de mademoiselle Isaure.

— Mais Denis a dit à ma femme qu'il était condamné. Pourquoi ce mariage?

— Alors, là, jeune homme, je n'ai pas la réponse. Quand j'ai compris où partait madame Olympe en grande toilette, j'en ai été tout ahurie. Même qu'elle comptait acheter le bouquet de la mariée, des fleurs de serre, qu'elle disait, des roses et des lys. En cette saison, ça va lui coûter cher.

Abasourdi, Thomas avala son café. D'abord, il crut à un faux diagnostic ou à une guérison inespérée. Il eut du mal à cacher le malaise qui le prenait à l'idée de ces noces inattendues.

— Vous croyez qu'ils se marient à l'hôpital? murmura-t-il.

— Mon Dieu, oui. Sans doute qu'il y a une chapelle.

Viviane Aubignac fit irruption dans la pièce au

même instant. Ses boucles blond platine retenues en arrière par un bandeau de soie noire, elle portait une robe en laine très simple.

— Oh, monsieur Marot! s'écria-t-elle. C'est gentil de passer nous voir. Germaine, je veux bien du café moi aussi, j'ai passé une nuit agitée. Paul a eu de la fièvre. Le docteur Gramont doit arriver d'un moment à l'autre. J'ai installé Sophie dans le salon avec son ouvrage de broderie.

Tout en parlant, Viviane observait Thomas, dont les traits virils et le profil de médaille antique la fascinaient. Elle nota qu'il paraissait bouleversé et adressa vite un regard inquisiteur à Germaine.

— Eh bien, oui, madame, soupira la cuisinière, j'ai vendu la mèche à monsieur Marot au sujet du mariage.

— Nous avions exigé votre discrétion, Germaine!

— Ce jeune homme a le droit d'être au courant, quand même, et il ne dira rien dans le village. Les messieurs sont moins bavards que les dames.

— Je compte sur vous, Thomas. Ma mère veut éviter qu'on accuse Isaure d'être intéressée.

Sans réfléchir, Viviane l'avait appelé par son prénom. Il lui sourit, amusé, et prit la défense de Germaine.

— Ne vous tracassez pas, je garderai le secret. Mais, à présent que je suis dans la confidence, si vous pouviez m'expliquer, madame Aubignac?

— C'est évident, l'inspecteur Devers tenait à épouser Isaure pour qu'elle hérite de son capital et d'un bien immobilier à Paris. Il la met ainsi à l'abri du besoin. Un vrai gage d'amour, s'il en est! Ne trouvez-vous pas?

— Et elle a accepté une telle mascarade? s'indigna Thomas.

Toutes deux choquées par ces mots, Viviane et Germaine le dévisagèrent avec stupeur. Il en eut conscience et se leva pour prendre congé.

— Excusez-moi, je ne voulais pas dire ça, pas vraiment. Mais, à mon avis, on doit se marier pour passer sa vie ensemble, fonder un foyer et être heureux, pas dans le but de récolter un héritage.

— Il y a des cas de force majeure, répliqua Viviane, l'air songeur. Votre amie Isaure a eu une enfance malheureuse. Là encore, elle dépend du travail que nous lui offrons. Sans doute monsieur Devers a-t-il insisté pour qu'elle consente à cette union précipitée... Oh, on sonne! C'est sûrement le médecin. Au revoir, Thomas. Vous serez toujours le bienvenu ici en dépit de tout.

Il remercia et s'en alla par la porte de service sous le regard dépité de Germaine. «J'aurais mieux fait de me taire!» se disait la cuisinière.

Viviane, elle, tendait gracieusement la main au nouveau docteur de Faymoreau, Félix Gramont. Si la compagnie minière s'était attaché les services de son propre médecin, Farlier, il y avait de l'ouvrage pour deux praticiens auprès des femmes et des enfants des mineurs, ainsi que des gens de la campagne environnante.

— Entrez, docteur. Comme je vous l'ai dit au téléphone, mon fils Paul, qui a douze ans, se plaint de la gorge. Cette nuit, il avait trente-neuf de fièvre.

Félix Gramont correspondait à l'idéal masculin de Viviane, dont s'était beaucoup approché le porion Alfred Boucard. Très brun, plutôt grand et les épaules carrées, il possédait des yeux noirs pleins de sympathie et une bouche aux lèvres plates, mais bien dessinées sous une discrète moustache.

— Nous sommes voisins, en fait, dit-il en la suivant dans le vestibule richement décoré.

— Oui, en effet, votre prédécesseur venait parfois chez nous en empruntant une porte au fond du parc qui communique avec votre jardin.

— C'est bon à savoir, rétorqua-t-il d'un ton neutre.

Exaltée, Viviane le guida jusqu'à l'étage et l'introduisit dans la chambre de son fils. Sans faire aucun bruit, Sophie leur emboîta le pas. Elle resta dans le couloir, l'oreille plaquée contre la porte afin d'être rassurée sur la maladie de son frère.

Dix minutes plus tard, elle savait que Paul souffrait d'une angine, mais elle avait aussi perçu, dans le rire nerveux et si peu naturel de sa mère, une note qui lui faisait froid dans le dos.

Personne n'avait expliqué aux deux enfants où était en réalité leur père, soi-disant malade et soigné en Suisse. Ils rêvaient en secret de voir leurs parents réunis pour passer tous les quatre de belles journées en famille. C'était le cas, avant, pendant les grandes vacances. Il y avait déjà longtemps de ça.

D'instinct, Sophie détesta le docteur Gramont.

Hôpital de La Roche-sur-Yon, *même jour*

Corinne Devers regarda sa montre pour la troisième fois en dix minutes. Il serait bientôt onze heures et l'adjoint au maire de la ville, qui devait procéder à la cérémonie, n'arrivait pas. Elle leva vers Edmond Durieux son visage livide, marqué par une nuit d'insomnie.

— Que font donc cet adjoint, Isaure et madame Mercerin? chuchota-t-elle.

— Ils ne vont pas tarder. Calme-toi, Corinne!

— Comment puis-je rester calme? Et pourquoi Justin refuse-t-il que le mariage soit béni par un prêtre? Une infirmière m'a dit qu'on aurait pu le conduire à la chapelle grâce à une chaise roulante. J'aurais préféré…

— Ton fils est athée; tu ne peux pas le faire changer d'opinion à l'âge qu'il a, enfin, surtout qu'il a une volonté de fer. Et puis, personne n'est dupe, il épouse Isaure dans un but strictement pratique.

— Ce n'est pas une raison, Edmond. Et ses obsèques? S'il n'y a pas d'enterrement religieux, que dira la famille, à Paris?

— Justin le fait peut-être exprès. Je le connais très peu, mais il me semble enclin à la dérision et à l'humour noir.

Ce constat acheva de désespérer Corinne, qui dut faire de gros efforts pour ne pas fondre en larmes. Elle se mit à déambuler le long du couloir en respirant profondément. Un peu plus tôt, Justin l'avait suppliée de ne pas pleurer.

Tandis que sa mère trompait sa détresse et son chagrin en faisant les cent pas, le futur marié se laissait laver et habiller par deux infirmières, toutes deux très émues à la perspective de cette noce insolite dans une chambre de l'établissement. Néanmoins, le décor avait changé et elles y avaient contribué selon le désir de leur patient, qu'elles avaient à cœur de satisfaire.

Des bouquets de fleurs fraîches ornaient l'appui de la fenêtre : des tulipes, des narcisses et des jonquilles. Des religieuses qui travaillaient au réfectoire avaient consenti à prêter des pans de lourde dentelle rose, don d'une riche bienfaitrice à leur ouvroir, et les tissus dissimulaient le vert pâle du mur le plus vide. Sur la table trônait un vase garni de roses rouges qu'Edmond Durieux avait fait venir des serres de Niort.

Maintenant, Justin devait enfiler le pantalon du costume gris foncé que sa mère lui avait acheté. Il arborait une chemise blanche à fines raies beiges et une cravate également beige. Le moindre effort lui arrachait des plaintes étouffées, mais il tenait bon, ce qui lui valait l'admiration des infirmières, qui l'aidaient avec habileté.

— Vous êtes superbe, monsieur Devers, ainsi rasé de près, coiffé et parfumé, affirma l'une.

— Ce n'était pas une bonne idée de mettre le pantalon, protesta la seconde. Votre moignon est si douloureux!

— Merci pour cet horrible mot, ma chère, pesta Justin. Je ne sens rien, je suis imprégné de morphine et j'en remercie le médecin-chef du service. Savez-vous, mesdames, pendant la guerre, dans les hôpitaux dressés près du front, combien de blessés ont été heureux d'avoir droit à cette panacée? Si j'étais croyant, je bénirais Dieu de dispenser aux humains de tels remèdes.

— Monsieur, il faut bénir Dieu. C'est lui qui est à l'origine de toute chose, soupira la plus âgée de deux femmes.

— Dans ce cas, il a aussi créé les sangliers, et ces sales bêtes traversent les routes pour vous empêcher d'aller à un rendez-vous avec votre fiancée, rétorqua Justin avec un rictus amer. Mais changeons de sujet, j'entends des voix. Vite, les béquilles.

L'inspecteur Devers se redressa, ravi de retrouver la station verticale. Il tenta de ne pas penser à son membre amputé et prit une expression aimable.

— Nous nous sauvons, murmura une des infirmières.

— Non, restez, mesdames, sauf si vous avez d'autres patients à soigner. Ce ne sera pas long; le blabla habituel et l'échange des alliances, c'est tout. J'avais peur que la noce soit repoussée à cause de mon affreux beau-père. Eh oui, ma fiancée est mineure, il nous fallait l'autorisation parentale. Mais j'avais une alliée inconnue, la patronne de la mariée, une madame Mercerin qui a osé affronter la boue et la crasse de la métairie de Bastien Millet.

Pour le coup, il provoqua la consternation de deux femmes. Elles avaient vu Isaure à plusieurs reprises et elles n'imaginaient pas que ses parents géraient une ferme.

— Excusez-moi si je vous choque. Je pensais qu'un condamné à brève échéance avait tous les droits, bredouilla-t-il, fébrile. Autant être franc, mesdames, ce n'est pas facile de compter les heures et les jours en sachant ce qui vous pend au nez.

Par chance, la porte s'ouvrit et un petit homme bedonnant se présenta, l'écharpe tricolore en travers de la poitrine. Il salua Justin d'un signe de tête assorti d'un regard intrigué. Edmond Durieux le suivait, tenant Corinne par le bras.

— Prenez place, mesdames et messieurs, débita l'adjoint au maire d'une voix cordiale.

Olympe Mercerin pénétra à son tour dans la chambre, sur laquelle elle jeta un coup d'œil appréciateur. Elle déclina simplement son identité d'une manière tout à fait décontractée; Justin s'empressa de lui serrer la main avec chaleur.

— Je vous remercie, madame, d'avoir rendu le mariage possible, dit-il assez bas. J'avais tout prévu, hormis ce détail : l'accord du père. Ce n'a pas été trop difficile?

— Non, monsieur, un jeu d'enfant, chuchota-t-elle à son oreille. Il m'a suffi de préciser que c'était une question de gros sous.

Ils se mirent à rire en sourdine, malgré le regard réprobateur de Corinne Devers. Mais Isaure apparut à ce moment précis et Justin, soudain livide, bomba le torse, pathétique de courage. «Quel cran a cet homme! songea Olympe, émue. Et qu'il est séduisant!»

Mais tous les regards étaient rivés sur la mariée. Elle avait le teint pâle sous le voile de dentelle ivoire et sa radieuse beauté se sublimait sous la cascade de sa chevelure noire répandue sur ses épaules. Sa robe ajustée au plastron brodé de perles soulignait l'harmonie de sa silhouette. Elle portait une corolle de roses blanches et de lys nouée d'un gros ruban de satin blanc. «Ma bien-aimée! se dit Justin. Jusqu'à mon dernier souffle, j'irai vers le néant en ayant ton image gravée en moi. »

L'amour sincère qu'il vouait corps et âme à la jeune femme lui causait une douleur dans la poitrine, tant son cœur affaibli se serrait de joie et de regrets. En le voyant debout, élégant et d'un charme poignant, Isaure dut contenir un sanglot étonné.

— Bonjour, mademoiselle, dit-il dans un souffle.

Elle le fixa intensément et lui offrit un grand sourire tremblant. À partir de l'instant où elle se plaça à côté de lui, elle refusa de penser à ceux qui les entouraient ou de leur prêter attention. Justin lui avait demandé d'être à la hauteur de son vœu ultime et de célébrer leur union avec légèreté, quitte à feindre le bonheur et la gaîté.

L'adjoint au maire, qui n'avait jamais participé à un mariage aussi particulier, lut à l'assistance en ânonnant les textes officiels relatifs aux devoirs mutuels des époux. Chacune de ses paroles résonnait douloureusement dans l'esprit de Corinne Devers, qui broyait la main d'Edmond Durieux pour ne pas pleurer. Olympe Mercerin, elle aussi, avait conscience de l'inanité du sempiternel discours. D'ici trois ou quatre jours, Isaure deviendrait veuve et le seul devoir qu'elle aurait à rendre à son mari serait de ne jamais l'oublier.

— Mademoiselle Isaure Millet, acceptez-vous de prendre pour époux monsieur Justin Henri Devers, ici présent?

Isaure avait relevé son voile. La tête haute, magnifique de fierté et de volonté, elle répondit avec une étrange lueur de défi dans ses yeux couleur de nuit:

— Oui!

Peu après, l'inspecteur Devers, si souvent ironique et moqueur, prononça son oui la gorge nouée, blême et à bout de forces.

— Vous pouvez embrasser la mariée, soupira le fonctionnaire, soulagé.

Il avait craint de voir le marié perdre connaissance avant la fin de la cérémonie. Les infirmières, qui ne s'étaient pas décidées à quitter la chambre, ainsi que Corinne et Olympe tamponnèrent leurs joues humides de larmes, mais elles virent en même temps que toute l'assistance Justin et Isaure s'embrasser avec une tendre ferveur. La jeune femme le soutenait par la taille, ayant senti comme il tremblait sur son unique jambe. « C'est trop fatigant pour lui de se tenir debout sur ces béquilles, se disait-elle. Vite, qu'il se recouche! Il a prouvé son courage et son amour. »

Elle éprouvait une vibrante compassion pour Justin, mais surtout une immense admiration. Il consentit à s'asseoir au bord du lit, mais sans lâcher sa main. Une alliance en argent s'était ajoutée à la bague sertie d'un saphir.

— Un photographe va venir, murmura-t-il. Quand il aura pris quelques clichés, je me reposerai, sois sans crainte. Sais-tu, Isaure, je ne risque plus rien. Aussi, je compte faire des folies en ce jour de nos noces.

— Qui t'en empêcherait? répliqua-t-elle en lui caressant la joue. Pas moi, c'est promis.

Dix minutes plus tard, le fameux photographe arriva, encombré de son lourd appareil. Justin ordonnait, conseillait, souriait au moment opportun. Il souhaita que soit fait un cliché de la mariée, seule devant les bouquets posés sur la fenêtre, puis Isaure posa, assise près de lui. On improvisa aussi une photographie de groupe.

Quand ce fut terminé, Justin avoua tout haut qu'il ne manquait à son bonheur qu'un cigarillo.

— Tu n'es pas raisonnable, lui reprocha sa mère. On dirait que tu veux précipiter...

Elle se tut, effrayée par les mots qu'elle allait prononcer. Edmond l'attira à l'écart pour lui parler de la collation prévue.

— Ton fils veut inviter le chirurgien, le médecin-chef et une autre infirmière qu'il aime bien. Crois-tu que nous aurons assez de champagne? Tu as acheté seulement trois bouteilles.

— Cela suffira, trancha-t-elle. Je n'en peux plus, ce mariage ressemble à une mauvaise farce.

— Mais, dans sept mois, tu seras grand-mère. Ce sera comme si Justin survivait dans son enfant, lui confia Edmond à l'oreille.

Sidérée, Corinne l'entraîna dans le couloir. Là, à prudente distance de la chambre, elle saisit un pan de sa veste et le secoua, les yeux écarquillés.

— Que dis-tu? Répète ce que tu as dit, balbutia-t-elle tout bas.

— Le procureur n'aurait pas accordé de dispense si ce n'était pas un cas de force majeure. Sachant l'issue fatale pour ton fils, et sa fiancée enceinte, il a signé tout de suite l'accord.

— Oh! Seigneur, pourquoi Justin me l'a-t-il caché? Et moi qui ai malmené Isaure, le premier jour! Mais cette jeune femme n'a pas la tête sur les épaules. Hier soir, elle avait envie de s'enfuir. Je l'ai deviné et elle n'a pas nié. Sa priorité devrait être d'assurer l'avenir de l'enfant, mon petit-fils.

— Ou ta petite-fille, ma douce amie.

Sans lui procurer une véritable consolation, la nouvelle apaisa Corinne. Elle se mit à faire des projets. Isaure habiterait à Paris, rue Saint-Sulpice, et elles élèveraient toutes les deux un petit être neuf plein de promesses.

— Pas un mot! Justin refuse que cela s'ébruite, l'avertit Edmond Durieux d'un air grave.

— Bien sûr, ils nous mettront au courant quand

nous serons en famille. Mon Dieu, nous aurions pu être tellement heureux, s'il n'y avait pas eu cet accident!

Incapable de se dominer davantage, Corinne Devers pleura enfin tout son saoul dans les bras de son compagnon. Dans la chambre, Olympe servait le champagne, que le chirurgien avait débouché. L'ambiance était détendue; on discutait et on riait, comme si la mort annoncée du patient en toilette de noce n'avait été qu'une fausse alerte.

Isaure but deux coupes d'affilée sous l'œil apitoyé de sa patronne.

— Mangez des macarons, l'encouragea gentiment Olympe, sinon vous serez ivre dans deux minutes. J'imagine quelle émotion est la vôtre, chère Isaure.

— Je l'ignore, en fait, madame. J'évite de réfléchir. J'avais rêvé d'un mariage bien différent, à quinze ans, mais celui-ci a le mérite d'être original, autant que mon époux… Oh! ce terme d'époux, il n'est pas chic!

Elle renversa la tête en arrière, se mit à rire nerveusement. Elle avait tenu sa promesse, mais elle avait l'étrange sensation d'être emportée contre son gré dans une autre vie où elle se nommait madame Devers à l'instar de sa belle-mère. Justement, Corinne vint se poster devant elle pour l'examiner d'un air soucieux.

— Mon enfant, je vous en prie, ne buvez pas trop. Tenez, goûtez les tartelettes au citron. Vous n'avez rien mangé, ce matin.

— Si on ne boit pas le jour de ses noces, rétorqua Isaure, quand le fera-t-on?

— Je vous en prie, ne faites pas de folie, insista Corinne.

Cependant, peu à peu, la chambre retrouva son calme. Le teint cireux, Justin s'était allongé sur le lit. En dépit des gros yeux que lui faisait le médecin-chef, il avait bu du champagne.

— Perdu pour perdu, je ne vais pas me priver, avait répondu l'inspecteur Devers, fidèle à lui-même.

Son attitude, que certains qualifiaient à voix basse d'héroïque, suscitait également une réelle curiosité. Les infirmières avaient hâte de raconter à leurs collègues du second étage comment un patient s'était marié dans la bonne humeur, alors qu'il se savait condamné.

— Cette matinée restera dans les annales de l'hôpital, monsieur, avait insinué le chirurgien en prenant congé.

Olympe leur dit au revoir en remettant à Isaure un petit paquet enrubanné.

— Ma chère enfant, vous êtes en congé le temps nécessaire. Viviane vous embrasse. N'oubliez pas d'écrire à votre mère. Je ne l'ai pas vue lors de ma visite à la métairie, mais votre père semble inquiet pour elle. Et vous, cher monsieur, j'ai été enchantée de vous rencontrer. Soyez heureux, malgré tout.

— Je le suis, madame, répliqua Justin, et je vous remercie à nouveau pour les démarches dont vous vous êtes chargée.

Il sourit vaillamment encore une fois. Seule Isaure soupçonnait son désarroi intérieur. En une semaine, elle avait appris à mieux le connaître et elle savait que, chez lui, l'orgueil tenait lieu de médicament. Il était parvenu à ses fins; il en avait fait sa femme. Maintenant que son désir le plus cher était comblé, elle redoutait qu'il ne renonce à poursuivre la lutte qu'il menait depuis dix jours.

— Il faut que tu dormes, à présent, lui dit-elle d'une voix câline. Mais je ne te quitte pas. Tout le monde est parti, sauf ta mère et monsieur Durieux.

— Je t'en supplie, Isaure, dis-leur d'aller déjeuner en ville, qu'ils reviennent cet après-midi. Je suis fatigué. Tu as raison, je vais dormir un peu. Ensuite, nous causerons.

Corinne Devers voulut protester, mais le regard impérieux de son fils la dompta. Les mariés se retrouvèrent enfin en tête-à-tête.

— Tu es vraiment magnifique, ma chérie, balbutia Justin. Cette robe ivoire te va à merveille. Mais moins bien que le velours noir, pourtant.

— J'aurai l'occasion d'être en noir très souvent, déplora-t-elle en s'asseyant au bord du lit.

— Fariboles! Ne porte pas mon deuil, par pitié.

— Je ferai à mon idée. Comme c'est déroutant, quand même, de songer à ta mort, de savoir qu'elle va t'emmener. Je ne veux pas que tu souffres, que tu entres en agonie. Excuse-moi d'être aussi directe, mais c'est le terme usuel. J'ai vu un vieux chien agoniser, quand j'étais petite. Il râlait. Comme je ne pouvais pas le soulager, je priais pour qu'il meure très vite. Mon frère Ernest a couru chercher le fusil de notre père et l'a achevé.

— Et tu as regardé?

— Non, je me suis sauvée au fond de la grange, en haut du tas de foin, mais j'ai entendu le coup de feu. Dis, Justin, pourquoi aucun de tes collègues n'est venu, aujourd'hui?

— Je n'avais envie de voir ni le commissaire ni ce crétin d'Antoine Sardin qui va monter d'un grade. Il aura mon bureau et ma place. Isaure, couche-toi à mes côtés, s'il te plaît, que je te sente contre moi, tout près.

Elle s'étendit à sa gauche, pour éviter de meurtrir sa jambe amputée. Il entoura ses épaules d'un bras et elle posa sa joue sur sa poitrine.

— Nous sommes bien, comme ça, dit-il tout bas. Nous avons fait un joli mariage. Nous avons trinqué, toi et moi, et le champagne m'a paru divin par comparaison avec l'eau plate que j'ingurgite ici.

— Il m'a tourné la tête, avoua-t-elle. J'ai l'impression d'être toute légère.

— Je me repose, mais continue de me parler, ma chérie, ma petite épouse, ma belle épouse.

— Je voudrais que tu guérisses par miracle, que nous puissions partir tous les deux loin, très loin. Justin, je sais que tu es épuisé, mais je voudrais savoir ce qui va se passer pour toi. Ne réponds pas si tu n'en as pas la force.

— Quand tu es dans mes bras et que ta main me caresse, je suis le plus fort du monde, même condamné à mort. Isaure, mes reins fonctionnent mal, pour ne pas dire pire. Je m'empoisonne. Il y a donc de fortes chances que je perde connaissance et que je tombe dans le coma. Il se peut que je délire et que je souffre, durant mon agonie, mais ça s'arrêtera rapidement. Chaque heure, chaque minute me rapproche de la fin. Si tu avais la bonté de rester près de moi jusqu'au bout!

— Quelle question! Je ne te quitte plus. Je suis là et je vais t'aider, dit-elle en l'embrassant sur la joue.

— Raconte-moi des choses, n'importe quoi. J'aime tant ta voix, si grave, si sensuelle dans la bouche d'une jeune fille! Elle m'a troublé dès notre première rencontre.

Isaure retenait ses larmes. Le cœur brisé, elle chercha ce qu'elle pourrait dire.

— D'abord, je n'arrive pas à croire que tu es mon mari et que je m'appelle madame Devers. Ensuite... Ah oui, figure-toi que, la semaine dernière, je priais dans la chapelle de l'hôpital et...

— Toi, tu priais?

— Chut! J'ai reçu une éducation religieuse, même si tu m'as vite entraînée dans le péché, vil séducteur, plaisanta-t-elle. Mais ne m'interromps pas. J'étais dans la chapelle, donc, et j'ai entendu des pas. J'ai maudit l'intrus qui me dérangeait. J'aurais voulu rester seule avec ma peine; oui, je pleurais, parce que je ne t'avais pas encore vu.

— Ce n'est pas très catholique, ça, de maudire un malheureux de passage.

— Oh, Justin! Bon, c'est vrai. Je résume. C'était en fait le comte Théophile de Régnier, rien que ça, et ce monsieur, après m'avoir ignorée pendant des années, a engagé la conversation. Il a été assez gentil, alors que je le pensais prétentieux et hautain, que je lui prêtais volontiers, en fait, tous les défauts que possède sa femme, la comtesse.

— Que t'a-t-il dit, ce nobliau de province?

— Il s'estimait responsable de ton accident à cause de la battue aux sangliers qu'il avait organisée avec des paysans et des amis à lui. Du coup, je l'ai encore maudit intérieurement.

— Bah, un docteur m'a expliqué que c'est le comte, mon sauveur. Il m'a trouvé dans la voiture et il a envoyé quelqu'un au grand galop téléphoner et demander une ambulance. Sans lui, peut-être que je serais mort là-bas, dans la forêt. Remercions monsieur de Régnier; il nous a permis de nous revoir et de nous marier.

— Et c'est très bien ainsi. Je suis fière d'être ton épouse. Tu me plaisais infiniment dans ton costume. Oui, tu étais beau et j'ai failli courir vers toi te crier que je t'aime. Tu as entendu? Je t'aime.

Justin ne fit aucun commentaire; il somnolait. Isaure prit peur. Elle effleura son torse afin de percevoir les battements de son cœur.

— Dors, mon chéri, chuchota-t-elle, bouleversée de s'entendre prononcer ce petit mot intime. Si seulement nous avions un avenir, tous les deux! Je suis certaine que nous aurions été heureux. Qu'est-ce que je vais devenir, sans toi?

Elle ferma les yeux et se serra davantage contre lui. Rassurée par la respiration du malade, elle nicha sa main sous la veste du costume. Elle s'endormit à son tour; seule dans sa chambre d'hôtel, elle avait passé une mauvaise nuit à anticiper les événements du lendemain.

La plus âgée des infirmières vint vérifier comment allait son patient. Elle découvrit le couple enlacé, paisiblement assoupi. Attristée par ce poignant tableau, elle ressortit sans bruit.

Faymoreau, puits du Couteau, même jour, cinq heures du soir

L'équipe de mineurs qui travaillait sur le chantier du puits du Couteau retrouvait la lumière du jour avec soulagement. Les hommes harassés avaient de la boue jusqu'aux genoux; leur pantalon paraissait empesé par un amidon grisâtre strié de brun.

— C'est user ses muscles pour rien, laissa tomber Claude Chaumont d'un ton rogue. Il y a trop d'eau au fond des galeries. Il faudrait des pompes.

— Fournier devrait réfléchir un peu et abandonner son projet stupide, gronda Thomas, le visage maculé de terre humide, ce qui faisait paraître ses yeux encore plus verts.

Ils accompagnaient Stanislas et Pierre, qui conduisaient les deux chevaux en les tenant par leur longe. Comme les mineurs, Danois et Quidam avaient les membres sales. Leur poil était poisseux d'humidité.

— Je suis bien content qu'ils passent la nuit dans l'ancien hangar de triage, s'écria l'adolescent. Ils triment dur, mais au moins ils profitent de l'air frais.

— Ils le méritent bien, concéda son père. Mais, si ça continue, il faudra les mettre au repos et remonter Coquette et Mimi du puits du Centre pour qu'elles prennent leur place.

— Mimi! Un drôle de nom pour une jument, fit remarquer Chaumont.

— C'est la jument toute noire, précisa Pierre. Elle est presque aveugle. M'sieur Ardouin l'a achetée il y a deux ans.

— Ardouin, il ronchonne autant que nous, ces temps-ci, nota Thomas.

Le contremaître déplorait l'entêtement du nouveau directeur. Un des ingénieurs de la compagnie avait émis des réserves également, mais Christian Fournier s'obstinait à remettre en exploitation ce puits qui n'avait jamais fourni beaucoup de charbon.

— Tiens, regardez qui voilà, les gars! s'exclama Claude Chaumont. On a de la visite, de la jolie visite!

Stupéfait, Thomas aperçut Jolenta, accompagnée de Christine, la promise de son frère. Les jeunes femmes étaient perchées sur des vélos. Un foulard posé sur la tête les protégeait du vent, car depuis midi, il ne pleuvait plus.

— Eh bien, vous êtes dans un bel état! leur cria Jolenta en immobilisant sa machine à la hauteur de son mari.

— Dis-moi, s'alarma Thomas, c'est prudent, de faire de la bicyclette dans ton état?

— Ne t'inquiète pas, répliqua Christine, ma mère a toujours couru le pays sur ces engins et elle a eu trois enfants vigoureux.

La future femme de Jérôme entortilla autour de son index une boucle rousse qui dansait sur son front. Elle était ravie d'entrer dans la famille Marot et se montrait très familière.

— Qu'est-ce que vous faites ici? insista Thomas sèchement. La route est aussi boueuse que nous. Ça glisse.

— On avait envie de se balader, rétorqua Jolenta. Christine et moi nous faisons connaissance, puisque nous allons être belles-sœurs. En plus, j'ai fait un gâteau avec des poires au sirop.

— Un bocal que je lui ai offert, renchérit la jeune fille sous le regard de braise de Claude Chaumont. On vous invite, monsieur. Vous aussi, monsieur Ambrozy, et Pierre. Ça vous tente?

Le Polonais secoua la tête en grognant un non indistinct. Il ajouta :

— Mais toi, Piotr, vas-y!

— J'n'en sais rien. Je dois donner du foin et du grain aux chevaux.

Après avoir jeté un coup d'œil plein de rancune à sa sœur, l'adolescent pénétra sous l'avancée du hangar. Agacée, Jolenta le suivit.

— Si je t'aide, ça ira plus vite, dit-elle en riant.

Voyant qu'ils étaient seuls à l'écart des autres, Pierre la fixa et lui reprocha tout bas :

— Tu as du culot, de rire, alors que tu fais tant de peine à papa.

— C'est faux, Piotr. Je pense que cette Maria Blanchard ne le rendra pas heureux. Il doit rester fidèle à notre mère. Ne t'en mêle pas, petit frère. Eh bien, qu'est-ce que vous faites pour que les chevaux soient couverts de boue, eux aussi?

— On déblaie la galerie principale. Ils tirent les berlines pleines de débris, de terre humide et de cailloux. Mais l'eau suinte de partout. Ça me fait peur. S'il y avait un accident…

— Ne parle pas de malheur, s'empressa de dire Jolenta. Sais-tu, Piotr, parfois je regrette qu'on soit partis de Pologne. Là-bas, on travaillait dans les champs. Tu n'étais pas en danger, papa non plus.

— Tu n'aurais pas rencontré Thomas, insinua-t-il, tout en brossant Danois.

— J'aurais épousé un autre homme ou je ne me serais pas mariée, pour veiller sur toi, comme maman me l'a demandé avant de mourir.

Pierre se tourna vers sa sœur; il pleurait en silence. Émue, elle recula un peu et le considéra avec compassion.

— Tu n'aurais pas été amputé, souffla-t-elle. Piotr, mon Piotr, ne sois pas triste.

Il secoua la tête en guise de protestation. Gênée et les yeux mi-clos, Jolenta caressa l'autre cheval, qui mangeait son foin.

— Toi, tu aimerais bien avoir une belle-mère, dit-elle. Crois-tu qu'elle sera vraiment gentille avec toi?

— Oh oui, elle me caresse les cheveux et les joues. Elle a repassé mes chemises, dimanche dernier, quand elle est venue dans le coron. On serait contents, papa et moi. Qu'est-ce que ça peut te faire? Tu as ta maison, tu as Thomas et, cet été, vous aurez le bébé.

Jolenta hésitait encore. Pierre haussa les épaules et distribua du grain aux bêtes.

— Tu as tellement changé! marmonna-t-il. Avant, tu étais douce et tu m'embrassais. Maman ne comprendrait pas, si elle te voyait maintenant.

— Non, ne dis pas ça! Thomas aussi me reproche d'avoir changé. Tu te trompes, je suis la même. C'est ma grossesse qui me fatigue et qui me rend nerveuse.

Elle rejoignit son frère et l'étreignit de toutes ses forces. Il éclata en sanglots.

— Je t'en prie, mon petit Piotr, n'aie plus de chagrin. Je vais dire à papa qu'il peut se marier. Ah, le voilà. Écoute bien.

Stanislas, qui s'impatientait, marchait vers eux. Jolenta courut se pendre à son cou, souriante et rose d'exaltation, soudain pareille à l'aimable jeune fille de naguère.

— Je te demande pardon, papa, déclara-t-elle d'une voix ferme. C'est une bonne chose que tu épouses Maria. Es-tu content?

— Si je suis content! Seigneur, tu m'ôtes un gros poids de sur le cœur, Jolenta. Je ne voulais pas te contrarier dans ton état, mais, là, je suis content, ça oui!

Pour prouver sa joie, Stanislas fit tournoyer sa fille à bout de bras, dans un grand rire heureux.

Thomas assistait à la scène, car il s'était abrité lui aussi sous le hangar. D'un pas lent, il les rejoignit. Toute la journée, il avait été obsédé par le mariage d'Isaure et de l'inspecteur Devers, une union de convenance sans aucun avenir qui n'apporterait aucun bonheur à la jeune femme, seulement le confort financier. Son humeur s'en ressentait, car sa nature généreuse l'inclinait à la loyauté et à la franchise. Il n'était plus vraiment lui-même et il en souffrait.

Échappant à son père, Jolenta l'enlaça. Elle tendit son beau visage radieux à son mari pour avoir un baiser.

— J'avais tort de te tourmenter, papa, dit-elle en riant. Pierre m'a fait la morale. Il a eu raison.

Thomas la contempla un instant avant de l'embrasser, comme s'il cherchait à retrouver sur ses traits ravissants la jeune fille dont il était tombé amoureux cinq ans auparavant. C'était bien elle, avec son grand front bombé, ses pommettes roses, sa blondeur, le bleu si clair de ses yeux. Il tenait contre lui son corps souple aux formes épanouies qui lui était devenu familier au cours des nuits conjugales, mais il avait l'impression de la voir et de la toucher au travers d'un voile terne. « Mon Dieu, ayez pitié! Qu'est-ce que j'ai fait en courant chez Isaure, ce soir-là? déplora-t-il en son for intérieur. J'ai gâché ma vie et celle de Jolenta. »

— Tu ne me félicites pas? demanda-t-elle en minaudant.

— D'être enfin charitable? Si, bien sûr, dit-il plus froidement qu'il ne l'aurait voulu.

Vexée, Jolenta s'écarta de lui. Un moment, elle avait

cédé à la joie toute simple d'être meilleure, de repousser ses colères et ses rancunes. Conscient de l'avoir blessée, Thomas la reprit dans ses bras.

— Excuse-moi, ma chérie, on devient tous acariâtres, à bosser sur ce chantier. Moi, ça me rend bilieux. Le chevalement est instable; il faudrait le consolider. Au fond, c'est un enfer de boue. On ne fait que patauger et s'éreinter.

Il lui donna un vrai baiser, auquel elle répondit sans élan, le cœur lourd. Dotée d'un solide instinct, elle était certaine que c'était tout autre chose qui torturait son mari.

Une voix légère très gaie coupa court à leur malaise. Christine les appelait en agitant la main.

— Alors, venez-vous manger du gâteau?

La fiancée de Jérôme trépignait sur le chemin, debout à côté de Claude Chaumont qui tenait sa bicyclette.

— Eh bien, du coup, je serai de la partie, concéda Stanislas. J'ai retrouvé mon appétit. Hein, ma fille!

Il se plaça entre ses deux enfants qu'il prit par les épaules. Pierre riait de soulagement, alors que Jolenta dissimulait de son mieux l'angoisse qui s'était à nouveau emparée d'elle.

Hôpital de La Roche-sur-Yon, même jour,
six heures du soir

Justin dormait depuis le début de l'après-midi. Vers quatre heures, en se réveillant, Isaure s'était empressée de vérifier s'il était toujours vivant.

— Dieu merci, tu es là, avait-elle soupiré, heureuse de le sentir respirer et de caresser sa joue tiède.

Dans sa robe de mariée, qu'elle n'osait pas enlever, elle s'était assise près de la fenêtre pour admirer les fleurs qui en ornaient l'appui. C'était une symphonie de couleurs tendres: du rose, du jaune, du blanc. Le parfum des narcisses emplissait la chambre et Isaure l'avait humé avec délice. Désormais, la délicate senteur, d'une suavité exquise, lui rappellerait fidèlement son mariage avec Justin.

Elle avait pris le temps de lire la lettre de Geneviève, reçue le matin même. À l'hôtel, Isaure avait écrit deux longues pages à son amie et à son frère pour leur expliquer ce qu'elle vivait. Elle les avait aussi priés de ne pas se déranger pour cette noce si particulière, dont les circonstances la désespéraient.

Sa lecture achevée, réconfortée par les termes affectueux que lui adressait sa belle-sœur, elle s'était perdue dans de tristes songeries. De toute évidence, elle devrait suivre Corinne Devers à Paris, sa belle-mère ayant laissé entendre que son fils serait inhumé dans le caveau familial. «Je pourrais m'installer dans l'appartement du boulevard des Capucines et chercher un travail. Je dois quitter Faymoreau; il ne faut pas que je revoie Thomas, jamais, jamais...» Elle avait pris sa décision et elle en éprouvait une certaine consolation. L'unique but qu'elle se fixait était de tirer un trait sur son passé.

Elle en était là dans ses réflexions lorsque Corinne se glissa dans la pièce. Après avoir posé un regard navré sur son fils assoupi, elle fit signe à Isaure de la rejoindre dans le couloir.

Justin perçut-il sa présence? Il ouvrit les yeux et, tout de suite, les riva sur son épouse.

— Viens près de moi, bien-aimée, dit-il faiblement.

— J'étais là, je te laissais te reposer, répliqua-t-elle en reprenant place à son chevet.

— Mon petit, comment te sens-tu? interrogea sa mère. Je me languissais, loin de toi, je n'y tenais plus. Justin, Edmond est dans le couloir. Il estime que nous devons aborder certaines questions, des sujets pénibles, certes, mais incontournables, des sujets que je n'ai pas le courage d'aborder. Il s'en chargera.

— Maman, si tu fais allusion aux détails qui suivent un décès, ça peut attendre demain. C'est le jour de mon mariage. Je n'ai qu'un vœu à formuler : celui d'être seul avec Isaure et de ne penser qu'à nous.

— Mais s'il t'arrivait quelque chose durant la nuit! s'affola Corinne, la bouche tremblante et le regard noyé de larmes.

— Je te fais confiance. Soutenue par ton compagnon, tu sauras t'occuper de tout. Allons, maman, embrasse-moi bien fort et laisse-nous, ma femme et moi. En repartant, tu préviendras une infirmière. Les douleurs reviennent. J'ai besoin de morphine.

— Justin, tu es cruel, de me demander de te quitter. Je pourrais au moins rester jusqu'à l'heure de ton dîner.

— Pour me regarder absorber un bouillon de légumes et un bol de compote? plaisanta-t-il d'une voix douce. Maman, je t'aime tendrement. Sois gentille, obéis à ton fils. Nous discuterons demain, je te le promets.

Corinne lut une telle insistance dans le regard de son enfant qu'elle se résigna.

— Je ne t'ennuie plus, dans ce cas. Isaure veille sur toi, n'est-ce pas, balbutia-t-elle avant de l'embrasser sur le front et sur les joues avec une sorte de passion.

Justin l'étreignit un instant et lui adressa un grand sourire.

— Au revoir, maman.

— Au revoir, mon petit, dit-elle en pleurant.

Isaure referma la porte derrière Corinne. Un sentiment de malaise l'oppressait. Quel immense chagrin devait ronger sa belle-mère! Elle réprima ses propres sanglots, se composa un visage serein et se tourna vers Justin.

— Je devrais me changer, hasarda-t-elle. Ma robe est très belle, mais je vais la froisser, si je la garde plus longtemps.

— Non, je t'en prie, je veux te voir encore en mariée, ma belle épouse. Quelle importance, si elle se froisse? Tu ne la porteras plus; ce serait de mauvais goût.

— Que veux-tu dire?

— Quand tu te remarieras, il te faudra une autre toilette.

Elle l'aurait grondé s'il n'avait pas grimacé de souffrance. Jusqu'à ce que le médecin fasse irruption dans la chambre, escorté de l'infirmière, elle lui tint la main, désolée de le sentir frémir et d'écouter son souffle saccadé. On la pria de sortir pendant l'examen et la piqûre. Il lui sembla patienter d'interminables minutes dans le couloir où luisaient des veilleuses installées à intervalles réguliers. Enfin, le docteur sortit de la chambre. Elle scruta son expression d'un air inquiet.

— Madame Devers, dit-il, votre mari a une poussée de fièvre. Une infection s'est déclarée. J'ai rarement eu un patient aussi courageux, mais il a dépassé ses limites, aujourd'hui.

— Son état s'est aggravé?

— Nous allons vers la fin, madame. C'est déjà un miracle que monsieur Devers ait résisté contre le délabrement de son organisme ces deux derniers jours. L'infirmière lui injecte de la morphine. Il souffrira moins, mais, contre la fièvre, j'ai prescrit de la quinine sans grand espoir. Il peut sombrer dans le coma. Je suis navré. Bonsoir, madame.

Isaure hocha la tête, abasourdie et presque incrédule. Peut-être avait-elle douté de la réalité de son mal tant que Justin lui parlait et formulait ses habituelles plaisanteries. L'infirmière sortit à son tour et lui adressa un regard de sympathie.

— Bonsoir, madame Devers. Je vous ferai porter un plateau dans une demi-heure.

— D'accord, dit tout bas Isaure, accablée.

Un homme allait mourir, mais on lui proposait un repas. Justin aussi aurait le devoir rituel d'avaler quelque chose, même promis à la tombe. Révoltée, elle se dit qu'il préférerait sans doute un cigarillo ou un alcool fort.

— Quelle sombre mine! s'exclama-t-il dès qu'elle fut de retour près du lit. Le docteur t'a exposé mon cas, je suppose.

— Oui, et, si c'est la fin, je voudrais que tu aies du plaisir, au moins, que tu ne sois pas obligé de faire semblant.

— Du plaisir? Volontiers. Notre nuit de noces approche, ma bien-aimée.

— Justin, je ne parlais pas de ce genre de plaisir! Tu es si faible!

— Reviens te coucher à mes côtés, Isaure, personne ne nous dérangera. Ta présence et quelques caresses me suffiront. Viens, je voudrais ne rien oublier de toi et de ta beauté.

Elle s'allongea près de lui. Il tâta alors son visage du bout des doigts, comme pour en apprendre le moindre détail.

— Tu m'as tout de suite conquis, petite demoiselle. Je me souviens de chaque instant avec toi. Le jour où j'ai interrogé ton père, dans la cuisine de la métairie, et où tu m'as demandé de te conduire au village, je jouais la froideur et l'ironie, car j'avais peur du sentiment inconnu qui naissait en moi, l'amour, le véritable amour. Ça n'a fait qu'empirer. Le soir où tu avais bu, alors que tu portais des traces de coup sur le front et la lèvre, j'aurais voulu te soigner par des baisers. Je maudissais ton père, oui, et je t'ai regardée dormir, certain que je courais à ma perte.

— Pitié, ne dis pas ça! implora Isaure. Tu as eu cet accident à cause de moi. Je croirai toute ma vie que j'ai été l'instrument de ton malheur.

— Tu n'es coupable de rien, ma chérie. Quand j'évoque ma perte, c'est la perte de ma liberté d'esprit et de cœur, moi qui avais juré de rester célibataire, de ne pas m'attacher, de ne pas avoir de famille.

Il se mit à tousser. Il suffoquait.

— Arrête, ne parle pas autant, ménage-toi, le supplia Isaure. Mets ta tête sur mon épaule, tu seras mieux. Je te tiendrai dans mes bras, mon chéri, mon mari.

Elle pleurait en l'aidant à se nicher contre son sein.

— Je n'ai jamais été aussi bien de ma vie, murmura-t-il. Isaure, tu as une longue route devant toi. Tu as aussi un grand amour dans ton cœur pour un autre que moi. Ne sois pas trop triste quand je ne serai plus là. Sois heureuse, accomplis tes rêves. Je te demande seulement de penser à l'inspecteur Devers, parfois.

— J'y penserai chaque jour de mon existence, dit-elle dans un sanglot. Je veux que tu le saches, ce dimanche où je t'attendais à la gare, j'avais hâte de te revoir et de faire des projets avec toi. Je voulais t'épouser et te rendre heureux. Tu dois me croire.

— Je te crois, Isaure chérie, mais ce fichu destin a brouillé les cartes. Toutefois, je ne mourrai pas idiot. Tu m'as fait un immense cadeau, puisque je sais que l'amour n'est pas une illusion. Ce que je ressens pour toi, depuis quatre mois, ce mélange de joie et de tourment, je suis content de l'avoir éprouvé. Tiens-moi la main, ne me laisse pas.

Isaure lui caressa les doigts, qu'elle trouva brûlants. Elle le serra plus fort contre sa poitrine. Il s'était endormi. Cependant, son souffle était court et précipité, mais cette respiration affolante s'apaisa progressivement.

— Dors, mon ami, mon frère, mon amant, chantonna-t-elle, ivre de chagrin. Dors tranquille, je suis là.

Elle ne songeait même pas à essuyer les larmes qui

coulaient de ses joues à son menton et s'échouaient, douces et tièdes, sur le front de Justin. Perdu dans un monde confus, perclus d'épuisement, il crut recevoir une caresse et se mit à sourire.

Il souriait encore une demi-heure plus tard, lorsque Isaure poussa un cri de désespoir en constatant qu'il s'était éteint dans ses bras.

13

Isaure Devers

Hôpital de La Roche-sur-Yon, même soir

Isaure pensait que la plus cruelle épreuve serait de voir Justin mort, mais elle se trompait. Dès qu'elle eut alerté une infirmière, elle fut plongée dans un épouvantable climat de tragédie qui devait la marquer à jamais.

Il lui parut normal de prévenir immédiatement Corinne et son compagnon. Elle descendit téléphoner dans le hall, où se trouvait une cabine en bois verni aux vitres dépolies. En entendant la clameur horrifiée que poussa la malheureuse mère, elle prit peur. « En fait, je connais très peu cette femme, si peu ! Nous avons passé à peine une semaine à Paris et nous sortions souvent, Justin et moi. Ici, nos relations ne sont pas vraiment chaleureuses, malgré ses efforts pour être aimable avec moi. »

En attendant l'arrivée de sa belle-mère et d'Edmond Durieux, elle se changea derrière le paravent qui abritait un lavabo et un bidet. Elle était hantée par le corps inerte de son mari, qu'on avait recouvert d'un drap. Une fois vêtue de sa robe en velours noir et les cheveux nattés, elle se sentit plus forte. Pourtant, en jetant un rapide coup d'œil dans le miroir, elle eut l'impression d'y voir une étrangère à l'air halluciné, au teint blafard et aux lèvres décolorées.

— Quelle importance si je fais peur! La comédie est finie, dit-elle tout bas.

Faisant appel à tout son courage, elle retourna au chevet de son mari; elle se répétait ce dernier mot pour essayer de l'assimiler à la forme étendue sous ses yeux. Ce n'était plus Justin, seulement une dépouille, juste un cadavre.

— Tu es ailleurs, n'est-ce pas? murmura-t-elle en promenant son regard dans la chambre. Toi qui ne croyais en rien, peut-être as-tu eu une grande surprise, hein, Justin?

Incapable de pleurer encore, elle guetta un signe de l'au-delà. Elle se remémorait comment sa nourrice, les yeux étincelants, évoquait des souffles glacés sur le visage des vivants ou bien une main qui vous serrait l'épaule. «Si l'âme survit au corps comme je le crois, est-ce que les morts découvrent la vérité sur ceux qu'ils ont quittés?»

Cette idée lui arracha une plainte. En dépit de son instruction et de son intelligence, elle en éprouvait l'humiliation suprême, au point d'en avoir des sueurs froides. Maintenant, Justin savait qu'elle s'était donnée à Thomas et, furieux, il n'aurait pas la paix; il reviendrait la tourmenter.

L'entrée en trombe de Corinne Devers, folle de désespoir, la tira de son cauchemar éveillé.

— Justin, non, non! hurla-t-elle en se jetant sur le corps de son enfant.

D'un geste furibond, elle rabattit le drap pour scruter les traits impassibles de son fils.

— Seigneur, qu'il est beau! hoqueta-t-elle en pleurant et en gémissant. Il sourit! Je devais rester là, je m'en doutais. Il ne fallait pas que je m'en aille. Je n'ai pas pu guetter son dernier souffle et lui dire adieu.

— Madame, il est parti pendant son sommeil, précisa Isaure doucement.

— Pourquoi déjà? Pourquoi si vite?

— Le médecin l'a examiné peu après votre départ et il m'a annoncé que c'était la fin.

— Vous auriez dû me téléphoner aussitôt, que je revienne! lui reprocha Corinne d'une voix rauque.

— J'ai respecté la volonté de Justin. Il m'a demandé de le tenir dans mes bras, ce que j'ai fait, et il est parti, je ne saurais dire à quel moment précis. Nous étions tous les deux. Nous étions bien.

Edmond Durieux entra dans la chambre et marcha vers Isaure à qui il serra la main.

— Mes condoléances, jeune dame.

Gênée, elle ne sut que répondre. Ne supportant plus l'atmosphère pesante qui régnait dans la chambre, elle annonça au couple qu'elle désirait se rendre à la chapelle pour prier.

— Faites, sanglota Corinne, j'ai le droit d'être seule avec mon fils, moi aussi.

Isaure eut le pressentiment qu'une sorte de guerre larvée débutait. Cependant, elle était loin de soupçonner le tour que prendrait la suite des événements.

Pendant plus de vingt minutes, elle s'absorba dans des prières très personnelles. Dans sa méditation, Dieu était tour à tour un ami, un confident, un juge sévère ou un être de lumière bien au-dessus des bassesses humaines, ou encore une créature céleste mystérieuse pleine de bonté et de sagesse, qui absolvait le péché d'amour. «Est-ce que j'aurais dû avouer ma faute à Justin alors qu'il était condamné, s'interrogeait-elle. S'il n'avait pas eu cet accident, que se serait-il passé, dimanche matin, à la gare. J'avais décidé de l'épouser, mais, en mon âme et conscience, j'estimais honnête de lui avouer que Thomas était venu, qu'il m'aimait et qu'il me l'avait prouvé.»

Elle poussa un profond soupir. La question ne se

posait plus. L'homme qui l'adorait était mort, blotti sur les seins qu'il avait si souvent caressés et embrassés.

Un groupe de religieuses entra dans la chapelle. Les sœurs s'installèrent sur les bancs les plus proches de l'autel dans un silence parfait nuancé du froissement de leurs longues robes grises. Isaure se leva et sortit.

Edmond Durieux l'attendait. Elle baissa la tête sous son regard apitoyé.

— Je vous plains, mademoiselle… pardon, madame. Enfin, si vous le permettez, j'aimerais vous appeler Isaure.

— Vous pouvez, monsieur.

Ils marchèrent sans échanger un mot jusqu'au bout du large couloir au carrelage brun et rouge.

— Pouvons-nous discuter, avant de rejoindre ma pauvre Corinne? demanda-t-il. C'est important. Nous voudrions savoir si Justin a émis un souhait précis au sujet de son inhumation.

— Non, pas à ma connaissance. Il s'en moquait.

— Corinne tient à ramener son corps à Paris, mais je crains que ce ne soit pénible pour elle, malgré notre présence à tous deux.

— Faites à son idée. Je n'ai pas le cœur de songer à ce qui suit le décès, même si je suis sa veuve. Mon Dieu, j'ai du mal à le croire! J'ai l'impression que Justin va surgir d'une de ces portes et me prendre dans ses bras.

— Je comprends, Isaure. Mais je venais vous supplier d'aborder un certain sujet, avec Corinne, le plus important, à mon avis, car, sans cet espoir, elle va sombrer dans la mélancolie.

Isaure s'immobilisa et se posta devant une fenêtre. Dehors, il faisait nuit, une nuit claire. Des nuages défilaient sur le bleu intense du ciel où brillaient un quartier de lune et quelques étoiles.

— De quel sujet s'agit-il? De quel espoir, monsieur? s'étonna-t-elle.

— Mais de l'enfant, bien sûr! se récria-t-il.

— L'enfant, répéta-t-elle, ébahie.

— Soyez sans crainte, je ne porte aucun jugement sur votre conduite. Vous n'êtes pas la première jeune fille contrainte au mariage pour légitimer une naissance et ne pas être montrée du doigt. Comme me l'a fait remarquer Justin, nous avons bravé les convenances, sa mère et moi. Tout rentrera dans l'ordre, au fil du temps, puisque j'ai l'intention d'épouser Corinne quand elle aura fait son deuil, si elle y parvient. Et elle y parviendra grâce à l'enfant de son fils, qui sera pour elle un précieux réconfort.

Muette autant que sidérée, Isaure écoutait, les nerfs tendus. Une vague envie de s'enfuir la tenaillait à nouveau. Elle réfléchissait intensément, si bien que, très vite, elle entrevit la solution de l'énigme. Justin avait dû mentir, inventer cette grossesse. Mais pourquoi? Elle cherchait à comprendre.

Enflammé par son rôle de conciliateur, Edmond Durieux ajouta avec véhémence :

— Je conçois votre embarras, Isaure. Je heurte sans doute votre pudeur en évoquant votre état si peu de temps après le décès de Justin. Si vous saviez comme je déplore de ne pas l'avoir connu plus tôt! J'aurais pu lui être présenté dès le moment où je suis devenu amoureux de Corinne. Je suis persuadé qu'il aurait compris notre situation. Nous serions mariés, il aurait été mon beau-fils et je l'aurais grandement apprécié. Malgré son originalité, j'ai perçu sa valeur. Cet homme avait un sens profond du devoir, de l'honneur et de la charité.

— Est-ce en ce qui me concerne que vous citez la charité? rétorqua Isaure, soudain irritée. Vous avez évidemment appris d'où je viens. Vous savez que je suis née dans une obscure métairie, que je suis issue d'une lignée de paysans miséreux. Je vous le redis, je n'ai pas besoin de l'héritage que Justin me laisse. J'ai un diplôme. Je suis tout à fait en mesure de travailler.

— Plus tard, ma chère Isaure, si vraiment vous le désirez, mais vous devez profiter de l'argent mis à votre disposition. Un notaire et son clerc sont venus à l'hôpital établir le contrat de mariage. N'ayez pas honte. De toute façon, vous étiez au courant, à propos de la dispense des bans! Le procureur de la République qui, de surcroît, connaissait l'inspecteur Devers, a signé volontiers. C'était un cas de figure incontournable à cause de l'enfant.

Là, Isaure était renseignée. Justin voulait tellement assurer son avenir qu'il avait dupé son monde. Désemparée et hésitante, elle fit face à Edmond Durieux. « Si je mens moi aussi, Corinne me retiendra à Paris. Elle ne vivra plus que dans l'attente de la naissance. Non, je ne peux pas tricher et évoquer un enfant qui n'existe pas. Ce serait encore pire si je constatais dans un mois que je suis vraiment enceinte, car, le père, ce serait Thomas. »

Son cœur manqua un battement. Elle tressaillit, le souffle court.

— Je suis désolée, monsieur, déclara-t-elle d'une voix nette presque froide. Justin a cru agir au mieux en vous racontant une jolie fable, mais je ne suis pas enceinte. Je ne porte pas son enfant.

— Quoi? gronda-t-il dans une grimace de dépit. Seigneur, je me suis laissé abuser, dans ce cas! Ah, j'y vois clair, mais j'ai du mal à imaginer que vous n'avez pas été mêlée à cette lamentable supercherie.

— Si je l'avais été, je ne vous dirais pas la vérité ce soir, mais beaucoup plus tard, quand ce serait inévitable.

— C'est odieux et affligeant. Corinne sera cruellement déçue.

— Monsieur, je vous en prie, ne vous fâchez pas.

Justin devait être très malheureux pour oser vous manipuler. Je suis certaine qu'il vous aurait tout avoué demain matin s'il avait vécu encore une journée.

— Peut-être, car, je l'admets, il a insisté pour que je garde la chose secrète, et moi, stupidement, j'en ai parlé à Corinne à seule fin d'atténuer sa peine. Seigneur, le mal est fait. On ne peut pas le réparer.

— Non, je vais lui expliquer tout de suite. Il faut la détromper. Elle pardonnera à son fils, j'en suis sûre.

— Allons-y ensemble, dit-il sèchement.

Edmond Durieux ne lui accorda plus un regard. Isaure le précéda, belle et austère dans sa robe de velours noir. Elle se sentait infiniment solitaire, réprouvée, rejetée. Ni Thomas ni Justin n'étaient plus là. Il n'y avait plus personne pour la défendre, ni même pour la consoler.

*

Ils trouvèrent Corinne figée dans le couloir, pelotonnée dans son manteau de fourrure, le regard éteint et le dos au mur. Elle leur dit tout bas :

— On m'a priée de sortir. Les infirmières vont faire la toilette du mort et, le mort, c'est mon fils, mon petit. Oh! Edmond, je n'ai jamais souffert autant, même quand j'ai perdu mon mari.

— Tu n'as pas fini de souffrir, ma douce, lui annonça-t-il en la prenant par le bras.

Isaure se détourna, signifiant par là qu'elle n'avait plus le courage de parler. Le compagnon de Corinne mit à profit son éloquence d'avocat pour révéler ce qu'il savait et faire valoir les éléments qui justifiaient le mensonge de Justin.

— Ta belle-fille prétend ne pas avoir été mise au courant de la ruse de Justin pour l'épouser avant de mourir.

— C'est vrai, se défendit Isaure. Je l'ignorais, sinon j'aurais refusé qu'il use d'un tel argument auprès du procureur.

Malgré la sincérité qui vibrait dans sa voix, elle devina que le couple ne la croyait pas. Corinne ne se domina plus. Elle était dans un déplorable état de tension nerveuse.

— Vous l'avez forcé à ce mariage, Isaure! Vous l'auriez fait marcher sur les mains! Je m'étais étonnée de sa passion pour vous, à Paris, car je croyais que vous étiez une personne sage. Mais non, vous étiez sa maîtresse et vous avez trouvé l'occasion d'établir votre situation en racontant à mon pauvre enfant que vous étiez enceinte de lui. C'est un procédé répugnant.

— Non, je ne suis pas ainsi, gémit Isaure, terrifiée. Madame, enfin, revenez à vous! C'était bien dans l'esprit de Justin de braver les interdits et de défier le monde entier quand il avait une idée dans la tête. Je n'y suis pour rien, je vous le jure.

— Seigneur, ne jurez pas, vous n'avez aucune moralité, s'écria Corinne, secouée de frissons, les yeux exorbités et les joues rouges. Nous ne pouvons pas revenir en arrière. Les dernières volontés de mon fils ont été consignées. Les documents sont en ordre et dûment officialisés, mais je n'ai pas confiance en vous. J'étais un peu consolée dans mon malheur de songer au bébé qui viendrait, le bébé de mon Justin, mais tout était faux. Maintenant, vous avez ce que vous vouliez tant: la liberté et de l'argent. Profitez-en bien, ma pauvre fille!

Une infirmière, alertée par les vociférations en provenance du couloir, vint se renseigner. Isaure remarqua qu'elle tenait une enveloppe à la main.

— Que se passe-t-il? Nous sommes dans un hôpital! S'il y a un problème, monsieur et mesdames, je vous saurais gré de le régler à l'extérieur ou de vous recueillir autour du corps de monsieur Devers, qui sera transféré demain matin à la morgue. Nous pouvons mettre des cierges à votre disposition pour veiller le défunt, grâce aux religieuses qui ont proposé de prier avec vous tous.

Ce discours apaisa Corinne. Honteuse de son esclandre, elle baissa la tête.

— Pardonnez-nous, madame, dit Edmond Durieux. Ce sont des moments si pénibles! Les nerfs sont mis à rude épreuve.

— Sans doute, monsieur, mais, le plus souvent, les familles savent se tenir. Autre chose, je dois vous remettre une lettre de votre fils, madame Devers. Il m'avait bien dit de vous la donner après son décès.

Isaure essuya d'une main lasse son front moite. Elle avait soif et elle se sentait fatiguée comme si on l'avait rouée de coups. Elle s'appuya au rebord d'une fenêtre et tourna son regard vide vers le jardin de l'hôpital, plongé dans la nuit.

— Donnez cette lettre, je vais en prendre connaissance, dit l'avocat avec autorité. Corinne, je te la lis si j'y parviens. Il fait assez sombre dans ces couloirs. Oh! Ce n'est pas très long! *Chère petite maman, je sais que je vais mourir. Aussi, je tiens à te faire mes ultimes recommandations au sujet d'Isaure. Sache qu'elle ignorait tout de mon plan pour hâter le mariage et que l'idée du bébé à venir était de moi seul. Pardonne-moi de t'avoir sans doute donné une fausse joie. En outre, ne l'oblige pas à faire acte de présence à mon enterrement. Ce serait trop triste pour elle, trop lourd à supporter. Certains de mes cousins verront sûrement d'un mauvais œil le fait qu'elle soit mon héritière. Laisse-la agir à sa guise. Elle me ressemble plus que tu ne pourrais le croire. Je veux lui éviter tout tracas, tout chagrin. Oui, je veux que mon joli papillon puisse s'envoler très haut vers le pays de ses rêves. Justin.*

Un silence oppressant suivit la lecture. Violemment émue, Isaure dut retenir ses larmes. Mais Corinne arracha la feuille des mains d'Edmond.

— Justin n'a pas pu écrire ça, dit-elle. Il n'était ni romantique ni capable d'employer ce genre de poésie bon marché. En plus, ce n'est pas son écriture, je la connais assez. On ne me dupera pas encore une fois!

— Pardon, madame, protesta l'infirmière. En effet, c'est moi qui ai pris note des paroles de votre fils. Il n'avait pas la force d'écrire, au moment où il a souhaité le faire. Ma collègue est témoin de ce qui s'est passé. Nous étions toutes les deux avec lui, à six heures ce matin.

Elle précisa à l'intention d'Isaure :

— Il s'inquiétait pour vous, madame.

— Est-ce que je peux entrer dans la chambre lui dire adieu? demanda la jeune femme.

— Mais oui, bien sûr.

Isaure se précipita dans la pièce sans un regard pour sa belle-mère. La seconde infirmière lui tapota gentiment le bras et sortit. Justin reposait sur le lit dans son costume de noce, le visage très pâle. Il avait été coiffé et ses lèvres dessinaient toujours un énigmatique sourire.

— Tu as semé la tempête, toi! Tu dois t'amuser, là-haut, chuchota-t-elle en effleurant d'un doigt son front glacé. Je l'ai peut-être mérité, au fond. Je ne me plaindrai pas, Justin, mon mari de quelques heures, mais, puisque je suis ton épouse, je vais t'obéir. Je m'envole très loin. Je ne peux pas rester là, non, je ne peux pas. Adieu, je t'aime, oui, je t'aime!

Elle se pencha et l'embrassa vite sur la bouche en dépit du vague dégoût que lui inspirait cette chair inerte si froide. Elle plia ensuite sa robe de mariée et le petit voile en dentelle, les mit dans sa valise et regarda une dernière fois l'inspecteur Devers d'un œil attendri. Il était passé dans sa vie comme un tourbillon, le temps de la faire femme et de lui offrir son amour inconditionnel. Il lui avait donné son nom et son argent avant de disparaître, fauché par le destin.

— Merci, Justin. Repose en paix, souffla-t-elle.

L'instant d'après, Isaure faisait irruption dans le couloir, vêtue de son manteau. Elle vit Corinne qui sanglotait dans les bras d'Edmond ainsi que les deux infirmières, perplexes et la mine grave. Elle leur tourna le dos et se dirigea d'un pas rapide vers le palier pour atteindre l'escalier, le hall du rez-de-chaussée, la vaste cour et enfin la rue déserte.

Vingt minutes plus tard, elle arrivait à l'*Hôtel Bonaparte*. Il était dix heures du soir. Tout en marchant, Isaure s'était répété les cruelles accusations de son éphémère belle-mère. «Je la répugne. Tant pis, elle ne me reverra jamais!» songeait-elle encore dans le vestibule de l'établissement hôtelier. Le veilleur de nuit la salua d'un geste amical.

— Il y a un monsieur pour vous, mademoiselle Millet, annonça-t-il. Il patiente dans le salon.

Isaure prit peur. Elle pensa à Thomas, mais se raisonna. Il ne pouvait pas avoir fait le voyage. Après avoir posé sa valise, elle franchit une porte vitrée et découvrit Antoine Sardin, l'adjoint de Justin. Le jeune inspecteur avait participé à l'enquête sur le meurtre d'Alfred Boucard.

— Bonsoir, monsieur, dit-elle en lui serrant la main.

— Bonsoir, mademoiselle. J'allais repartir; je loge à Fontenay, chez ma tante. En fait, j'ai poireauté devant l'hôpital, hier. On m'a dit que Devers n'allait pas mieux. Aujourd'hui, j'ai pu me libérer seulement à dix-neuf heures. Vous parlez d'une déveine, cet accident! Le commissaire voulait du neuf, lui aussi. Il m'a demandé de m'en occuper. Comme je savais que vous étiez ici avec madame Devers…

— Comment le saviez-vous? murmura Isaure, agacée par le ton débonnaire de Sardin.

— Eh, je suis flic, quand même!

— Et cela vous autorise à espionner les honnêtes gens?

— Pas du tout. Madame Devers a téléphoné au poste de police le lendemain de son arrivée en ville pour donner des nouvelles au patron. Elle a indiqué où elle était descendue et précisé que la fiancée de Justin avait pris une chambre, elle aussi. Ainsi, vous vous étiez fiancés en douce, tous les deux. Ce n'est pas de chance, dites!

— Vraiment pas de chance, oui, rétorqua Isaure. Je n'ai jamais eu de chance, monsieur. Justin est mort ce soir, alors que nous nous sommes mariés ce matin.

— Nom d'un chien! jura le policier entre ses dents. Si je me doutais, bon sang de bois!

— Monsieur Sardin, vous êtes en voiture?

— Oui, évidemment.

— Pourriez-vous me rendre un service? Je vous dédommagerai. Il faudrait me conduire à Faymoreau. Je dois récupérer des affaires personnelles avant les obsèques, qui auront lieu à Paris.

Mais Antoine Sardin hochait la tête en frottant son menton, ébahi.

— Devers est mort. Ça alors! Il vous a épousée à l'hôpital?

— Nous en discuterons si vous me ramenez en voiture, insista-t-elle, déterminée à quitter La Roche-sur-Yon. Je n'en ai pas pour longtemps. J'ai des bricoles à prendre dans ma chambre et je dois payer ma note.

— Je ne peux pas refuser, vu les circonstances. Quand je vais annoncer ça aux collègues et au patron… On va se cotiser pour offrir une gerbe. Vous le direz à madame Devers.

— Oui, je le lui dirai demain à mon retour, mentit-elle, follement soulagée. Merci beaucoup, inspecteur.

*

Antoine Sardin en fut pour ses frais. Isaure feignit de dormir au bout de deux kilomètres. Il la déposa devant le portail des Aubignac, refusa l'argent qu'elle lui proposait et repartit dans la campagne brumeuse.

Le pavillon froid et sombre parut sinistre à la jeune femme, après l'agréable chambre d'hôtel où, pourtant, elle avait tellement pleuré. Elle songea à se réfugier dans la grande maison auprès d'Olympe Mercerin et de Viviane, mais aucune lumière ne brillait aux fenêtres et il lui aurait fallu s'expliquer, mentir encore.

— Je sais où aller, se dit-elle en tremblant de nervosité. Là-bas, je serai vraiment chez moi et personne ne viendra me chercher.

Elle alluma une chandelle et changea de vêtements, troquant sa robe de velours noir pour une jupe en laine brune, un corsage en flanelle, de vieilles bottines et son manteau élimé. Le visage tendu et le regard fixe, elle s'empara d'une boîte en fer qu'elle cachait sous l'armoire. Elle l'ouvrit avec une expression de détresse enfantine. D'un doigt tremblant, elle répertoria les modestes objets qui avaient si longtemps constitué un trésor à ses yeux.

— Ah, le bracelet en plaqué or que m'a offert Jérôme quand nous avons pensé nous fiancer. Tiens, le soldat de plomb que Thomas m'avait donné; il n'a plus de couleur. Le ruban rose, il me l'avait acheté à l'épicerie.

Les fleurs séchées, cueillies sur un talus ou dans les bois par Thomas, avaient piètre allure, mais elles évoquaient des souvenirs précis.

Isaure ajouta à ses reliques la bague de Justin, enveloppée dans son voile de mariée d'un tulle si léger et aux dentelles si fines qu'une fois plié le morceau de tissu ne prenait guère de place.

— Mon sac en toile équipé d'une bandoulière, où est-il? soupira-t-elle.

Dès qu'elle l'eut déniché dans le placard, elle y mit un sachet de café moulu, un paquet de biscuits, une bouteille d'eau, trois pommes tavelées, une tasse et la fameuse boîte en fer. Elle s'affola, ne trouvant plus ses allumettes. Elle saisit deux bougies et un briquet d'amadou.

Un sentiment d'urgence la taraudait, comme si Corinne Devers et son acolyte, l'élégant Edmond Durieux, s'étaient lancés sur ses traces. Elle n'avait pas conscience d'agir dans un état second, proche d'une panique viscérale, conséquence de la terrible épreuve qu'elle endurait. Il lui fallait s'isoler dans le calme et la sécurité d'un lieu préservé qui appartenait aux Millet, où personne ne se dirait répugné par sa seule présence.

La nuit était claire. Isaure n'avait nul besoin d'une lampe pour rejoindre le refuge qu'elle s'était choisi. Silencieuse, ombre parmi les ombres, elle se dirigea vers les marais.

Les odeurs pénétrantes de la terre humide et de la végétation renaissante lui semblèrent délicieuses, après une semaine en ville, enfermée la moitié du temps dans l'hôpital et ses relents de camphre, d'éther et de maladie.

Le hululement plaintif d'une chouette et les bruissements d'aile d'un oiseau réveillé par son intrusion effacèrent l'écho des gémissements que poussaient certains patients et la rumeur du personnel toujours affairé, faite des claquements des talons, des soupirs des religieuses ou des discours hâtifs des docteurs. Plus elle s'enfonçait au milieu des roseaux sur le sentier tracé depuis une éternité par les paysans, plus elle respirait à son aise, plus sa peine était atténuée et sa peur repoussée.

Enfin, à minuit et demi, Isaure se glissa à l'intérieur de la cabane construite par son père bien avant sa naissance, l'endroit même où, après son retour dans la région, s'était caché son frère Armand, défiguré et meurtri, devenu selon lui une sorte de monstre.

— Je vais être bien, ici, chez nous, murmura-t-elle, rassurée par la vue des cloisons en planches, d'une chaise à la paille grisâtre et d'une étagère ornée de toiles d'araignée.

Cérémonieusement, elle alluma une des bougies qu'elle posa dans un bocal vide. Elle fouina partout et découvrit le réchaud à alcool encore plein, puis une casserole. Bientôt, l'eau chauffait. Elle se prépara du café. Dans un angle, il y avait une couchette, un châlit[6], comme disait sa mère, garni d'une paillasse qu'elle secoua avec vigueur avant de s'assurer qu'aucune bestiole ne se dissimulait dans la couverture qui gisait sur le montant en bois.

— Si Justin me voyait! dit-elle à mi-voix. Il voulait que j'aie tout le confort possible. C'est fait, et sans son maudit héritage.

Loin de lui, loin de son corps inerte et glacé, Isaure réalisa qu'elle lui en voulait un peu, qu'elle nourrissait un brin de rancune à cause du dernier tour qu'il lui avait joué. En même temps, c'était digne de lui. Il l'aimait tant!

Assise sur la chaise, sa tasse de café entre les mains, elle le pleura encore. Par la porte branlante restée en-

6. Sommier rudimentaire fait d'une planche ou d'un fond de cordes tressées.

trouverte montaient vers elle des bruits ténus, des clapotis, des pas légers glissant dans les ténèbres humides. Accoutumée aux petites bêtes qui couraient dans les marais la nuit, elle n'en conçut aucune frayeur.

Ernest l'emmenait parfois à la pêche aux anguilles quand le crépuscule bleuissait la vaste étendue d'eau stagnante. Son frère aîné et elle observaient la course pataude des ragondins et la fuite des belettes. Les renards s'aventuraient là également en quête d'un gibier, canard sauvage ou aigrette.

— Il est mort, lui aussi. Ernest, mort pour de bon. Il avait les mêmes yeux que moi et les mêmes cheveux noirs, chuchota-t-elle, haletante. Il est parti comme la petite Anne, comme Justin...

Brisée de chagrin autant qu'épuisée, Isaure s'allongea sur la paillasse en manteau et en bottines. Après de longues minutes à contempler la flamme de la bougie, elle retrouva un peu de lucidité. Ce fut pour constater timidement que Thomas, lui, était bien vivant et qu'il l'aimait, qu'il l'avait toujours aimée.

Faymoreau, demeure des Aubignac, le lendemain, mercredi 2 mars 1921

Olympe Mercerin donnait une leçon d'histoire de France à sa seule petite-fille Sophie, Paul étant toujours alité et fiévreux. Souvent, l'enfant regardait par la fenêtre, rêveuse, comme si la chronologie des Capétiens lui était vraiment indifférente.

— Bonne-maman, quand est-ce que mademoiselle Isaure reviendra? demanda-t-elle subitement.

— Pas avant longtemps, je le crains, ma petite chérie. Je t'ai expliqué que son mari est hospitalisé et qu'elle doit rester près de lui.

— Mais ils se sont mariés, quand même! Germaine me l'a dit.

— J'en étais sûre! Cette brave femme ignore le sens du mot discrétion.

— Et papa, quand est-ce qu'il reviendra? insista Sophie. Lui aussi, il est très malade, mais maman pourrait nous emmener le voir?

— Plus tard, Sophie. Relis le nom des rois. Il sera bientôt midi. Il faut terminer la leçon.

Cependant, quelqu'un agita le heurtoir de bronze en forme de tête de lion. Olympe entendit les pas pressés de Nadine, la jeune bonne, qui allait ouvrir.

— Tiens, nous avons de la visite. Attends-moi ici, dit-elle à la fillette. Je préfère y aller tout de suite.

Une fois dans le vestibule, elle reconnut Edmond Durieux, un brassard noir à la manche de son costume gris. Il ôta son chapeau de feutre pour la saluer.

— Laissez-nous, Nadine. Monsieur, suivez-moi au salon.

Elle pressentait une mauvaise nouvelle et referma la double porte derrière eux.

— Monsieur, je suis très surprise de vous voir ici et, à votre air, je crains le pire.

— Je serais arrivé plus tôt dans la matinée, mais, hélas! je ne connais pas du tout le pays. Le taxi que j'ai pris a dû se renseigner à deux reprises avant de trouver votre maison.

— Asseyez-vous, je vous en prie, dit-elle, inquiète.

— Justin Devers s'est éteint hier soir vers dix-neuf heures, dans les bras de son épouse, déclara-t-il d'un ton lugubre.

— Seigneur, les malheureux! Le soir même de leur mariage! Quelle tristesse! déplora sincèrement la septuagénaire. Mais pourquoi vous être déplacé, monsieur? En pareille circonstance, madame Corinne Devers doit avoir besoin de votre soutien. Vous êtes un ami très proche, m'a confié Isaure.

— Un patient compagnon qui aspire depuis des années à épouser la femme qu'il aime, précisa l'avocat. Mais Corinne a des côtés enfantins. Elle refusait de mettre son fils au courant de nos relations, en dépit de son âge. Excusez-moi, je ne suis pas là pour vous parler de ma vie privée. Nous avons un problème. Isaure a quitté l'hôpital dans la soirée, très choquée et, à mon avis, désespérée. Elle a réglé sa note d'hôtel et elle serait partie avec un inconnu.

Sidérée, Olympe retint sa respiration, une main sur le cœur.

— Monsieur, je ne peux pas croire ce que vous me dites. Enfin, elle doit assister aux obsèques de son mari! J'étais persuadée qu'elle irait avec sa belle-mère à Paris.

— Elles ont eu des mots, avoua pudiquement Edmond Durieux. Pour être franc, Corinne était dans un état nerveux effrayant. Elle venait de voir son fils mort et, de plus, Justin avait dicté une lettre à une des infirmières, priant sa mère de laisser Isaure libre de toute contrainte. Il y a autre chose, que je ne peux pas vous révéler, hélas!

Olympe Mercerin songea qu'il en brûlait d'envie, mais, malgré sa curiosité, elle se garda de le solliciter, trop bien éduquée pour jouer les commères.

— Pardonnez-moi. Que voulez-vous dire par libre de toute contrainte?

— Justin ne voulait pas qu'on oblige sa femme à remplir les devoirs qui lui incomberaient. Je vous importune avec ces lamentables histoires, mais ce n'est pas le but de ma venue. J'ai apporté à la jeune madame Devers des documents stipulant quels biens composent son héritage. Il faudrait aussi lui conseiller d'ouvrir un compte en banque afin que nous puissions, de retour dans la capitale, lui verser l'argent dont disposait son mari. Il s'agit d'une forte somme.

— Il était riche et il exerçait dans la police en province? s'étonna-t-elle.

— Sans lui manquer de respect, je dirais que Justin était un original, dont l'esprit anticonventionnel l'a induit à adopter des façons d'agir déconcertantes, madame. Mais je ne vous dérangerai pas plus longtemps, d'autant que je me tracasse pour Corinne. Je l'ai laissée endormie à l'hôtel; un docteur lui a prescrit des calmants. La douleur de perdre un enfant unique peut provoquer chez la personne la plus sensée et la plus aimable des comportements excessifs. Tel a été le cas. Enfin, n'oubliez pas d'inciter Isaure à très vite ouvrir un compte. Il est hors de question pour ma chère amie Corinne de s'opposer aux dernières volontés de son fils.

Olympe poussa un soupir d'exaspération. Tout ce discours ne la renseignait guère.

— Monsieur, la querelle entre Isaure et madame Devers était-elle si grave? J'ai beaucoup d'affection pour ma gouvernante, qui instruit mes petits-enfants avec compétence. J'espère donc de tout cœur qu'elle est rentrée ici, dans le pavillon où nous la logeons.

— Une affection peut-être mal placée, madame, murmura-t-il en esquissant une mimique lourde de sous-entendus.

Edmond Durieux finit par confesser toute l'affaire afin de se libérer quelque peu du fardeau de son indignation et de son trouble, car la métamorphose de Corinne, une tiède amante, mais une femme charmante et douce, en une harpie vindicative l'angoissait profondément. Quand il eut terminé, Olympe se leva de son fauteuil et le considéra avec colère.

— Mon Dieu, comment avez-vous osé, tous les deux, accuser Isaure de duplicité et la traiter de cette manière? Je suis choquée, monsieur, et ulcérée. Certes, je peux comprendre la réaction violente d'une mère folle de chagrin, mais quand même, rejeter une jeune femme mariée et veuve en quelques heures, c'est abominable. Je veillerai au mieux sur les intérêts d'Isaure. Je vous prie de quitter cette maison, à présent. J'ai d'autres chats à fouetter.

Très digne, Olympe Mercerin désigna la porte du salon. Outré d'être congédié comme un vulgaire importun, il s'en alla à grandes enjambées saccadées.

— Bon débarras! dit-elle tout bas. Seigneur, pauvre Isaure!

*

Sophie fut envoyée à l'étage auprès de sa mère; en affirmant à la fillette qu'elle serait là pour le déjeuner, Olympe s'habilla et sortit. Elle s'était munie d'un jeu de clefs, Viviane lui ayant dit qu'il s'y trouvait un double de celle du pavillon. Mais elle trouva la porte entrouverte. Le désolant spectacle qui l'attendait augmenta son angoisse. La robe de velours noir gisait sur le sol alors que la toilette de noce avait dû être jetée sur le dossier d'une chaise; elle ressemblait à un joli chiffon abandonné. Les chaussures en cuir fin voisinaient avec des bas de soie ivoire, eux aussi laissés par terre. Le placard n'était pas fermé. Il faisait froid dans la pièce et des cendres jonchaient le pourtour du poêle. «En tout cas, Isaure est revenue ici», se dit Olympe, un peu rassurée.

En la rejoignant, Viviane la fit sursauter. Elle jeta le même regard navré sur le désordre qui régnait là.

— Maman, qu'est-ce qui se passe? Sophie affirme que tu as crié et qu'un monsieur est parti en colère.

— Je vais tout t'expliquer, Vivi. Ensuite, nous chercherons où a bien pu s'enfuir la malheureuse Isaure. Il faut réfléchir. Viens, inutile de se geler dans cet endroit sinistre.

Le temps de traverser le parc, Viviane savait ce qu'il en était.

— Je crois qu'elle est née sous une mauvaise étoile comme moi, maman, hasarda-t-elle, l'air songeur.

— Ne dis pas de sottises! Crois-tu possible qu'elle soit chez ses parents, à la métairie?

— Oh! non. Pourquoi irait-elle là après ce qu'ils lui ont fait endurer? Moi, je la chercherais chez les Marot. Je vais demander à Denis de courir jusqu'au coron.

— De mon côté, je préviens Roger. Il va me conduire chez les Millet. Elle a pu se réfugier là où elle est née. Sa mère n'est pas aussi méchante que son père. Dis à Germaine de me garder mon déjeuner au chaud. Toi, mange avec les enfants. J'espère que Paul pourra avaler quelque chose.

— Il prend sans difficulté du bouillon et de la purée. Vraiment, le docteur Gramont l'a bien soigné, insinua Viviane. Et il m'a promis un traitement à base de plantes pour mes nerfs.

Sa mère approuva distraitement. Elle se demandait, affolée, si Isaure n'avait pas commis un geste désespéré et cette perspective la révoltait.

Une vingtaine de minutes plus tard, Roger se garait près du porche en pierre qui donnait accès à la cour de la métairie.

— Si je vous accompagnais, madame? proposa-t-il à sa patronne en jetant un coup d'œil méfiant au chien qui aboyait au bout de sa chaîne.

— Je ne risque rien, Roger. Ces gens ne sont pas des sauvages, enfin! répliqua Olympe. Je dois en avoir le cœur net et, de toute façon, ils doivent être avertis du malheur qui frappe leur fille.

Le chauffeur approuva d'un mouvement de tête. Pour lui, Isaure représentait une énigme. En employé loyal, il hésitait à raconter la scène qu'il avait surprise dans une rue de Fontenay, non loin d'un modeste hôtel, mais soudain, estimant que c'était peut-être un point important, puisque la gouvernante avait disparu, il déclara d'une voix basse où perçait la gêne :

— J'n'aime pas nuire à mon prochain, madame, vous le savez. Aussi j'ai gardé pour moi ce que j'ai vu, un jeudi de marché.

— Qu'avez-vous vu ?

— Mademoiselle Millet et un homme. Ils se disputaient sur un trottoir. Lui, il avait un air dur. C'était un type plus âgé qu'elle. Mais ils se sont réconciliés, puisqu'elle lui a sauté au cou et l'a embrassé.

— Seigneur ! Décrivez-moi cet individu. Autant vous le dire, Roger, hier soir, elle a quitté La Roche-sur-Yon avec un inconnu.

Elle ne tarda pas à avoir la certitude qu'il s'agissait de Justin Devers. Cependant, le portrait que lui faisait le chauffeur pouvait correspondre à un certain nombre d'hommes bruns de taille moyenne en pardessus et chapeau. Pas mal d'individus, aussi, portaient la moustache.

— Nous aviserons quand nous saurons ce qui est arrivé à Isaure, dit-elle, tiraillée entre la déception et le doute. Je vous remercie, Roger. Vous auriez pu m'en parler immédiatement, mais, si vous l'aviez fait, j'aurais peut-être déploré votre attitude. Bon, attendez-moi.

Bastien Millet la guettait, le nez au carreau. Il eut un rictus amusé en voyant l'élégante madame Mercerin patauger dans la boue. Il était en train de manger une omelette quand il avait entendu le bruit du moteur.

— La revoilà, l'autre bonne femme, grogna-t-il à l'adresse de Lucienne, assise près du feu. Qu'est-ce qu'elle veut encore ?

Son épouse haussa les épaules sans répondre. Son délicat visage fané et amaigri était tourné vers les flammes. Elle savourait l'accalmie des douleurs qui l'avaient torturée pendant des semaines. Apitoyé par ses plaintes, son mari s'était décidé à faire venir le docteur, qui avait prescrit du laudanum.

— Bah, faut bien lui ouvrir, pour savoir ce qui se passe, soupira Bastien.

Il frotta ses mains à son pantalon de travail et arrangea un peu le col de sa chemise. Quand la visiteuse frappa à la porte, il tira le battant aussitôt.

— Bonjour, monsieur Millet. Puis-je entrer? demanda-t-elle.

Il lui fit signe d'avancer et la précéda jusqu'à la cuisine. Olympe nota avec effarement la crasse qui dominait le logement et l'état de délabrement des lieux. Les plâtres étaient écaillés, alors que les peintures étaient noircies par la fumée. Tout de suite, elle aperçut une femme assise près de la cheminée, le dos voûté et les cheveux blancs.

— Madame Millet, hasarda-t-elle, je n'ai pas eu le plaisir de vous rencontrer, l'autre jour. Comment allez-vous?

— Je vais mieux, bien mieux, merci, madame, marmonna Lucienne, malade de timidité et d'embarras. Alors, Isaure a-t-elle pu se marier? Le papier que mon mari a signé suffisait-il?

En apparence très à son aise, Olympe s'assit sur une chaise après en avoir ôté des miettes de sa main gantée.

— Oui, le papier a fait son office, dit-elle doucement. Votre fille s'appelle désormais madame Devers. Hélas! elle est déjà veuve. Son époux a succombé hier soir. J'ignore la cause précise qui l'a emporté, je n'ai aucun détail.

— Succombé? Vous voulez dire qu'il est mort? s'écria le métayer. Fan de vesse! l'inspecteur n'aura même pas eu droit à sa nuit de noces. En voilà, une malchance!

Furieuse, Olympe se raidit et foudroya de ses yeux clairs le père d'Isaure.

— Le faites-vous exprès, monsieur Millet? dit-elle d'une voix sévère. Comment osez-vous dire une chose aussi affreuse, aussi grossière? Pensez-vous une seconde à l'épreuve qu'endure votre malheureuse enfant?

Bastien se servit un verre de vin. Il affichait un air fanfaron, mais son regard sombre exprimait un malaise.

— Madame a raison, mon homme, ce n'est pas malin, ce que tu dis là! Moi ça me fait de la peine d'apprendre ça, oui.

— D'autant plus qu'Isaure a disparu, renchérit Olympe d'une voix tragique. Elle est rentrée à Faymoreau tard dans la soirée, mais elle a quitté le pavillon sans aucun bagage. Sa valise était ouverte sur son lit et ses affaires, éparpillées un peu partout. Je suis très inquiète, madame Millet.

Tremblante et blafarde, Lucienne se signa. Elle lança un coup d'œil affolé à son mari qui se tenait près de la fenêtre, ses bras musclés croisés sur sa poitrine.

— Tu entends ça, Bastien? gémit-elle. Tu ne l'as pas vue, au moins?

— Non, je ne l'ai pas vue, et je ne m'en plains pas. Deux fois, je l'ai croisée sur la route et je lui ai causé en parlant de toi, ma Lulu, qui étais souffrante. Isaure, elle se fiche de nous, et même de toi, sa mère. Il n'y a pas à dire, elle s'est bien débrouillée, puisque la voilà riche. Faut pas vous biler, madame Mercerin, elle a filé en douce faire sa vie ailleurs.

C'en était trop pour Olympe. Déjà, elle ne parvenait pas à imaginer l'enfance et l'adolescence d'Isaure dans ce décor d'une poignante tristesse, confrontée quotidiennement à une abjecte figure paternelle.

— Je ne comprends pas votre attitude, monsieur Millet, tonna-t-elle. Depuis presque deux mois, Isaure s'occupe de la maison et donne des leçons à mes petits-enfants. Sachez que je suis très satisfaite de ses services. Je viens vous annoncer qu'elle est veuve, que nous ignorons où elle se trouve et vous n'avez que du dédain pour elle, pour votre fille.

— Mais, ma brave dame, éructa-t-il, c'est que je la connais mieux que vous, Isaure. Gamine, elle se sauvait toujours, si je la grondais ou la punissais. Hop, on ne la trouvait plus, elle avait couru pleurnicher dans les jupes de sa nourrice, une sorte de fada qui lui bourrait le crâne de sottises.

— Où habite cette femme? interrogea Olympe en se levant, prête à poursuivre ses recherches.

— Huguette est morte il y a deux ans. Paix à son âme! répondit Lucienne en se signant de nouveau. Ce n'était pas une mauvaise personne, malgré ce qu'en disaient les gens du pays. Elle a gardé Isaure jusqu'à ses cinq ans. La petite l'aimait bien et c'est vrai, ça lui arrivait de se sauver pour aller la voir.

Émue, Olympe Mercerin hocha la tête. C'était dans sa nature de se pencher en observatrice attentive sur les êtres humains, d'où son engouement pour sa jeune gouvernante. En étudiant la physionomie et les expressions de Lucienne Millet, elle songea que cette petite personne vieillie prématurément avait dû être fort jolie dans sa prime jeunesse. Elle avait certainement été dotée de traits délicats et d'un corps gracieux, ce qui se devinait encore.

— Je suis désolée de vous causer du souci, madame, lui dit-elle avec gentillesse, mais je crains pour votre fille. Sait-on jamais à quoi elle a pu penser, si elle a beaucoup de chagrin ou qu'elle se sent coupable…

Bastien Millet poussa alors un gros soupir exagéré. Il enfila sa veste et ses sabots.

— Si ça peut vous rassurer, madame Mercerin, je

vais aller jusqu'à la grange. Isaure se planquait souvent dans le foin. Mais je crois que, la métairie, c'est le dernier endroit où elle viendrait. Je l'ai chassée. Sans doute qu'elle vous a tout raconté. Même qu'elle a failli m'esquinter le portrait en me jetant une pierre, et pas une petite, hé! Ce n'est pas le genre à se supprimer, Isaure, plutôt le genre à semer le malheur, ouais.

Sur ces mots, il sortit d'un pas lourd en claquant la porte. Le bruit fit sursauter Lucienne, qui essuya une larme, puis une autre.

— Il l'avait battue, ce soir-là, avoua-t-elle tout bas, et tellement fort que la pauvrette s'est enfuie. Je ne l'ai pas revue depuis. La fiancée de mon Armand, Geneviève, qui travaillait pour madame votre fille, est venue chercher ses affaires, accompagnée du policier.

— Battue, répéta Olympe, atterrée. Mon Dieu, comme je vous plains, madame Millet! Isaure doit vous manquer.

— Oh ça, tant qu'elle vivait chez nous, la maison était bien tenue. Pendant la guerre, elle a trimé dur pour remplacer ses frères. Mon mari est près de ses sous. Il enrageait de devoir payer des journaliers parce que ses fils étaient mobilisés. Maintenant, il a dû s'y résoudre, madame la comtesse lui a fait embaucher deux gars de Puy-de-Serre, un village d'à côté.

— La comtesse? C'est elle qui s'occupe de la métairie?

— De certaines affaires, oui.

— Et le comte Théophile, que fait-il dans tout ça?

— Oh, lui, on ne le voit pas, mais il envoie son régisseur, qui n'est pas commode.

Lucienne se pencha en avant, prit le tisonnier et arrangea une bûche enflammée qui venait de se fendre en deux. Les joues colorées par la chaleur du feu, elle porta une main à son ventre.

— Souffrez-vous beaucoup, madame? demanda Olympe, pleine d'une sincère compassion.

— De temps en temps, mais le remède que m'a donné le docteur me soulage, ça oui. J'ai pu me lever et cuisiner pour mon homme, mais j'ai de la lessive en retard.

— Je vous déconseille de laver du linge, c'est éreintant, déclara Olympe en se levant. Au revoir, madame Millet. J'ai envoyé Denis, le fils de ma cuisinière, chez les Marot. Il aura peut-être des nouvelles d'Isaure. Je vous tiens au courant, c'est promis.

— Si vous la retrouvez, ma petite, dites-lui que je pense bien fort à elle. Alors, c'est vrai? Elle hérite de son mari? Avec de l'argent, on se console plus vite, sans doute.

— Sans doute, madame. Soignez-vous, surtout.

Lucienne fit oui d'un signe de tête. Apitoyée, Olympe la quitta le cœur lourd. Dehors, elle aperçut le métayer qui détachait un chien maigre au poil terne et sale. Stupéfait d'être libéré, l'animal huma le vent et s'éloigna d'un trot hésitant.

— Isaure n'est pas dans le coin! hurla Bastien. Mais ce cabot l'aime bien. Il finira par la trouver. Allez, file, Riton, file donc!

Sans prononcer un mot, pas même pour prendre congé, Olympe Mercerin franchit le portail. Son chauffeur l'accueillit avec une mimique de soulagement. Il l'aida à monter dans la voiture où, à peine installée sur la banquette arrière, elle murmura :

— Démarrez vite, Roger. Emmenez-moi loin de cet enfer, je vous prie.

— Tout de suite, madame, et avec plaisir.

*

De la fenêtre du grand salon, Viviane Aubignac guettait le retour de sa mère. Vêtue d'une jupe en jersey noir et d'un gilet rose, elle s'était à plusieurs reprises regardée dans le miroir vénitien, contente de la légèreté et du soyeux de ses boucles blondes, qu'elle avait soigneusement brossées.

— Le docteur Gramont passe examiner Paul dans un quart d'heure. Pourvu que maman ne soit pas là, ou bien qu'elle prenne son repas dans la salle à manger!

Mais une automobile remontait l'allée et Viviane s'élança vers le vestibule. Germaine et Nadine firent elles aussi irruption.

— Alors? s'écrièrent-elles presque en chœur quand Olympe entra.

— Alors, rien. Et Denis? A-t-il appris quelque chose, chez les Marot?

— Rien qui concerne Isaure, maman, répondit Viviane. Il y a encore un grave problème dans la mine, au puits du Couteau, plus précisément. Un plafond de galerie s'est effondré à cause des infiltrations d'eau et...

Denis accourut à son tour, surgi des cuisines comme un diable de sa boîte.

— Eh oui, il y a du vilain, s'égosilla-t-il, sans se rendre compte qu'il avait coupé la parole à une de ses patronnes. Paraît que l'eau monte et qu'il y a des gueules noires au fond, de même que des chevaux. Thomas Marot est du nombre. Alors pensez un peu! Sa femme et sa mère sont dans tous leurs états.

— Oh! maman, ce serait terrible s'il arrivait malheur à Thomas Marot! s'écria Viviane. Son épouse attend un bébé.

— Seigneur, quelle journée! déplora Olympe. Et quel pays de misère!

Elle ferma les yeux un instant, étourdie par un chaos

d'images et de sensations. Tout se mêlait, les ignobles paroles du métayer, les larmes de sa pauvre femme dolente, les murs lépreux, les confidences de son chauffeur, et aussi les mineurs prisonniers et les chevaux affolés. Elle vit Isaure dans sa robe de mariée, belle et grave, mais inerte, pâle silhouette couchée parmi des herbes sous une eau sombre et stagnante.

14

Les eaux folles

Puits du Couteau, mercredi 2 mars 1921

En contremaître consciencieux et soucieux de ne pas exposer les mineurs au danger, Vincent Ardouin se serait volontiers arraché les cheveux devant la catastrophe. Ses pires craintes se concrétisaient et il en aurait hurlé de rage impuissante. Déjà, depuis deux jours, il en était devenu insomniaque, certain que le chantier du puits du Couteau allait causer un accident. Comme l'avait fait remarquer Gustave Marot, il fallait aussi s'inquiéter de la solidité du chevalement, réparé en hâte.

Les hommes luttaient contre la boue et les gravats divers qu'ils pelletaient pour remplir les berlines. Danois et Quidam tiraient les lourds wagonnets sur un plan incliné rendu glissant par l'humidité jusqu'à la cage qui les remontait.

Une seconde équipe, à l'extérieur, se chargeait de les vider et de les faire redescendre. Tous étaient convaincus de l'inutilité de ce labeur fastidieux, mais ils continuaient en songeant au salaire dont ils ne pouvaient se passer.

Il était dix heures du matin quand un grondement terrifiant avait résonné dans la galerie d'évacuation, qu'une équipe tentait de déblayer au prix d'efforts harassants. Thomas, son père, Claude Chaumont et trois autres mineurs s'étaient immobilisés, sur le qui-vive, leur outil à la main. Mais chacun d'eux avait observé avec anxiété la flamme des lampes.

— Pas de grisou, avait affirmé Gustave Marot. C'est autre chose. Patrice, cours prévenir Ardouin.

Tandis que le dénommé Patrice s'élançait, Thomas avait désigné aux autres le fond de la galerie. Les boisages craquaient et les parois s'effondraient lentement. Entre eux et l'éboulement qui commençait venaient Pierre Ambrozy et Danois, puis Quidam, ce dernier si docile qu'il n'était nul besoin de le tenir en longe.

— Viens là! Lâche ta bête! avait crié Gustave.

Victime d'une entorse la veille, Stanislas assumait ses fonctions de palefrenier au puits du Centre. Il avait vu partir son fils avec inquiétude. Cependant, rien n'aurait empêché l'adolescent de suivre son cheval favori au fond du puits du Couteau.

— Papa, tant que Danois travaillera là-bas, j'irai. De toute façon, si je ne suis pas avec lui, il sera nerveux, Quidam aussi. Ils sont apeurés, dans ce puits-là qu'ils ne connaissent pas.

Le grondement s'était fait plus fort, assorti d'un bruit insolite, pareil à la fureur des vagues contre les rochers.

— Faut remonter, s'était égosillé Chaumont. Je vous parie que c'est de l'eau, ça. On ferait mieux de filer illico.

Ardouin était arrivé à cet instant précis, suivi de Patrice, un jeune galibot affolé. Le contremaître fut aux premières loges pour voir les boisages céder et des masses de terre ruisseler, vite submergées par un flot noir victorieux. Oui, il y avait de quoi s'arracher les cheveux et maudire le nouveau directeur.

*

— Nom d'un chien, j'avais averti Fournier! déclarat-il. Il n'a pas voulu m'écouter. Pas loin, il y a le puits d'Épagne qui a été ennoyé[7] il y a trois ans. Avec ce bon sang de déluge pendant deux semaines, l'eau a dû grossir et saper les parois. Tout le monde court à la cage! Patrice, va prévenir le surveillant. Que l'équipe de dehors soit prête à mettre le treuil en marche.

L'ordre était logique et, malgré le flux boueux qui leur montait déjà aux genoux, les mineurs savaient qu'ils s'en tireraient en évacuant dans le calme.

— Et les chevaux? demanda alors Pierre, qui n'avait pas lâché le beau Danois à la robe brune et au front étoilé de blanc. L'animal s'ébrouait en émettant de petits hennissements de panique.

— On verra ça, gamin. Les hommes d'abord, rétorqua Ardouin. Viens avec nous, tes bêtes suivront le mouvement.

— Non, je sais ce que vous allez faire, bredouilla le garçon, affolé. Vous allez les laisser au fond. Le vieux Macaire me l'a raconté, une fois, on a sacrifié les chevaux. Là, ils ont peur. Danois est en sueur, tellement il a peur.

— Allons, Pierrot, sois raisonnable, insista Thomas. Nous ferons l'impossible pour les sauver, mais quand nous serons en sécurité.

Campé sur sa jambe valide, Pierre assurait de son mieux son équilibre sur sa prothèse, malmenée par le courant rapide. Il hésitait. Il n'avait pas confiance en Ardouin, qui se moquait du sort des chevaux, mais Thomas, sans aucun doute, disait vrai.

— Promets-le-moi, beau-frère, s'écria-t-il en ayant soin de rappeler au jeune mineur leur lien de parenté.

---

7. Mettre sous l'eau un puits de mine, qu'on dénoie ensuite s'il faut l'exploiter de nouveau.

— Je ne promettrai jamais ça, car je n'en suis pas certain, Pierre.

— Assez discuté, tempêta Gustave Marot. L'eau monte doucement, mais elle monte. Vous entendez ce chahut? Plus elle se dégagera un passage, plus elle ira vite.

Thomas leva haut sa lampe afin de bien examiner son entourage. Il fut sidéré de voir les remous autour de ses cuisses et une pluie fine qui dégoulinait du plafond à une vingtaine de mètres. Si une seconde retenue d'eau devait crever la voûte, ils étaient perdus.

— Pierre, ton père n'est pas là, trancha-t-il d'une voix forte, mais, comme tu l'as dit, je suis ton beau-frère. Lâche ce cheval et donne-moi la main. Tu as du mal à marcher, avec ta prothèse; je vais te porter sur mon dos.

Révolté, l'ancien galibot se retourna pour vérifier comment Quidam, le grand hongre blanc, se comportait. Les yeux fous, la bête s'agitait, tapant de ses postérieurs contre la berline qui le retenait prisonnier.

— Il faut le détacher, Danois aussi, sinon ils ne pourront pas suivre, clama-t-il. Vous n'y pensiez pas, à ça, hein?

Tout de suite, Pierre plongea ses avant-bras dans l'eau trouble afin de débarrasser son cheval du harnais. Mais, au moment précis où il réussissait à défaire une boucle, le sol croula sous lui et les deux bêtes, créant une cuvette étroite où le courant s'engouffra en tourbillons. Très vite, l'adolescent eut de l'eau jusqu'à la taille.

— Bon sang, gémit Thomas. Ne bouge pas, mon p'tit, je vais t'aider.

Sur ces mots, il se laissa glisser dans la mare boueuse où se débattait Danois, terrifié, Pierre accroché à sa crinière.

Cabane des Millet, *même heure*

Isaure était assise devant la cabane construite par son père sur les vestiges d'un abri encore plus sommaire édifié jadis par son grand-père. Le dos appuyé à une des cloisons en planches, elle contemplait d'un regard distrait l'étendue des mares. Dans l'eau verte poussait une végétation particulière composée d'ajoncs, de roseaux et de saules nains. Le ciel nuageux laissait apparaître de petits bouts de bleu, un bleu très pâle. Il faisait assez doux et il n'y avait pas un souffle de vent.

Si sa nuit avait été troublée, des cauchemars l'ayant réveillée à plusieurs reprises, Isaure estimait s'être bien reposée. La solitude du lieu et la certitude qu'elle avait de ne pas être dérangée s'étaient révélées salutaires. Elle voyait plus clair dans le tragique imbroglio qui avait suivi le décès de Justin. «Je ne suis coupable de rien, en fait, pensait-elle à présent en croquant dans sa dernière pomme sur les trois qu'elle avait emportées. Mais je peux comprendre la réaction de Corinne, la malheureuse, si elle a cru que j'étais enceinte de son fils. Tant pis si je lui fais horreur, je m'en moque. J'ai échappé au pire.»

Le pire, à son idée, aurait été le voyage jusqu'à Paris pour assister aux obsèques. Délivrée de cette obligation, elle se demandait avec une curiosité détachée comment le cercueil de son mari serait transporté.

— En train? En camionnette? C'est loin, Paris. Des heures de route. En train? Pauvre Justin!

Elle soupira. Elle ne parvenait pas à accepter sa mort, même si elle pouvait y réfléchir et s'interroger sur de tels détails. Parfois, il lui semblait qu'elle l'avait laissé endormi dans sa chambre d'hôpital et qu'elle le retrouverait plus tard, quand elle aurait oublié la cruauté de sa mère.

— Madame Corinne Devers qui avait l'air si gentille, si aimable. Mais j'avais remarqué sa façon de me fixer, à Paris, comme si elle m'étudiait, qu'elle essayait de lire en moi. J'avais également noté les petites piques anodines : « Vous êtes si jeune, quand même, est-ce sérieux ? » Ou bien : « Et si vous ne vous plaisiez pas dans la capitale, chère Isaure ! »

Elle imitait les intonations suaves de sa belle-mère en mimant ses expressions. Un goût amer lui vint à la bouche, elle jeta la pomme, qui n'apaiserait pas sa faim.

— Je n'ai plus de biscuits ni de café. Je devrais attraper des grenouilles pour ce soir.

Lorsqu'elle prononça ces mots, un éclat de rire nerveux la secoua, puis ce fut un sanglot et des larmes.

— Je veux rester là pour toujours, hoqueta-t-elle. J'aurais dû acheter des provisions.

Un spasme lui noua le ventre. Elle eut un peu honte d'avoir autant d'appétit qu'un vigoureux adolescent. Les yeux fermés, elle s'imagina frappant chez Honorine Marot qui, comme avant, lui offrirait vite du lait chaud, du gâteau ou de la brioche. Mais un bruit bien particulier retentit dans la campagne, qu'Isaure identifia aussitôt. C'était la sirène d'alarme de l'*Hôtel des Mines*.

Le son lancinant, qui croissait en puissance puis décroissait en vibrations sinistres, lui vrilla le cœur.

— Qu'est-ce que c'est ?

Quelque part dans le marais, un hurlement plaintif fit écho à la sirène. Isaure se souvint de Riton, le chien de la métairie, qui poussait des clameurs pitoyables les soirs d'orage, comme quand le tocsin avait sonné le jour de la déclaration de guerre. C'était sans aucun doute une pauvre bête errante, elle aussi affamée.

Elle se leva et avança sur le sentier, faisant fuir une grenouille rousse. Un martin-pêcheur d'un bleu métallique s'envola et rasa la surface de l'eau.

— Une fois par mois, ils vérifient si elle fonctionne bien, se dit-elle tout bas. Mais ça ne dure pas trop longtemps. Non, ce n'est pas vraiment pareil. Il y a eu un accident dans la mine.

Un animal déboula au même moment d'un fouillis d'ajoncs, un chien au poil jaune et rêche, aux oreilles tombantes et à l'échine maigre.

— Riton! appela-t-elle. Mais qui t'a lâché?

En remuant la queue avec frénésie, la pauvre bête se mit à sautiller autour de sa jupe dans une attitude soumise, mais où se devinait une joie délirante. Isaure le caressa, émue de sentir son ossature sous le poil terne.

— Toi, tu as enfin pu te sauver! S'il te retrouve, monsieur mon père te fera passer un sale quart d'heure. Fais comme moi, Riton, n'y remets jamais les pieds.

Pas un instant la jeune femme ne songea qu'on la cherchait, car elle était incapable de concevoir la visite d'Edmond Durieux à Faymoreau, pas plus que celle de sa patronne à la métairie.

La sirène retentit de nouveau. L'écho angoissant de la triste alarme acheva de ramener Isaure dans le monde réel.

— Sais-tu, Riton, j'étais prête à monter au village confier mes soucis à madame Olympe. Auparavant, j'aurais toqué à la porte de service; Germaine a toujours de quoi grignoter. Je crois que je devrais me dépêcher, c'est un accident. Viens!

Elle reprit son sac en bandoulière en négligeant son vieux manteau, qui lui aurait tenu trop chaud en marchant. Ses longs cheveux noirs défaits croulaient sur ses épaules en fines ondulations; son corsage était dégrafé à la naissance des seins. Isaure ne s'en était pas aperçue, tout entière accaparée par son esprit blessé et son cœur malmené. Son apparence lui était totalement indifférente.

*

Trois quarts d'heure plus tard, le front moite de sueur, Isaure parvenait sur l'esplanade de l'*Hôtel des Mines*. Elle avait prévu se rendre en premier lieu chez les Marot, mais, en découvrant une foule de femmes regroupées sous les fenêtres du service administratif, elle s'arrêta pour écouter ce qu'elles hurlaient.

— Incapable, profiteur!

— Si un de nos hommes y reste, tu le paieras cher, fumier!

— Saligaud, crétin, vendu!

La plupart des insultes qui s'élevaient de toutes ces bouches béantes crispées par la colère étaient destinées à Christian Fournier. Soudain, la double porte du bâtiment s'ouvrit sur un des ingénieurs de la compagnie. Il vociféra, furieux:

— Rentrez donc chez vous, mesdames! Pour la deuxième fois, je vous le dis, monsieur Fournier n'est pas ici. Il se trouve au puits du Couteau depuis plus d'une heure.

— Menteur! On l'a vu derrière la vitre, brailla Rosalie, déchaînée.

— Monsieur Fournier est en effet venu chercher quelque chose, mais il est aussitôt reparti par la porte de derrière. Il craignait à juste titre que vous ne le retardiez. Allons, mesdames, calmez-vous, tout va s'arranger.

Isaure cherchait en vain parmi les femmes un visage familier, celui d'Honorine ou de Jolenta. Elle supposa à tort que leur mari respectif n'était pas en danger et se tranquillisa. Mais Rosalie, dont elle connaissait vaguement la physionomie, cria d'une voix stridente:

— On va toutes à la chapelle des mineurs, puisqu'on ne veut rien nous dire. Autant prier avec Jolenta et m'dame Marot.

Le groupe se rua vers le coron de la Haute Terrasse afin de rejoindre au plus vite le modeste sanctuaire inauguré en 1876, le jour de la Sainte-Barbe, patronne des mineurs. «Thomas est là-bas, au puits du Couteau, en déduisit Isaure, toujours escortée du chien. Cette fois, je ne perdrai pas de temps à prier.»

Elle n'avait plus faim, mais après le trajet qu'elle avait effectué au pas de course, elle éprouvait une singulière sensation de chaleur. Elle s'élança rapidement vers la colline, avec l'impression d'effleurer le sol.

— La mort a emporté Justin, mais elle n'aura pas Thomas, ou bien je mourrai avec lui, près de lui, murmura-t-elle en suivant le large chemin boueux qui menait au puits du Couteau, à des centaines de mètres de Faymoreau et du puits du Centre.

Des mineurs sombres et pressés la précédaient, une pelle ou un pic à la main et le casque sur le crâne. Des ordres avaient été donnés; on interrompait le travail en cours pour secourir l'équipe en difficulté. Enfin, Isaure déboula devant les bâtiments jouxtant le puits désaffecté. Le chevalement se dressait sur le ciel opaque et lumineux d'un gris de perle.

Tout de suite, elle vit Christian Fournier en grande discussion avec Stanislas Ambrozy. Le directeur gesticulait, un pistolet à la main. Suscitant la surprise et l'indignation des hommes qu'elle bousculait, Isaure se précipita vers le Polonais. Il ouvrit des yeux ahuris.

— Monsieur Ambrozy, je vous en supplie, dites-moi ce qui se passe! Est-ce grave? Encore un coup de grisou?

— Bon sang de bois, qu'est-ce que vous fichez là? aboya-t-il en la repoussant.

— Mademoiselle Millet! s'étonna Fournier.

Il l'avait reconnue après quelques secondes de doute, tant elle était changée, ainsi échevelée, les joues colorées et les seins moulés par son corsage en flanelle à demi ouvert sur la dentelle d'une combinaison rose.

— Oui, c'est moi. Je vous en prie, expliquez-moi! D'abord, que voulez-vous faire avec cette arme?

— Il veut abattre les chevaux pour sauver mon Piotr, tonna Ambrozy, le regard halluciné. Mon gamin a perdu la tête, il refuse de remonter sans les bêtes et l'eau envahit la galerie. Thomas et Chaumont en ont à la taille.

— Quels chevaux? s'écria-t-elle. Dites-moi leurs noms, mon père en a tellement vendu à la compagnie!

— Vous nous faites perdre un temps précieux, la fustigea Fournier. Le problème va être réglé grâce à deux balles. Quand les chevaux auront été abattus, le gosse n'aura plus aucun prétexte pour rester en bas. La cage remonte, il y a un blessé grave. Ambrozy, vous êtes palefrenier en chef; à vous de faire la besogne.

— Ne me demandez pas ça, monsieur. Allez-y vous-même! rugit le Polonais. S'il fallait que je tremble et que je blesse mon fils…

Patrice, le galibot qui faisait partie de l'équipe de Thomas, parla tout bas à Isaure, touché qu'il était par sa beauté et son affolement.

— Mademoiselle, Pierre refuse de quitter Danois et le vieux Quidam. La situation est grave. Ça fait deux fois que je descends avec Grandieu, le porion. On a passé des madriers; deux gars du puits du Centre tentent de soutenir la voûte. C'est une question de minutes. Si le plafond cède, ils seront tous noyés, les bêtes et les hommes.

— Merci, dit-elle en lui souriant.

Ces renseignements la jetèrent dans un état anormal d'excitation. Exaltée, soulevée par une volonté de fer, elle saisit Fournier par le bras en le toisant d'un air dur.

— Je connais ces chevaux. Nous les avons gardés au moins trois ou quatre ans avant de les vendre à la mine. Je les ai soignés, eux comme tant d'autres ensuite. Laissez-moi y aller. Il ne faut pas les sacrifier, ce serait injuste. Ils travaillent autant que vos mineurs, et pendant des années dans les ténèbres, sans même avoir droit à un samedi soir de bal ou à un dimanche à la pêche.

— Mademoiselle, gardez vos balivernes pour les enfants de votre patronne. J'ignore ce que vous faites ici, mais vous nous gênez. Laissez-nous. Ambrozy, je vous ordonne de descendre et de tuer ces animaux qui mettent en péril plusieurs employés de la compagnie.

Résigné, malade d'anxiété pour son enfant, Stanislas tendit la main vers le pistolet, mais, à l'instant où Fournier le lui remettait, Isaure s'en empara avec une rapidité étonnante. Tout aussi habilement, elle en enleva les balles qu'elle lança dans les herbes jaunies de l'été précédent.

— Enfin, êtes-vous folle! C'est un comble! s'indigna le directeur sous l'œil ébahi d'Ambrozy.

Un grincement métallique accompagné d'appels mit fin à la scène. Les mineurs se ruèrent sous le hangar où s'arrêtait la cage. Isaure courut sur leurs traces, talonnée par le Polonais. Gustave Marot en sortit le premier, transformé en une statue vivante ruisselante de boue liquide. Ardouin, lui, soutenait sur ses genoux la tête de Claude Chaumont.

— Il est blessé à la tête. Il avait perdu son casque, criat-il. Il a voulu remplacer Thomas qui tentait d'emmener Pierre. Une berline l'a heurté de plein fouet au front et à l'épaule. C'est l'enfer, en bas.

Tous observaient le corps allongé à même le plancher de la cage. Ils constatèrent avec soulagement que le gars du Nord avait les yeux ouverts.

— Faut se dépêcher, bredouilla Chaumont. Ils sont six qui luttent contre le courant. Les chevaux sont tétanisés. On a creusé pour qu'ils puissent sortir du trou, mais ils sont bloqués, les yeux fous. Y a rien à faire. Mais je comprends le gamin. Les bêtes, ce sont nos camarades, c'est tout pareil. Et Thomas, il va être papa, faut pas qu'il crève en bas, que je lui ai dit. Pas lui.

Horrifié, Christian Fournier regardait l'homme à l'épaule broyée, dont le visage était couvert de sang et de terre brune.

— J'ai très mal au ventre, aussi. Il y a des bouts de bois qui flottent, précisa Chaumont avant de s'évanouir.

Gustave se signa en indiquant d'un doigt le pantalon en toile du malheureux. Là également, une tache de sang s'élargissait.

— Vous êtes contente, petite idiote? chuchota Fournier à l'oreille d'Isaure, livide. Ce sale gosse est responsable de ce qui arrive. S'il avait accepté de laisser les chevaux, tout le monde serait dehors sain et sauf. Ardouin, occupez-vous des secours. Où est votre fils, Marot?

— En bas, monsieur, soupira Gustave, qui venait de remarquer la présence d'Isaure.

— Vite, Ardouin, filez appeler le docteur Farlier et faites venir une ambulance! hurla le directeur.

Stanislas était défiguré par un masque de terreur et de rage. Il aida à sortir le blessé, puis il prit place dans la cage. Deux autres mineurs polonais le suivirent de près.

— Il faudrait des sangles ou des câbles, murmura Isaure, qui comptait bien descendre elle aussi.

Patrice avait entendu. Il courut sous le hangar où il détacha du mur un énorme paquet de sangles en tissu. Il la rejoignit avec un casque supplémentaire.

— Si on accepte que vous veniez, ça vous sera utile!

— Patrice, es-tu fêlé? brailla férocement Gustave Marot. Pas de femme dans ce puits, même si elle a envie de crever.

— Mais, monsieur Marot, je dois y aller, je vous en prie, implora Isaure, stupéfaite devant son langage et sa hargne.

— Non, je vous ordonne de quitter ce chantier, trancha Fournier. Vous imaginez ce qu'écrira la presse à mon sujet si on sait que j'ai permis à une jeune fille de descendre au fond d'un puits que l'eau envahit? Je serai responsable, mademoiselle!

— Je suis mariée. On m'appelle madame Isaure Devers. Je suis mariée et veuve. J'irai donc où je veux, même si j'en crève, monsieur Marot, et vous, monsieur Fournier. Personne ne doit mourir aujourd'hui, ni les chevaux ni les hommes.

Stanislas Ambrozy l'attrapa alors par le coude et l'attira contre lui en la maintenant par la taille. Patrice se mit devant elle, Grandieu poussa un cri indiquant qu'il fallait les descendre. La cage s'ébranla et s'enfonça dans l'obscurité le long de parois sombres.

— Merci, monsieur Stanislas, dit Isaure à mi-voix, pleine de gratitude. Mais pourquoi avez-vous fait ça?

— Je ne savais pas que vous aimiez autant les chevaux, répliqua-t-il d'un ton froid, ni que vous aimiez autant quelqu'un d'autre qui est là-dessous, en danger.

Elle baissa la tête sans répondre, prise d'une angoisse viscérale en prenant conscience du côté affreux de cette plongée dans les entrailles de la terre. Oppressée, elle eut l'impression d'être aspirée dans un gouffre sans fin d'où elle ne sortirait pas.

En même temps, elle admirait de tout son cœur les fameuses gueules noires que son père méprisait, ces ouvriers d'un monde ténébreux qui, chaque jour, enduraient cette chute vertigineuse pour suer, s'éreinter et même mourir, parfois, dans l'unique but de toucher un salaire de misère en extrayant du charbon. «Ce n'est pas juste, non! Ça devra s'arrêter un jour, se dit-elle. Mon Dieu, pourquoi des hommes et des enfants comme Pierre doivent-ils faire ce métier?» Elle en oubliait Thomas, les chevaux et le danger.

Un choc sourd, des éclaboussures froides et un floc!

monstrueux la ramenèrent à l'instant présent. La cage s'était immobilisée et déjà l'eau y pénétrait, trempant les chevilles.

— Venez, madame, conseilla Patrice. Vous n'avez pas de lampe. Marchez entre Stanislas et moi.

Ils avaient à peine parcouru trois mètres qu'un hennissement de détresse résonna dans la galerie. Des cris désespérés y firent écho. Isaure reconnut la voix si jeune de Pierre Ambrozy; ses accents étaient pathétiques.

— Faut me laisser, Thomas, fiche le camp, sauve-toi. Je n'mérite pas de vivre. C'est ma faute si Claude a été blessé. Il va mourir, oui, à cause de moi. Laisse-moi ici avec mon cheval.

Stanislas se mit à courir en jurant entre ses dents. Gênée par sa jupe imbibée d'eau boueuse, Isaure se cramponna au bras de Patrice qui l'entraîna avec lui.

— Quand même, ce pauvre gamin, il perd la boule, lui dit-il. On ne peut pas aimer une bête à ce point!

— Si, sûrement, balbutia-t-elle en se demandant ce qu'était devenu Riton.

Le chien avait dû fuir les abords du chantier, peu habitué à voir autant d'hommes réunis.

Soudain, dans la lueur dansante d'une lampe, elle aperçut Thomas qui lui faisait face. Il cria aussitôt, les yeux pleins de fureur et de terreur.

— Isaure, qui t'a fait descendre? C'est de la folie! Beau-père, c'est vous? Patrice?

— Je veux vous aider, déclara-t-elle, bouleversée de le revoir malgré ses traits défaits, souillés de sang et de terre jaunâtre, et ses vêtements de toile détrempés.

— Aider à quoi? s'exclama-t-il. Mais regarde donc!

Il s'écarta, tout en la prenant contre lui d'un geste possessif. Rassérénée par le contact de ses doigts sur sa taille, elle vit la cuvette oblongue remplie d'eau sale où se trouvait Danois, pétrifié, qui tremblait de tout son grand corps caressé par des remous. Pierre s'était hissé sur le dos de l'animal et avait noué ses bras autour de son encolure, la joue posée sur sa crinière. Il suppliait qu'on l'abandonne.

— Deux fois, je suis allé près de lui. J'ai même voulu l'assommer, expliqua Thomas. Je n'y arrive pas, j'ai peur de cogner trop fort ou de perdre pied et de tomber. Une des berlines a coulé après avoir fracassé le crâne de Chaumont.

— Tu as fait ce que tu as pu, Thomas, dit Stanislas. Je vais chercher mon fils. Je n'aurai pas peur de l'assommer, moi. Fournier avait pris un pistolet. Il avait prévu abattre les chevaux, au risque de tuer mon gamin, oui.

Isaure réfléchissait à toute vitesse, fascinée par le tableau que présentait Pierre sur Danois, une image digne d'un cauchemar, comme tirée d'une scène dépeignant un recoin d'enfer. Le feu manquait, mais le reflet jaune des lampes sur les parois brunes et les regards fixes des chevaux suffisaient à créer l'épouvante.

— Monsieur Ambrozy et toi, vous devez faire avancer Quidam, il semble moins nerveux, dit-elle à Thomas. Ensuite, vous tendrez les sangles derrière la croupe de Danois. Si les autres hommes vous aident, ça peut marcher. Mes frères et mon père procédaient ainsi quand certains chevaux refusaient de bouger.

— Je comprends la technique, maugréa le Polonais. Henrik, tu es d'accord?

— Oui, Stanislas, je veux bien essayer, mais tu ferais mieux de cogner sur ton fils d'abord. Sinon, il nous gênera.

Isaure échappa à l'étreinte de Thomas. Sans hésiter, elle se jeta dans l'eau, qui lui atteignit immédiatement la poitrine. Sidéré, Pierre éclata en sanglots.

— Non, m'selle, faut pas faire ça, pas pour moi, gémit-il. Papa, je viens, tant pis… Adieu, mon Danois, adieu.

Il allait se laisser glisser sur le côté, mais Isaure l'arrêta d'un ordre implacable.

— Ne bouge pas, pas encore. Je vais chercher Quidam. Dès qu'il t'aura dépassé, donne de petits coups de talon sur les flancs de Danois. On le poussera aussi avec des sangles tendues.

— Isaure, nom d'un chien, reviens, hurla Thomas.

Il voulut la rejoindre, mais Ambrozy le retint d'une poigne implacable.

— Elle peut réussir! Vois donc, Danois renâcle. Il la suit des yeux. Elle l'a caressé et il a reniflé ses doigts. Prépare les sangles avec Patrice. Il m'en faut une aussi. Isaure s'y agrippera pour sortir de ce fichu piège.

Sous l'œil ébahi des six mineurs, la jeune femme parvint à saisir la corde qui pendait sous le licol de Quidam. Ils perçurent des chuchotements, comme si elle discutait tout bas avec la grosse bête blanche.

— Seigneur, les madriers, voyez un peu, cria alors Patrice, le bras tendu.

Les énormes poutres en chêne tremblaient, tandis qu'une pluie cristalline filtrait à travers la terre. Isaure leva le nez, intriguée par le bruit ténu de l'averse souterraine.

— Allez, Quidam, vite, avance, viens!

Chacun retint son souffle lorsqu'elle doubla la masse sombre de Danois, frêle silhouette féminine entre les deux animaux. Seul Thomas priait en silence, à la fois incrédule et certain qu'il s'agissait bien d'Isaure, là, au fond d'une galerie de mine, maculée de boue comme eux tous, les cheveux trempés. Le tissu de son corsage moulait ses jeunes seins arrogants, mais pas un homme n'y prêta attention. Ils avaient envie de l'applaudir.

— Voilà une fille courageuse, murmura Patrice.

— Non, une fille complètement folle, rectifia Stanislas. Allez, on y va, c'est le moment de passer les sangles. Tous à l'eau!

Isaure crut qu'elle ne pourrait jamais s'extraire de la cuvette. Cependant, le sol amorçait un début de pente grâce aux efforts des mineurs et, dès qu'elle put s'accrocher à la lanière plate qu'on lui avait lancée, Quidam se rua en avant, l'entraînant dans son élan vers la survie, le grand air, l'espace et le ciel.

— Descends de Danois, cria-t-elle à Pierre, mais ne lâche pas sa crinière, il t'emmènera.

Quelques secondes plus tard, Isaure s'écroulait dans un mètre d'eau, tirée par le cheval blanc. Elle avait pu passer la sangle sous le licol et elle s'y cramponna pour reprendre pied.

Un hourrah! général l'obligea à se retourner, hébétée. Danois avait suivi son congénère et son large poitrail fendait les flots limoneux. La face rouge et le regard brillant de larmes, Pierre arrivait à marcher en se tenant à une grosse poignée de crins.

— Vite, à la cage! brailla un des Polonais. On remonte le gosse en premier avec son cheval. Tu vas avec eux, Stanislas?

— Non, d'abord mademoiselle et Quidam, protesta Ambrozy. Thomas, accompagne-les!

Le jeune homme accepta d'un signe de tête. Muette et tremblante, Isaure guida le hongre dans la cage. Il demeura immobile, les naseaux dilatés, pendant que la cage s'ébranlait. Thomas enlaça Isaure en posant ses lèvres sur son front.

— Si je me doutais que tu étais capable de ça! soufflat-il à son oreille. Isauline, ma petite fadette, qu'est-ce que tu faisais à Faymoreau? Tu devais te marier, hier…

— Justin est mort, Thomas, le soir même de notre mariage. Sa mère en a perdu l'esprit ou presque, elle m'a accusée de choses horribles. Je me suis enfuie. J'ai dormi dans la cabane du marais.

Thomas la serra plus fort et lui bisa la joue, attendri,

mais surtout merveilleusement heureux de pouvoir la garder dans ses bras, loin de tout, pendant encore quelques minutes.

— Je suis sincèrement désolé, Isauline. Justin aurait veillé sur toi. Il t'aurait offert une belle vie, alors que moi, je n'ai rien à t'offrir. Je n'aurai jamais rien à te donner.

— Chut! Tu me fais un cadeau, en ce moment, alors que je suis contre toi et que je te sens là. J'ai eu si peur de te perdre! J'ai craint un coup de grisou et je te voyais mort. Je ne l'aurais pas supporté. Je voulais mourir à tes côtés, Thomas. Et puis, il y avait les chevaux. Je les ai vus naître, grandir et galoper dans les prés. Fournier est un type sans cœur, d'avoir pensé à les tuer, devant Pierre en plus! Il a assez souffert, le pauvre, d'être amputé à son âge. Justin aussi, ils l'ont amputé.

La joue nichée au creux de l'épaule de Thomas, elle se mit à sangloter. Elle revoyait le visage si pâle de Justin et son sourire rêveur, elle revivait l'instant où il s'était éteint, où il n'était plus là, dépouille vide, privée de l'âme éternelle.

— Pleure, mon Isauline, pleure un bon coup, chuchota-t-il.

Il devina la clarté du ciel; la cage arrivait sous le hangar. Des exclamations enthousiastes saluèrent l'apparition du cheval et du couple. Jolenta, qui tenait Honorine par le coude, les vit ainsi, étroitement unis. En dépit de la boue et des habits trempés, elle trouva qu'ils rayonnaient dans la grisaille du jour.

— Seigneur! On me disait qu'Isaure était descendue dans le puits, mais je ne le croyais pas. Pourtant, c'est bien elle, s'étonna sa belle-mère.

— Oui, c'est bien elle, répondit Jolenta d'une voix faible.

*

Christian Fournier avait fait apporter des couvertures et du café chaud dans des bouteilles thermos. Malgré l'air accusateur de son contremaître, le directeur brassait beaucoup d'air afin de cacher son embarras.

Ce fut Ardouin qui, infiniment soulagé, accueillit Thomas tout en considérant Isaure avec stupeur.

— Alors, pas d'autres blessés, Marot? demanda-t-il.

— Non, il reste cinq hommes et Danois à remonter, précisa le jeune homme. Il faudra faire encore deux voyages. Et Claude?

— En route pour l'hôpital, expliqua Ardouin. Le docteur Farlier m'a rassuré: les blessures sont superficielles, même celle qu'il a au ventre, mais le bras droit est cassé. Il en sera quitte pour chômer et poursuivre ses réunions politiques. Mademoiselle, pardon, madame, je n'ai pas eu l'occasion de vous empêcher de descendre dans cet enfer. Aussi, je me réjouis de vous retrouver indemne.

— Merci, répliqua-t-elle très bas.

Gustave Marot s'approcha lui aussi. Sans un mot pour son fils ou Isaure, il prit Quidam par la corde et le conduisit à l'écart.

— Ton père est furieux après moi, dit-elle humblement.

— Non, Gustave en veut au monde entier, avoua Ardouin. Comme le directeur, il compte incendier le jeune Ambrozy. Autant vous le dire, le gamin sera viré de la compagnie.

Le contremaître fit une accolade à Thomas et s'éloigna. La cage était déjà redescendue dans le sempiternel grincement du treuil. Jolenta se décida à marcher vers son mari et Isaure, qui s'étaient enveloppés dans une couverture. Ils se tenaient à prudente distance l'un de l'autre, ignorant si elle les avait vus enlacés.

— Thomas, est-ce que mon frère va remonter? demanda-t-elle à mi-voix. Comment va-t-il? Et papa?

— Tous les deux sauvés, Danois aussi, grâce à Isaure, qui s'y connaît en chevaux. Sais-tu? Son mari est décédé, annonça-t-il.

Isaure se raidit, certaine que Jolenta en profiterait pour lui reprocher sa conduite et demander pourquoi elle était de retour à Faymoreau. Mais la jolie Polonaise approuva en silence.

— Je suis au courant, madame Mercerin nous a envoyé Denis tôt ce matin. Ta patronne te cherche, Isaure. Elle est très inquiète. Tu devrais la prévenir que tu vas à peu près bien. Et merci pour Pierre. Si tu as aidé à sauver son Danois, je t'en suis très reconnaissante.

— J'avais tant de peine pour Justin! J'avais besoin de faire quelque chose pour vaincre le malheur. En plus, ces chevaux, ils viennent de la métairie. Je m'en suis occupée, fillette.

Jolenta ne répondit pas, mais elle noua ses bras blancs autour du cou de Thomas et l'embrassa sur la bouche.

— Il te faudra un bon bain, tout à l'heure, mon chéri, susurra-t-elle.

Isaure détourna le regard. Si elle n'avait pas eu l'idée de parler à Pierre, elle serait partie le plus vite possible. Afin de ne pas déranger Jolenta, elle alla se poster près de l'endroit où s'arrêtait la cage. Presque aussitôt, Fournier fut à ses côtés.

— Madame Devers, murmura-t-il d'un air futé, je viens de téléphoner, du bureau là-bas, à cette chère Olympe. En vous sachant vivante, elle a poussé un cri de joie. Son chauffeur ne tardera pas. Elle l'a envoyé vous récupérer.

— Je ne vous ai rien demandé, monsieur. J'avais l'intention de rentrer chez moi à pied.

— Vous avez un sacré culot! dit-il entre ses dents. Qui vous a montré à vider le barillet d'un revolver et à manier les chevaux?

— L'idéal, pour apprendre ces choses, c'est d'avoir un père métayer qui chasse et élève de beaux animaux, destinés pour la plupart à trimer au fond de vos maudites mines. À ce propos, puisque vous ne voulez plus de Pierre Ambrozy, j'ai une proposition à vous faire qui pourrait vous intéresser.

— Laquelle?

— Je viendrai demain matin en discuter dans votre bureau, monsieur. En attendant, j'espère que Danois et Quidam seront au repos.

— Cela va de soi, et même au repos éternel très bientôt, quand ils auront été vendus pour la boucherie. Je ne veux pas de bêtes rétives.

Elle résista à l'envie de le gifler. Mais la cage était à l'arrêt et, derrière le grillage, Danois fixait l'étendue d'herbe folle, les arbres et le ciel. Pierre souriait, soutenu par son père. La prothèse de l'adolescent gisait sur le plancher, car les courroies s'étaient rompues.

— Ne l'accablez pas de reproches. C'est un enfant infirme, orphelin de mère en plus, murmura Isaure à Fournier. Il adore son Danois.

— Ce n'est pas son cheval, madame Devers.

— Quand on aime, on croit souvent posséder l'objet de son amour, dit-elle si bas qu'il entendit à peine. À demain.

Pierre Ambrozy reçut autant de sévères critiques que de mots gentils. Il sut bientôt que Claude Chaumont survivrait à ses blessures et qu'il avait lui-même perdu son travail, mais les menaces, les baisers de sa sœur, les sermons attendris, tout cela ne l'atteignait pas. Il voyait seulement le grand cheval brun avancer d'un pas hésitant au milieu du pré, brouter une touffe de pissenlit, lever sa belle tête étoilée de blanc et ouvrir ses naseaux à l'air déjà printanier.

Pourtant, quand Isaure se pencha sur lui, son visage s'éclaira d'un large sourire. Ne pouvant marcher, il s'était assis sur une caisse.

— Je vous dois une fière chandelle, mademoiselle, affirma-t-il. Pas moi, en fait, les chevaux.

— Mais tu es triste! Je le vois dans tes yeux.

— Bah, ils vont reprendre le travail bientôt au puits du Centre. Moi, je ne serai plus avec eux.

Isaure se mit à genoux devant lui et le dévisagea. À cet instant, elle bénissait Justin de lui avoir légué son capital.

— Pierre, on se connaît peu, toi et moi. À preuve, tu me vouvoies comme si j'étais une étrangère. Je voulais te dire que Danois et Quidam viennent de la métairie du château. Tiens, veux-tu savoir pourquoi Danois porte ce nom?

— Ah ça, je me suis souvent posé la question.

— Un jour, j'ai lu dans un livre de géographie que les habitants du Danemark s'appelaient les Danois. Le lendemain, un poulain est né. Mes frères le trouvaient magnifique. Moi aussi, et j'ai eu le droit, grâce à Armand, mon plus jeune frère, de le baptiser. J'ai choisi Danois. Mon père s'est moqué, mais, finalement, il a gardé ce nom-là. Souvent, comme j'avais appris qu'il neigeait beaucoup dans ce pays du Nord, je me disais que sa tache blanche, c'était un peu de neige du Danemark. Pierre, je vais te dire un secret, d'accord?

— D'accord. De toute façon, je ne peux rien vous refuser.

*

Blottie près de Thomas, Jolenta observait de loin Isaure et son frère.

— Mais qu'est-ce qu'elle lui raconte?

— Va te renseigner, ma chérie, ou ne me quitte pas. Pierre te le dira sûrement avant ce soir, ce qu'elle lui aura raconté. Jolenta, je veux te remercier, parce que tu as été aimable avec Isaure.

— Je fais des efforts pour être digne de maman, confessa-t-elle d'un air angélique. De vous voir très proches, tout à l'heure, ça ne m'a pas rendue malade de jalousie. C'est ton amie, elle a perdu son mari et elle a sauvé les chevaux que mon Piotr adore. Je serai gentille avec Isaure, à l'avenir.

Il l'étreignit et l'embrassa sur le front. Elle recula un peu en riant, car il était trempé et boueux.

— Tiens, une voiture! fit-elle remarquer.

— C'est celle de madame Mercerin. Je reconnais le chauffeur.

Isaure serra la main de Pierre et se leva. Lorsqu'il vit dans quel état la jeune femme se trouvait, Roger eut un rictus de dégoût.

— Je vais salir la banquette, soupira-t-elle. Il ne fallait pas vous déplacer, enfin.

— J'obéis aux ordres, mademoiselle..., pardon, madame. Montez, je vous en prie, j'ai étalé une couverture sur le siège. Madame Olympe m'a averti que vous seriez sans doute un peu sale, mais à ce point!

— Je suis désolée, Roger. Dites, vous n'avez pas aperçu un chien jaune très maigre, en route?

— Si, madame, près de la chapelle des mineurs. Faut-il le prendre à bord, lui aussi?

— Oui, nous sommes tous les deux affamés.

Pétrie d'un délicieux sentiment de bien-être, Isaure s'assit à l'arrière de l'automobile. Son devoir, elle l'avait accompli. Une soudaine fatigue la terrassa, comme une détente de tout son corps. Elle avait agi sous l'emprise d'une folle passion pour la vie et d'un refus de la mort, mais les efforts fournis la laissaient brisée.

Elle s'endormit brusquement d'un lourd sommeil réparateur, sans même se réveiller lorsque le chauffeur s'arrêta pour attraper un chien jaune et maigre, qu'il obligea à se coucher dans le coffre.

— Madame Olympe ne changera jamais, marmonna-t-il en franchissant le portail. Si elle n'a pas une bête égarée ou une fille perdue à choyer, elle s'ennuie et en devient désagréable. Avec ces deux-là, elle va être servie.

*

Encore tout étourdie après le pesant sommeil qui l'avait prise dans la voiture, Isaure fut reçue à bras ouverts par Olympe Mercerin, Viviane, les enfants et les domestiques. Denis dansait d'un pied sur l'autre, fier de son propre exploit. Le fils de la cuisinière avait couru la campagne, du puits du Couteau à la maison de ses patronnes, afin de raconter les prouesses de la jeune gouvernante.

— Oh! ma chère, ma chère! répétait la septuagénaire en serrant les mains d'Isaure. Vous êtes une créature d'exception. Vous avez une âme d'héroïne.

— Je vous félicite, Isaure, renchérit Viviane. Quel cran, quelle force de caractère!

— Vous étiez vraiment dans un trou de boue? s'extasia Sophie.

— Cela se voit à ses habits, nota Paul, plus tiède dans son admiration.

— Moi, je parie que vous êtes affamée! s'écria Germaine. Venez manger un morceau.

— Volontiers, oui, merci.

Toute la maisonnée la suivit d'un seul élan dans la vaste cuisine où le fourneau ronronnait. Isaure aperçut aussitôt Riton, qui engloutissait le contenu d'une gamelle. Au milieu de ce décor étincelant de propreté, le chien paraissait encore plus maigre et plus sale.

— Votre père l'a détaché quand je lui ai rendu visite pour le prévenir de votre disparition, Isaure, dit Olympe en soupirant. Monsieur Millet prétendait que cette bête vous aime bien et qu'elle vous retrouverait. Est-ce vrai?

— Il errait dans les marais et, oui, je pense qu'il n'allait pas tarder à me rejoindre dans la cabane où j'ai dormi.

— Une cabane? Oh, mademoiselle, vous nous y emmènerez, supplia Sophie, les mains jointes à la hauteur de son menton.

— Du calme, ma chérie, intervint Viviane. Isaure doit reprendre des forces. Nadine va lui faire couler un bain chaud. Je vais vous prêter un ensemble en jersey beige, ainsi que de la lingerie et des bas.

— Ce n'est pas la peine, j'ai mes propres affaires dans le pavillon, protesta Isaure, abasourdie devant tant de prévenances.

— À propos, j'ai envoyé Nadine faire du ménage et ranger un peu, dit Olympe. Seigneur, ma chère petite, quand j'ai vu l'état du lieu, j'ai pensé au pire.

Ces derniers mots provoquèrent un silence embarrassé. Isaure comprit ce qu'ils signifiaient. On avait imaginé que, désespérée, elle avait mis fin à ses jours. Un détail l'intrigua, cependant.

— Mais comment avez-vous su que j'étais rentrée, madame Olympe?

— Grâce à monsieur Durieux. Il m'a rendu visite dans le but de me remettre des documents concernant votre héritage. Je n'ai pas ouvert le dossier. Il m'a donné des conseils que je devais vous transmettre, comme celui d'ouvrir un compte en banque.

— J'en ai déjà un, répondit Isaure. Pendant qu'il était à l'hôpital, Justin m'a prié de faire cette démarche. Il avait tout prévu, décidément.

— Les enfants, venez! s'écria alors Viviane. Allons au salon, bonne-maman sera plus tranquille pour discuter avec Isaure.

— Est-ce que mademoiselle Millet nous fera encore la classe? s'inquiéta Paul.

— Nous en parlerons plus tard. Mais il faut l'appeler madame Devers, maintenant, rectifia sa mère.

Germaine avait servi à Isaure du pain frais, du pâté de lapin et un bouillon de poule. Comme Olympe Mercerin, elle regardait la jeune femme manger avec appétit, un air rêveur sur les traits. Nadine s'était éclipsée à l'étage et Denis avait emmené le chien dans le jardin.

— Je vais récurer mes casseroles, moi, annonça la cuisinière.

Dès que la domestique fut penchée sur son évier, Olympe approcha une chaise de celle d'Isaure.

— J'ai eu très peur pour vous, mon enfant. Je ne veux pas vous importuner, mais j'aimerais avoir quelques réponses de votre part. C'est important pour moi.

— Je vous répondrai, madame.

— Quand j'ai su par Denis que vous étiez saine et sauve, j'ai été infiniment soulagée. J'ignore pourquoi, mais je me suis mis en tête de téléphoner à Corinne Devers, car l'attitude de ce monsieur Durieux m'avait déplu. Cette malheureuse mère s'en veut beaucoup de vous avoir dit des choses odieuses qu'elle ne pensait pas. Elle souffrait d'une crise nerveuse, une réaction fréquente quand on perd un être aimé. Je l'ai trouvée apaisée, je vous assure, et pleine de remords. Au fond, tout est la faute de son compagnon. Il est avocat, mais je plains vraiment ses clients. Ils se sont expliqués et madame Devers a compris. Justin avait bien demandé à Edmond Durieux de ne pas révéler votre prétendue grossesse à sa mère. Il ne voulait en aucun cas lui donner une fausse joie, se sachant perdu. Nous en avons conclu toutes les deux que Justin croyait avoir le temps d'avouer son mensonge, surtout à ce monsieur qui, dans ce cas, se serait bien gardé de rapporter le stratagème.

— Oui, sans doute que ça s'est passé ainsi, répondit Isaure d'un ton de voix indifférent. Elle adorait son fils. Elle avait besoin d'accuser quelqu'un de sa mort, ce qu'elle a fait le matin où je suis arrivée à l'hôpital. Je lui pardonne, à cette pauvre femme.

— Et vous, Isaure, adoriez-vous votre fiancé, celui que vous avez épousé? interrogea tout bas Olympe.

— Je l'aimais beaucoup.

— Beaucoup est de trop, en matière d'amour. Isaure, Roger a jugé nécessaire de me confier un incident qui l'a marqué. Ne lui en veuillez pas, il s'est décidé ce matin, en me conduisant jusqu'à la métairie. J'étais tellement inquiète! Je cherchais chez qui vous aviez pu vous réfugier. Je suis navrée, mon chauffeur vous a vue embrasser un homme à Fontenay, non loin d'un hôtel, en pleine rue. La description pourrait correspondre à celle de l'inspecteur Devers, mais si ce n'était pas lui, je serais très déçue.

Isaure posa le bol de bouillon qu'elle avait terminé. En esquissant un faible sourire, elle scruta les traits altiers d'Olympe.

— Madame, c'était Justin. Vous n'êtes pas tenue de me croire, car, après tout, je pourrais vous mentir. Nous nous retrouvions dans cet hôtel les matins de marché. J'étais sa maîtresse. Je peux bien vous le dire, puisque rien ne vous oblige à me garder ici, à votre service. Ce jour-là, nous avions eu une querelle; il me reprochait ma soif d'indépendance. Une jeune fille de mon âge, selon lui, aurait dû souhaiter le mariage afin de préserver sa réputation.

— Un mariage que vous avez accepté avant ce tragique accident qui lui a coûté la vie. Je vous remercie de votre franchise, Isaure. Encore une chose, Corinne Devers voudrait que vous assistiez aux obsèques de votre mari, et je suis d'accord avec elle, même si monsieur Devers, aussi anticonventionnel que vous, a laissé une lettre qui vous en dispense. Je suis au courant de tout.

— Non, je ferai à mon idée. En même temps, je respecterai le vœu de Justin. J'ai des affaires urgentes à régler, de toute façon. Puis-je voir le dossier que monsieur Durieux vous a confié?

— Après votre bain, Isaure. Vous devez être trempée. Vos chevilles sont couvertes de boue.

— Je ne sens rien, madame Olympe. C'était pareil, dans l'eau de la galerie. Je ne me rendais pas compte de ce que je faisais. Je n'avais même pas peur.

Olympe lui tapota l'épaule en la fixant avec insistance.

— Pourquoi êtes-vous allée là-bas, au puits du Couteau? Comment avez-vous su ce qui se passait, depuis votre cabane?

— Je ne suis pas née dans une famille de mineurs, mais j'ai un peu vécu avec eux grâce aux Marot. Quand j'ai entendu la sirène, j'ai couru. Je voulais aider et surtout sauver quelqu'un, mon ami Thomas. Le sort des chevaux me préoccupait aussi. Dans mon esprit, c'était comme une lutte contre la fatalité, contre la mort que je viens de côtoyer. Peut-être que Justin m'a donné la force nécessaire, à moins que ce soit la folie. Je n'étais pas moi-même. C'était une sensation étrange.

— Eh bien, moi, je crois que vous étiez vous-même, pendant ces moments terribles, et je suis fière de vous.

Elles échangèrent un sourire complice. Isaure eut alors l'impression qu'une nouvelle vie commençait pour elle.

15

La bienfaitrice

Gare de Niort, lundi 7 mars 1921

Olympe Mercerin et Isaure s'étaient installées à une table du buffet de la gare de Niort où elles attendaient Roger, qui devait être sur la route pour venir les chercher, si le chauffeur avait bien compris les directives de sa patronne. Les deux femmes attiraient les regards des autres clients, l'une par sa distinction et son élégance, l'autre par sa beauté et l'éclat sombre de ses yeux bleus, ourlés de cils drus très noirs.

— Ce soir, nous serons de retour à Faymoreau, mon enfant, et je m'en réjouis, soupira la fringante septuagénaire. J'avais oublié à quel point Paris est épuisant. Admettez que j'ai eu raison de vous forcer un peu la main.

— Oui, madame, je me sens en paix avec ma conscience et, surtout, je suis soulagée d'avoir quitté Corinne Devers en bons termes, répondit Isaure dans un léger sourire.

— Vous avez pu faire la connaissance de Bérénice, aussi. Mes deux filles sont très différentes, n'est-ce pas? Je voulais vous en parler pendant le voyage en train, mais vous avez dormi.

L'air contrit, Isaure exprima un vague regret. En fait, elle avait feint le sommeil pour pouvoir réfléchir à tout ce qui lui était arrivé depuis une quinzaine de jours. Il lui fallait également organiser son avenir, plusieurs points importants devant être réglés à court terme.

— Je sais, je suis une incorrigible bavarde, plaida Olympe. Mes discours vous ont vite bercée.

— Je suis désolée de m'être assoupie, madame. Quant à votre fille aînée, c'est vraiment une personne charmante, et j'ai été très touchée qu'elle nous accompagne au Père-Lachaise. Mon Dieu, je ne pensais pas qu'un cimetière pût être aussi vaste ni qu'il pût comporter des tombeaux aussi spectaculaires.

— La ville des morts à l'intérieur de la capitale. Enfin, vous étiez à l'enterrement de votre mari. C'était tellement plus correct. Avouez que personne ne vous a regardée de travers ni accusée d'être vénale, ma chère petite.

— Pas à voix haute, mais comment savoir ce que se disaient certains, comme les jeunes cousins de Justin et sa cousine Agnès?

— Seigneur, ils ne sont pas dépouillés parce que vous avez hérité. Ce sont des familles aisées, cela se voit tout de suite. Mais que fabrique ce serveur? Nous n'aurons pas le temps de boire notre thé! Roger ne tardera pas.

D'un geste discret, Isaure entrouvrit son sac à main en cuir fauve acheté sous les arcades de la rue de Rivoli. Le cœur serré, elle contempla un cliché photographique que lui avait remis sa belle-mère, vendredi, le jour des obsèques. On y voyait Justin et elle dans leur toilette de noce devant le rideau de dentelle qui masquait la sobriété de la chambre d'hôpital. Des larmes perlèrent à ses paupières, qu'elle essuya furtivement du bout des doigts.

— Vous êtes triste, nota Olympe. Allons, du courage, Isaure, nous avons beaucoup de choses à régler demain, à Faymoreau.

— Si monsieur Fournier a bien voulu patienter, madame. Imaginez qu'il ait profité de notre absence pour vendre les chevaux à l'abattoir! J'aurais manqué à ma parole; Pierre Ambrozy se sentira trahi.

— Pas d'idées noires! Christian Fournier a promis d'attendre votre retour et, à mon avis, il a d'autres soucis plus graves. Quand j'ai téléphoné à Viviane, hier, elle m'a dit que la situation empirait. Les mineurs sont toujours en grève. Ils n'en démordent pas, le directeur doit démissionner. Plus un seul morceau de houille ne remonte du puits du Centre et, au puits du Couteau, le théâtre de votre exploit, on a saboté le chevalement et les structures de bois se sont en partie écroulées.

— Ce n'est que justice, murmura Isaure. Je vous assure qu'il faut descendre dans leur cage – et la plongée semble interminable –, puis se retrouver au fond de la terre pour comprendre le côté épouvantable de ce travail si mal payé.

Elle se tut, car le serveur apportait enfin une théière en métal, des tasses, un pot de lait et un sucrier. Soudain prise de gourmandise, Olympe commanda deux parts de tarte à la rhubarbe.

— Avec de la crème fraîche, insista-t-elle. Merci.

Isaure referma son sac et le posa sur la chaise voisine. Elle avait l'impression de se réveiller, après ces journées passées à Paris, soit chez Bérénice, la sœur de Viviane, soit chez Corinne, qui était entourée de sa famille. Par souci de discrétion, Edmond Durieux ne s'était guère montré. «Mais il était au cimetière et il tenait Corinne si serrée contre lui que tout le monde a deviné la nature de leurs relations. Ils se marieront sûrement dans un an ou deux. Cela vaut mieux pour la mère de Justin; elle n'est pas seule.»

Cette pensée la ramena à son propre sort. Vêtue de sa robe en velours noir, d'une coupe démodée dans les rues parisiennes, mais fort seyante en province, elle portait une toque en satin noir dont elle relevait fréquemment la voilette.

— Je voudrais tant que Justin soit là, près de moi! murmura-t-elle. Je me demande, madame, si j'aurai droit au bonheur un jour. J'ai l'habitude d'espérer, je ne fais que ça depuis mon enfance.

Désireuse de découvrir les secrets de l'âme de sa protégée, Olympe approuva d'un signe de tête. Privée de toute affection dès sa naissance, Isaure méritait d'être guidée, appréciée et conseillée. Elle en avait décidé ainsi.

— Mais oui, le bonheur viendra, ma chère petite. Comme je vous l'ai expliqué mercredi dernier quand vous refusiez absolument d'aller à Paris, il faut d'abord être en accord avec soi-même. Vous l'étiez, en courant au secours de vos amis mineurs et de ces deux chevaux. Croyez-moi, si vous n'étiez pas venue à l'enterrement de Justin, vous seriez dix fois plus malheureuse et insatisfaite.

— Sans doute, hasarda la jeune femme en goûtant un morceau de tarte.

Elle revit l'église Saint-Sulpice et les fleurs de serre blanches et jaunes autour du cercueil de Justin. Les grandes orgues jouaient le requiem, les cierges jetaient des reflets sur le visage du prêtre, un pâle soleil faisait luire les couleurs vives des vitraux.

— C'était apaisant, ajouta-t-elle, mais contraire à la volonté de mon mari, qui ne voulait pas de cérémonie religieuse. A-t-on le droit d'imposer un rite catholique à un athée convaincu?

— Isaure, je vous dirais, en toute honnêteté, que cela n'a pas pu lui faire grand mal, même s'il n'avait pas la foi. Mais sa mère en a éprouvé un grand réconfort.

— Vous avez raison, madame. Est-ce que Viviane… Oh! Pardon, madame votre fille savait si Denis et Roger ont pu réparer la clôture du pré?

— Nous n'avons pas abordé le sujet. Cependant, j'ai la certitude que tout a été fait soigneusement. Vous êtes observatrice. Quant à moi, j'ignorais qu'une vaste prairie jouxtait le parc de la propriété.

— Il y a un abreuvoir en pierre et un abri; ça doit dater de l'époque où Marcel Aubignac montait à cheval.

— Oui, dans les premiers temps de son mariage avec ma fille, mon gendre a même participé à des chasses à courre. Le comte de Régnier appréciait tant cet odieux divertissement; du sport, selon certains! J'ai toujours refusé de pratiquer ce genre de chasse. Mais j'y pense, Isaure, Viviane m'a suggéré quelque chose, à la fin de la communication. Elle souhaite donner un dîner en votre honneur en invitant la comtesse et le comte, de même que le nouveau docteur, Félix Gramont. Cela vous plairait-il?

Stupéfaite, Isaure hésita à répondre. Elle avait l'intention de garder sa fonction de gouvernante et d'instruire les enfants, tout en logeant dans le pavillon.

— Un dîner où je serais assise avec vos invités?

— Bien sûr! Et je vous défends de prévoir le menu, je m'en occuperai.

— Mais pourquoi, madame Olympe? Je suis votre domestique; je n'ai pas à prendre place à votre table, j'en serais gênée. Qu'est-ce qui a changé?

— Votre situation. Maintenant, vous êtes une jeune veuve assez fortunée.

— Il suffit d'une somme d'argent pour être admise dans une salle à manger parmi la bonne société? ironisa-t-elle. Je préfère cent fois manger seule dans le pavillon, si j'ai le droit d'y loger encore.

— Seigneur, que vous êtes susceptible et rebelle! Ah, voilà ce brave Roger, à peu près à l'heure. Venez, rentrons, Isaure, et ne boudez pas.

Olympe dévisagea Isaure avec une sorte de tendresse

amusée. Elle fut encore une fois subjuguée par son regard, son teint de lys, le noir intense de ses cheveux et la moue si particulière de sa bouche.

— Ma chère, concluons sur-le-champ un accord. Vous n'êtes plus ma gouvernante, mais vous avez en charge l'instruction de mes petits-enfants, en échange de quoi vous toucherez un salaire et aurez la jouissance du pavillon.

Sur ces mots, Olympe s'empara de sa valise et quitta la salle du Buffet de la gare. Isaure la suivit en réglant la note présentée sur une soucoupe et en ajoutant un pourboire généreux. Son aisance financière récemment acquise la poussait à dépenser en ayant confusément comme arrière-pensée de faire profiter de son capital fort considérable tous ceux qui en avaient besoin.

Faymoreau, mardi 8 mars 1921

Isaure s'était levée à huit heures du matin après une nuit d'insomnie ponctuée d'un somme plus profond aux premières lueurs de l'aube. Elle était exaltée et nerveuse dans sa hâte de mener à bien ses projets.

Elle se fit du café et croqua un biscuit en songeant qu'une semaine auparavant, elle se préparait à épouser Justin. Sa belle robe blanche était rangée dans l'armoire sur un cintre, protégée par une housse en coton. Elle évitait de la regarder ou de la toucher, car elle associait la jolie toilette ivoire au plastron de perles aux instants dramatiques où elle avait tenu son mari contre ses seins, où il était mort en souriant.

— Je ne dois pas y penser, pas aujourd'hui, se dit-elle à mi-voix, la gorge nouée.

Elle s'interdisait aussi d'évoquer le moment où Thomas l'avait prise par la taille dans la galerie obscure du puits du Couteau, alors qu'ils avaient de l'eau jusqu'à mi-cuisses. Il valait mieux oublier la douceur de ses bras quand ils étaient remontés enlacés dans la cage avec Quidam, le cheval blanc.

Des coups frappés à sa porte la firent bondir sur ses pieds. Elle courut ouvrir pour se trouver confrontée à Pierre Ambrozy, qui tenait un bâton à la main.

— Bonjour, madame. Vous aviez dit tôt le matin. Je suis là.

L'adolescent la regardait avec air incrédule où la joie hésitait à éclater.

— Sans blague, vous achetez Danois et Quidam aujourd'hui?

— Tout à fait. J'ai de l'argent sur moi. Nous n'avons plus qu'à conclure l'affaire avec monsieur Fournier. Je dois me chausser.

Pierre en tremblait. Isaure le fit entrer et lui proposa une chaise, tandis qu'elle nouait les lacets de ses bottines.

— Ça ne va pas être facile de rencontrer le directeur, hasarda-t-il d'un ton soucieux. Il ne sort pas de son bureau, ni même de l'*Hôtel des Mines*. Les hommes et leurs femmes sont tous sur l'esplanade à crier des revendications.

— Je lui ai téléphoné hier soir. Nous pouvons entrer par l'arrière du bâtiment. Une issue conduit aux lavabos. De là, on atteint le hall. Je connais bien le chemin. Sois sans crainte, Pierre, j'ai coutume de tenir mes promesses.

Isaure retint un soupir. Elle avait cru entendre la voix chaude de Justin qui la suppliait: «Promets-moi que tu m'épouseras le plus vite possible.»

— Pierre, sans mon mari, qui a été mon mari une journée seulement, je n'aurais rien pu faire pour Danois et Quidam. Justin tenait à faire de moi son héritière parce qu'il voulait que je réalise mes rêves et que je sois libre.

— Oui, madame, je comprends.

— Vas-tu m'appeler madame longtemps, même quand nous irons donner du foin aux chevaux le matin et le soir? plaisanta-t-elle. J'ai un prénom.

— J'n'oserais pas… protesta Pierre.

— Ta sœur me tutoie et m'appelle Isaure, alors fais comme elle, tu seras gentil. Nous avons cinq ans environ de différence d'âge. Si tu me traites en dame, j'aurai l'impression d'être vieille et laide.

— Oh! ça, laide, vous le serez jamais.

En tailleur noir à la longue jupe droite et à la veste cintrée, Isaure était prête. Le col de son corsage, d'un gris bleuté, égayait l'austérité de sa tenue. Elle avait coiffé sa chevelure en chignon, dédaignant le port d'un chapeau.

— Allons-y, Pierre.

Ils marchèrent côte à côte, Isaure rythmant son pas sur celui du jeune infirme. Elle tenait à lui confier ce qui la tracassait avant qu'ils n'arrivent à destination.

— Je ne peux pas racheter tous les chevaux de la compagnie, hélas, et je me doute que tu penseras souvent à eux. Mais, au moins, Quidam finira ses jours au grand air. Danois aussi, qui a de longues années devant lui.

— J'en causais souvent à Thomas, de mon rêve, même quand j'avais la jambe écrasée sous un rocher et qu'il veillait sur moi. Je lui disais que, si je devenais riche, j'achèterais mon Danois et qu'il pourrait galoper au soleil dans l'herbe verte. Je l'imaginais libre. Ça m'aidait à ne pas crever de peur, dans le piège où nous étions. Sûrement que c'est Thomas qui vous l'a dit, tout ça.

— Non. À ta place, j'aurais fait le même rêve, surtout si j'aimais aussi fort ce cheval. Tu l'aimes tant! Tu étais prêt à mourir avec lui.

— Vous devez me trouver un peu fou. Mon père m'a fait la morale, le soir. J'avais mis toute l'équipe en danger. J'ai eu honte. Mais c'était plus fort que moi.

— Moi aussi, j'ai ressenti ça, Pierre. Je ne pouvais pas rester sans rien faire, je devais descendre. Tu as gardé le secret, dis, comme je te l'avais demandé?

— Juré craché. Pourtant, Jolenta m'a posé plein de questions. J'ai tenu bon. Je suis content, ma sœur a changé, enfin. Elle est redevenue toute douce et gentille. Même qu'elle n'ennuie plus notre père. Elle refusait qu'il se remarie, mais la noce aura lieu à la fin du mois d'avril.

— Qui est l'heureuse élue?

— Maria Blanchard, une veuve de guerre. Elle habite Livernières et elle est propriétaire de sa maison. J'aurais bien aimé qu'on s'installe là-bas, mais papa ne peut pas arrêter de travailler. Maria viendra vivre dans le coron.

Attendrie, Isaure jeta un regard affectueux à l'adolescent. Elle lui désigna ensuite l'entrée de service de l'*Hôtel des Mines*. Sur un fond de tintamarre hargneux, des éclats de voix leur parvinrent.

— Tu devrais m'attendre ici, Pierre, près des buissons. Ce ne sera pas long. Je te dis ça à cause de l'escalier, qui ne sera pas commode à monter pour toi.

— D'accord, je serai aussi bien dehors, madame.

*

Isaure était bouleversée de revoir l'intérieur de l'*Hôtel des Mines* et de se retrouver à l'étage. Le souvenir de Justin la hantait. En passant devant l'infirmerie, elle se remémora leur première rencontre, liée également à Thomas à qui elle avait rendu visite sur son lit de blessé. Le plus pénible, ce fut d'entrer dans le bureau de

Fournier, annoncée par la secrétaire. C'était la pièce où le policier l'avait hébergée, une nuit, alors qu'elle était ivre et désespérée.

— Madame Devers! s'écria le directeur.

L'ordonnance de ses cheveux blonds était mise à mal par son irritation, car il ne cessait de passer des doigts nerveux sur sa tête. Il avait ôté sa cravate et il déambulait en chemise, sur laquelle des bretelles brodées ressortaient, vif mélange de rouge et de vert.

— Je dois supporter depuis trois jours la foule des gueules noires sous ma fenêtre, gémit-il. Au fond, votre visite m'offre un peu d'air frais. J'ai reçu une délégation, hier, bien en vain. Nous restons sur nos positions, eux et moi.

— Dans ce cas, révisez votre position. Vous pourrez bénéficier d'une accalmie, dit-elle froidement.

Fournier se campa près de la fenêtre. Aussitôt, des clameurs s'élevèrent, plus virulentes encore.

— Oh, vous êtes pour ces pauvres mineurs, évidemment, rétorqua-t-il. Mais ils vont ruiner la compagnie. Il y aura un manque à gagner effrayant s'ils ne reprennent pas le travail. Nous avons des commandes pour une aciérie et une verrerie de Cognac.

Mal à l'aise, Isaure prit le parti de s'asseoir sans y avoir été conviée. Christian Fournier abandonna son poste de guet et alla s'affaler dans son fauteuil, derrière l'imposant bureau en acajou.

— Continuez à me distraire, madame Devers, madame veuve Devers, n'est-ce pas? Vous souhaitez donc acheter ces deux bêtes qui m'ont causé tant d'ennuis?

— En effet, je vous ai téléphoné deux fois dans ce but. Dès mon retour de Paris, hier, je vous ai confirmé ma demande.

— Qu'aurai-je en échange de ce petit service? persifla-t-il en se servant un whisky. Il faudra les remplacer, vos précieux chevaux. Les femmes sont trop sensibles et trop peu logiques. Deux autres bêtes descendront tirer les berlines dans le puits du Centre. Vous cédez à un stupide caprice.

— Dites ce que vous voulez, si cela vous amuse, je m'en moque, répliqua-t-elle. Faites votre prix, que je puisse vous payer et avoir un document confirmant la vente.

Il haussa les épaules, vida son verre d'un trait et lui décocha un coup d'œil perplexe.

— J'ignore combien valent ces canassons, madame Devers. Votre père étant maquignon, vous êtes plus au courant que moi. Faites une offre.

Isaure avança une somme qu'elle estimait convenable. Un peu surpris, Fournier accepta, mais il ajouta tout bas :

— Un baiser en plus pour sceller notre affaire.

— Monsieur, vous n'avez vraiment aucun tact. Mon mari est mort il y a une semaine et vous osez me proposer un baiser!

— Ne jouez pas les veuves affligées avec moi, Isaure Millet. Ça ne vous dérangeait pas d'être dans les bras de Thomas Marot, couverte de boue, mais très impudique avec votre corsage échancré, déchiré, je crois. Allez-vous rester fidèle à un pauvre bougre que vous avez épousé sur son lit de mort pour gaspiller sans attendre son argent?

Le teint soudain cramoisi, car il était d'un tempérament plutôt sanguin, Fournier se leva et contourna le meuble. Il se pencha sur Isaure, les yeux fixes, mais elle recula son siège, se leva à son tour et courut vers la fenêtre.

— Je vous préviens, gronda-t-elle. Si vous m'approchez, j'ouvre et je hurle au viol. Il y a des chances que vous finissiez sur un lit d'hôpital, vous aussi, mais sans femme pour vous pleurer.

Il agita une main affolée pour lui faire signe qu'il capitulait.

— C'est bon, je vous pensais une fille facile, comme la rumeur le dit. Donnez-moi l'argent et je vous signe un reçu attestant que vous avez acheté Danois et Quidam, nés au château et élevés par le métayer du comte de Régnier.

Furieuse, tremblante de révolte, Isaure posa les billets de banque sur un coin du bureau. Fournier les rangea dans un tiroir et lui remit une feuille portant le cachet de la compagnie. Comme elle la pliait et la mettait dans son sac, il l'attrapa par la taille, la tint contre lui et l'embrassa durement sur la bouche en écrasant ses lèvres sur les siennes. Vite, il la repoussa en riant.

— Je l'ai eu, mon baiser. Maintenant, fichez le camp.

Il se fit alors en Isaure un tumulte intérieur si implacable, si enivrant qu'elle se dispensa de réfléchir. Elle se jeta sur Fournier et le gifla à toute volée en le griffant à la joue gauche. C'était une vengeance contre l'homme sûr de son pouvoir, de sa place dans la société, une revanche aussi sur des années de soumission à un père brutal et méprisant. Elle sut confusément que plus jamais elle ne plierait devant des individus de ce genre, qui considéraient la femme comme une créature sans cervelle, un objet de divertissement tout au plus.

Il fut tellement ébahi qu'il demeura figé, la face rouge.

— Vous m'avez insultée, monsieur. Vous m'avez imposé un contact répugnant. Je le dirai à qui de droit, à mes amis les Marot, et la grève ne fera qu'empirer. La compagnie fera faillite et, s'il le faut, je distribuerai de la nourriture aux familles quand elles ne pourront plus acheter le nécessaire au magasin général.

— Sale petite intrigante! cracha-t-il. J'aurais dû vendre les chevaux à la boucherie, au lieu d'espérer votre gratitude.

Isaure eut un sourire froid, plein de dédain. Elle sortit sans lui répondre, en apparence calme et fière.

Cependant, son cœur cognait follement. Elle avait envie de pleurer. Haletante, elle dévala l'escalier, pressée de retrouver Pierre Ambrozy.

— Alors, ça y est? demanda l'adolescent dès qu'il la vit.

— Oui, j'ai le document officiel. Danois et Quidam ne font plus partie des écuries de la mine. Où sont-ils?

— Toujours sur le grand terrain à côté du hangar du puits du Couteau. Ils sont à l'herbe, comme dit papa. Ça leur fait du bien.

— Si tu veux, allons les chercher ensemble pour les conduire dans leur pré. Il est clôturé. L'abreuvoir est rempli et il y a un abri.

Les yeux bleus de Pierre se remplirent de larmes. Il adressa un regard émerveillé à Isaure, puis, d'un seul élan, il se jeta à son cou et l'étreignit en sanglotant.

— Merci, j'pourrais vous dire mille fois merci, ça ne suffirait pas encore, balbutia-t-il. Je peux en parler à mon père et à ma sœur, maintenant?

— Comment faire autrement, Pierre?

Il s'écarta d'elle, ému. Isaure tourna prestement la tête pour cacher sa pâleur et ses propres larmes.

— Pourquoi êtes-vous triste? murmura-t-il. Vous êtes ma bienfaitrice. Il faut que vous soyez contente. Venez, on va chercher nos chevaux.

Elle prit la main qu'il lui tendait et ce doux contact l'aida à oublier la grossièreté de Fournier en lui offrant un peu de bonheur et de pureté.

Coron de la Haute Terrasse, le soir

L'air incrédule, Jolenta scrutait les traits encore juvéniles de son frère. Pierre venait de lui faire un récit rapide de sa journée et elle doutait d'avoir bien compris.

— Isaure? Elle a fait ça? Mais pourquoi?

— Si je savais… répliqua l'adolescent en riant.

— Il semble qu'Isaure aime les chevaux autant que toi, insinua Thomas, qui dissimulait de son mieux son émotion. Ton rêve est devenu réalité. Je suis très heureux pour toi, Pierrot. Il faut fêter ça. Tu vas dîner avec nous.

— Dîner, soupira Jolenta. Il n'y a presque rien : un paquet de riz et trois oignons. L'épicier refuse de faire crédit. Il est contre la grève, lui, parce qu'il perd de l'argent.

Un silence se fit. Pierre se moquait bien de manger du riz à l'eau, mais Thomas se tourmentait. Les placards étaient vraiment vides et, dans les corons, le mécontentement grondait. Certains mineurs parlaient de reprendre le travail pour pouvoir nourrir femmes et enfants.

— Et ces chevaux ? Si Isaure te les donne, qui va payer le foin et le grain ? insista Jolenta, la mine soucieuse. Tu n'as pas pensé à ça ? Même pour ce pré, on exigera un loyer, surtout s'il appartient aux Aubignac.

Pierre retint un soupir. Il prit place à la table, l'air joyeux et un peu moqueur.

— Tout est arrangé, expliqua-t-il. Puisque Danois et Quidam sont à Isaure, elle se charge des frais et me verse même un petit salaire pour que je m'occupe d'eux. Elle a un projet et, si elle réussit, je deviendrai son palefrenier et son jardinier.

Jolenta secoua la tête en faisant une grimace dubitative. Intrigué, Thomas interrogea son jeune beau-frère du regard.

— Isaure voudrait acheter une maison, une grande maison, et ouvrir une école pour les orphelins de guerre et les enfants handicapés, précisa Pierre sur le ton de la bravade, comme s'il était déjà investi dans l'histoire. J'entretiendrai le jardin. Les chevaux auront leur écurie et l'école disposera d'une calèche.

— Encore un joli rêve, déclara Thomas, mais je doute qu'elle ait assez de fortune pour mener son idée à terme.

— Ce doit être un peu bizarre, de se retrouver riche du jour au lendemain, fit remarquer Jolenta. Isaure était domestique et maintenant elle voudrait diriger une école.

Thomas tourna un regard songeur vers sa jeune épouse. Il évoluait au sein d'un univers amoureux compliqué, sans savoir ce que lui réservait l'avenir. La nuit, avant de s'endormir, il pensait à faire d'Isaure sa maîtresse, car il ne pouvait pas quitter sa femme. Jolenta commençait son septième mois de grossesse; son ventre s'arrondissait, en même temps que son caractère s'adoucissait. Il lui avait prêté serment de fidélité. Pourtant, il l'avait trompée après trois mois de mariage. «Je me tiendrai éloigné d'Isaure, se promit-il, le cœur lourd. Mais quel bonheur c'était de la prendre dans mes bras, au fond du puits du Couteau. Elle était tellement étonnante! Les gars ne causent que de ça, de son action héroïque dans une galerie en partie noyée.»

— Je crois que je dînerai chez vous un autre soir, annonça alors Pierre. Je suis pressé de tout raconter à papa. Maria lui apporte des œufs, en plus. Nous pourrons faire une omelette.

— Des œufs, s'exclama sa sœur. Oh! mon petit Piotr, si tu m'en donnais six, ça me dépannerait tant! Thomas peut aller avec toi et en rapporter. Nous en mangerons. Je suis toujours affamée. Ce n'est pas bon pour le bébé.

— Si Claude Chaumont t'entendait te plaindre, ma chérie, lui dit son mari, s'il entendait les lamentations de toutes les femmes des corons, il jugerait la grève perdue d'avance. Il sort demain de l'hôpital. Ardouin, qui lui a rendu visite deux fois, l'a assuré que nous tenions bon, que nous ne céderions pas. Mes parents sont du même avis. Il nous faut faire quelques sacrifices, Jolenta. Fournier doit démissionner.

— Et il viendra un type encore pire que lui, marmonna-t-elle.

Pierre les salua en exhibant un sourire comblé. Rien n'altérerait son moral, ni la grève ni les ventres creux des gueules noires en colère. Thomas se leva et enfila une veste.

— Je viens avec toi. Ça t'évitera de revenir avec les œufs, dit-il gentiment.

Ils marchèrent sans hâte. Le crépuscule atténuait les détails du décor que tous deux connaissaient si bien. Ils ne prêtaient plus attention à l'alignement des étroites maisons toutes semblables, dont les cheminées en enfilade fumaient de concert.

— Il y a du printemps dans l'air, s'écria Pierre. Isaure a cueilli des fleurs de pissenlit sur les talus du chemin. Elle en offrait à Danois. Il se régalait, Quidam aussi. Mais je sentais qu'elle avait du chagrin, même si elle souriait et qu'elle plaisantait. C'est triste, que son mari soit mort.

— Oui, c'est triste et injuste. J'espérais qu'elle aurait une vie agréable, qu'un homme veillerait sur elle.

— Je crois que sa patronne, la vieille dame, l'aime beaucoup.

— Tant mieux, Pierre. Au moins, Isauline n'est pas trop seule.

— Isauline! Tu l'appelais comme ça quand elle avait mon âge, hein?

Thomas répondit d'un signe de tête affirmatif en prenant son beau-frère par l'épaule. Il n'avait plus le courage de parler de la jeune femme qui l'obsédait. Même couché près de Jolenta, il évoquait sans cesse la beauté si particulière de son Isauline, son ardeur amoureuse, son tempérament rebelle et téméraire. Désireux d'orienter la discussion sur un sujet différent, il dit d'une voix plus ferme:

— Demain, dès que Chaumont sera là, nous demanderons à être reçus par Fournier, mon père, le tien, Chaumont et moi. Ardouin sera présent. J'ai une solution. Cet abruti reste directeur, mais il abandonne le chantier du puits du Couteau et il ne touche pas à nos salaires ni au montant de nos loyers. Autant que tu le saches, Pierre, Fournier n'a pas renoncé à ses inepties. Or, nous ne pouvons pas les tolérer.

— Isaure pense la même chose, renchérit Pierre. Si tu avais vu comment elle était habillée, ce matin! On aurait dit une dame dans les magazines de mode.

— Parce que tu lis ce genre de revues, toi? s'esclaffa Thomas.

— Il y en a chez Maria Blanchard. Elle découpe les patrons pour se coudre des robes. Elle doit me faire une chemise, bientôt. Dis, tu crois que je pourrais lui dire «maman», comme si c'était un peu ma mère?

Bouleversé, Thomas serra Pierre contre lui un instant. En pensée, il dédia un immense merci à Isaure, qui avait procuré tant de joie à l'adolescent infirme au cœur plein de rêves.

— Bien sûr, ça lui fera plaisir, mais pas devant Jolenta, sinon…

— Sinon ce sera la tempête, pouffa le garçon.

Ils rirent encore, tandis que les réverbères s'allumaient de loin en loin, dissipant les premières ombres de la nuit.

Hôtel des Mines, le lendemain, mercredi 9 mars 1921, onze heures du matin

Assis derrière le majestueux bureau jadis dévolu à Marcel Aubignac, Christian Fournier fumait cigarette sur cigarette. Il se tenait droit, sobrement vêtu d'un costume en tweed qu'ornait une cravate vert foncé. Sur les conseils du contremaître et d'un ingénieur, le directeur de la compagnie avait consenti à recevoir une nouvelle délégation, ignorant cependant que Claude Chaumont serait présent. Il redoutait ce mineur au verbe haut venu du nord de la France, doté d'une solide expérience et imbu de politique.

— Un socialiste, peut-être même un rouge, disait-il de lui à Vincent Ardouin, sans soupçonner que les deux hommes s'étaient liés d'amitié.

Un détail tracassait Fournier : Isaure avait laissé la marque de ses ongles sur son visage et il redoutait les railleries de la fameuse délégation. Il s'entraînait à plaquer sa main gauche sur sa joue, ce qui lui donnait l'air de souffrir d'une dent.

Sa secrétaire, d'âge respectable et ayant travaillé sous les ordres de Marcel Aubignac, avait fixé les estafilades d'un œil choqué.

— Pourtant, marmonna-t-il, on peut se glorifier d'avoir des griffures dans le dos, s'il s'agit d'une maîtresse excitée, mais sur la joue...

Lorsque le contremaître entra après avoir frappé, Christian Fournier bomba le torse et écrasa son mégot. Les mineurs se présentèrent dans leurs vêtements ordinaires des jours de congé, l'un en pantalon de velours et pull de laine, une casquette sur la tête, un autre en salopette de toile. Gustave et Thomas Marot, eux, portaient des tenues délavées en toile bise, d'anciens habits de travail. Mais ils étaient rasés et bien coiffés. Soudain, un regard d'ambre étincelant croisa celui du directeur.

— Claude Chaumont, s'écria-t-il, je suis content de vous revoir en bonne forme! Déjà sorti de l'hôpital! Voilà un rude gaillard.

Un chapeau en feutre de guingois sur ses cheveux bruns, Chaumont arborait un pansement sur le front. Il avait un bras en écharpe sous un manteau gris posé sur ses épaules.

— Inutile de me toiser comme si j'étais un être nuisible, Chaumont, poursuivit le directeur. Je tiens à vous rafraîchir la mémoire; votre accident n'est pas dû à une négligence de ma part ni à mes décisions sur ce chantier; l'entêtement imbécile d'un gamin en est la cause. J'aurais même pu déposer une plainte contre Pierre Ambrozy, qui a mis en danger toute l'équipe.

Stanislas se crispa, les poings serrés au fond de ses poches. Il avança d'un pas vers le bureau.

— Mon fils était en tort, ça oui, monsieur Fournier, je ne dirai pas le contraire. Seulement, si nous n'avions pas été forcés de descendre déblayer les galeries du puits du Couteau, rien ne serait arrivé. C'était dangereux pour les hommes et les bêtes.

— Les chevaux, ce sont nos camarades, tonna Chaumont. Oui, des coéquipiers dévoués qui n'ont pas de dimanche pour passer du temps au grand air. Ils triment dur. Le gamin a eu raison de refuser qu'on les abandonne. Je ne regrette pas ce que j'ai fait, même si j'ai failli y rester. Je recommencerais, s'il le fallait.

Vincent Ardouin leva la main pour demander la parole. Il désigna les mineurs à Fournier.

— Ce n'est pas là le sujet de la rencontre, monsieur. Vos employés ont choisi leurs représentants. Ils sont ici pour vous exposer encore une fois des revendications que j'estime légitimes. Grandieu, approchez. Vous venez au nom des porions. Faites-nous connaître les nouvelles propositions résolues lors d'une réunion tôt ce matin.

Gêné, Grandieu ôta sa casquette et salua discrètement. Il devait sa promotion au nouveau directeur et il se montra poli.

— Nous avons bien réfléchi, les gars et moi. On vous demandait de démissionner, mais ça ne sera plus une de nos exigences si vous renoncez à baisser les salaires et à monter les loyers. Il n'y a jamais eu de problèmes à Faymoreau. Mon père était boiseur dans les débuts de la compagnie. Il m'a toujours raconté que c'est l'épouse d'un directeur qui a fait construire une chapelle pour nous, les mineurs.

— Pardi, comme ça, vous ne salissiez pas les bancs de l'église, clama Claude Chaumont.

— Tais-toi donc, ordonna Gustave. Laisse causer Grandieu.

— Voilà, reprit ce dernier d'une voix plus forte. Si vous gérez la compagnie comme le faisait monsieur Aubignac, sans vouloir tout révolutionner au nom du profit, nous, on reprend le travail.

Sidéré, Christian Fournier croisa les mains sur son bureau et tapota le bois verni. Il aurait fallu répondre qu'Aubignac avait sacrifié trois de ses employés à sa fureur jalouse, mais il préféra ne pas jeter d'huile sur le feu.

— Surtout, il faut abandonner le puits du Couteau, ajouta Thomas, intrigué par les griffures sur le visage de Fournier. Nous avons perdu du temps pour rien; maintenant, il est inondé.

Un profond silence se fit. Le contremaître comme les mineurs, tous observaient les traces rouges sur la joue du directeur. Il les congédia, conscient de l'examen qu'il subissait.

— Je vais réfléchir à votre proposition. Je n'ai guère le choix. Chaque jour chômé représente un manque à gagner, et pour vous aussi. Ardouin vous donnera ma réponse ce soir, demain matin au plus tard. Au revoir, messieurs.

Une fois seul, Fournier se servit un whisky et alluma une cigarette. Il n'avait pas été à la hauteur, selon lui, et c'était surtout à cause d'Isaure, qui l'avait marqué de ses ongles.

— Qu'elle aille au diable, cette peste! dit-il entre ses dents.

*

Pendant ce temps, Jolenta était allée à l'église. Le père Jean, qui la vit prier assise sur une chaise devant l'autel, vint lui dire bonjour.

— Comment allez-vous, mon enfant?

— Je suis troublée et mes idées sont confuses, mon père. Pourriez-vous m'entendre en confession?

— Bien sûr. Venez.

La jeune Polonaise s'installa avec soulagement dans l'étroit compartiment qui sentait l'encaustique. Elle avait besoin de se confier, d'être guidée.

— Que se passe-t-il en vous? demanda le prêtre.

— Depuis mon mariage, j'ai souffert d'une jalousie terrible à l'égard d'Isaure Millet parce qu'elle est l'amie de Thomas. Je ne supportais pas de les voir ensemble. Je me suis persuadée qu'ils s'aimaient et que j'allais être trahie. J'ai fait beaucoup de scènes à mon mari et il a changé d'attitude. Il est moins aimant qu'au début. Sa mère a essayé de me raisonner, mais j'ai fini par haïr Isaure et je suis devenue méchante. Même à l'enterrement de la petite Anne Marot, j'ai dit des sottises.

— La jalousie peut détruire un couple, mon enfant. Il faut savoir faire la part des choses.

— Je voudrais bien, mon père, mais c'est difficile. En plus, j'ai appris hier soir qu'Isaure a acheté un cheval de la mine, le préféré de mon frère. Et, le jour où il y a eu un effondrement dans le puits du Couteau, elle a risqué sa vie pour sauver les chevaux et aider Pierre. Jamais je n'aurais eu son courage, mon père, et j'ai honte de l'avoir mal jugée, de l'avoir même calomniée avec ma voisine Rosalie.

— Jolenta, c'est un acte déplorable, de nuire à son prochain par les mots, que ce soit des mensonges ou la vérité.

— Je m'en repens, mon père, et je voudrais pouvoir remercier Isaure, ne plus l'accuser à tort. Je suis stupide, mais elle me faisait peur.

— Peur? Voyons, expliquez-vous.

— Quand elle me regardait, il y avait de la haine dans ses yeux.

— De la haine, répéta le père Jean en se signant. Ma fille, j'ai baptisé Isaure Millet et je l'ai vue communier. Certes, elle assiste rarement à un office et je ne l'ai pas eue à confesse ces dernières années, mais je la crois incapable de concevoir de la haine pour vous. Je vais vous donner un sage conseil, si vous la considérez comme une ennemie possible : rencontrez-la seule, sans votre mari ou votre famille. Parlez-lui franchement de ce que vous ressentez, apprenez à la connaître, aussi. Peut-être deviendrez-vous amies, toutes les deux. Isaure a besoin d'affection. Elle l'a parfois montré de façon maladroite.

Surprise, Jolenta répondit qu'elle ferait cet effort. Déjà, elle se sentait mieux et le prêtre estima inutile de lui infliger une quelconque pénitence.

— Revenez me voir pour en discuter, mon enfant. Vous pouvez venir au presbytère. Vous n'avez pas commis de péché, car ce n'est pas une faute de s'interroger sur ses actes ou le sens de ses colères.

Ils sortirent du confessionnal. Le père Jean avait un bon sourire paternel en contemplant la ravissante Polonaise, dont l'accent évoquait pour lui des pays lointains qu'il ne connaissait pas. Il traça sur son front le signe de la croix et l'accompagna jusqu'au seuil de l'église.

— Allez en paix, Jolenta. Vous serez bientôt mère. Votre mari est un honnête garçon.

— Merci, mon père.

Toute légère, Jolenta traversa la place et se dirigea sans hésiter vers le portail de la propriété des Aubignac. Elle distingua le toit pointu du petit pavillon, qui dépassait du mur d'enceinte. Peu après, elle frappait à la porte d'Isaure.

16

Face à face

Faymoreau, mercredi 9 mars 1921, même jour

Quand elle entendit frapper à sa porte, Isaure songea à Denis, préposé aux messages entre la maison de maître et le pavillon. Elle s'empressa de tamponner ses joues humides de larmes et de reprendre son souffle, car elle venait de sangloter éperdument, allongée sur son lit.

Elle tourna le verrou, ouvrit et se trouva nez à nez avec Jolenta, enveloppée d'un châle en laine rouge, sa belle chevelure blonde réunie en une lourde natte sur l'épaule droite. Stupéfaite autant que gênée, Isaure la salua d'un léger signe de tête.

— Bonjour, Isaure, dit-elle doucement. Est-ce que je peux te parler, si je ne te dérange pas?

— Oui, entre, j'ai un quart d'heure avant le déjeuner. Madame Olympe veut absolument que je prenne mes repas avec la famille, maintenant.

— Tu as pleuré, tu as les yeux rouges, remarqua sa visiteuse.

— Justin me manque. Je voudrais qu'il soit là, avec moi, avoua Isaure d'un ton véhément. J'espérais tant de notre mariage, si tu savais, je pensais ne plus vivre seule, être protégée, voyager, avoir un enfant.

Sur ces mots, elle posa un regard discret sur le ventre

rebondi de Jolenta, mis en évidence par sa jupe moulante en jersey bleu. Sa visite impromptue et son attitude aimable la mettaient très mal à l'aise. Elle s'efforça de le cacher et d'être cordiale à son tour.

— Je suis désolée, je fais une mauvaise hôtesse. Assieds-toi vite. Je peux t'offrir de la limonade, j'adore ça. J'en ai acheté une caisse au magasin général. On me l'a livrée. J'ai aussi choisi un petit vêtement pour le bébé. Je comptais te le faire remettre par Pierre.

Nerveuse, Isaure servit deux verres de limonade, puis elle prit un carton plat enrubanné qu'elle tendit à Jolenta.

— Madame Olympe m'a conseillé de prendre du blanc, qui convient autant à une fille qu'à un garçon, précisa-t-elle. Il paraît que ça ira pour l'été et même le début de l'automne. C'est souple, en plus.

Une fois soulevé, le carton coloré révéla un beau manteau en coton perlé équipé d'un capuchon qui fermait par des rubans en satin.

— Il est magnifique. C'est très gentil, Isaure, s'écria Jolenta. Je te remercie, et je suis là pour te remercier encore. Mon frère est tellement heureux, pour son Danois. Mais tu n'étais pas obligée d'acheter les deux chevaux.

— Ce sont des animaux qui endurent mal la solitude. Danois aurait été perturbé, sans un compagnon dans son pré. Et puis, j'aime bien Quidam. J'ai pleuré lorsque mon père l'a vendu à la compagnie minière.

Isaure s'assit enfin en face de Jolenta. Elles échangèrent un regard embarrassé, car jamais elles ne s'étaient retrouvées ainsi, seules dans une pièce.

— Je te demande pardon, Isaure, déclara gravement Jolenta. Thomas me disait souvent à quel point tu avais souffert, fillette, et même cet hiver, à cause de ton père, et de ton frère qui est défiguré. Moi, je m'en moquais, je ne pensais qu'à une chose: tu aimais mon mari et tu rêvais de me le prendre. Je me suis confessée, tout à l'heure. J'ai raconté au père Jean que tu me faisais peur parce que je voyais de la haine dans tes yeux. J'étais bien bête, oui, bien folle; je me faisais des idées. Aujourd'hui, je comprends que tu n'es pas mauvaise et que tu as beaucoup de malheurs. En plus, tu nous as rapporté un cadeau de Paris pour le bébé.

Souriante, Jolenta but sa limonade, qu'elle savoura en faisant des mines ravies. Mais Isaure considérait le lit d'angle d'un air effaré. Elle se représenta un couple à demi nu, enlacé, ivre de désir et de plaisir, bouche contre bouche, peau contre peau. Ce couple, c'était Thomas et elle.

— Ne me demande pas pardon, Jolenta, murmura-t-elle. J'ai eu des malheurs, ça oui, et de souffrir, de se sentir rejetée et méprisée, ça rend méchante. Je t'enviais, autant te le dire franchement. En épousant Thomas, j'avais l'impression que tu me volais mon grand frère, mon unique ami, mon ange gardien. Sans doute que je te regardais de travers, parfois.

— J'aurais sûrement fait comme toi, à ta place. Allons, on oublie cette période et on fait la paix, proposa la jolie Polonaise. Tu es veuve et c'est très triste, mais tu es riche et tu peux faire tout ce que tu veux. Si ça m'arrivait, j'en aurais, des projets!

— Que ferais-tu? s'intéressa Isaure, en proie à de vifs remords.

— D'abord, j'irais en Pologne revoir mes grands-parents. Ils sont tous les quatre vivants. Les parents de mon père possèdent une petite ferme; ils élèvent des moutons. Ceux de ma mère habitent un village; ils ont des ruches et ils vendent leur miel. Bien sûr, j'irais avec Thomas et notre enfant.

— Bien sûr.

— Et j'achèterais un commerce quelque part pour que mon mari quitte la mine. Un café, tiens. Thomas tiendrait le comptoir, moi je ferais le service… Oh non, je serais à la caisse. J'embaucherais une serveuse.

Illuminée par ses rêves éveillés, Jolenta resplendissait. Elle plaqua soudain une main sur son ventre et retint son souffle.

— Le bébé a bougé, Isaure. Dès que je suis contente, il gigote. La première fois, je me demandais ce qui se passait.

— Ce doit être surprenant, en effet, concéda-t-elle en se disant que les deux heures de passion vécues dans les bras de Thomas n'avaient pas porté de fruit.

Elle l'avait constaté à Paris, chez Bérénice, la sœur de Viviane. « Qu'aurais-je fait si j'avais été enceinte de mon amour, de mon Thomas? songea-t-elle. Je crois que je me serais installée au bord de l'océan, dans une maisonnette de Saint-Gilles-sur-Vie, et j'aurais eu un bébé, moi aussi, le demi-frère ou la demi-sœur de celui-ci. »

Le cœur serré, elle se leva et débarrassa les verres. Le clocher de l'église sonnait midi.

— Je te laisse, s'exclama Jolenta. Mon Dieu, j'ai bien fait de te rendre visite. Le père Jean avait raison, tu n'es pas mon ennemie. Il faut me comprendre, Isaure, Thomas me disait que tu étais très instruite, très intelligente, que tu lisais des livres, alors que, moi, j'ai eu du mal à t'écrire trois mots en français dans la lettre que nous t'avons envoyée quand l'inspecteur Devers était hospitalisé.

— Ah oui, merci pour cette lettre. J'avais besoin de soutien, répliqua Isaure en se revoyant déchirer l'enveloppe sans lire le contenu.

Mais Jolenta ne se décidait pas à partir. Elle se posta près de la porte, une main sur la poignée, et se confia encore.

— Aussi, je fréquentais ma voisine Rosalie. Elle me montait la tête contre toi. Je ne vais plus chez elle. Je fais de la couture avec ma belle-mère. Au fait, est-ce que tu sais la nouvelle?

— Non, laquelle?

— Madame Honorine attend un enfant, qui naîtra vers la fin du mois d'août.

Totalement sidérée, Isaure fronça les sourcils. Jolenta éclata de rire, fière d'être la première à l'annoncer.

— Eh bien, ça alors! Madame Marot?

— Oui. En plus, Jérôme a une promise, Christine, la fille de la postière. Il paraît qu'elle était amoureuse de lui depuis des années et qu'elle n'osait pas le lui faire savoir.

— Félicite-le de ma part, dit Isaure d'une voix faible. En somme, la vie continue. Des bébés, des mariages…

— Papa va épouser Maria Blanchard, aussi.

— Pierre m'en a parlé. Mais je suis navrée, Jolenta, je dois vite aller déjeuner. Madame Olympe s'impatientera si je suis en retard. Je te remercie d'être venue.

— On s'embrasse?

Sans attendre la réponse, aussi vive dans ses élans d'amitié que dans ses crises de jalousie, Jolenta donna trois petites bises à Isaure, qui lui en rendit une. Elle perçut sous ses lèvres le satin de sa joue ronde d'un rose laiteux et sentit un frais parfum de savon et d'eau de Cologne. Thomas avait souvent, chaque jour, sans aucun doute, touché de sa bouche la chair de sa femme. Il avait dû respirer, heureux, le même parfum.

— Au revoir, articula péniblement Isaure.

Elle se ravisa cependant et courut prendre deux bouteilles de limonade dans le casier.

— Tiens, vous les boirez, madame Marot, Jérôme et toi.

— Merci bien. Quelle chance!

Jolenta franchit le portail d'un pas allègre. Isaure suivit un moment l'allée principale, puis elle se glissa entre deux haies de buis qui abritaient un sentier. Livide et pliée en deux, les bras croisés sur sa poitrine, elle luttait contre une autre crise de larmes. Un rayon de soleil perça entre les nuages et éclaira une touffe de primevères d'un jaune pâle qui avaient poussé parmi les graviers. La nature s'éveillait, le printemps allait embellir la campagne et les jardins, disperser ses floraisons aux douces couleurs. L'été serait chaud et lumineux, mais pas pour elle.

— Justin, reviens, gémit-elle. Ils sont tous ensemble, ils font des bébés et moi je suis seule, encore plus seule sans toi. Et ce porc de Fournier m'a embrassée! Il a osé!

Elle avait menti; on ne l'attendait pas pour le déjeuner. Isaure se mit à genoux, tremblante, et se balança d'avant en arrière dans l'espoir de s'étourdir, de chasser la douleur qui la ravageait.

Un pas discret l'arrêta. Elle vit approcher Riton, le chien de la métairie. Paul et Sophie l'avaient lavé et brossé. Il mangeait à sa faim, de sorte que ses flancs étaient moins creux.

— Tu n'es pas attaché et pourtant tu restes ici, lui dit-elle tout bas. Viens là, pauvre chien, viens.

Il se coucha près d'elle et posa sa tête sur sa cuisse. Isaure le caressa longtemps.

— Toi et moi, nous avons échappé à Bastien Millet, chuchota-t-elle en ravalant ses sanglots. N'aie pas peur, il ne te fera plus de mal, Riton.

Isaure demeura une demi-heure assise par terre près du chien. Peu à peu, sa peine s'estompa.

— Cet après-midi, j'ai promis à madame Olympe de descendre à la métairie voir ma mère, expliqua-t-elle à l'animal, mais je t'enfermerai dans le pavillon. Ce sera plus prudent.

Elle se releva enfin. En pensant à Jolenta, elle tendit son visage vers le ciel pour formuler une courte prière. « Mon Dieu, pardonnez-moi, j'ai vraiment convoité son mari. Elle ne se trompait en rien à propos de ma haine et, à présent, elle me tend la main et elle m'embrasse. Seigneur, pardonnez-moi. »

Métairie du château, même jour
Il était quinze heures. Un franc soleil égayait le paisible vallon où se dressait le château des Régnier, dont l'architecture élégante se reflétait dans l'eau sombre de l'étang. Située au bout d'un large chemin de terre, la grande cour cernée de bâtiments de la métairie faisait face à l'imposant logis du comte Théophile.

Un porche en pierre y donnait accès, édifié en vis-à-vis de la maison d'habitation. Isaure s'immobilisa à l'instant de le franchir et Denis, qui l'escortait, chargé d'un lourd panier, l'interrogea du regard.

— Vous n'avez pas du tout envie d'y aller, insinua-t-il. Parole, madame, tant que je suis à vos côtés, vous ne risquez rien. Je représente, comme qui dirait, madame Olympe, et votre père file doux devant elle.

— Mon père file doux devant tout ce qui peut lui rapporter de l'argent ou lui faire perdre sa place. Reste à savoir dans quelle catégorie je suis, aujourd'hui, dit-elle.

— Dans les deux, blagua le fils de Germaine. Bon, on y va.

Il la précéda, frondeur, sa casquette en toile sur son crâne rasé. La cuisinière n'en démordait pas, elle le tondait régulièrement par crainte des poux, la terreur de Viviane Aubignac.

— Oui, allons-y, murmura Isaure.

Elle se croyait plus forte. Chaque pas sur les vestiges de pavé tapissés de boue visqueuse, sèche par endroits, la ramenait à son passé, aux coups reçus, aux brimades et aux nuits à grelotter le ventre vide.

Denis se retourna et lui fit signe d'avancer plus vite.

— De quoi avez-vous peur? On a vu votre père et son commis qui labouraient une parcelle sur la colline. Ils ne sont pas près de rentrer au bercail. Vot' maman est toute seule.

— Excuse-moi, Denis, j'ai mal au cœur. Il y a tant de souvenirs qui me sautent à la gorge! J'avais juré de ne jamais remettre les pieds ici.

Il approuvait sans conviction quand des aboiements furieux retentirent, ainsi qu'un bruit de chaîne. Comme Isaure, il regarda du côté d'où provenait le vacarme et ils virent un gros chien noir et blanc au faciès de dogue qui tirait sur son attache.

— Riton a déjà un successeur, constata Denis. Il n'a pas l'air commode, ce cabot.

Isaure jugea l'animal en accord avec la figure hargneuse, ridée et rude de son père. Cependant, elle garda la remarque pour elle et arriva enfin à la porte cloutée, délavée par les intempéries, au seuil fait d'une énorme pierre plate. Une voix frêle appela :

— Isaure, ma petite Isaure!

Ayant écarté le rideau jauni, Lucienne les observait par la fenêtre. Elle recula et trottina pour se trouver dans le corridor au moment où sa fille entrait.

— Bonjour, maman, dit la jeune femme, désemparée devant l'aspect de sa mère, d'une maigreur inquiétante, le teint blafard, un morceau de tissu sur ses cheveux blancs.

— Isaure, je suis bien contente! Je guette tout le temps la cour en espérant te voir. Je m'ennuie tellement, tu sais! Armand est parti, toi aussi.

— Je suis désolée, maman, soupira Isaure qui, une fois dans la cuisine, fut affligée en constatant la saleté et le désordre.

Denis la suivit, mais il posa le panier sur la table et ressortit.

— Je reste dehors pas loin, dit-il, histoire de vous laisser en famille, mademoiselle Millet…, pardon, madame Devers.

— Ce ne serait pas le gamin de Germaine? hasarda Lucienne. Il est grand, à présent.

La gorge nouée, Isaure répondit oui tout bas. Elle avait oublié le côté sinistre de sa maison natale, le dépouillement du décor, les odeurs de cendres froides et de graisse rance. Tremblante d'émotion, Lucienne lui désigna la meilleure chaise d'un doigt décharné.

— J'ai mieux à faire que de m'asseoir, ma pauvre maman, lui dit-elle sèchement. Tu es malade et personne ne t'aide. Je vais ranger et nettoyer.

— Tu ne m'as même pas embrassée, se plaignit la mère.

— Nous n'avons pas l'habitude de nous embrasser, nous deux. Repose-toi, tu tiens à peine debout. As-tu un tablier à me prêter?

— Il est là, au clou près de l'évier, mais tu es trop chic pour faire mon ménage, Isaure. Tu as changé, dis donc! Tu es une belle jeune dame, maintenant.

«Toi aussi tu as changé, maman, pensa la jeune femme. On dirait un fantôme, une vieille miséreuse.» Mais elle se forgea une armure pour ne pas céder à la pitié. Elle tenait à faire son devoir à l'égard de sa mère souffrante, mais, au fond, cela lui permettait aussi de s'agiter, de s'occuper. Denis lui prêta main-forte. Il fallait tirer de l'eau du puits, ranimer le feu, rapporter des bûches de la remise à bois. Pendant deux heures, sous le regard pathétique de Lucienne Millet, Isaure et le garçon s'escrimèrent à rendre le logement convenable.

— Un bouquet ferait joli, sur la table, proposa

Denis, soucieux d'être utile. J'ai repéré des aubépines en fleurs près de l'écurie, ainsi que quelques jonquilles. Je cours en cueillir.

— C'est une bonne idée, concéda Isaure sans enthousiasme.

— Vas-tu t'asseoir, à la fin, se plaignit sa mère, qu'on cause un peu. On en a, des choses à se dire. Ainsi tu t'es mariée et ton mari est mort. Ta patronne m'a raconté ça. Une dame bien aimable.

— Oui, je suis veuve. Tu n'as pas à t'inquiéter pour ma réputation ni pour mon avenir, j'ai de l'argent. Et toi, maman, tu sembles vraiment malade. Tu as maigri. Madame Mercerin m'a dit que le docteur était venu et que tu prends du laudanum.

— Et ça me soulage. Je peux me lever et Bastien est content. Hier, j'ai même cuisiné un lapin avec des oignons et de l'ail, comme tu aimais.

Un étau de rancune en même temps que de peine immense broyait la poitrine et la gorge d'Isaure. Toujours debout, elle entreprit de déballer le contenu du panier.

— Je suis passée à l'épicerie avant de venir, dit-elle à mi-voix. Je t'ai acheté de bonnes choses, maman. Des biscuits au beurre, du jambon cuit, deux tablettes de chocolat et des oranges.

— Seigneur, au prix que ça coûte, les oranges!

— Il y a aussi du cidre, du café, du fromage et du cake aux fruits confits. Veux-tu un café frais avec une tranche de cake?

— C'n'est pas de refus, ma fille. Oh, si tu pouvais me lire la lettre d'Armand! Elle est arrivée hier. Je l'ai cachée, parce que ton père ne veut plus entendre parler de ton frère et de Geneviève. Ils vivent dans le péché. Ça me peine beaucoup, moi aussi.

— Ils sont très heureux, maman. Je leur ai rendu

visite le mois dernier, avant le décès de mon mari. Et puis, pourquoi veux-tu que je la lise, ta lettre? Tu peux le faire toute seule.

— Je n'y vois plus bien, Isaure. Il me faudrait des lunettes. J'ai essayé, mais c'est écrit tout petit et c'est flou.

Honteuse, la jeune femme eut envie de pleurer, de crier son impuissance. Sa mère déclinait à une vitesse effarante et elle eut l'impression que son père en était responsable, qu'il la détruisait par sa dureté et son avarice. «Quand je pense que maman a quarante-quatre ans! On lui en donnerait soixante-dix. Si je la compare à madame Marot et même à madame Olympe, c'est affolant. Elle va mourir. Elle a sûrement quelque chose de grave», se dit-elle, enfin radoucie et attendrie.

Lucienne avait repris sa place sous le manteau de la cheminée, sur sa chaise garnie d'un coussin élimé. Les mains jointes sur ses genoux, elle fixait la danse des flammes d'un air absorbé.

— Ah, fit-elle tout à coup, je sais bien que je n'ai pas été une bonne mère, ma pauvre petite. Si j'avais pu, je t'aurais cajolée plus souvent. Mais il y avait tant à faire! Ton père refusait d'embaucher un ouvrier, la plupart du temps. Et puis, il me disait que ça s'éduque sévèrement, une fille, sinon…

Isaure haussa les épaules, renonçant à ses griefs. Elle servit le café et le cake. Denis réapparut à cet instant précis, un beau bouquet à bout de bras.

— Et voilà, claironna-t-il, de la joie dans le logis!

— Merci, c'est ravissant, affirma Isaure. J'ajoute une tasse. Tu vas prendre le café avec nous. Sais-tu, maman, que Denis a eu son certificat d'études avec de très bonnes notes, il y a un an? Je l'encourage à chercher un apprentissage. Il aime cuisiner, comme sa mère.

Lucienne approuva d'un signe de tête. Elle aurait préféré se retrouver à nouveau seule avec sa fille.

— Et toi, Isaure, vas-tu enseigner à Faymoreau, cet automne, ou tu as d'autres projets? demanda-t-elle.

— Je n'en sais rien, maman. J'aimerais mieux fonder une école pour orphelins. Je dois me renseigner sur les maisons à vendre, dans le pays.

— Boudiou, tu as fait fortune, ma petite! s'écria Lucienne en riant tout bas. Dis, ça coûte cher, d'entretenir des enfants sans famille, et il faudrait une grande bâtisse. Il était si riche que ça, l'inspecteur de police?

— J'ai prévu mettre en vente un bel appartement en plein Paris, si c'est nécessaire.

Isaure soupira. Paris, ses lumières le soir, ses églises, ses monuments, ses rues animées et ses restaurants, tout cela lui semblait aux antipodes de la métairie. Elle imagina sa mère transportée dans la capitale et en eut le cœur serré. Lucienne serait effrayée, la malheureuse, elle qui n'avait jamais quitté son coin de terre.

Décidément rodé à la bienséance ou encore plein de tact, Denis annonça qu'il allait flâner dehors pour profiter du soleil sur son déclin. Isaure en profita pour lire la lettre d'Armand dès que Lucienne lui indiqua sa cachette.

— Tu t'en souviendras, petite. Ce qui m'est précieux, je le range dans le double fond de ce tiroir, parce que ton père ne touche pas au bahut à vaisselle. Quand j'étais couchée là-haut, il utilisait toujours les mêmes couverts sans les laver.

— Il n'y avait que l'enveloppe d'Armand; tu n'as rien à cacher, maman, fit-elle remarquer.

— Pas encore, peut-être, insinua sa mère. Lis vite!

Isaure prit d'abord connaissance de la missive et la lut ensuite à voix haute, certaine de ce qui allait suivre.

— Ils viennent me voir dimanche? s'écria Lucienne, affolée. Il ne faut pas! Bastien ne voudra pas! Il fera une scène! Seigneur, comment les empêcher de venir? Tu dois les avertir, Isaure. Tu envoies vite une lettre ou un télégramme. Le facteur m'a dit que c'est très rapide, le télégraphe. Mon Dieu, je ne peux même pas me réjouir! Pourtant, tu as raison, ils ont l'air heureux. Geneviève a son commerce et ton frère s'occupe du jardin. Il lit beaucoup, comme toi. Oh, ça me brise le cœur. J'aurais été si contente de voir Armand, de l'embrasser!

Lucienne se tut. On cognait des sabots contre la pierre du seuil. Un raclement de gorge résonna, un juron suivit et, enfin, Bastien Millet se dressa dans l'encadrement de la porte donnant sur le corridor obscur. Le métayer semblait plus grand, plus robuste. Isaure songea qu'il se nourrissait de la détresse de son épouse. Hirsute et le teint sanguin, la chemise ouverte sur un gilet de corps grisâtre, il toisait le bouquet de fleurs d'un œil perplexe.

— Fan de vesse! On se croirait chez les rupins, s'écriat-il. Bonjour, madame Devers. Comment vas-tu?

Raidie, le visage tendu par la peur et le dégoût, Isaure ne répondit pas. Lucienne tremblait sur sa chaise.

— J'ai entendu le prénom de mon fils, celui qui m'a lâché pour jouer les gigolos en ville. Je me trompe?

Malgré son rictus de bravade, Bastien avait parlé sans réelle agressivité. Il fixa sa fille avec insistance, mais, forte de son nouveau statut social et de la somme d'épreuves déjà endurées, elle soutint son regard. Son père baissa les yeux le premier.

— Bon, bon, marmonna-t-il. Tu as arrangé notre taudis, je vais pas m'en plaindre. Es-tu heureuse, ma Lulu, de revoir la gamine?

— Tu es sot, mon homme. Ce n'est plus une gamine, mais une belle dame. As-tu vu sa robe, ses chaussures, son collier?

Le métayer étouffa un bâillement et s'avança vers le banc où il s'assit lourdement. Prévenue par Olympe

Mercerin, qui lui avait rapporté l'odieuse allusion à la nuit de noces dont Justin avait été privé, Isaure s'attendait à des railleries et des mots insultants.

— Eh oui, elle est bien attifée, maintenant qu'elle a des sous, dit-il assez bas. On cause d'elle dans le village, ma Lulu. Figure-toi qu'Isaure a racheté des chevaux au directeur de la mine : le vieux Quidam et le beau Danois.

— C'est vrai, ça, ma fille?

— Tout à fait, et ce n'est pas la peine d'en discuter, je suis majeure de par mon mariage. Je dépense mon argent à ma guise. Quant à Armand, père, il vient dimanche avec Geneviève. Si vous refusez de les recevoir ici, je passerai chercher maman à dix heures le matin. Ils déjeuneront chez moi, au pavillon.

De ses doigts terreux, Bastien attrapa un biscuit sur l'assiette et le croqua. Il paraissait réfléchir quant à la conduite à tenir.

— Fais comme ça, Isaure, lâcha-t-il d'une voix rauque. Ta mère a été bien malade; j'ai eu peur de la perdre. Faut que tu prennes du bon temps, hein, ma Lulu! Moi, je ne change pas d'idée, je n'ai plus de fils. Quand Armand épousera sa maîtresse, il pourra franchir la porte, pas avant. Tu aurais eu droit au même traitement si tu avais continué à nous déshonorer, petite. Les gens en ont dit, des saletés sur toi, au village : que tu menais la vie à Paris, que tu couchais avec ton policier. Maintenant, tu as son nom et son argent. Ça les fera taire.

— Alors, à dimanche matin, maman, articula Isaure d'une voix faible. Soigne-toi bien.

Elle dénoua les cordons du tablier humide et crasseux et lissa le tissu de sa robe noire. Au moment où elle s'emparait du panier posé au bout de la table, Bastien lui saisit le poignet.

— T'aurais pas croisé Riton, par hasard? interrogea-

438

t-il dans une grimace qui se voulait un sourire. Il a dû se perdre, ce crétin de chien. Bah, il allait bientôt crever. Ce n'est pas une grosse perte. En échange d'un sac d'avoine, un voisin, le père Dubigne, m'en a donné un, mauvais comme la gale. Au moins, il fera fuir les rôdeurs.

— Il est affreux, ce chien, rétorqua Isaure. Pour Riton, je sais que vous l'avez détaché le jour où madame Mercerin me cherchait. Il m'a retrouvée. Je le garde, maintenant. Au revoir.

Oppressée et glacée, elle sortit de la maison très vite. Dehors, Denis discutait avec le journalier. Elle lui fit signe de la rejoindre sur le chemin. Au ras de l'horizon, le soleil se parait de pourpre et d'or en jetant des reflets flamboyants sur la campagne silencieuse. Dans un pré, un poulain galopait près de sa mère et trois chevaux trottaient le long de la barrière.

— Hé, n'marchez pas si vite! s'égosilla Denis en courant pour rattraper Isaure. On n'est pas arrivés. Ça fait une bonne marche, de remonter à Faymoreau.

— Je ralentirai quand je me sentirai assez loin de la métairie, répliqua-t-elle.

Peu après, la jeune femme s'arrêta, victime d'un point de côté. Haletante, elle contempla les prairies reverdies et les silhouettes élancées des frênes, au bord du ruisseau qui alimentait l'étang du château. Elle aperçut ainsi un cavalier dont la monture noire dévalait une piste en terre. Le cheval, un superbe animal, fonça vers un bois de châtaigniers et disparut sous les arbres.

— Ce devait être le comte de Régnier, commenta Denis. Il n'y a que lui pour mener une bête à cette allure. Souvent, il passe devant chez nous, mais il ne s'arrête jamais saluer mon père ou ma mère, s'ils sont dans le potager. Ces aristos, ils se croient tout permis.

— Oui, ils organisent même des battues au sanglier,

le dimanche, sans penser à ceux qui conduisent une voiture pour voler à un rendez-vous, débita gravement Isaure.

— Excusez-moi, je n'aurais pas dû vous causer de ça.

— Certains diront que c'est le destin. Mon mari, lui, prétendait que le comte, en le découvrant blessé, lui avait accordé quelques jours de sursis et que, grâce à lui, il avait pu me revoir et m'épouser.

Isaure essuya nerveusement les larmes qui coulaient sur ses joues. Elle pourrait jouer les bienfaitrices, faire le ménage pour sa mère, fonder une école ou voyager, rien ne la consolerait d'avoir perdu Justin. Au fil des jours, il lui manquait de plus en plus. Elle regrettait ses rires ironiques, ses plaisanteries acides, ses caresses et le plaisir subtil que, en amant expérimenté, il lui offrait.

— Rentrons vite, dit-elle en reniflant. Merci, Denis, d'avoir été là aujourd'hui.

— À votre service, madame. C'était plus amusant que d'éplucher des pommes de terre ou de récurer les casseroles.

Il lui adressa un regard plein d'admiration. Il fêterait bientôt ses quinze ans et Isaure faisait battre son cœur tout neuf.

Demeure des Aubignac, vendredi 11 mars 1921

— Vraiment, Isaure, vous refusez d'être des nôtres? déplora Olympe Mercerin, sincèrement déçue. Ma chère enfant, ce serait une expérience intéressante pour vous.

— Maman, nous ne pouvons pas obliger Isaure à dîner avec nous, dit Viviane. Peut-être qu'elle n'a aucune envie d'être confrontée à la comtesse.

Dans sa robe de velours noir, les cheveux tressés en couronne autour de son front d'ivoire, Isaure les considéra toutes les deux d'un air boudeur. Elle n'avait plus goût à rien depuis son aventure au fond du puits du Couteau. Les visites aux chevaux en compagnie de Pierre la distrayaient quelques minutes, de même que les soins et les caresses qu'elle prodiguait à Riton, mais elle se sentait vide et profondément triste. Elle demeurait de longues heures sur son lit, dans le pavillon dont elle fermait les volets.

Sa mélancolie atteignait des sommets quand elle songeait à sa mère, devenue une ombre grise et dolente, ou quand elle osait regarder les photographies de son mariage avec Justin. Elle n'avait pas rendu visite à Honorine et à Jérôme de peur de croiser Thomas. « Lui seul pourrait me réconforter, mais je n'ai pas le droit de l'approcher, plus jamais. Jolenta et lui seront heureux, si je me tiens à l'écart », se disait-elle quand elle pleurait dans la pénombre.

Cependant, Olympe et Viviane faisaient leur possible pour lui témoigner de l'affection. Elle était dispensée de donner des leçons aux deux enfants qui, ravis de l'aubaine, jouaient de plus en plus fréquemment dans le parc, sous la surveillance de Denis.

Là encore, elles l'avaient suppliée avec douceur d'assister au repas qui réunirait Clotilde et Théophile de Régnier, le docteur Félix Gramont et les maîtresses de maison.

Isaure sauta sur l'argument de Viviane et déclara :

— Il me serait très pénible de dîner en face de la comtesse, en effet. Votre fille a vu juste, madame Olympe.

— Isaure, nous sommes entre amies, ici, nous formons comme une famille. Je ne veux plus de votre madame. Appelez-moi Olympe tout court.

— Je ne pourrai pas, je suis navrée, et je tiens à rester à ma place. Je ne remplis plus la fonction de gouvernante, mais, dès lundi prochain, je reprendrai la classe auprès de Sophie et de Paul. Si je n'ai aucun rôle sous ce toit, je devrai quitter le pavillon.

Viviane eut un geste d'impuissance en souriant à sa mère. Elle avait retrouvé énergie et santé. Ses boucles blond platine savamment coiffées et ornées d'un fin bandeau en strass, elle portait une longue robe en soie verte, également brodée de sequins argentés sur le bustier. La couleur, presque celle de ses yeux en amande, lui allait à ravir.

— Vous êtes très belle ce soir, Viviane, la complimenta Isaure.

— Un peu trop décolletée à mon goût, ironisa Olympe. Dites-moi, Isaure, pourquoi ma fille a-t-elle le privilège d'être appelée par son prénom? Je sais, c'est une histoire d'âge, bien sûr. Les septuagénaires comme moi inspirent la déférence. Bien, je n'insisterai plus, ma chère amie. Courez vous enfermer dans votre pavillon, nos invités ne tarderont pas.

— Je préfère rester à la cuisine. Germaine est d'accord. Nous grignoterons ensemble entre les plats.

Nadine, la jeune bonne, se présenta au même moment. Elle arborait un petit tablier blanc immaculé et une minuscule coiffe sur ses cheveux châtains. Olympe se leva de son fauteuil et examina la domestique d'un œil incisif.

— Impeccable, vous êtes impeccable, Nadine. Pour servir, n'oubliez pas mes consignes. De la discrétion, de l'habileté, de la vigilance!

— Maman, Nadine servait lors de nos dîners, à Marcel et moi. Elle s'en sort très bien, protesta Viviane.

— Peut-être, mais ce soir, c'est moi qui reçois et les Régnier doivent n'avoir aucun sujet de moquerie. Je suis née Olympe de Vitrac; ces gens ne m'impressionnent pas, surtout Clotilde, qui s'est mariée pour hériter d'une particule. Allez, Nadine, filez à la cuisine. Isaure, où sont les enfants?

— En train de prendre leur repas, madame.

— Bien. Ils salueront nos convives, puis ils monteront dans leur chambre. Auriez-vous l'obligeance de veiller à leur coucher, puisque vous ne quittez pas la maison?

— Avec plaisir. Ils sont tellement gentils!

C'était la stricte vérité. Isaure passait peu de temps auprès de Sophie et de Paul, mais ils se montraient attentionnés et lui donnaient de petits baisers sur la joue par surprise.

— Maman, redis-moi le menu, murmura Viviane en étudiant la courbe rose de ses ongles, qu'elle avait vernis.

— Un velouté d'asperges, des écrevisses à la sauce Germaine – puisque notre cordon-bleu se glorifie de son accommodement –, un gigot d'agneau en croûte et sa garniture de légumes : carottes, navets et pommes de terre braisés. En dessert, une charlotte au chocolat et crème Chantilly. Toujours réticente, Isaure?

— Je connaissais le menu, madame. Il ne me tente pas.

L'entêtement de sa protégée exaspéra Olympe, mais elle le cacha. Très vite, elle se reprocha son besoin forcené de jeter la jeune femme dans un autre univers que le sien. Elle était sans doute la seule personne, excepté Thomas, qui avait pris la juste mesure du caractère ombrageux et complexe d'Isaure, conséquence de son enfance bafouée et des malheurs qui l'avaient frappée, tant jadis que récemment.

— Faites à votre guise, jeune dame, soupira-t-elle. Ah! j'entends des pas dans l'allée. Quelqu'un arrive.

— S'il n'y a pas de bruit de moteur, c'est le docteur Félix, s'écria Viviane en se précipitant dans le vestibule. Je le reçois, maman.

— Ma Vivi est très romantique et très passionnée, murmura Olympe en passant près d'Isaure. Ce jeune médecin lui fera vite oublier ses amours illégitimes.

— Eh bien, tant mieux, madame.

*

Une heure plus tard, Isaure descendit le grand escalier. Ses chaussures plates en cuir fin effleuraient à peine le tapis rouge qui recouvrait les marches. Elle pouvait regagner la cuisine sans entrer dans la salle à manger, qui communiquait avec le salon par une double porte vitrée, à petits carreaux, que l'on repliait à volonté grâce à des charnières en cuivre.

Des éclats de voix assez joyeux lui parvenaient, mêlés à des tintements de vaisselle, les couverts heurtant délicatement la porcelaine des assiettes. La lumière du couloir étant éteinte, elle aperçut par l'entrebâillement la grande table nappée de blanc sur laquelle étincelaient les chandeliers en argent massif, les bougies allumées, les verres et les carafes en cristal.

Elle s'immobilisa afin d'observer les invités sans risquer d'être vue. Le médecin lui présentait un profil régulier; il souriait en lissant sa fine moustache, pris sous le feu du regard de Viviane, assise près de lui. De la comtesse, Isaure ne voyait que le dos drapé d'un châle en dentelle mauve, les cheveux châtains coupés à hauteur de la nuque. Olympe présidait. Elle regardait souvent le comte, placé à sa droite. «Mais qu'est-ce que j'aurais fait là, parmi eux? se demanda-t-elle. Ils parlent, ils s'écoutent parler, ils rient et ils mangent sans penser à tous les malheureux de la terre, les misérables, les orphelins ou les malades.»

Encore une fois, elle éprouva un vague malaise à l'idée d'avoir hérité du capital de Justin et de son bien immobilier. Il avait voulu lui offrir une vie facile, mais

444

elle n'avait jamais connu l'aisance ni l'oisiveté et, prise au dépourvu, elle souffrait de son nouvel état de fortune.

Germaine la vit entrer dans la cuisine d'un pas saccadé, le visage durci et les yeux brillants de colère.

— Oh! il y a de l'orage dans l'air, on dirait! blaguat-elle. Dites, si c'est la faim qui vous tourmente, j'ai mis des écrevisses de côté rien que pour vous.

— Non, c'est autre chose, Germaine. J'aurais plutôt des nausées.

— Seigneur, de vraies nausées? Parce que, souvent, c'est un signe de…

— Je ne suis pas enceinte, coupa Isaure en s'asseyant sur un tabouret. Je vous aime beaucoup, Germaine; je n'oserais pas dire à madame Olympe ce que j'ai sur le cœur, mais à vous, si. Je suis furieuse et révoltée parce que vos patronnes me traitent avec des égards, à présent. Elles voulaient que je sois de leur dîner, tout ça en un claquement de doigts. Il suffisait que mon fiancé ait un accident et en meure. J'ai de l'argent, je suis instruite et pas trop mal élevée, j'ai donc le droit de participer au festin des riches. Mais, dans les corons, les femmes et les enfants avaient faim chaque jour à cause de la grève; ils ont arrêté leur mouvement pour toucher un salaire de misère et acheter à manger. Je n'irai pas là où madame Olympe veut m'entraîner, je ne jouerai pas les riches héritières. Et puis, flûte, à la fin! Je ne pouvais pas savoir, moi, qu'un inspecteur de police était en fait un fils de famille, unique détenteur d'une fortune gagnée par son grand-père, puis son père! Germaine, vous avez vu Justin, pendant son enquête. Il vous a interrogée. Est-ce qu'il vous a donné l'impression d'être un grand bourgeois?

La cuisinière plissa les yeux et mordilla son index graisseux. Elle prenait son temps, soucieuse de répondre avec franchise.

— Quand même, il avait tout d'un monsieur, Isaure. Je suis habituée, moi, à voir défiler des gens de la bonne société, et, l'inspecteur, je trouvais qu'il avait des manières à part, une façon de se comporter pas ordinaire. Un monsieur, quoi!

Isaure fondit en larmes. Apitoyée, Germaine la prit dans ses bras et la serra contre son opulente poitrine. Nadine entra à ce moment et marqua un arrêt, toute surprise.

— Euh… Germaine, j'ai débarrassé le service à poisson. Je dois apporter le gigot, maintenant. J'aurais bien eu besoin d'aide, avec tous ces plats.

— Fais au mieux, petite. Que veux-tu, j'ai expédié Denis à la maison. Son père comptait l'emmener pêcher des anguilles. Moi, je ne débaucherai pas avant minuit.

— Je peux te passer les légumes, Nadine, si tu te charges de la viande, proposa Isaure.

— Pas question, trancha Germaine. D'abord, il faut présenter le gigot, dans le grand plat ovale, là. On l'entoure de persil, oui, on met le jus dans la saucière.

Elle donnait des ordres et Nadine obéissait. Enfin, la pièce d'agneau rôtie à point fut servie et il s'ensuivit une rumeur d'approbation qui vint jusqu'à la cuisine.

— J'approche dans le couloir avec les légumes, insista Isaure. Ça sera moins pénible pour Nadine.

— Si vous voulez, mais ne vous montrez pas, misère!

Isaure passa ainsi le plat de garniture et la saucière. Mais, après avoir eu soin d'éteindre le plafonnier, elle s'attarda, Nadine demeurant dans la salle à manger, près de la desserte où étaient alignées des bouteilles de vin. La voix grave du comte dominait les autres. Il semblait de bonne humeur et parlait chasse à courre.

— J'ai un nouveau cheval, un pur-sang, disait-il. Il galope à merveille et sur n'importe quel terrain. Je le monte tous les jours pour l'accoutumer aux bois et aux halliers. Nous chassons un cerf, dimanche. J'ai invité mon ami le notaire et ses cousins.

— Je déteste la chasse, intervint Viviane. Et vous, docteur?

— La guerre m'a suffi, en matière de carnage, rétorqua Félix Gramont. J'en suis revenu et j'ai promis de ne plus toucher une arme.

— La chasse à courre se dispense de fusil, plaida le comte.

— Théophile, vous lassez nos amies, s'indigna la comtesse. Il y a de plus aimables sujets de conversation. Mais j'y pense, ma chère Olympe, avez-vous des nouvelles d'Isaure? J'ai appris la mort de ce policier. Ils n'ont pas pu se marier, il me semble.

— Si, Justin Devers l'a épousée. La cérémonie a eu lieu dans la chambre d'hôpital.

— Seigneur, quelle horreur! s'écria Clotilde de Régnier. Quel terrible drame, voulais-je dire!

Isaure aurait voulu s'enfuir et rejoindre Germaine, mais la curiosité la tenaillait. Elle éprouvait le désir morbide d'épier les dîneurs, de découvrir leur vraie nature sous le poli trop lisse d'une éducation soi-disant excellente.

— En effet, c'est bien triste, concéda le docteur. Mais un de mes patients m'a raconté une histoire étonnante sur cette jeune dame.

Félix Gramont évoqua alors la descente d'Isaure dans le puits du Couteau et le sauvetage des chevaux. Dès qu'il eut terminé, Olympe ajouta quelques détails.

— Isaure s'occupait des bêtes que son père élevait, précisa la comtesse. Elle sait les manier. Décidément, quelle étrange fille!

— Elle est courageuse, au moins, marmonna le comte.

— Courageuse et charitable, ajouta Viviane. Son mari lui a laissé de l'argent, mais elle souhaite fonder une école pour orphelins, une sorte d'institution. Elle peut enseigner, elle a un diplôme.

— Mes petits-enfants apprécient grandement ses leçons, nota Olympe.

— Dans ce cas, je me félicite d'avoir veillé à son instruction, dit sèchement Clotilde de Régnier. C'était une expérience, pour moi, de voir si l'éducation et les études influent sur une fillette d'un milieu populaire. Ses parents sont des gens frustes, presque illettrés.

Un silence pesant fit suite à ce petit discours acerbe. Gêné par la vanité de sa femme, le comte but d'un trait son verre de vin. Viviane eut un sourire navré. Isaure en avait assez entendu, elle recula sur la pointe des pieds et se réfugia dans la cuisine.

— Je boirais bien un verre d'alcool, Germaine, dit-elle d'une voix tremblante.

— Vous avez écouté aux portes, je parie! Moi qui vous attendais en me demandant ce que vous fabriquiez. Au fait, les petits se sont-ils couchés sans rechigner?

— Oui, ils étaient fatigués.

Germaine lui servit du cognac, puis une assiette appétissante où une dizaine d'écrevisses voisinaient avec des pommes de terre sautées.

— Mangez donc, ça vous requinquera. Vous êtes toute blanche.

Isaure avala du bout des lèvres, écœurée, mais elle finit par apprécier la saveur des aliments. Songeuse, elle analysait ce qu'elle avait eu tort d'écouter. «Si j'avais pu gifler la comtesse pour la faire taire... Ah, j'étais un jouet qu'elle manipulait! Quelle idiote, cette femme! Et le comte, il ne lui adresse aucun regard; il semble la mépriser. Il n'a même pas dit qu'il m'avait parlé dans la chapelle de l'hôpital. Il n'avouerait sûrement pas qu'il s'est abaissé à discuter avec la fille de son métayer! Ils me font horreur. »

Folle de chagrin, elle repoussa son assiette et se leva. Sous l'œil ahuri de Germaine, elle se rua vers la porte de service.

— Je m'en vais, excusez-moi, je me sens mal. Je n'aurais pas dû boire ni manger. Bonsoir, Germaine, et pardon si je ne vous tiens pas compagnie.

— Mais si vous êtes souffrante, je peux préparer une tisane! Isaure, et votre manteau, votre foulard! Vous allez prendre froid!

La cuisinière n'eut pas de réponse, Isaure était partie. Le frais de la nuit et le parfum de la terre, attiédie par une journée de soleil, lui firent du bien. Elle traversa le parc en sanglotant, désespérée, pressée de s'enfermer et de pleurer à son aise pendant des heures.

Mais, avant d'atteindre le pavillon, elle heurta de plein fouet un homme qui avait surgi des bosquets de buis. Il la saisit par la taille et l'étreignit.

— Thomas?

— Isaure, tu pleures, mon Isauline! Je te guettais. J'espérais tant que tu rentrerais chez toi! Je n'en pouvais plus, je devais te revoir.

Thomas la berçait tendrement, il embrassait ses cheveux, ses joues humides et son front. Elle se réfugia en lui et se fit toute petite dans ses bras, alanguie, toujours en larmes.

— Là, là, tu n'es pas seule, je suis venu. Je sentais que tu étais malheureuse. Je ne pensais qu'à toi, Isauline.

— Tiens-moi bien, chuchota Isaure. J'ai si mal!

Il ne tenta pas de prendre ses lèvres ni de la caresser. Comme par le passé, il la consolait, il se dressait entre la cruauté du monde et elle, sa fragile petite fée. Elle n'avait plus de sabots éculés ni de tablier déchiré, mais il émanait de son cœur torturé le même appel irrésistible.

— Je ne t'abandonnerai jamais, souffla-t-il à son oreille. Isaure, promets-moi de tenir bon, de vivre quoi qu'il t'en coûte. Si tu n'existais plus, je serais perdu, moi aussi.

— Alors je serai courageuse, c'est promis, murmura-t-elle, déjà apaisée mais avide de sa chaude présence.

Ils demeurèrent enlacés de longues minutes dans l'ombre des arbres, puis Thomas l'accompagna jusqu'au pavillon. Elle tourna la clef dans la serrure et poussa un peu le battant.

— Il faut t'en aller, maintenant, mon amour, dit-elle. C'était merveilleux que tu sois là, vraiment.

— Je serai là chaque fois que tu le désireras, mon Isauline.

Il cueillit un tendre baiser sur sa bouche et s'éloigna en courant.

17

Accalmie

Dimanche 13 mars 1921

Lucienne Millet considérait le logement d'Isaure d'un regard rêveur. L'intérieur du petit pavillon lui paraissait agréable, confortable et coquet.

— Tu es à ton aise, ici, dit-elle à sa fille. Les rideaux sont jolis, la couleur des murs aussi.

— C'est Geneviève qui l'avait aménagé; je n'ai guère fait de changements, répliqua Isaure. N'est-ce pas, Geneviève?

L'ancienne gouvernante de la famille Aubignac approuva d'un sourire discret. Elle tenait la main d'Armand, assis à ses côtés et d'humeur morose. Le voyage en train ponctué de deux correspondances avait malmené les nerfs du jeune homme, qui avait enduré trop de regards apitoyés et de coups d'œil gênés. S'il épargnait aux autres une vision pénible, le masque en cuir fin qui cachait son visage ravagé ne le protégeait pas, lui, de la curiosité inquiète de ses concitoyens.

— Je suis à la fête, ce dimanche, reprit Lucienne. J'ai mes deux enfants avec moi. Je suis même montée dans une automobile. Qu'est-ce que c'est pratique!

Elle faisait allusion au trajet en voiture, Olympe ayant demandé à son chauffeur de se mettre au service d'Isaure. Roger avait donc effectué un aller jusqu'à la métairie en compagnie de la jeune femme. Après avoir cueilli Lucienne, ils étaient allés à la gare de Faymoreau chercher Geneviève et Armand.

Attendrie par la remarque de sa mère, Isaure disposa quatre assiettes sur la table ronde, fleurie d'un bouquet de narcisses. C'était la première fois qu'elle organisait un déjeuner et, soucieuse de régaler ses invités, elle avait cuisiné la veille.

— J'espère que mon bœuf bourguignon vous plaira, dit-elle. J'ai suivi la recette de Germaine. Sinon, vous auriez eu droit à ma spécialité, la soupe au vermicelle.

— C'était la mienne aussi, s'esclaffa Geneviève. Si tu savais, Armand, comme c'est étrange pour moi de me retrouver là! J'y ai passé deux ans. Je connais chaque détail des murs et du sol. Deux ans à me morfondre, à te pleurer. Mais nous sommes ensemble, à présent, et j'en remercie Dieu tous les matins.

Armand lui étreignit les doigts sans prononcer un mot. Il était heureux de revoir sa mère et sa sœur, mais l'intransigeance de son père l'irritait. Quand Isaure lui avait expliqué dans une lettre pourquoi Bastien Millet refusait de les recevoir à la métairie, il s'était emporté, prenant sa compagne à témoin.

— Un type comme lui, violent, porté sur la bouteille, rapin et crétin! De quel droit revendique-t-il une moralité de principe chez les autres? Où place-t-il son fichu sens de l'honneur?

Geneviève avait réussi à le calmer par de douces paroles et son sourire enjôleur.

— Nous lui ferons croire que nous sommes mariés, la prochaine fois. Il n'osera pas nous demander une preuve, avait-elle dit.

— Non, j'en ai assez, je vais t'épouser. Je ne le ferai

pas pour mon père, mais pour toi. S'il m'arrivait quelque chose, en tant que veuve, tu toucherais ma pension d'invalide.

Sa décision était prise, et Armand comptait en informer sa mère et Isaure à la fin du repas.

*

Après les œufs durs et les radis, Isaure servit avec fierté son bœuf bourguignon qui sentait très bon. Elle avait repris courage, après la courte visite nocturne de Thomas au moment précis où elle avait tellement besoin de réconfort. Certaine qu'il l'aimait, qu'il serait toujours là pour elle comme il l'avait affirmé, elle s'était efforcée de panser ses plaies profondes et de garder foi en l'avenir.

Les propos odieux de la comtesse Clotilde, l'état déplorable de sa mère et la mort de Justin – la plus cruelle de ses peines – ne devaient pas l'affaiblir ni l'enfermer dans un cercle de malheur. Elle y avait opposé, au cours de longues méditations, les choses positives qui étaient survenues dans sa vie, le sauvetage des chevaux, son aisance financière, sa quête d'une maison assez grande pour fonder son école.

— Est-ce que cela vous plaît? demanda-t-elle en surveillant les mimiques de ses invités, qui goûtaient son ragoût. J'ai fait mariner la viande dans du vin et des épices, et j'ai coupé les carottes en morceaux très fins pour qu'elles soient tendres.

— Excellent, bravo sœurette! marmonna Armand.

— Délicieux, renchérit Geneviève.

Lucienne adressa un sourire comblé à sa fille avant de donner son avis.

— Je n'ai jamais rien mangé d'aussi bon, ma petite.

En prévision de l'événement, car le déjeuner chez

Isaure en était un pour elle, Lucienne avait fait des efforts de toilette. Elle s'était coiffée, ornant ses cheveux blancs de deux peignes en corne, et elle portait sa robe du dimanche en faille grise de coupe démodée. Une broche en plaqué or brillait sur sa poitrine. La joie la rajeunissait un peu, de sorte que ses traits semblaient moins affaissés et que ses yeux d'un brun doré, semblables à ceux d'Armand, avaient retrouvé leur éclat.

— Maman, ton civet de lièvre était meilleur, protesta Armand. Du moins, dans mes souvenirs.

— Non, car je le mangeais sans appétit. Je l'ai souvent trouvé amer, mon garçon.

— Amer? s'étonna Geneviève.

— Oh, je dis ça comme ça, histoire de causer. Avec Bastien, rien n'allait jamais bien. Parfois, j'en avais du dépit et la nourriture devenait amère, surtout quand votre père en privait Isaure.

— Maman, je t'en prie, n'en parlons pas, c'est fini. Je n'aurai plus à souffrir de privations ni d'humiliations. Il faut oublier le passé et regarder devant nous.

— Je suis incapable d'oublier la façon dont père t'a traitée, pas plus que la guerre et ses conséquences, déclara Armand. Pardonnez-moi, je ne suis pas très gai, mais, sorti de mon jardin et de notre maison de Luçon, je me sens mal. J'ai une pointe, là, au plexus.

Ils terminèrent leur assiette en silence. Les trois femmes étaient un peu attristées par l'humeur morose du jeune soldat. Comme dessert, Isaure avait acheté des macarons et des fruits au sirop.

— Tu nous en offres, de bonnes choses! s'extasia Lucienne. Je crois bien que, ce soir, je me coucherai sans souper. Enfin, si mon homme n'a pas besoin de moi. Maintenant, il faut nourrir notre employé, aussi.

— Mais, maman, mets-le au fourneau, ce gars-là, s'écria son fils. Tu tiens à peine debout. Tu me fais peur, tant tu as maigri. Si tu ne te reposes pas, ton état empirera. As-tu consulté un docteur, au moins?

— Oui, ton père l'a fait venir. J'ai de petits soucis de femme, rien de grave. Je prends du laudanum. Allons, ne gâchons pas le repas de ta sœur.

Isaure retint un soupir. Plus la fin du déjeuner approchait, plus elle redoutait une conversation sur son mariage et la mort de Justin. Pourtant, par tact ou par crainte de la blesser, aucun de ses invités n'aborda le sujet.

Afin de distraire Lucienne, Geneviève lui raconta ses débuts de commerçante et les manies de certaines clientes, puis elle lui dépeignit l'agencement de sa boutique. Quand Isaure prépara du café, Armand la suivit à la petite table couverte de zinc où était installé le réchaud à alcool.

— Je crois maman très malade, dit-il à son oreille. Si elle reste à la métairie avec notre brute de père, on l'enterrera avant l'hiver.

— Que proposes-tu?

— Tu as de l'argent. Loue une maison plus grande et prends-la avec toi. Elle sera mieux nourrie et elle ne s'épuisera plus.

— Père ne voudra jamais, et de toute façon, c'est non, Armand, répondit-elle en chuchotant. Je suis incapable de passer des jours et des semaines avec elle. Elle me fait pitié, mais pas au point de m'en occuper.

Le court dialogue, énoncé le plus bas possible, s'arrêta net. Agacé, Armand déclara tout haut:

— Geneviève, si maman séjournait chez nous un certain temps, est-ce que ça te dérangerait?

Prise au dépourvu, sa compagne ne sut que dire. Elle esquissa un sourire perplexe. Elle chérissait leur intimité, leur quotidien déjà tissé de douces habitudes, mais elle ne pouvait rien refuser à l'homme qu'elle aimait.

— Non, bien sûr que non, bredouilla-t-elle.

— En voilà, une idée, fiston! protesta Lucienne. Pourquoi tu ne m'enverrais pas à l'hospice? Et Bastien! Il en ferait, une tête, si je quittais la maison. Allons, tu en as, des idées, toi!

— Maman, deux ou trois semaines! Comme ça, tu seras sur place pour notre mariage, suggéra Armand.

— Seigneur, vous allez vous marier? Que je suis contente! J'ai tant prié! avoua-t-elle. Tu as entendu, Isaure? C'est une nouvelle, ça!

— Oui, maman, admit tout bas la jeune femme. Je vous félicite, tous les deux.

Elle embrassa Geneviève, qui était toute rose d'émotion. Une discussion très animée s'ensuivit. Le cœur lourd, obéissant à une impulsion douloureuse, Isaure sortit d'un album en cuir une photographie de ses noces, sa préférée, où Justin se tenait debout à l'aide des béquilles. Il était bien droit et souriait, élégant et séduisant. Rien sur le cliché ne pouvait laisser supposer qu'il allait mourir quelques heures plus tard.

— Pauvre gars! soupira Armand. Revenir indemne du front pour finir comme ça à cause d'un sanglier!

— Je le reconnais à peine, mais je ne l'ai vu que deux fois, le policier, murmura Lucienne. Dis-moi, Isaure, aurais-tu une autre photographie? Je la mettrai sur la cheminée de notre chambre.

— Je vais t'en donner une. Madame Devers avait fait plusieurs tirages qu'elle m'a offerts quand je suis allée à Paris pour les obsèques.

Cette simple phrase suscita un silence respectueux. Chacun observa la jeune femme en prenant conscience du profond changement qui s'était opéré en elle.

«Ma sœur a de l'allure. On sent qu'elle est accoutumée à voyager, même à séjourner dans la capitale. Elle paraît plus mûre, plus forte, et c'est vraiment une belle fille», se disait Armand.

« En si peu de mois, Isaure n'a plus son air de fillette apeurée. Elle s'habille bien et se coiffe à merveille. Elle a dû acheter des bijoux à Paris. Comme le velours noir la met en valeur ! » songeait Geneviève.

Quant à Lucienne, les épaules voûtées, prise de lassitude, elle admirait Isaure dans le secret de son cœur en ayant l'impression étrange qu'elles étaient presque des étrangères l'une pour l'autre. « Tout aurait pu être différent, déplorait-elle, si j'avais pu l'allaiter et la protéger de Bastien. Je l'ai négligée, mais je ne pouvais pas faire autrement. Elle ne doit pas m'aimer beaucoup. »

Pâle et le regard brillant, Isaure contemplait les fleurs roses du cerisier d'ornement planté à gauche du pavillon. C'était une nuée de pompons d'une couleur délicate, dont la vue la charmait, matin et soir. L'esprit vide, le cliché de son mariage entre les doigts, elle se prit à rêver de l'océan, de la fureur des vagues sur la plage et du parfum des embruns. « Si je voulais, j'y serais demain matin. J'irais dans un hôtel et je pourrais passer des heures à me promener au bord de la mer. »

Geneviève la tira de sa rêverie en l'appelant gentiment. Isaure sursauta et interrogea son amie d'un signe de tête.

— Tu m'as dit à la gare que Viviane Aubignac serait heureuse de me revoir, qu'elle m'attendait après le déjeuner. Est-ce que tu m'accompagnes ?

— Volontiers ! Armand, je te confie notre mère et mon petit domaine une dizaine de minutes.

— Geneviève, enfin, as-tu vraiment besoin de rendre visite à ton ancienne patronne ? dit-il, irrité. Elle désire te voir et toi tu cours ! Tu n'es plus à ses ordres.

— Tais-toi donc, grincheux ! Viviane était très gentille et très malheureuse. Je suis contente d'avoir l'occasion de la saluer.

Les deux jeunes femmes s'éloignèrent bras dessus,

bras dessous en marchant au milieu de l'allée principale du parc. De l'intérieur du pavillon, Lucienne et Armand ne les virent pas obliquer vers un bosquet de laurier et s'arrêter.

— Isaure, je voulais tellement te parler seule à seule! murmura Geneviève. La tragédie que tu as vécue si récemment m'a fait une peine terrible. Je suis désolée pour toi, j'aurais aimé pouvoir te soutenir. Hélas! Armand est très possessif. Il refusait que je parte te rejoindre à La Roche-sur-Yon. Il déteste sortir de chez nous et, en même temps, il exige que je sois près de lui sans arrêt. Quand j'ouvre le magasin, il lit dans l'arrière-boutique parmi mes chiffons et mes travaux en cours. En plus, sa vue baisse; il paraît que c'est normal, son œil travaille trop.

— Oh! mais s'il devient aveugle, ce sera dur pour toi. Ne t'inquiète pas, Geneviève. Je sais que tu as pensé à moi et à Justin. Si tu savais comme j'ai souffert! Je ne voulais pas me marier, pas dans ces conditions. Après, ma belle-mère est devenue à moitié folle de haine. Enfin, je préfère oublier.

— Et Thomas Marot? As-tu encore des sentiments pour lui?

Hésitante, Isaure pesa le pour et le contre. Elle avait confiance en Geneviève. Cependant, elle estima qu'il valait mieux mentir.

— Non, c'est de l'histoire ancienne, comme on dit. Il sera papa à la fin du mois de mai, ou au début de juin. Son épouse, qui était si jalouse, s'est montrée aimable. Elle m'a même embrassée.

— Un jour, tu rencontreras l'homme qui te rendra heureuse et que tu aimeras de toute ton âme, affirma son amie. Tu es si jeune! Dix-neuf ans! Je suis sûre que la vie te comblera. Tu le mérites.

Isaure eut un petit sourire de convenance. Elle avait déjà rencontré cet homme et elle l'aimait de tout son être.

Un pas sur les graviers les fit se retourner. Viviane Aubignac venait vers elles, ravissante dans une robe très printanière qui dévoilait ses jolies jambes gainées de soie beige.

— Ma chère Geneviève, je suis si contente! s'écriat-elle. Entrez vite, il faut que je vous présente à maman. Je lui ai si souvent parlé de vous! En plus, grâce à vous et à vos bons conseils, nous avons Isaure, maintenant.

Elle déposa une petite bise sur la joue de son ancienne gouvernante et la poussa vers la porte-fenêtre du grand salon, restée entrouverte. Isaure les suivit, embarrassée par les derniers mots de Viviane. Olympe feuilletait une revue, assise dans une bergère tapissée de chintz. Elle leva le nez en voyant des silhouettes à contre-jour. Le trio s'avança vers son siège et la malicieuse septuagénaire s'amusa de leur particularité à chacune. Sa fille avait des cheveux couleur de lune, un corps mince et longiligne dans une robe claire. Isaure était la plus petite, mais elle était tout en noir, de son chignon à ses escarpins; sa coiffure et son port de tête la faisaient paraître élancée. Geneviève alliait un corps gracieux, moulé dans un tailleur beige en lainage, et des mèches raides châtain doré, coupées court.

— J'ai de la chance d'avoir un pareil échantillon de jeunes femmes, plaisanta-t-elle. Viviane, tu évoques le matin, Isaure, la nuit, et vous, Geneviève, vous êtes l'incarnation de l'après-midi, la lumière mitigée, l'apaisement d'une sieste.

— Je me demande si c'est un compliment, répliqua cette dernière. Bonjour, madame, je suis enchantée de faire votre connaissance.

— Moi aussi.

Viviane proposait une liqueur lorsque des aboiements retentirent dans le parc. Paul et Sophie accouraient en tenant en laisse Riton, le chien des Millet, devenu leur camarade de jeu.

— Bonne-maman, des gendarmes, cria Paul en se ruant dans la pièce. Ils veulent te parler.

— Me parler? Un dimanche? s'étonna Olympe. Mes chéris, emmenez le chien dans la cuisine et restez avec Germaine. Je vais recevoir ces messieurs dans le bureau.

Isaure aurait volontiers accompagné les enfants, mais Viviane lui avait pris la main dans un élan d'affection.

— Geneviève, on peut dire que votre jeune amie fait partie de la famille, à présent. Isaure envisage de quitter le pavillon, car maman refuse qu'elle nous verse un loyer. Si vous saviez! Elle excellait dans la gestion des menus et la tenue de la maison, mais c'est avant tout une formidable enseignante. Mes petits ont fait des progrès remarquables.

— Je vous en prie, Viviane, marmonna Isaure, embarrassée.

— J'étais certaine que vous sauriez apprécier ses qualités, renchérit Geneviève.

— Oh oui, et elle a fait la conquête de ma mère en quelques jours. Ne soyez pas gênée, Isaure, nous ne pourrions nous passer de vous. Je le dis devant notre amie commune, parce que nous vivons dans la crainte de votre départ, insista Viviane. Et nous espérons de tout cœur que vous viendrez en Suisse avec nous, si nous décidons d'y résider après le procès.

Geneviève approuva, toujours souriante. Néanmoins, elle était surprise de la vitalité et de la gaîté de Viviane. De toute évidence, libérée de l'emprise de son époux, la jeune femme avait repris goût à la vie. Elle lui fit savoir, d'un ton enthousiaste:

— En tout cas, madame Aubignac, je vous trouve rayonnante et toujours aussi belle. Je suis contente également que vous puissiez vivre avec vos enfants. Ciel, qu'ils ont grandi!

— Ils sont magnifiques, n'est-ce pas? Très câlins, aussi. Oui, nous avons renoué des liens essentiels.

Viviane continua à vanter les prouesses de Sophie en dessin et celles de Paul au piano. Geneviève répondait poliment, avec déférence, comme si elle était encore une employée de la maison.

Intriguée par la visite des gendarmes, Isaure se désintéressa de la conversation. Aucun éclat de voix ne s'échappait du bureau où elle faisait la classe à ses deux élèves. «Nous ne devons pas nous attarder, maman et Armand vont s'ennuyer, pensa-t-elle. Ou bien mon frère va réussir à la convaincre de séjourner chez lui.»

Debout près de la porte-fenêtre, elle fixa de nouveau le cerisier d'ornement tout au bout du parc. Le toit pointu du pavillon le dépassait. «Pourquoi ne pas m'exiler en Suisse? se dit-elle. J'ai lu que c'est un très beau pays; il y a de hautes montagnes et des villes superbes, comme Genève.»

Elle s'imaginait en jeune veuve éprise de nouveaux paysages quand les gendarmes sortirent et remontèrent l'allée. Olympe Mercerin les rejoignit peu après d'une démarche moins alerte que d'ordinaire. Elle était livide et sa bouche était crispée.

— Viviane, ma chérie, tu devrais t'asseoir, j'ai quelque chose à te dire de fort pénible. Isaure et mademoiselle Geneviève, si vous pouviez rester à ses côtés!

— Maman, tu me fais peur, qu'est-ce qui se passe? On vient me chercher? Je dois être enfermée? s'écria sa fille.

— Ce n'est pas facile à formuler… et les enfants ne doivent pas entendre. J'ai vérifié, ils sont occupés dans la cuisine. Ma Vivi, Marcel s'est suicidé par pendaison à un barreau de sa cellule. Il avait patiemment fabriqué une sorte de corde.

— Marcel! Il est mort? chuchota Viviane, hébétée.

Geneviève se signa en souvenir d'un patron autoritaire, mais généreux, au caractère épineux. Isaure demeura silencieuse. Elle revoyait un homme fou de rage au regard fuyant qui s'était effondré à ses pieds, blessé par son épouse d'un coup de pistolet.

— Oui, c'est arrivé cette nuit, précisa Olympe en s'asseyant. Il a laissé une lettre qui te disculpe des dernières charges pesant sur toi. Demain, un juge nous rendra visite. Il apportera un dossier te concernant. Marcel a attesté sur l'honneur qu'il t'avait obligée à lui obéir en toutes choses, ce qui annule l'accusation pour faux témoignage et pour le reste.

Isaure comprit qu'elle faisait allusion à l'avortement qu'Aubignac avait exigé, un acte illégal auquel s'était prêté leur ami et voisin, le docteur Boutin, qui purgeait sa peine en prison.

— Il n'y aura pas de procès, alors, bredouilla Viviane.

— Je l'ignore, le juge nous renseignera sur ce point. L'affaire sera close, je pense. Toujours dans sa lettre, Marcel explique qu'il ne supportait plus l'enfermement ni ses remords.

— Et les enfants, maman, que dois-je leur dire? Paul réclame souvent son papa, Sophie aussi.

Viviane fondit en larmes à l'idée du chagrin qu'ils auraient.

— Nous leur avons raconté qu'il était très malade. Il faudra leur dire qu'il s'est éteint sans souffrance, trancha sa mère. Pleure, ma pauvre chérie. J'ai reçu un choc, moi aussi. Au fond, il s'est fait justice lui-même. Il n'était pas si mauvais!

Isaure caressa l'épaule de Viviane, qui sanglotait nerveusement. Après de bonnes paroles de réconfort, Geneviève prit congé et repartit en direction du pavillon.

— Seigneur, en voilà, une histoire effarante! soupira Olympe. Ma chère Isaure, si vous nous serviez un peu d'alcool, du cognac? Sur un sucre, pour ma fille.

— Bien sûr, madame. C'est un dénouement surprenant.

— Un dénouement, oui, hoqueta Viviane en regardant sa mère. Je ne sais pas quoi en penser. Je suis triste. Quand même, nous avons vécu treize ans ensemble. Mais je suis soulagée, aussi. J'appréhendais le verdict du jury. En fait, Marcel n'aurait pas causé la mort de trois hommes si je lui avais été fidèle. La jalousie l'a rendu à demi fou.

— Isaure, supplia tout bas Olympe Mercerin, je me doute que vous devez retourner auprès de votre famille, mais revenez vite, ensuite. Roger est à votre disposition, bien sûr. Mon Dieu, si ce juge pouvait venir aujourd'hui, que nous sachions à quoi nous en tenir!

— Je reviendrai le plus vite possible, madame. Viviane, j'espère de tout cœur que vous serez vraiment libre demain à la même heure.

— Oh oui, libre d'aller où je veux et de respirer enfin, car je n'ose pas me promener dans le parc. Les mineurs me considèrent comme responsable de tout. Si je pouvais passer ne serait-ce qu'une heure au bord de l'océan, sentir le vent du large!

Ces mots prononcés d'une voix désespérée émurent Isaure, qui avait eu le même désir. Elle en profita, tout en se reprochant son opportunisme et en craignant d'être indélicate.

— Si tout s'arrange, quand les enfants seront au courant du décès de leur père, nous pourrions séjourner à Saint-Gilles-sur-Vie tous ensemble, ou aux Sables-d'Olonne.

Elle tremblait de son audace, mais elle imposait sa présence de sa voix grave, suave. En outre, elle avait l'intime conviction que, de toute façon, Viviane et sa mère lui auraient proposé de venir.

— Excellente idée, Isaure, déclara Olympe. Cela nous mettra du baume au cœur. Dès que nous serons fixées sur le sort de ma Vivi, nous organiserons le séjour là-bas. Non, vous, Isaure, vous organiserez tout. J'ai une entière confiance en vous.

— Je ferai au mieux, madame. Ce sera plutôt Les Sables-d'Olonne. Il y a plus de distractions pour les enfants, et je me souviens que vous avez apprécié la ville et l'immense plage, Viviane.

— Vous n'avez pas oublié! Je n'en ai pourtant parlé qu'une fois, gémit la jeune femme. Merci, Isaure, d'être si prévenante. Je suis navrée, je ne peux pas m'arrêter de pleurer... Je vais me calmer. Ça ira mieux dans quelques minutes.

Olympe fit signe à Isaure qu'elle pouvait s'en aller. Dès qu'elle fut seule avec sa fille, elle se leva et, un mouchoir à la main, s'empressa de la consoler.

— Le pire est derrière toi, ma Vivi, courage, lui dit-elle entre deux baisers sur son front. Pense à nos chérubins. Nous devrons les rendre heureux et les chérir davantage.

— Oui, maman, je serai forte pour eux. Je les aime tant!

Elle renifla et sécha ses joues humides. Le visage du docteur Félix Gramont traversa son esprit. Elle se souvint de lui quand il lui souriait le soir du dîner. Elle éprouva une grisante sensation de liberté et songea, les yeux mi-clos : « Ah! Aimer encore et être aimée! »

Coron de la Haute Terrasse, mardi 15 mars 1921

Il était trois heures de l'après-midi. En approchant des maisons mitoyennes où logeaient les deux familles Marot, Isaure faillit faire demi-tour. Elle appréhendait de revoir Jolenta et se sentait intimidée à la perspective d'entrer chez Honorine. Il lui semblait n'être pas venue là depuis une éternité. «La dernière fois, c'était après l'enterrement de ma chère petite Anne, à qui je pense très souvent», se dit-elle.

Il faisait soleil, mais un vent frais et une barre grise à l'ouest annonçaient d'éventuelles giboulées. Isaure pressa le pas pour ne pas reculer. Elle passa très vite devant la fenêtre aux rideaux de macramé, le trésor de la jeune Polonaise qui les avait apportés de son pays, et frappa à la porte d'à côté. Tout de suite, l'écho de rires féminins et de conversations animées lui parvint.

Elle n'eut pas le temps de s'enfuir; on ouvrit aussitôt et une jolie fille rousse la dévisagea avec un sourire poli.

— Entrez, madame, dit-elle.

— Je ne voudrais pas déranger.

— Viens vite, Isaure, tu ne nous dérangeras jamais, cria Jérôme, qui avait reconnu sa voix.

Elle s'avança, émue, pour découvrir Jolenta en train de coudre et Honorine qui pétrissait une boule de pâte d'un jaune pâle. L'aveugle était occupé à sculpter le manche d'un couteau. Il faisait chaud et l'air embaumait le café et le levain. Quant à Christine, elle avait déjà repris sa place près de son promis et s'était remise à son tricot.

— Bonjour, murmura Isaure. Je me suis décidée à vous rendre visite, madame Marot, et je vous trouve tous là.

— Tu ne me fais pas la bise? s'exclama Jérôme, à l'abri de ses lunettes fumées.

— Si, bien sûr.

— Et à moi aussi, petite. Tu te fais si rare! renchérit Honorine.

Isaure posa un fugace baiser sur la joue de Jérôme. Il perçut son parfum aux fragrances de jasmin et réprima un frisson de nervosité en l'imaginant dans la pièce, avec ses cheveux noirs et ses yeux d'un bleu sombre si particulier.

— Tiens, tiens, fanfaronna-t-il, tu mettais une eau de Cologne à la lavande, au mois de décembre. Tu as changé et ça sent meilleur; c'est plus raffiné.

— Quelle perspicacité! concéda-t-elle. J'ai acheté un nouveau parfum à Paris.

— C'est une belle jeune dame que nous recevons, maintenant, fit remarquer Honorine.

— Décris-moi Isaure, maman, demanda l'aveugle. Je n'oserais pas la toucher pour savoir comment elle est habillée.

Christine lança un regard inquiet et presque fâché à son futur mari. Jolenta se mordilla les lèvres, amusée de voir une autre fille qu'elle succomber à la jalousie. Mais elle ne laissa pas à sa belle-mère l'occasion de dépeindre la toilette de la visiteuse.

— Isaure est en tailleur. Elle porte une veste cintrée et une jupe droite qui descend à mi-mollet, le tout en joli tissu noir. Elle a un col en fourrure grise et un chignon sur la nuque. On dirait une directrice d'école, mais très jeune.

— Je t'en prie, Jolenta, c'est gênant, protesta Isaure.

— Oui, tu as raison, excuse mon fils, dit Honorine. Il a de ces idées! Assieds-toi donc! Je mets ma gâche[8] à lever et je te sers un café. Tu prends du lait et trois sucres; je m'en souviens.

— Oh, je ne prends plus qu'un sucre. Je suis moins gourmande qu'avant, madame Marot.

— Moins affamée, sans doute, hasarda Jérôme. Il paraît que tu es riche.

---

8. Brioche typique de la Vendée, moins levée et à la pâte plus dense.

— N'exagérons rien, soupira-t-elle. J'ai un capital, mais je suis veuve. L'aurais-tu oublié?

— Pardon, j'ai été grossier, plaida-t-il. Pour me faire pardonner, je t'offrirai ce couteau. Il sera terminé dans cinq minutes. Je l'ai décoré avec des fleurs et des feuilles. Tiens, regarde-le.

— Offrir un couteau coupe l'amitié, affirma Christine d'un ton sérieux.

— Pas si la personne qui reçoit le cadeau donne une pièce de monnaie en échange, précisa Jérôme en lui caressant le dos comme pour la rassurer.

Isaure observa longuement le couteau, dont le manche était remarquable en raison de la finesse des sculptures et la ressemblance des fleurs.

— Mais comment fais-tu, Jérôme? s'étonna-t-elle. Je trouve ça magnifique, vraiment. Je serais ravie de le garder, mais à condition que tu acceptes une pièce, puisque ça conjure le sort.

Honorine se lava les mains et ôta son tablier. Elle examina Isaure d'un œil quasi maternel, pour constater que la jeune femme avait les joues moins rondes et le teint très pâle. Attendrie et pleine de compassion, elle alla lui tapoter l'épaule.

— C'est un grand malheur, qui t'a frappée, ma pauvre enfant. J'ai beaucoup pensé à toi quand j'ai su ça, tu peux me croire.

— Pour vous, madame Marot, c'est un grand bonheur qui s'annonce, m'a dit Jolenta. Vous attendez un bébé, répliqua Isaure à mi-voix.

— Eh oui, à mon âge, Dieu m'a accordé cette grâce!

D'instinct, dans un geste commun à tant de futures mères, Honorine toucha son ventre, un effleurement pudique, mais significatif des joies promises et de la fierté de porter un fruit en son sein.

Jolenta fit de même, peut-être pour imiter inconsciemment le geste. Elle déclara en riant :

— Mon petit bouge de plus en plus, il fait des bonds au point de me faire crier. Quand il est là, Thomas pose vite ses mains pour le sentir gigoter. Mon mari voudrait une fille. Moi, je préfère un garçon, un beau gars comme lui.

Christine devint rêveuse. À vingt et un ans, elle avait hâte d'être mariée à son tour et de dormir près de Jérôme, de découvrir le grand mystère de l'acte sexuel. Jadis, elle était d'une nature discrète et réservée, mais sa certitude d'être bientôt une femme l'avait transformée. Quand elle passait un après-midi chez Honorine, on l'entendait beaucoup rire et on la voyait rougir pour un rien. Les sens aiguisés par la cécité, l'infirme devinait le feu qui la rongeait et il s'amusait en secret de son impatience.

— Ainsi, il y a des noces de prévues ? lâcha soudain Isaure afin de dire quelque chose, car elle avait espéré être seule avec Honorine et n'osait pas parler de l'objet de sa visite.

— Oui, Christine et moi, ce sera en juillet. Nous célébrerons nos fiançailles le 3 avril chez ses parents, et ensuite le mariage.

— Encore plus de trois mois, soupira la jeune fille. Jérôme, si nous allions nous promener un peu ? Il fait bon.

Il accepta avec un sourire contraint, attiré par Isaure comme par un aimant. Chaque fois qu'elle prononçait quelques mots, un frisson délicieux lui parcourait le dos. Mais il savait aussi que Christine souhaitait se retrouver seule avec lui pour pouvoir l'embrasser et être caressée. Ils s'isolaient derrière une vieille étable, sous un tilleul, et là, en vierge exaltée, elle lui autorisait tout ce que la décence permettait.

— Eh bien, salut la compagnie! s'écria-t-il. Ma petite chérie m'emmène prendre l'air. Isaure, tiens, ton couteau.

Il lui tendit le manche et toucha ses doigts au passage. Elle glissa une pièce d'un franc dans sa paume.

— Merci, Jérôme.

— Reviens plus souvent, dit-il avec fermeté.

— Le mois prochain, rétorqua Isaure. Nous partons vendredi pour Les Sables-d'Olonne. Nous louons une villa sur le front de mer. Il y a même un jardin.

— Qui ça, nous? demanda Jolenta.

— Madame Mercerin, madame Aubignac et ses enfants. Et moi. J'ignore si vous êtes au courant, mais Marcel Aubignac s'est suicidé dans la nuit de samedi à dimanche, en se pendant aux barreaux de sa cellule. Viviane ne sera guère inquiétée. Un juge est venu lundi et elle est libre de se déplacer, ce qui n'était pas le cas auparavant. Nous resterons à la mer pendant deux semaines environ.

Christine, qui enfilait un gilet de laine, protesta d'un ton sec.

— Cette femme, pas inquiétée? C'est un scandale! Mes parents ont suivi toute l'affaire dans les journaux. Tout est sa faute.

— C'est un drame de la jalousie, en effet, affirma Honorine en hochant la tête. Thomas aurait pu mourir, à cette époque, et le pauvre Pierre s'en est sorti, mais handicapé à vie.

Jolenta scrutait le visage d'Isaure, sur lequel elle lisait sans peine de la contrariété et une profonde tristesse. Elle ne voulait plus l'accabler de reproches ou de critiques, mais elle déclara cependant:

— Moi, ça m'étonne que tu restes au service de ces personnes, Isaure. Quand même, Viviane Aubignac n'est pas un modèle de vertu, loin de là. On dit qu'elle a couché avec d'autres hommes de Faymoreau. Rosalie prétend qu'elle fréquente le nouveau directeur et que c'est elle qui l'a griffé à la joue. La délégation de mineurs en a bien ri, de voir Fournier avec des marques rouges.

— Et elle a fait le malheur de Danielle Boucard, qui élève ses filles en tirant le diable par la queue, ajouta Christine.

— Là, je ne crois pas que ce soit le cas, répliqua Isaure. Madame Mercerin lui a versé un dédommagement et la justice doit aussi lui attribuer une pension. Il ne faut pas reporter la faute sur Viviane. Elle était très malheureuse avec son époux; il la martyrisait. Et, comme elle ne sort jamais de la maison, je me demande comment elle verrait monsieur Fournier.

— Maman en a causé avec Germaine, la cuisinière, insista Christine. Fournier a rendu plusieurs visites à Viviane. Enfin, ça vous est égal, comme dit Jolenta. Vous êtes de leur côté, à ces gens, on le voit bien.

— Pourquoi pas? Nous sommes amies. Avant de condamner quelqu'un, il faut connaître son passé et la cause de ses erreurs.

Honorine agita les mains pour leur imposer le silence. Elle n'avait pas envie d'assister à un débat de ce genre.

— Isaure n'a pas tort, chacun agit comme il peut. Allez donc vous balader, les amoureux. Et soyez sages, surtout.

Après avoir haussé les épaules, Christine arrangea le col de la veste que Jérôme venait de mettre. Elle lui prit le bras d'un geste câlin et l'entraîna dehors.

— Thomas croyait que son frère aurait une femme douce et dévouée, hasarda Jolenta. J'ai l'impression qu'il se trompait. Ce sera peut-être pareil pour mon père; sa Maria peut devenir une mégère, une fois épousée. Ils se marient à la fin du mois d'avril. Enfin, l'avenir le dira. Tu en as, de la chance, Isaure, de pouvoir partir au bord de la mer.

— Et toi, tu en as, de la chance, d'attendre un bébé et d'avoir un gentil mari, rétorqua-t-elle, en proie à une sourde colère. Viviane et moi, nous sommes veuves et nous devons consoler Sophie et Paul, qui ont un grand chagrin d'avoir perdu leur père. Ils ne savent pas la vérité, heureusement. Ils le pensaient malade. Nous avons raconté qu'il était mort des suites d'une tumeur.

— Pauvres petits, compatit Honorine. Ne te tracasse pas, Isaure. Au moins, chez ces deux dames, tu as trouvé une famille qui t'apprécie.

— Elles ont pris soin de moi, après le décès de Justin. Madame Olympe est tolérante et d'une réelle bonté, je vous l'assure.

Vexée par la remarque d'Isaure à propos de son bonheur conjugal, Jolenta céda à un mouvement de colère. Sa nature tempétueuse reprenait vite le dessus. Elle se leva brusquement, rangea son ouvrage de couture dans un sac en tapisserie, prit son châle et se dirigea vers la porte.

— Je vous laisse. Vous pourrez causer tranquillement, toutes les deux. Il est bientôt quatre heures. Je vais préparer de la soupe pour mon gentil mari, persifla-t-elle. Le plus bel homme du pays, aussi, que tant de femmes m'envient.

Isaure se crispa, touchée au vif de sa plaie secrète. Elles échangèrent de nouveau un regard de rivales chargé d'un ressentiment réciproque. En dépit de leurs efforts respectifs, elles se savaient ennemies. La trêve n'avait pas duré longtemps.

Honorine n'en vit rien. Elle en avait profité pour enfourner sa brioche, suffisamment levée, à son avis.

— Le four est très chaud. La gâche sera vite cuite.

Tu vas attendre un peu et en manger une tranche, comme quand tu étais fillette. Tu te rappelles? Thomas t'amenait là, tu te calais sur le tabouret près du fourneau et tu avais déjà l'air de te régaler de l'odeur avant même d'y goûter.

— Je n'oublierai jamais ces jeudis-là, madame Marot. Pour moi, vous sentiez aussi bon que vos brioches, et vous étiez aussi belle.

— Que voilà un charmant compliment! s'extasia Honorine, émue.

— Vous êtes toujours belle. Madame Marot, dès que j'ai su que vous étiez enceinte, j'ai pensé à vous faire un cadeau, mais je ne sais pas de quoi vous avez le plus besoin.

— Ah non, pas de cadeau, nous te devons encore de l'argent, Gustave et moi, pour notre petite.

Sa voix baissa, altérée. Isaure lui prit la main et coupa court à ses scrupules.

— Je vous en supplie, n'en parlons plus, vous ne me devez rien. J'ai payé certains frais de mon plein gré en insistant. Madame Marot, laissez-moi vous offrir quelque chose de beau, ou d'utile, si vous préférez, que la générosité de Justin à mon égard ne soit pas vaine. Je ne voulais pas hériter de lui, mais il m'a obligée à l'épouser en me disant que plus jamais je n'aurais froid ni faim et que je ne serais plus au service de quiconque. C'était un homme très bon, lucide et intelligent.

Honorine étreignit les doigts d'Isaure, qui pleurait sans bruit.

— Ma pauvre petite, tu me fais de la peine. Il paraît que c'est impoli de refuser un cadeau. Si ça peut te réconforter, je suis d'accord. J'ai toujours rêvé d'avoir une jolie voiture d'enfant, un landau. Tu sais que j'ai travaillé au triage de la houille jusqu'à la naissance de notre Anne. Mes quatre premiers poupons, je les promenais dans mes bras, le dimanche. Après la naissance de Jérôme, Gustave a mis des roulettes à une caisse avec une tige en fer. Ça me faisait une remorque. Dedans, je calais Thomas, qui avait deux ans, et mon nourrisson. Alors, si je mène ma grossesse à terme, je serai bien fière de pousser un landau.

— Mais vous aurez ce bébé, j'en suis sûre.

— Oh! Je prie le Seigneur matin et soir pour qu'il me donne ce bonheur.

— Merci, madame Marot, je suis si contente. Rien que pour vous, je prendrai le plus joli landau du monde.

— Tu te rends compte, Isaure, porter la vie à mon âge! Je ne suis pas si vieille, mais j'ai bien vu les grimaces de Jolenta et la surprise de Jérôme. J'espère que ce sera une fille. Zilda et Adèle me manquent tant! Je n'ai aucune nouvelle d'elles. J'espère qu'elles ne vont pas tomber malades, en Asie.

— Vous aurez sûrement une lettre bientôt, ne vous inquiétez pas.

Sur ces mots de réconfort, Isaure s'assombrit. Elle venait de songer à Jolenta, justement, qui envierait sans aucun doute la voiture d'enfant de sa belle-mère. Honorine eut la même idée, car elle fronça les sourcils d'un air préoccupé.

— Il vaut mieux faire ce cadeau à Jolenta, marmonna-t-elle. Thomas voudrait lui acheter un landau d'occasion qu'une voisine donne pour pas cher, mais ça ne lui plaît guère. Je peux bien te le dire, Isaure, ma belle-fille a du caractère et elle fait des caprices. Pour être franche, elle s'est calmée, ces derniers temps. Parfois, j'en ai du souci. Je me demande si Thomas est heureux. Il se couperait en quatre pour la satisfaire, sa femme, mais il y a quelque chose de triste en lui. Je le vois dans ses yeux.

Très embarrassée, Isaure chercha à éviter le sujet. Comme elle sentait une odeur alléchante, elle s'écria:

— Madame Marot, votre gâche! Il ne faut pas qu'elle brûle!

— Misère, tu as raison.

À l'aide d'un torchon, Honorine sortit le plat en fer et le posa sur le coin de la cuisinière.

— Tu m'as évité une sottise de plus. J'ai l'esprit à l'envers, ces temps-ci. Bon, dans dix minutes, je t'en coupe un morceau. Veux-tu un autre café?

Isaure fit oui d'un signe véhément. Elle avait l'impression d'être revenue en arrière, de se retrouver fillette, en sarrau gris et en sabots. Il ne manquait que le sourire de Thomas dans ses vêtements de galibot, sous ses boucles blondes dorées par la lampe.

Le miracle qu'elle souhaitait confusément sans se l'avouer se produisit. Des pas résonnèrent dans la rue et la porte s'ouvrit sur Gustave Marot, suivi de son fils.

— Tiens, une revenante, dit le mineur en souriant. Tu as vu qui est là, Thomas? L'aventurière du puits du Couteau.

— Je vois, répondit le jeune homme, le regard étincelant de joie.

— Vous n'êtes plus fâchée après moi, monsieur Marot? dit tout bas Isaure. Vous sembliez très en colère, ce jour-là.

— J'avais peur, Isaure. De savoir une femme au fond d'une galerie où l'eau montait, ça m'a rendu furieux contre toi, de même que contre Ambrozy et Patrice qui t'ont laissée descendre, et surtout contre ce jean-foutre de Fournier. Dieu merci, il fait profil bas, à présent. On lui a remonté les bretelles. Ceux qui sont au-dessus de lui, les actionnaires de la compagnie, ont fait pareil... Ah! de la gâche! Merveille! Je suis affamé.

Thomas contourna la table pour aller embrasser sa mère. Elle lui jeta un coup d'œil intrigué.

— C'est bien aimable de passer chez nous, fiston, mais Jolenta t'attend.

— Non, il n'y a personne à la maison, mais je l'ai aperçue par la fenêtre de Rosalie. Toutes deux sont en grande discussion. Bah, je ne vais pas jouer les gendarmes et l'empêcher de se distraire!

Sur ces mots, Thomas se pencha et embrassa Isaure sur le front. Il s'installa près d'elle et s'étira en poussant un long soupir.

— On se croirait revenu au bon vieux temps, murmura-t-il. N'est-ce pas, Isauline?

Elle lui adressa un sourire tremblant, si belle en cet instant qu'il ferma les yeux.

Honorine fut témoin de la scène. Elle se détourna vivement, s'empara de la brioche et, le cœur gros, la posa devant les jeunes gens. Gustave ôta sa veste et s'assit en face de Thomas.

— Figure-toi, ma femme, commença-t-il, l'air malicieux, qu'on a lancé des paris, ce matin, dans la salle des pendus. On s'est payé une franche rigolade, hein, fils?

— C'est vrai, papa.

— Et sur quoi avez-vous parié? interrogea Honorine d'une voix un peu sévère. Pas trop cher, j'espère, mon homme…

— Une bouteille de vin vieux, ce n'est pas ruineux. Il faut trouver qui a griffé le directeur sur la joue. Ce soir, les langues vont aller bon train, dans les corons. Grandieu pense que c'est la secrétaire, même si elle n'est guère jolie et plus très jeune. Claude Chaumont, ce blagueur, a misé sur Rosalie.

— Tais-toi donc! Ça ne m'amuse pas, vos saletés. Si une femme ou une fille a griffé Fournier, c'est qu'il la forçait à de vilaines choses. Pas la peine de vous creuser la cervelle, on n'a pas besoin de le savoir.

Isaure fut incapable de résister. Sans réfléchir aux possibles conséquences de ses propos, elle dit très vite :

— Vous gagnerez la bouteille de vin vieux, monsieur Marot. C'est moi qui ai donné une leçon à ce sale individu, le jour où j'ai racheté Danois et Quidam à la compagnie. Il a été insultant, grossier, même. Alors je l'ai giflé et griffé.

— Bon sang, s'emporta Thomas. C'est toi, Isaure ? Ce salaud t'a-t-il touchée ? S'il a osé, Claude et moi, on va lui faire passer un mauvais quart d'heure, tu peux en être sûre.

Affolée, Isaure eut un léger rire de circonstance. Elle déclara avec une sincérité désarmante que le directeur s'était contenté d'allusions odieuses et qu'elle avait perdu patience.

— Vraiment ? insista Thomas.

— Vraiment !

Elle mentait et s'en moquait, savourant la jalousie qui faisait tressaillir son grand amour, même si elle supposait qu'il aurait réagi ainsi vis-à-vis de son épouse ou d'une sœur.

Gustave, lui, s'efforça de rire à son tour. Mais il avait décoché un regard inquiet à Honorine, qui cachait mal son désarroi. Tous deux venaient de comprendre. Thomas aimait Isaure, sa chère Isauline, et d'une autre façon que les années précédentes.

— Vous trinquerez en mon honneur, dit alors la jeune femme de sa voix caressante.

Isaure mordit ensuite dans sa part de brioche tiède et sucrée. Elle n'avait pas envie de s'en aller. Sa véritable place était là, sous le toit des Marot, à cette table, près de Thomas. Fillette, elle en rêvait, mais on lui avait volé son rêve le plus précieux.

Pourtant, malgré son désir, elle dut se lever et prendre congé. Dehors, le ciel se couvrait et le vent soufflait en rafales. Jérôme ne tarderait pas à rentrer, alors que Jolenta finirait par quitter sa voisine et s'étonner de l'absence de son mari.

— Eh bien, au revoir. Nous nous reverrons en avril, dit-elle sur le pas de la porte.

— Je te raccompagne, annonça Thomas. Ensuite, j'irai chez moi.

Sur les pas d'Isaure, toute de noir vêtue mais le visage plus rayonnant qu'un soleil d'été, il salua ses parents d'un geste vif et disparut de leur champ de vision.

Les bancs de l'école

Les Sables-d'Olonne, dimanche 3 avril 1921

Viviane et Isaure marchaient sur l'immense plage de la station balnéaire, surnommée la plus belle plage d'Europe et très prisée par les Parisiens. Une ligne de train reliait directement la capitale à la plaisante cité établie sur la côte atlantique. Un vent doux faisait danser les cheveux des deux promeneuses, devenues de véritables complices au fil des jours passés là, en face du grand large.

— Nous rentrons demain à Faymoreau, déplora Viviane. Je me plais, ici. Je voudrais y résider toute l'année. Pourquoi s'exiler en Suisse? Nous serions mieux au bord de la mer. Paul et Sophie resplendissent de santé grâce au bon air.

— Et le docteur Félix Gramont? hasarda Isaure dans un sourire. Vous n'auriez plus l'occasion de le voir.

— Chut, vous me faites rougir, je pense si souvent à lui! Après tout, si jamais il s'intéressait à moi et qu'à long terme cela devenait sérieux, il pourrait s'établir dans cette ville. L'été, la population double ou triple, paraît-il, compte tenu des vacanciers et des touristes. Et quelle société! Des aristocrates! Des artistes!

Un sourire rêveur sur les lèvres, Isaure prit familièrement le bras de son amie, tout en observant un

bateau qui se découpait sur la ligne d'horizon. En deux
semaines, elle avait retrouvé le goût de vivre, accaparée
par les enfants à qui elle enseignait l'histoire, la grammaire et le calcul, lancée dans une existence facile ayant
pour décor une villa de style rococo. Olympe Mercerin
lui témoignait une sincère affection et Viviane en avait
fait sa confidente.

— Vous aussi, Isaure, vous aimez cet endroit, n'est-
ce pas?

— Oui, je pense souvent à m'installer près de
l'océan. Mais plus tard, peut-être. C'est mon projet d'ouvrir une institution qui me préoccupe, en ce moment.
Votre mère a tenté de me raisonner, hier soir. Elle pense
que je n'aurai jamais assez de capitaux, qu'un établissement de ce genre me ruinera très vite.

— Faites confiance à maman, c'est une vraie femme
d'affaires. Une chose est sûre, si vous accueillez des orphelins ainsi que des enfants handicapés ou malades,
il vous faudra compter sur une organisation complexe.
Songez au personnel nécessaire: une infirmière, une
cuisinière, d'autres enseignantes que vous, si vos pensionnaires sont nombreux.

— Je vais y réfléchir encore.

— Savez-vous que j'avais envisagé de vous vendre
ma propriété de Faymoreau, puisqu'il était question de
quitter la région après le procès de Marcel? Mais elle ne
conviendrait pas, il n'y a que six chambres et aucune
salle de classe.

Les traits d'Isaure s'illuminèrent. L'idée lui parut
excellente.

— Le grand salon, une fois aménagé, ferait l'affaire,
dit-elle. La cuisine pourrait servir de réfectoire. Viviane,
pourquoi pas? Enfin, tout dépend du prix.

— Je vais être franche, Isaure, j'en ai parlé à maman. Le cas échéant, elle m'a conseillé de plutôt vous

la louer, un bail de dix ans renouvelable. Mais ce n'est plus d'actualité, nous ignorons ce que nous allons faire. Nous pouvons rester encore un an ou plus.

— Je comprends, mais c'était très gentil de votre part. De toute façon, je serais triste, si vous partiez.

Des hommes en tenue de golf et coiffés de canotiers venaient à leur rencontre. Ils appartenaient à un milieu aisé et, depuis trois jours, ils faisaient en sorte de croiser ces deux ravissantes jeunes femmes, si différentes physiquement qu'elles se mettaient par-là même en valeur.

Isaure entraîna vite son amie vers la bande de sable plus humide où les vaguelettes de la marée basse se succédaient dans un doux murmure. Un vol de mouettes rasa les flots d'un bleu vert; leurs cris couvrirent un instant les éclats de voix des joyeux individus.

— Il est l'heure de déjeuner, lui dit Viviane. Rentrons, il faut préparer nos bagages cet après-midi. Que ces messieurs sont agaçants! Ils se sont arrêtés et nous observent, à présent.

— Demain, ils nous chercheront en vain.

Elles se mirent à rire tout bas en obliquant vers un des larges escaliers qui menaient sur la jetée. Un vénérable vieillard très élégant les salua bien bas en leur adressant un regard flatteur. Lui aussi, elles le trouvaient fréquemment sur leur chemin et s'en amusaient.

— Oh! Isaure, c'est vous qu'il regarde le plus, chuchota Viviane à son oreille. Vous êtes tellement séduisante!

— Mais non, pas du tout, vous attirez davantage l'attention que moi. Vous êtes si blonde, si chic!

Malgré ses protestations, Isaure était consciente de l'effet que sa beauté singulière produisait sur la gent masculine. Elle n'en ressentait aucune vanité, plutôt de l'irritation. Son cœur était pris par le souvenir poignant de Justin et son amour infini pour Thomas.

Dès qu'elle était seule dans sa chambre, le soir, elle

revivait en détail les derniers moments qu'ils avaient passés ensemble après avoir dégusté la gâche d'Honorine. « Nous avons fait un grand détour. Il voulait éviter la maison de Rosalie à cause de Jolenta. J'avais envie de lui tenir la main, qu'il m'emmène n'importe où ainsi. Nous n'avions même pas besoin de parler, nous étions tous les deux, c'était suffisant. En arrivant près du pavillon, Thomas a voulu voir les chevaux; je l'ai guidé jusqu'au pré. Il n'y avait personne. Danois et Quidam broutaient le long de la haie. Nous nous sommes embrassés, pas longtemps, mais avec tant de douceur et de passion! »

Dix fois, cent fois, Isaure évoquait ce baiser, leur isolement sous un frêne, les lèvres de Thomas, ses yeux verts pailletés d'or qui sondaient les siens comme s'il attendait une réponse à une question qu'il n'avait pas posée. « Peut-être serait-il capable de quitter sa femme et son enfant rien que pour moi… Non, même s'il le voulait, je devrais l'en dissuader, car ce serait vraiment une mauvaise action qui nous porterait malheur. »

Ainsi raisonnait-elle tard dans la nuit, sagement allongée entre ses draps, fascinée par les rideaux en tulle qui voilaient les deux fenêtres de la pièce dont elle ne fermait jamais les volets.

*

Olympe accueillit sa fille et Isaure d'un grand sourire plein de bienveillance. Elle portait une large blouse bleu pâle sur sa robe et avait de la farine sur les doigts.

— Vous voilà! J'étais en train de préparer des soles. J'ai donné son congé à la cuisinière que j'avais engagée et je m'occupe des repas. Que tu as bonne mine, Vivi, c'est un plaisir de te regarder, de te voir ce rose aux joues. Et vous, Isaure, votre teint s'est un peu coloré grâce au soleil.

— Où sont les enfants, maman? s'écria Viviane, surprise du silence qui régnait dans la villa.

— J'ai demandé à Roger de les emmener en voiture longer la route de la corniche jusqu'à Saint-Gilles. Ils regrettent de partir. Ils voulaient profiter de l'océan en refaisant la balade que nous avons faite dimanche. Ils ne vont pas tarder. Je vous remercie, Isaure, de nous avoir conseillé ce séjour. C'était vraiment agréable.

— Oui, vraiment, concéda Viviane. Il faudrait revenir au mois de juin. On dresse des tentes colorées sur la plage, je l'ai vu sur une carte postale. Et Paul voudrait tant prendre le bateau pour l'île d'Yeu.

— Dans ce cas, nous reviendrons en juin, convint Olympe, un sourire ravi sur les lèvres. Il fera plus chaud. Les petits pourront se baigner, et vous aussi, mes jolies dames. Maintenant, je retourne à mes soles meunières. Vous allez vous régaler.

Viviane suivit sa mère dans la cuisine. Isaure demeura seule dans le salon. Une large porte vitrée s'ouvrait sur une terrasse qui surplombait le jardin, où les lilas arboraient déjà des grappes violettes prêtes à s'épanouir. La vue donnait sur la mer, avec, à gauche, l'avancée de la digue du port.

Jadis, la jeune femme se perdait dans d'interminables songeries. L'hiver, c'était au creux de son lit froid, enfouie sous l'édredon; l'été, c'était accoudée à sa fenêtre, en contemplation devant le ciel étoilé. Enfant, puis adolescente, elle s'inventait une vie sereine afin d'oublier son triste quotidien. Sous le toit d'une magnifique petite maison entourée d'un paradis de fleurs et d'un jardin, elle se voyait assise sur l'herbe, libre de rire, de lire et de chanter.

Ce modeste rêve était à sa portée, à présent; il lui aurait été facile de le réaliser. Mais elle tenait davantage à l'amitié des deux femmes qui l'avaient acceptée et qui lui offraient une famille.

— Jérôme fête ses fiançailles aujourd'hui, dit-elle à mi-voix. Je lui souhaite beaucoup de bonheur.

L'image de Christine, couronnée de ses cheveux roux ondulés au fer, traversa sa pensée. «Heureusement qu'il la connaissait depuis longtemps, sinon il n'aurait jamais vu son visage ni son corps. Il s'en souvient, bien sûr, comme il se souvient de moi,»

Il lui sembla alors que l'époque où elle avait consenti à épouser le frère aveugle de Thomas appartenait à un lointain passé. Elle endurait alors un véritable calvaire et se débattait dans des tourments intérieurs odieux, prête à faire n'importe quelle sottise, malade de haine à l'égard de ses parents et de Jolenta.

En quelques mois, elle avait changé et elle le percevait avec une joie timide. Malgré la mort de Justin, malgré les offenses et la solitude amère de ses nuits, Isaure se sentait délivrée. «Je m'étais comparée à un papillon, le soir où j'avais invité l'inspecteur Devers à dîner d'une soupe au vermicelle. J'avais eu l'impression de briser une terne chrysalide et il m'avait dépeinte comme un papillon de nuit aux ailes de velours bleu sombre... Oh, Justin, comme tu m'aimais! Grâce à toi, à présent, je peux m'envoler.»

Exaltée, paupières mi-closes, Isaure agita lentement les bras en les étendant. Elle s'imaginait filant vers l'azur limpide de midi, légère, tellement légère, libre de frôler les nuages, de danser à la cime des arbres, de parcourir la campagne de Vendée jusqu'à Faymoreau pour se poser sur les lèvres de Thomas.

Coron de la Haute Terrasse, mardi 5 avril 1921

Honorine Marot avait invité sa belle-fille à déjeuner. Gustave et Thomas embauchaient à six heures du matin et ils ne rentreraient qu'en début d'après-midi.

Jolenta, qui se plaignait de douleurs au bas du dos, s'était assise près du fourneau sur une chaise rembourrée d'un coussin.

— As-tu reçu une carte postale d'Isaure? lui demanda Honorine. Moi, j'ai mis la mienne sur le buffet. L'as-tu vue? C'est un bateau de pêche qui entre dans le port.

— Nous en avons eu deux, une par semaine. La première montre la plage, la seconde l'église des Sables-d'Olonne. Mais Isaure a écrit seulement deux lignes. Pour une personne de son instruction...

— Pardi, elle n'avait peut-être pas le temps ou l'envie d'écrire, répliqua sa belle-mère.

— Sûrement, mais elle devrait faire un effort, marmonna Jolenta, tête basse. En plus, elle est riche.

— Bah, on dit que l'argent ne fait pas le bonheur. Isaure en est la preuve. Se retrouver veuve à dix-neuf ans, alors que ses parents se fichent d'elle... Enfin, chacun doit affronter son destin. Mon Jérôme est fiancé et j'en suis bien contente. La mère de Christine avait préparé un bon repas et, ce gâteau au chocolat nappé de blanc, c'était un délice.

Jolenta écoutait distraitement en pensant à sa propre mère, Hannah, à qui elle ressemblait beaucoup, selon Stanislas. Elle aurait tant aimé l'avoir à ses côtés au moment de la naissance du bébé!

— Et Jérôme a acheté une jolie bague, une aigue-marine sertie dans une monture en argent, disait encore Honorine. Au fait, j'ai fait cuire un petit salé et des lentilles. Il y a plus de lentilles que de viande, hélas!

— Ce sera très bien, belle-maman. Tiens, qu'est-ce que c'est?

Une camionnette se garait devant la maison. Sans couper le moteur, un homme en descendit et examina la façade d'un œil dubitatif. Jolenta s'était précipitée et l'interrogeait déjà, par la fenêtre.

— Bonjour, monsieur. Vous cherchez quelqu'un?

— Les dames Marot. Paraît qu'elles habitent à côté l'une de l'autre, rétorqua-t-il en soulevant sa casquette.

— Eh oui, vous êtes à la bonne adresse. Là, je suis chez ma belle-mère.

— Je viens livrer deux voitures d'enfant. Bougez pas, je les sors et je vous les dépose par là.

Honorine et Jolenta furent vite dehors, à distance de l'arrière de la camionnette. Elles suivaient chaque geste de l'homme en exhibant des mines ahuries.

— Y en a qui ont de la chance! C'est un cadeau, à ce que j'ai compris, marmonna-t-il. Attendez, mes p'tites dames, le landau pour Jolenta Marot, le voilà. Bien joli, hein, bleu clair avec des liserés jaunes. L'autre, pour m'dame Honorine Marot, est gris et bleu marine. Boudiou, c'est de la qualité. Ça a été expédié depuis les Galeries modernes de Poitiers.

Les deux futures mères admiraient sans oser les toucher les superbes voitures d'enfant aux roues blanches et aux chromes brillants, des modèles dont elles n'auraient jamais rêvé.

Le livreur les observa en souriant. Il alluma une cigarette.

— Vous, c'est pour bientôt, fit-il remarquer après avoir fixé le ventre rond de Jolenta. Dites, si vous aviez un petit coup à boire…

La jeune Polonaise était trop contente pour s'indigner des regards de l'homme. Honorine alla chercher un verre d'eau coupé de vin blanc. Elle le rapporta, les joues roses d'émotion.

— Tenez, monsieur, ça vous rafraîchira. Il fait chaud, pour un début d'avril.

Il but d'un trait, s'essuya la bouche de son avant-bras et fit claquer sa langue.

— Bon sang, faut pas que j'oublie les autres paquets. Ça doit être les garnitures, oui, les matelas et la literie.

Il sortit la marchandise, les salua et grimpa sur le siège avant. Elles suivirent des yeux la camionnette qui tournait à l'angle du coron de la Haute Terrasse.

— Mais qui nous envoie tout ça? murmura Jolenta.

— Ne fais pas l'innocente. Tu t'en doutes, non! Quand elle a su que j'étais enceinte, Isaure tenait absolument à m'offrir quelque chose de bien. On a pensé à toi en se disant que ça te ferait envie. Alors, je lui ai dit de ne rien acheter, mais elle ne m'a pas écoutée, la pauvre petite.

— Belle-maman, Isaure n'est pas tellement à plaindre. Moi aussi, je ferais des cadeaux si j'avais hérité, mais ça ne risque pas de m'arriver.

— En tout cas, on est gâtées, soupira Honorine.

Par sa fenêtre entrebâillée, Rosalie avait assisté à la scène. Elle accourut, malade de curiosité. Jolenta laissa éclater sa joie et sa fierté.

— Tu as vu ça, Rosalie! Je vais le promener souvent, le bébé, et je ferai le tour des corons. J'irai jusqu'à celui des Bas de Soie.

Elle se décida à serrer de ses doigts la barre du landau bleu clair et à le faire rouler en avant et en arrière. Au bord des larmes, Honorine caressa d'une main timide la capote en tissu ciré qu'elle avait dépliée.

— Il faut les rentrer, à présent, soupira-t-elle. Je ne vais pas déballer la literie et le matelas, sinon ils prendraient la poussière d'ici à la naissance.

La brune Rosalie, qui louchait un peu, s'appuya au mur et fronça les sourcils.

— Vous avez les moyens, toutes les deux, pour commander des voitures d'enfant aussi belles! Ça doit coûter cher! hasarda-t-elle d'une voix sèche.

— Isaure nous les offre, précisa Jolenta, mal à l'aise, certaine que sa voisine allait avoir une critique à faire. Elle ne se trompait pas.

— C'est la veuve joyeuse[9] qui vous les a payées, ironisa-t-elle. Moi, je n'en voudrais pas. On sait comment elle l'a gagné, son argent: en couchant avec le policier et en se faisant épouser alors qu'il allait crever. Parole, à votre place, je me méfierais. Ça vous portera malheur de mettre des gosses là-dedans.

— Veux-tu te taire! s'exclama Honorine, furieuse. Comment peux-tu dire des méchancetés pareilles, Rosalie? Tu ferais bien de tourner ta langue sept fois dans ta bouche avant de causer. Tu vois le mal partout.

— Je dis ce que je pense, madame Marot.

— Tu penses de travers, au sujet d'Isaure.

— Ah oui? Pourquoi vous la défendez, alors qu'elle court après vos fils, d'abord Thomas, ensuite Jérôme, et peut-être bien encore Thomas. J'ai prévenu votre bru. Elle me croit pas? Tant pis!

Indignée, Honorine se rua sur Rosalie et la gifla à la volée sur les deux joues. Impassible, Jolenta restait à l'écart, sans lâcher son landau.

— Ah! Ça alors, vous avez du culot, madame Marot! Vous le regretterez, de m'avoir fichu des claques. J'le dirai à mon mari, ce soir. Vous aurez affaire à lui.

— Ton mari! Comme s'il me faisait peur! s'esclaffa Honorine, les poings sur les hanches. Il n'est bon qu'à se boucher les oreilles pour ne pas entendre tes saletés!

Furibonde, Rosalie tourna les talons et s'éloigna. Elle rentra chez elle et claqua sa porte avec violence.

— Bon débarras, soupira Jolenta. Ne vous inquiétez

9. Allusion à l'opérette de Franz Lehár, devenue très populaire.

pas, belle-maman, je lui rendais encore de petites visites, à Rosalie, mais je n'irai plus. Là, elle a dépassé les bornes.

Toute douce et souriante, la belle blonde poussa sa voiture jusqu'au ras de sa fenêtre. Enfin, en plein soleil, elle déballa la literie en broderie anglaise d'un blanc pur et la contempla. Elle s'imagina courant remercier Isaure, mais elle sut aussitôt qu'elle n'en ferait rien. D'un tempérament envieux, lunatique de surcroît, elle se laissait dominer par un ressentiment tenace à l'égard de la jeune femme. Elle s'estimait inférieure à elle et ne pouvait s'empêcher de la jalouser, même après avoir reçu un tel présent.

— Dépêche-toi de ranger tout ça chez toi, conseilla Honorine, et viens déjeuner. Heureusement que j'avais ôté ma marmite du feu. Les lentilles auraient brûlé et il n'y a rien de plus dégoûtant, comme odeur.

Sur ces mots accompagnés d'une légère grimace, elle s'empressa de mettre à l'abri son précieux cadeau. Seule dans la cuisine, elle laissa échapper un gros soupir. La générosité d'Isaure la comblait et la bouleversait. Néanmoins, elle ne pouvait balayer ses craintes. « Rosalie voit le mal partout, songea-t-elle, mais elle est fine mouche. Moi, je sais ce qui ronge le cœur de Thomas et, si j'osais lui en parler, je ne le féliciterais pas. »

Un pénible pressentiment l'accabla. Honorine redoutait un terrible orage au sein de sa famille, une catastrophe aux lourdes conséquences si jamais Jolenta découvrait la vérité.

Faymoreau, demeure des Aubignac, mercredi 6 avril 1921

Sophie et Paul écrivaient, chacun assis à son pupitre. Leur grand-mère avait acheté les meubles à Fontenay-le-Comte au mois de février dans le but de convertir l'ancien bureau de son gendre en petite salle d'étude. Un tableau noir accroché en face de l'unique fenêtre complétait l'illusion.

Isaure leur dictait le début d'une poésie d'Anatole France[10], un écrivain de renom. Elle avait choisi *Marine* pour susciter l'intérêt des enfants, encore nostalgiques de leur séjour à la mer.

Sous les molles pâleurs qui voilaient en silence
La falaise, la mer et le sable, dans l'anse
Les embarcations se réveillaient déjà.
Du gouffre oriental le soleil émergea
Et couvrit l'Océan d'une nappe embrasée.

Sophie redressa soudain la tête et leva un peu la main.

— Madame, que veut dire oriental?

— Réfléchis à la signification du texte et tu devrais comprendre cet adjectif. Si tu ne trouves pas, je voudrais que tu cherches le mot dans le dictionnaire.

— Moi, je sais, claironna Paul, c'est le côté où le soleil se lève, l'orient!

L'initiative du garçon déplut à la jeune femme, qui lui avait déjà recommandé de laisser sa sœur découvrir seule le secret de certains mots.

— Paul, tu es exaspérant! Bien sûr, étant l'aîné, tu as plus de connaissances que Sophie, mais n'en fais pas étalage si je ne t'interroge pas. Bien, reprenons la dictée.

Isaure allait continuer à lire lentement la poésie quand on frappa à la porte. Nadine entra aussitôt sans attendre de réponse. La petite bonne avait un air important.

---

10. Anatole France (1844-1924), considéré de son vivant comme l'un des plus grands écrivains français sous la Troisième République.

— On vous demande au téléphone, madame, annonça-t-elle. Si vous voulez, je reste surveiller vos élèves.

— D'accord, ils sont agités, ce matin.

Dès qu'elle fut sortie de la pièce, Nadine se dandina devant les pupitres et, prenant le livre d'Anatole France, fit semblant de lire, mais en alignant une série d'onomatopées dénuées de sens. Sophie et Paul se tordirent de rire en sourdine. Elle s'empara ensuite d'une craie et dessina un rond au tableau, auquel elle ajouta des ronds et des traits pour représenter un visage hilare.

— Encore, encore! supplia Paul.

Nadine pouffa. Elle avait seulement quatre ans de plus que lui et, sous ses allures sages, elle cachait un esprit malicieux.

*

Quand Isaure raccrocha le téléphone, elle demeura un long moment songeuse, stupéfaite aussi. Olympe sortit du grand salon et l'interrogea du regard. Elle avait saisi quelques réponses, dont la teneur l'intriguait.

— Qui vous a appelée, ma chère petite?

— Le maire. Madame Maillard, l'institutrice de l'école de filles, souffre d'une hernie. Il veut que je la remplace jusqu'au premier juin. En fait, elle reprendrait sa classe à cette période, surtout pour préparer celles de ses élèves qui passent le certificat d'études. Demain, c'est jeudi, je dois lui rendre visite pour qu'elle me remette les cahiers et qu'elle m'explique le programme établi. Je ne me sens pas prête. J'envisageais ma rentrée en tant qu'enseignante au mois d'octobre, pas vendredi.

— Ciel, c'est ennuyeux, en effet. Vous ne pourrez plus faire travailler mes petits-enfants. Refusez, Isaure. Rien ne vous y oblige vraiment.

— Ce serait indélicat de ma part, puisque je dois succéder à madame Maillard, qui prend sa retraite en octobre, justement. J'aurais été très satisfaite du poste que l'on m'attribuait si j'étais toujours sans aucune ressource. J'ai eu la chance d'être engagée par votre fille, ensuite par vous, et les gages que vous me versiez étaient mirobolants. Sans oublier l'argent de Justin.

— Franchement, le maire comprendra que vous n'avez plus besoin de ce travail, trancha Olympe.

— J'en discuterai avec lui cet après-midi même. Je peux me désister pour la prochaine rentrée. Il aura le temps de trouver une autre institutrice, mais là, je ne peux pas refuser, il est dans l'embarras.

— Eh bien, faites à votre idée, Isaure. Mais je pensais que vous donneriez la priorité à Sophie et à Paul, les pauvres chéris.

Le ton était sec, assorti à la mine vexée de la septuagénaire. Isaure découvrait une nouvelle facette du caractère impétueux d'Olympe Mercerin. Généreuse, affectueuse, dévouée à ses heures, elle pouvait se montrer possessive et obstinée.

— Madame, je vous en prie, ne soyez pas fâchée, plaida-t-elle.

— Vous disiez avoir trouvé une deuxième famille, mais j'en doute… J'entends du vacarme dans le bureau. Vous feriez bien de vite y retourner et d'assumer vos fonctions.

Un grand froid tomba sur les épaules d'Isaure. Elle se sentit ramenée brutalement à une position de domestique. Dès qu'elle entra dans la pièce, Nadine la bouscula presque pour en sortir et prendre la fuite.

— Qu'est-ce qui se passe ici? interrogea-t-elle. Paul, effacez ce vilain dessin du tableau. Sophie, tenez-vous correctement, vous êtes affalée sur votre pupitre.

Les joues rouges et les yeux brillants, les deux

enfants obéirent. Mais Isaure leur donna congé, blessée par l'attitude d'Olympe. Ils se sauvèrent en riant et s'élancèrent dans le parc, où Denis leur avait construit un cabanon au pied d'un sapin. « Qu'est-ce que je peux faire? se dit Isaure, la gorge nouée. Je voudrais tenir mon engagement vis-à-vis du maire, puisque j'ai accepté de faire la classe jusqu'en juin, mais si madame Olympe me le reproche et me regarde de travers, je serai trop triste. »

Son enfance malheureuse la rendait fragile. Le cœur lourd, ne sachant que faire, elle s'assit à son bureau, contenant une terrible envie de pleurer, le visage caché dans ses bras croisés sur le meuble. Viviane la trouva ainsi.

— Isaure, qu'avez-vous? Les enfants vous ont causé du souci?

— Mais non, balbutia-t-elle en relevant la tête.

— C'est votre grand chagrin qui revient, alors. Il faut croire que le retour au quotidien affecte les nerfs. Maman est d'une humeur noire. Nous étions toutes plus sereines aux Sables-d'Olonne et mes chéris se montraient moins turbulents.

— Autant vous l'avouer, Viviane, votre mère est de mauvaise humeur à cause de moi.

Elle résuma brièvement la demande du maire et la réaction d'Olympe en tentant d'expliquer à quel point cela la blessait d'être traitée avec froideur.

— Je vous comprends, ma chère Isaure. Bien sûr que vous devez remplacer cette madame Maillard, sans vous inquiéter du caprice de maman. Dès qu'elle s'attache à une personne, elle veut gérer sa vie. Ma sœur et moi, nous nous sommes mariées très jeunes pour échapper à son emprise, un excès d'amour maternel, en fait. Bérénice est comblée par son union. Moi, j'ai eu moins de chance. Ma mère vous adore, d'où sa volonté de vous garder ici, même de vous emmener si nous déménageons. Séchez vos larmes, il n'y a rien de grave.

Viviane lui tapota l'épaule et lui tendit un mouchoir repassé et parfumé à la lavande.

— Vous avez prévu de partir? s'alarma Isaure.

— Nous changeons d'avis un jour sur deux. Moi, je vous ai confié la raison qui me ferait rester à Faymoreau, le beau docteur Gramont. Mais il est si réservé! Est-ce que vous me jugez? Soyez franche, nous sommes amies.

— Pourquoi devrais-je vous juger?

— J'aimais Alfred Boucard. Pourtant, il est mort depuis à peine cinq mois et je pense à un autre homme. Sans oublier le suicide de Marcel, qui fait de moi une veuve tenue d'avoir une conduite exemplaire. Hélas! je ne peux pas m'empêcher de rêver d'amour. Maman me connaît bien, elle me sermonne en me priant de penser avant toute chose à mes enfants. Admettez, Isaure, que nous ferions mieux de quitter le pays. Paul et Sophie ont le droit de mener une existence normale et c'est difficile, à Faymoreau. Je crains sans cesse qu'ils soient victimes d'injures si l'épouse d'Alfred revient ou s'ils sortent dans le village et qu'ils entendent d'ignobles racontars à mon sujet.

Livide, Isaure se leva et se dirigea vers la fenêtre afin de contempler le parc qui devenait enchanteur, avec le printemps.

— Viviane, vous risquez de me considérer comme une ingrate et une égoïste, mais si vous vous en allez, je ne saurai pas où loger et, surtout, je me sentirai à nouveau seule, terriblement seule.

— Pas si vous nous suivez…

— C'est impossible. Ma mère est très malade. Et il y a mon frère.

— Ce fameux frère auquel je n'ai pas été présentée, même le dimanche où il a déjeuné chez vous.

— Il est défiguré. Geneviève ne vous a rien dit, cet hiver?

— Mon Dieu! Mais non, elle m'avait vanté la beauté de son fiancé.

— Armand était un très beau garçon, avant la guerre. À présent, il porte un masque en cuir et il est borgne. Même si je le vois rarement, je veux pouvoir lui rendre visite et l'aider. Je crains qu'il ne cède au désespoir un jour, malgré la dévotion de Geneviève.

Affligée par la nouvelle, Viviane frissonna. Gagnée par une soudaine gravité, elle rejoignit Isaure et lui prit le bras.

— Mon Dieu, que le destin est cruel pour certains! murmura-t-elle. Je voudrais m'améliorer, être moins futile, moins encline au romantisme. Pourtant, en apprenant comment le malheur peut nous frapper tous n'importe quand, je me dis qu'il faut saisir la joie, le moindre bonheur au vol.

— Quitte à être immorale? questionna Isaure, troublée.

— Je n'ose pas vous répondre. Venez, assez discuté, allons voir maman, qui doit ruminer sa déception. Et je vous défends de vous tourmenter. Vous louez le pavillon; personne ne vous en chassera, mais, franchement, vous pourriez dénicher une maison plus agréable.

Isaure éprouva un pincement au cœur. Cependant, stoïque, elle adressa à Viviane un sourire amical.

École de Faymoreau, vendredi 8 avril 1921

Isaure était arrivée devant l'école du village à sept heures dans un état d'exaltation et d'appréhension qui la faisait presque trembler. Elle voulait s'accoutumer à la salle de classe et distribuer les cahiers du jour que lui avait remis la veille madame Maillard, une aimable personne de soixante-deux ans, logée au premier étage du bâtiment.

Le plus souvent alitée, en proie à une douleur au thorax et à des vomissements, l'institutrice avait reçu la jeune femme avec gentillesse et lui avait prodigué ses conseils. Elle lui avait aussi donné des renseignements sur certaines élèves. «Pourvu que tout se passe bien! se répétait Isaure. Le maire et madame Maillard comptent sur moi. »

Elle arrangea une mèche de son chignon et inspecta sa tenue, en l'occurrence son tailleur noir à la veste cintrée et à la longue jupe droite. Le col de son corsage bleu égayait l'ensemble. Deux fois, elle parcourut la grande pièce; elle étudia avec émotion les cartes géographiques qui ornaient les murs peints en jaune. Elle vérifia le niveau d'encre dans les encriers des pupitres et l'état des craies, dans un rebord du tableau à trois panneaux. «J'ai eu raison d'accepter, même si je renonce à m'engager à l'automne; ça me servira d'expérience si je peux ouvrir ma propre institution. »

Le concierge sonnait la cloche à huit heures. Le temps passait, d'une lenteur exaspérante, tellement Isaure avait hâte de voir les écolières envahir la cour. De plus en plus nerveuse, elle fit encore le tour de la classe et ouvrit l'armoire grillagée qui contenait des livres à emprunter.

— Ayez confiance en vous, lui avait recommandé Viviane la veille, après le dîner. Tout ira bien, j'en suis sûre.

Quant à Olympe Mercerin, prise de remords, elle avait aussi apaisé les craintes de la jeune femme.

— J'ai eu tort de vous parler sur ce ton, ma chère petite. Vivi m'a grondée et elle a eu raison. Nous sommes capables, de notre côté, d'occuper l'esprit et les mains de nos deux garnements.

Cependant, Sophie avait demandé pourquoi elle ne pouvait pas aller à l'école de Faymoreau.

— En plus, bonne-maman, avait-elle ajouté, je connais bien Isaure. Je n'aurais pas peur. Comme ça, je pourrais jouer avec des filles de mon âge pendant la récréation.

On lui avait opposé un refus ferme, sans lui fournir aucune explication logique. Paul, d'un tempérament plus taciturne que sa sœur, était resté muet, très content de son sort, car il avait passé des années en pension et il savourait sa liberté retrouvée aussi bien que la présence de sa mère.

*

La cloche sonna enfin avec une virulence joyeuse. Isaure respira profondément et s'approcha d'une des fenêtres de la salle. Le brouhaha que faisaient les garçons dans la cour voisine lui parvint, mais elle s'étonna de ne découvrir que cinq petites filles près du portail au lieu des vingt-huit prévues.

— Les autres traînent en chemin; il fait si beau, déjà!

Elle contempla le ciel d'un bleu pur et la cime d'un arbre au feuillage d'un vert lumineux. Elle ramena son regard vers les fillettes qui se mettaient en rang, l'air aussi surprises qu'elle. Intriguée, elle sortit sur le perron, très droite, un léger sourire d'accueil sur les lèvres. Les enfants la regardèrent, intimidées. Elles portaient un tablier gris souvent rapiécé et de grosses chaussures.

— Bonjour, leur dit Isaure gentiment. Mais où sont vos camarades?

— On sait pas, mademoiselle, répondit la plus grande.

— D'habitude, elles sont là, murmura une petite blonde qui avait perdu les incisives du haut et qui zozotait un peu.

— Nous allons les attendre, dans ce cas.

Isaure garda la tête haute. Pourtant, un mauvais pressentiment faisait battre son cœur sur un rythme désordonné.

— On peut jouer à la marelle, m'selle, en attendant! s'écria une fillette aux nattes brunes et au fort accent vendéen.

— Non, je vous prie de rester en rang, ordonna-t-elle d'une voix tendue. Vous pouvez m'appeler mademoiselle, mais je suis veuve et je préférerais madame.

Quelqu'un toussota derrière elle. C'était monsieur Colas, le concierge de l'école, dans sa longue blouse grise.

— Aurait-on affaire à une épidémie? chuchota-t-il à son oreille. Je n'avais encore jamais vu la cour presque vide à huit heures passées.

— Tant pis, je les fais entrer et s'installer, répliqua-t-elle.

Son enthousiasme et même son appréhension s'étaient éteints. Elle avait la nette impression que l'absence des vingt-deux écolières n'était ni un hasard ni la conséquence d'un incident particulier.

— Vous avez au moins les deux petites Boucard, marmonna le concierge avant de regagner sa loge.

Ce vieux monsieur Colas, un retraité de la mine, disposait dans son étroit domaine d'un téléphone et d'une bouteille de désinfectant pour les plaies superficielles. Il s'adonnait aux mots croisés du matin au soir.

Isaure put identifier ses élèves lorsqu'elles prirent leur place. Deux d'entre elles se ressemblaient assez pour être des sœurs; il s'agissait de toute évidence des filles du porion assassiné. La petite brune appartenait à la famille Vignon, des agriculteurs. Les deux autres enfants venaient également de fermes proches du village minier. «Pourquoi? se demanda Isaure, profondément déçue et anxieuse. Pourquoi me faire ça? Je ne suis pas le diable en jupons, quand même! »

Elle n'aurait la réponse que le soir, mais le mal était fait; le coup porté l'atteignait de plein fouet. Pourtant, après avoir contenu des larmes de dépit, Isaure crut comprendre. «Peut-être que les familles pensaient qu'il n'y aurait pas classe aujourd'hui. Elles ont dû apprendre que madame Maillard était souffrante. Les parents qui ont envoyé leurs filles l'ignoraient. Ça expliquerait l'absence des autres. »

Pleine d'espoir, elle interrogea Valérie Boucard, la plus âgée, à en juger par sa taille.

— Valérie, votre mère savait-elle que je remplaçais votre institutrice?

— Oui, madame.

— Et vous, Denise, vos parents étaient-ils au courant? demanda-t-elle à une des enfants des agriculteurs.

— Je sais point, madame.

De nouveau accablée, Isaure tourna le dos à ses cinq élèves et se mit à écrire de mémoire un passage de *La chèvre de monsieur Seguin* d'Alphonse Daudet. Elle s'arrêta au bout de quatre phrases.

— Vous allez lire plusieurs fois ce petit texte pour l'apprendre par cœur. Ensuite, je l'effacerai et vous tenterez de l'écrire dans votre cahier de français. Je voudrais poser une question à madame Maillard. Soyez sages, je reviens très vite.

La gorge serrée, elle sortit et grimpa à l'étage. Quand elle frappa à sa porte, l'institutrice lui cria tout de suite d'entrer. Gênée de la déranger, Isaure se confondit en excuses, surtout qu'elle la trouva dans son lit.

— Y a-t-il quelque chose qui cloche, jeune dame? C'était bien silencieux, dans la cour? dit-elle tout de suite. Si vous saviez comme je souffre! Le docteur Gramont doit revenir dans la journée. Je crains d'être hospitalisée.

— Je suis navrée pour vous, madame Maillard, mais je n'ai que cinq élèves. C'est très ennuyeux. Je ne peux pas parcourir les corons pour ramener les autres à l'école.

— Seulement cinq élèves? Mais pourquoi?

— Peut-être que les femmes du village refusent de me confier leurs enfants, hasarda Isaure.

— Non, je n'y crois pas trop, répliqua la vieille enseignante sans grande conviction. Allons, descendez et faites la classe quand même.

— D'accord. Reposez-vous bien, madame.

Isaure retrouva ses élèves qui, silencieuses et appliquées, semblaient n'avoir pas quitté des yeux le tableau noir.

Puits du Centre, le même jour, deux heures plus tard

Torse nu et en sueur, Thomas essuya son front du revers de la main. La poussière de charbon maculait sa peau et, dans l'éclat jaune des lampes, le vert clair de ses yeux ressortait, lui conférant un aspect insolite, un air dur. Gustave, qui, étendu à côté de son fils, attaquait une veine de houille, le remarqua et en conçut une sorte de chagrin.

— Hé, Thomas, est-ce que ça va? C'est bientôt la pause casse-croûte. Dis donc, on crève de chaud, aujourd'hui!

— Le briquet, cria Claude Chaumont, qui venait de reprendre le travail. Faut dire le briquet, m'sieur Marot, en souvenir de mon paternel.

— On s'en fiche, du nom, tant qu'on a quelque chose à se mettre sous la dent, trancha Thomas.

Après avoir poussé une berline jusqu'à la galerie principale, le jeune Patrice les rejoignit. Le galibot semblait nerveux.

— Tu en as mis, du temps, lui reprocha Gustave. On creuse, on entasse, faut suivre le rythme, gamin.

— Désolé, m'sieur Marot, j'ai causé avec le porion.

— Grandieu? Tiens, il est par là? ironisa Chaumont. On peut dire qu'il n'est pas souvent sur notre dos.

Thomas rampa à reculons et s'accroupit pour avancer vers Patrice. Enfin, il alla s'asseoir là où le plafond s'élevait.

— On arrête, déclara-t-il. Je crève de soif.

Les trois mineurs s'installèrent et sortirent de leurs sacs de quoi boire et manger. Patrice les regarda tour à tour, puis, avec un soupir, il mordit dans une tartine couverte de pâté.

— De quoi tu causais avec Grandieu? demanda Gustave, qui croquait un cornichon.

— Bah, il me racontait une histoire pas drôle, mais qui le faisait rire, lui.

— Eh bien, raconte, qu'on rigole nous aussi, l'encouragea Chaumont en forçant son accent du Nord, selon sa manie, comme pour bien insister sur ses origines.

Le galibot tourna alors un regard embarrassé vers Thomas, qui n'en vit rien.

— Il paraît que, ce matin, Isaure Millet remplaçait madame Maillard, l'institutrice, et que ça ne plaisait pas aux mères de famille. Elles n'ont pas envoyé leurs gamines à l'école pour bien montrer leur mécontentement. Grandieu, il pense que ça vient de Séverine Martinaud et de Rosalie Pécoud.

— Oh! cette peste de voisine, grogna Gustave. Ma femme l'a giflée, avant-hier, parce qu'elle crachait des saletés sur Isaure.

Thomas ne bougeait pas, la tête baissée sur le morceau de pain qu'il s'apprêtait à couper, mais son père constata qu'il avait le visage tendu et qu'il respirait plus vite.

— Pourquoi elles étaient mécontentes, les mères de famille? s'étonna Claude Chaumont.

Patrice prit une autre bouchée de sa tartine en haussant les épaules. Il hésitait à répéter ce qu'il avait entendu.

— Isaure Millet serait une personne peu recommandable, dit-il en arrangeant les paroles du porion à son idée. Elle aurait une mauvaise influence sur les fillettes. Ce serait une intrigante et, en plus, la maîtresse du policier, celui qui a fait arrêter Tape-Dur… je veux dire Martinaud. Depuis, Séverine, sa femme, elle a repris le travail au criblage et elle ne fait que râler contre les flics.

— Ah, les femelles! Quand elles en ont après une plus belle et plus intelligente qu'elles, ce sont parfois de vraies bêtes féroces, commenta Chaumont. Qu'en dis-tu, Thomas?

— Je dis qu'Isaure ne mérite pas un affront pareil. Bon sang, qu'est-ce qu'on lui reproche, à la fin?

— Le fait qu'elle habite chez Viviane Aubignac et qu'elle prenne son parti ne plaide pas en sa faveur, dit Gustave. L'épouse d'Aubignac, en séduisant Boucard, elle a causé sa mort, celle de ce brave Passe-Trouille et de Chauve-Souris. Toi-même, tu as failli y rester, ainsi que Pierre Ambrozy.

— Et alors? aboya Thomas. Ce n'est pas Isaure qui a couché avec Boucard! Ce n'est pas elle non plus qui a provoqué le coup de grisou!

— Je suis bien d'accord avec toi, Thomas, s'enflamma Patrice. En plus, Isaure, elle a été rudement courageuse quand elle a sauvé les chevaux et Pierre.

— Je ne dis pas le contraire, marmonna Gustave.

Claude Chaumont frotta ses joues noires de poussière et but une gorgée d'eau. On lui avait dépeint l'exploit d'Isaure dans le puits du Couteau et il regrettait encore d'avoir manqué le spectacle.

— Dommage que je n'aie pas vu ça, déclara-t-il. Une jolie fille au fond de la mine…

— Tais-toi donc! siffla Thomas avec colère. Il n'y a pas de quoi plaisanter. Pareil pour Grandieu, il a tort de trouver ça drôle, l'histoire de l'école. J'espère que Jolenta ne s'en est pas mêlée. Isaure nous a offert une voiture d'enfant qui a dû coûter cher; rien ne l'y obligeait. Elle est généreuse. Pierre en a eu la preuve lui aussi, elle a racheté Danois. Maintenant, mon petit beau-frère vit sur un nuage.

Gustave étudia les traits altérés de son fils. Il se promit d'avoir une discussion sérieuse avec lui un peu plus tard. Chaumont, qui soupçonnait avec justesse une relation amoureuse entre Isaure et son camarade, esquissa un sourire moqueur. Seul Patrice, pétri d'admiration pour la jeune femme, approuva Thomas.

— Oui, c'est bien vrai, Pierre m'a emmené voir les chevaux dimanche dernier. Je n'ai jamais vu un gars aussi heureux. Ces bonnes femmes, elles sont jalouses. T'as raison, Claude.

— J'ai toujours raison, gamin! Hein, Thomas?

Il n'obtint aucune réponse. Le silence se fit. Dans l'odeur minérale de la houille, la chaleur moite et les relents de sueur, chacun reprit le travail.

Faymoreau, même jour

Isaure fermait son cartable, dans lequel elle avait rangé sa trousse, un cahier neuf et un recueil de lecture qui comportait des exercices à la fin de chaque extrait d'œuvres célèbres. Ses cinq élèves venaient de quitter la salle de classe en murmurant respectueusement:

— Au revoir, madame.

— Si vous avez l'occasion de parler à vos camarades, ce soir, dites-leur bien que je les attends demain matin pour faire de la peinture et du dessin, puisque c'est samedi. Dites-leur aussi que l'école est obligatoire, avait-elle précisé avant de les laisser sortir.

Toute la journée, Isaure avait eu la pénible sensation d'être projetée dans une autre dimension, en compagnie de ces petites filles intimidées et discrètes qui semblaient s'interroger comme elle sur le vide de la cour et les pupitres désertés.

— Si cela continue, que puis-je faire? se demandat-elle tout bas, pressée de se réfugier dans le pavillon, à l'autre bout du village.

Il lui faudrait traverser Faymoreau et, très nerveuse, elle songea au pire en imaginant des huées sur son passage et des regards malveillants derrière les fenêtres.

Isaure fermait la pièce à clef lorsque le docteur Félix Gramont descendit l'escalier, sa sacoche en cuir à la main. Elle l'avait aperçu de loin dans le parc et lors du dîner donné par Olympe depuis l'ombre du couloir, mais elle ne lui avait pas été présentée.

— Bonsoir, mademoiselle, dit-il aimablement. Vous êtes la jeune enseignante qui remplace cette pauvre madame Maillard? Je vais demander une ambulance. Il faut l'hospitaliser sans tarder.

— Oh, je suis désolée pour elle. Je pourrais lui tenir compagnie en attendant qu'on l'emmène.

— C'est inutile, je lui ai fait une piqûre analgésique et je reviendrai en temps voulu. Au fait, ma patiente m'a confié, car cela la tracasse beaucoup, qu'on vous a fait des misères. Je veux dire les très honnêtes femmes du village.

— J'ignore si elles sont honnêtes ou non, docteur, mais je suis sûre qu'elles sont stupides, décréta froidement Isaure.

Félix Gramont ne savait d'elle que ce qu'il avait entendu à la table d'Olympe et de Viviane. Il l'étudia attentivement, d'une manière si ostensible qu'il s'en excusa aussitôt.

— Pardon, je me conduis en goujat, à vous dévisager ainsi. Docteur Félix Gramont. Madame, je crois. Je vous ai appelée mademoiselle. Vous êtes si jeune!

— Isaure Devers, dit-elle tout bas.

— Vous habitez le pavillon de Viviane Aubignac et vous instruisez ses enfants, n'est-ce pas? Si nous rentrions ensemble? Je dois passer à mon cabinet et nous sommes voisins.

— Si vingt-trois élèves ne sont pas venues à cause de moi et de ma prétendue inconduite passée, comme je le présume, je risquerais d'aggraver mon cas en me montrant à vos côtés, monsieur. Je vous remercie.

— Mais j'ai une splendide automobile! Non, je plaisante, c'est un tacot acheté d'occasion et qui fait tant de bruit que je contourne le village pour ne pas en perturber le calme.

— Dans ce cas, j'accepte! s'écria-t-elle sans réfléchir. Je n'avais aucune envie d'affronter toutes ces dames de haute vertu.

Le médecin éclata de rire. Il semblait séduit, intrigué et fasciné tout à la fois, comme Justin Devers avant lui, comme Denis, Patrice et Pierre, sans oublier Jérôme et Thomas Marot, ce dernier ayant succombé depuis des années sans en avoir conscience.

19

Une si douce solitude

Faymoreau, vendredi 8 avril 1921, même jour

Exceptionnellement, Viviane s'était aventurée dans le parc, grisée par la floraison précoce des lilas et par l'éclat coloré des diverses variétés de tulipes qui garnissaient les massifs. Elle portait une robe en coton vert pâle et des sandales; le vent léger jouait dans ses boucles blondes. L'esprit agité de pensées contradictoires et en proie à une grande confusion à cause d'une lettre qu'avait reçue sa mère, elle rêvait d'être vue ainsi, les jambes et les bras nus. Elle avait l'air soucieux, mais un sourire très doux errait sur ses lèvres fardées de rose vif.

Paul prenait sa leçon de piano; la musique parvenait à Viviane, légère et harmonieuse, en accord avec ce début de printemps. «Oh, des violettes! Je vais en cueillir. Je les mettrai dans un petit vase sur la table de chevet de ma Sophie», se dit-elle en se penchant sur les délicates corolles mauves.

Sa fille se plaignait de douleurs au ventre depuis son réveil. Olympe Mercerin pensait à une simple indigestion, mais Viviane avait prié Denis de glisser un message cacheté sous la porte du docteur Gramont, où elle lui disait qu'elle était très inquiète.

Aussi, en le voyant accourir dans l'allée principale, elle eut un sursaut de joie. C'était surtout par lui

qu'elle désirait être admirée. Le médecin la vit se précipiter dans sa direction et la salua d'un signe de tête.

— Madame Aubignac, je suis venu dès que j'ai pu.
C'est votre fille, à présent, qui est malade? Vous n'avez
pas de chance, dites! Si nous n'étions pas proches voisins, j'aurais remis ma visite à plus tard, car, dans une
vingtaine de minutes, je dois retourner à l'école.

— Pourquoi, à l'école? interrogea Viviane.

— Madame Maillard va être hospitalisée. J'ai demandé une ambulance à Fontenay. On viendra la chercher tout à l'heure et je lui ai promis ma présence. La
pauvre femme s'affole vite.

Félix Gramont précéda Viviane. Il allait au pas de
course et elle dut trottiner pour le suivre.

— Où est l'enfant? dit-il en s'arrêtant dans le vestibule.

— Dans sa chambre, bien sûr! Venez.

Elle parvint à monter l'escalier devant lui, en souhai-
tant avec naïveté qu'il regarde ses mollets et ses hanches. Mais il dit dans un débit rapide:

— La jeune veuve qui instruit vos enfants a eu des
ennuis à l'école. J'ai pu faire sa connaissance et la réconforter. Elle voulait rentrer ici directement, mais elle a
changé d'avis et je l'ai déposée devant la mairie.

— Quels ennuis? s'inquiéta Viviane. Rien de grave?

— Seulement cinq élèves sont venues en classe. Selon votre amie, il y aurait eu une cabale contre elle. Si
c'est le cas, c'est d'un ridicule! Elle est tellement charmante!

Tout en vantant les qualités d'Isaure, le docteur Gramont entrait dans la chambre de Sophie. Nadine était
debout à son chevet, une cuvette à la main dont le fond
montrait un peu de liquide jaunâtre.

— Mademoiselle Sophie vient de vomir, madame,
annonça-t-elle. Du coup, elle n'a plus mal au ventre.

Le médecin jeta un regard intéressé sur la cuvette, puis il examina la fillette. Le teint pâle, Sophie poussait de gros soupirs.

— Une diète de deux jours, du bouillon de légumes et des infusions de verveine seulement, et Sophie sera sur pied, jugea-t-il. Ce n'est qu'une indigestion. Elle aura mangé un aliment avarié ou qui ne lui convient pas. Il n'y a aucun signe d'une appendicite.

Félix Gramont adressa un grand sourire d'encouragement à la malade, puis, sa sacoche déjà bouclée, il tendit la main à Viviane.

— Je me sauve, chère madame.

— Le soir où vous étiez de nos convives, vous m'appeliez par mon prénom, docteur.

— Excusez-moi, je suis distrait.

Il sortit et dévala les marches, mais la jeune femme ayant dit qu'elle le raccompagnait, il fut obligé de ralentir, sous peine de passer pour un homme sans éducation. Dès qu'ils furent dans l'allée du parc, Viviane orienta la conversation sur ce qui s'était produit à l'école.

— Quelle déception a dû éprouver Isaure! dit-elle. Déjà qu'elle est très affectée par son deuil!

— Oui, le sort s'acharne sur elle. Si on ajoute l'opprobre de ses concitoyens, elle a de quoi être profondément affectée. Vous lui transmettrez toute ma sympathie; ce sera gentil de votre part. Je peux vous l'avouer, cette jeune personne m'a fait une forte impression.

Viviane ressentit un pincement au cœur, doublé d'une vive désillusion. Elle croyait plaire au médecin, mais c'était une erreur. Il la regardait à peine.

— Comptez sur moi, docteur, murmura-t-elle d'une petite voix.

Prêt à s'élancer vers le portail, Gramont regarda sa montre.

— Je vous en prie, accordez-moi encore deux minutes, supplia-t-elle. J'ai une question à vous poser, même si je pense savoir la réponse, mais je voudrais l'entendre de votre bouche.

— Dites!

— En succédant au docteur Boutin, étiez-vous au courant de l'affaire qui l'a expédié en prison, de la tragédie qui a frappé les mineurs, de ma responsabilité et de celle de mon mari, qui s'est suicidé le mois dernier dans sa cellule? Cela aussi, vous l'avez appris?

— Comment aurais-je pu faire autrement? Je lis la presse, et ce drame a alimenté les quotidiens pendant des jours. Sachez que je ne vous juge pas, si c'est ce qui vous tourmente. L'amour, depuis des siècles, a fait commettre bien des folies aux hommes et aux femmes. Au revoir, Viviane. Je suis navré, mais je dois m'en aller.

Elle ferma les yeux pendant qu'il disparaissait. Le parfum des lilas, le vent tiède d'avril, plus rien ne l'enchantait.

*

Olympe, qui assistait à la leçon de piano de Paul dans le salon, vit sa fille entrer d'une démarche saccadée. Elle était en larmes. Le garçon s'arrêta de jouer en lançant un coup d'œil gêné à la respectable vieille dame qui faisait office de professeur.

— Continue, mon chéri, lui dit sa grand-mère. Je te laisse un moment, un petit souci à régler.

Elle entraîna Viviane dans le couloir, puis dans le bureau.

— Tu me fais peur, Vivi! C'est le diagnostic du docteur? Parle-moi. Autant être prévenue et chercher un spécialiste! De quoi souffre notre Sophie?

— D'une banale indigestion, tu avais raison, balbutia Viviane. Maman, je suis aussi triste à cause du docteur Gramont. Tu as dû t'en apercevoir, il m'a inspiré de timides sentiments et j'espérais qu'un jour, peut-être, je retrouverais le bonheur avec lui, si nous pouvions demeurer à Faymoreau.

— Viviane, nous en avons discuté hier soir, nous devons déménager avant la prochaine rentrée scolaire. Vraiment, est-ce qu'il y a de quoi pleurer? Tu oublieras ton petit béguin pour ce médecin.

Olympe caressa la joue humide de sa fille. Elle l'obligea à s'asseoir sur un des pupitres et la fixa d'un air sévère.

— Néanmoins, si tu devais te remarier plus tard, insinua-t-elle, un docteur me conviendrait mieux qu'un mineur. Félix Gramont n'est pas l'unique spécimen de son espèce.

— Oh! maman, ne sois pas sarcastique.

— Je veux te remettre les idées en place. Écoute-moi bien. Je ne t'avais pas encore donné mon opinion sur ta liaison avec Alfred Boucard, mais je me demande comment tu as pu t'enticher de lui. Il fallait vraiment que tu sois malheureuse avec Marcel pour t'égarer ainsi. Pendant ta convalescence, tu m'as avoué ce que tu rêvais de faire, quitter ton mari et élever le bébé de ton amant loin de tout, mais enfin, Vivi, c'était un homme marié, un père de famille!

— Tu ne m'as rien reproché auparavant, ne commence pas, je t'en supplie. Alfred, lui, était prêt à partir avec moi, et je regrette encore d'avoir été lâche. Il a payé de sa vie mes hésitations.

— Et tes enfants, ceux de Marcel, tu les aurais abandonnés? Crois-tu que ton époux, qui était possessif, dur et autoritaire, t'aurait laissée en paix?

Viviane sanglota de plus en plus fort jusqu'à suffoquer. Apitoyée, sa mère se radoucit et la cajola.

— Là, c'est fini, réfléchis un peu. Tu es encore jeune, jolie et libre. C'est inutile de pleurer.

— Je viens de subir une grosse déception, maman. J'ai le droit de verser quelques larmes. J'ai compris que je ne plaisais pas du tout à Félix Gramont, mais Isaure lui a fait une forte impression, voilà ce qu'il m'a dit d'une voix passionnée. J'aurais dû m'en douter, il connaît ma triste histoire. Qui voudrait d'une femme adultère? J'ai semé le chaos et la mort. Mais j'étais terrifiée par Marcel; je n'ai pas voulu ce désastre. Qui m'aimera, à l'avenir, qui?

— Calme-toi et parle moins fort, ordonna Olympe. Allons, ma chérie, ne désespère pas. La lettre de ton oncle Herbert tombe à pic. Nous ferons nos bagages demain et nous partirons dimanche.

— Si tu veux, maman. Je n'en peux plus d'être ici, entre les murs du parc ou ceux de la maison. Mais Isaure?

— Nous reviendrons au mois de juillet et nous aviserons à ce moment-là. Soit nous lui louerons la propriété, soit nous la vendrons au directeur de la verrerie, qui est intéressé. Dis-moi, tu n'es pas rancunière, au moins! Si ton beau docteur est tombé sous le charme d'Isaure, tu devrais lui en vouloir.

— Non, ce n'est pas sa faute, je la connais. Elle ne prête aucune attention aux hommages masculins. Aux Sables-d'Olonne, elle n'a jamais regardé un seul des jolis garçons qui s'arrangeaient pour la croiser matin et soir.

Olympe hocha la tête en évoquant l'image d'Isaure, belle et troublante.

— Au fond, c'est une femme fatale, déclara-t-elle d'un air docte. Pourtant, elle n'a que dix-neuf ans, mais c'est tout à fait le genre de femme qui séduit d'un regard, grâce à sa voix et aussi par son indifférence même.

— Ce qui n'est pas mon cas, déplora Viviane. Tant pis, je ne penserai plus qu'à mes enfants chéris.

— Sages paroles, convint Olympe.

Cependant, en incorrigible rêveuse, sa fille espérait déjà rencontrer, chez son oncle Herbert de Vitrac qui menait une vie très mondaine, un homme aussi beau et accompli que Félix Gramont.

*

Isaure avait retrouvé avec soulagement le pavillon du parc, dans lequel elle s'était enfermée à double tour. Son entrevue avec le maire de Faymoreau l'avait découragée. Elle avait espéré trouver un allié, mais le fonctionnaire de la République s'était montré suspicieux, froid et distant.

— On m'a rapporté le regrettable incident qui s'est passé à l'école, madame Devers, s'était-il exclamé, les yeux écarquillés. J'aimerais comprendre ce que vous reprochent les mères des fillettes absentes.

— Je suis victime de commérages, d'odieux ragots, monsieur. J'ai les compétences nécessaires pour enseigner; mon diplôme en fait foi. Depuis le début de l'année, je vis pratiquement cloîtrée chez madame Mercerin et je donne des cours particuliers à ses petits-enfants. Qu'ai-je fait de mal? Certes, je loge dans la propriété de Viviane Aubignac, et je sais que certaines femmes du village minier lui en veulent, mais la justice l'a innocentée. Pourtant, la malheureuse n'ose pas sortir de sa maison. J'aurais mieux fait de l'imiter et de refuser votre offre.

Après ce petit discours véhément, Isaure s'était tue, digne et hautaine. Le maire avait levé les bras au ciel.

— J'avais annoncé sur le tableau d'affichage de notre mairie et sur la porte de l'école de filles que vous remplaciez madame Maillard. Une chose m'intrigue : si cela mécontentait ces dames, elles auraient dû venir me le dire hier, jeudi.

— Et elles auraient perdu une bonne occasion de m'humilier publiquement, avait soupiré Isaure.

— J'en ai discuté avec mon épouse. Elle aussi avait eu soin de me taire une médisance vous concernant. Il paraît que vous aviez une liaison avec l'inspecteur Devers, avant votre mariage.

C'était à ce moment précis qu'Isaure s'était levée, furieuse, et avait toisé le maire de ses yeux bleus assombris par la colère.

— Qui m'a vue au lit avec lui ? s'était-elle écriée. Nous étions fiancés et monsieur Devers a tenu à m'épouser avant de mourir. L'aurait-il fait si j'étais une dévergondée ? Mon mari est mort depuis un mois et je le pleure chaque nuit. Aussi je vous prierais de respecter sa mémoire et mon chagrin. Demain, je serai dans ma classe dès sept heures et demie. Vous devriez faire entendre raison à ces honnêtes personnes qui me renient. Elles n'ont pas le droit de retirer leurs enfants de l'école.

Sur ces mots énoncés lentement, Isaure était sortie et avait claqué la porte avec rudesse.

Maintenant, assise au bord de son lit, elle revivait la scène en se demandant quelles en seraient les conséquences. Tantôt elle se félicitait de son audace, la minute d'après elle se trouvait stupide. Désemparée, elle remettait même en question son beau projet de créer une institution pour orphelins. «Je n'aurai jamais assez d'argent, je manque d'expérience, et personne ne me fera confiance», se disait-elle.

Par la fenêtre ouverte lui parvenaient les parfums du parc qui, après une journée de soleil, se rafraîchissait en exhalant des fragrances de fleurs, de terre tiède et de feuillages. «Tant que j'aurai ce refuge, je ne serai pas à plaindre», pensa-t-elle encore.

Peu après, Viviane s'arrêta devant cette même fenêtre et lui fit un petit signe amical.

— Puis-je entrer, Isaure? Nous vous attendions, maman et moi, mais, comme vous ne veniez pas, je me suis inquiétée.

— Je me reposais. J'ai passé une mauvaise journée. J'avais prévu me coucher sans dîner. Ma porte est déjà verrouillée.

— Bien, j'emploie les grands moyens, répliqua Viviane en enjambant l'appui de l'ouverture, assez bas. Je ne peux pas vous laisser seule et malheureuse. J'ai su par le docteur Gramont ce qui est arrivé à l'école.

Isaure posa un regard affamé de tendresse et de réconfort sur sa visiteuse. Elle ressemblait à une fillette apeurée, et Viviane chercha en vain la fameuse femme fatale dont avait parlé sa mère.

— Ma pauvre petite amie, lui dit-elle doucement, ne baissez pas les bras. Il va vous falloir beaucoup de courage.

— Ou bien juste le courage de renoncer à enseigner ici!

Viviane prit place à ses côtés sur le lit et la dévisagea. Plus le temps passait, plus elle avait de l'affection pour Isaure. Elle déplorait de s'être parfois montrée un peu sèche ou distante.

— Félix Gramont vous adresse toute sa sympathie, Isaure, ajouta-t-elle tout bas. Vous lui plaisez, c'est évident. Vous ne l'avez pas remarqué?

Complètement sidérée, Isaure secoua la tête. Elle scruta les traits de Viviane comme si elle cherchait à déceler chez elle une soudaine maladie mentale.

— Enfin, pourquoi me dire une chose pareille?

Viviane, vous êtes amoureuse de lui. Moi, je ne le connais pas et il ne me connaît pas davantage.

— Je ne peux pas continuer à rêver d'un homme qui en préfère une autre. Je n'ai pas su le séduire. Aussi, j'abandonne. Mais vous, Isaure, dans un an, vous aurez le droit de songer à l'amour. D'ici là, regardez-le bien. Il est beau et il est médecin. Maman m'a confié, je ne sais plus quand, vos raisons d'épouser Justin Devers. Vous lui avez dit que vous aviez besoin de compagnie et de protection. Je vous imagine très bien en femme de docteur.

Cette tirade eut le don d'arracher Isaure à sa détresse. Elle saisit une main de Viviane.

— Félix Gramont me laisse totalement indifférente et cela n'a aucune chance de changer. D'ailleurs, même si je le trouvais charmant, je ne lui donnerais aucun espoir, puisque vous avez des sentiments pour lui.

— Oh! ce sont de grands mots. Je m'enflamme tout de suite, je rêve et j'imagine de belles scènes qui ont rarement lieu.

— Ce n'est pas une raison pour me conseiller de l'épouser dans un an ou deux. Je n'ai pas l'intention de me remarier.

Isaure revit Justin en train de s'éteindre contre sa poitrine. Elle se souvint ensuite du dernier baiser de Thomas et fondit en larmes.

— Et voilà, se désola Viviane, je vous ai fait de la peine! Bien sûr, vous aimiez Justin de tout votre cœur et il est trop tôt pour mes bêtises.

— Ce n'est pas ça, bredouilla Isaure. Si vous saviez! En fait, les mères qui ont gardé leurs enfants ce matin ont peut-être raison, je suis immorale. Et je ne serai jamais vraiment heureuse.

Très embarrassée, Viviane serra les doigts d'Isaure. Elle ne savait plus comment aborder l'objet réel de sa visite.

— Si, vous devez y croire, comme j'y crois moi-même, lui dit-elle avec douceur.

— Mais je ne peux pas, s'écria Isaure. Viviane, sommes-nous des amies, de véritables amies? Pourriez-vous garder un secret qui me torture?

— Absolument, si cela peut vous soulager d'en parler!

— J'aime un homme. Je l'aime depuis mes douze ans. Je l'aime tant que j'ai failli en mourir. Je n'aimerai que lui ma vie durant, j'en ai la certitude absolue. Il fait partie de moi.

— Et Justin? s'étonna Viviane.

— Il était au courant. Il luttait contre cet amour et voulait m'en guérir. S'il avait vécu, une fois devenue sa femme, j'aurais tenté d'oublier cet homme et de me consacrer entièrement à mon mari. Ne vous méprenez pas, j'aimais Justin également, mais d'une autre manière : comme un ami, un amant et un frère.

Isaure s'en voulait déjà d'avoir révélé son secret. Elle avait cédé à l'attrait des confidences, au besoin de dévoiler la part la plus intime de son cœur.

— Qu'est-ce qui vous empêche, dans ce cas, d'envisager un avenir avec celui que vous aimez tant? Serait-il marié? demanda Viviane, persuadée d'avoir identifié le mystérieux personnage.

— Vous avez deviné, c'est ça, articula péniblement Isaure.

— Thomas… Thomas Marot.

— Oui, Thomas. Bientôt papa, et lié à Jolenta.

— Mon Dieu, comme je vous plains!

Viviane se tut, songeuse. Très sensible au charme masculin, elle avait été conquise par le sourire de Thomas, ses yeux d'un vert pailleté d'or brun et sa haute stature. Mais elle eut l'intuition qu'Isaure l'aimait pour d'autres raisons plus subtiles que son apparence physique.

— La première fois que nous nous sommes rencontrées, quand Geneviève vous a présentée à moi, vous m'avez parlé d'un grand ami en danger dans la mine. C'était Thomas?

— Oui. J'ai eu si peur pour lui! Bien sûr, j'ai ressenti une douleur atroce lorsqu'il m'a annoncé son mariage avec Jolenta, qui attendait un bébé. Pourtant, j'ai pu lui donner le change et le féliciter. Il avait survécu, c'était l'essentiel. Viviane, je vous en supplie, il ne faudra rien dire à votre mère ni à personne.

— Je vous le promets. Ma chère petite Isaure, vous n'avez que des malheurs. Dire que nous devons vous laisser seule!

— Vous partez?

— Disons que nous nous absentons deux mois, environ, peut-être plus. Une affaire de famille. Mon oncle Herbert a écrit. La lettre est arrivée ce matin. Je vous expliquerai. Maman avait prévu en discuter avec vous pendant le dîner.

Isaure adressa un regard angoissé à Viviane. Enfin, elle murmura, la gorge nouée par l'émotion:

— Comment vais-je faire, sans votre maman, sans vous et les enfants? Je vous l'ai dit, moi, je dois rester à Faymoreau. Oh! je n'aurai plus aucun courage si vous n'êtes plus là. Je n'aurai plus aucune amie.

Viviane en eut le cœur brisé. Elle prit Isaure dans ses bras et déposa un baiser sur ses cheveux.

— Alors suivez-nous, Isaure. Ne vous torturez pas ainsi pour ce poste à l'école, ils y enverront une autre remplaçante. Votre frère et votre mère sauront se passer de vous quelques semaines et, à notre retour, nous irons aux Sables-d'Olonne. De surcroît, il serait plus sage de vous éloigner de Thomas et de sa femme. Vous auriez des remords si vous nuisiez à la paix de leur ménage. Mon oncle Herbert sera ravi d'accueillir l'institutrice de mes enfants. Il réside dans un manoir, à cinquante kilomètres de Chantilly, où j'ai grandi. Allons, plus de larmes ni d'hésitations. Dites oui!

Isaure était tentée, mais elle résista vaillamment contre l'envie forcenée de fuir le pavillon, le village et la métairie. Surtout, elle ne concevait plus d'être séparée de Thomas. Tant qu'elle serait dans le cercle où il vivait, elle supporterait de ne pas le voir ni l'approcher. Elle devait rester.

En apparaissant à son tour devant la fenêtre ouverte, Olympe coupa court à ses tergiversations.

— Que faites-vous, toutes les deux? interrogea-t-elle d'un ton fâché. Le repas sera bientôt servi. Nous dînons plus tôt, car ce soir, nous devons préparer nos malles. Je comptais vous parler de notre départ, Isaure, mais je vous ai attendue en vain.

— Viviane m'a avertie, madame.

— Très bien. Et vous avez pleuré… Ne vous inquiétez pas, j'ai tout organisé. Germaine et Nadine viendront un jour sur deux et Denis s'occupera du parc. Je vous conseille de dormir dans la maison, vous y aurez plus de confort. À notre retour, vous nous ferez part de votre décision, pour la rentrée. En effet, pour l'équilibre et l'instruction de mes petits-enfants, il est hors de question que nous gardions la propriété. Viviane l'a admis, nous devons quitter définitivement la région au mois de septembre.

— Maman dit vrai, nous ne pouvons pas rester ici, insista sa fille. Il faudrait venir avec nous.

Sans un mot, Isaure fit non de la tête. Elle se leva et alla tourner le verrou qu'elle avait fait poser par Roger le mois précédent. Elle sortit dans le parc, laissant la porte béante, et Viviane la suivit. Les deux jeunes femmes se reprirent par la main et avancèrent le long de l'allée.

Olympe les observa avec tristesse, puis, après un haussement d'épaules fataliste, elle les rattrapa de sa démarche énergique. Il lui en coûtait d'abandonner Isaure, mais sa décision était prise, elle voulait éloigner sa fille de Faymoreau pour le bonheur de Paul et de Sophie, qui étaient ses priorités, désormais.

Dans ce but, la septuagénaire au grand cœur avait élaboré un plan complexe dont le docteur Gramont faisait partie et auquel il s'était plié après bien des réticences.

Faymoreau, à la sortie de l'école, lundi 11 avril 1921

Isaure suivait le départ de ses élèves, en les recomptant en silence. Samedi matin, elles étaient dix au lieu de cinq. Là, leur nombre s'élevait à dix-huit. « Demain, j'aurai peut-être la classe entière, se réjouit-elle. Il n'en manque plus que cinq. »

Le vieux concierge l'avait renseignée avec des mines de conspirateur, outré par l'attitude des mères du village. L'attaque venait de Rosalie Pécoud et de Séverine Martinaud. Surprise, Isaure s'était demandé quel était l'intérêt de l'épouse du fameux Tape-Dur, qui purgeait une peine de dix ans de prison pour complicité de meurtre. Véritable harpie, Séverine n'avait que des garçons, mais, de toute évidence, elle était la principale instigatrice de la cabale, soutenue et encouragée par la pire engeance du coron de la Haute-Terrasse, Rosalie.

Au début, les autres femmes s'étaient indignées de concert de savoir qu'Isaure remplaçait l'institutrice. Bien des ragots avaient circulé au sujet de la jeune femme. Mais cela ne les arrangeait guère d'avoir leurs enfants à la maison, notamment celles qui travaillaient au triage et au criblage de la houille.

Quant aux maris, ils avaient vite protesté contre

ce qu'ils estimaient une action imbécile et inutile. La grève avait suffi pour semer la panique et le désordre; il fallait expédier les écolières en classe.

« Tout rentrera dans l'ordre d'ici un jour ou deux », se rassura Isaure, qui inspectait la salle d'un regard amical. Parmi les odeurs de craie, d'encre violette et de papier, elle éprouvait un doux apaisement. Le plancher était lessivé une fois par semaine au savon noir et il s'en dégageait une senteur familière, celle de son enfance dans cette même école.

— Madame Devers? appela le concierge depuis le couloir. Quelqu'un pour vous au téléphone, notre malade.

— Je viens tout de suite, monsieur Colas.

Elle eut bientôt madame Maillard en ligne. Elle dut écouter patiemment le récit de ses soins et de ses douleurs avant d'être questionnée sur les derniers événements.

— Rétablissez-vous, madame, et n'ayez aucune inquiétude, les élèves reviennent. Elles sont sages et studieuses. Je crois même qu'elles m'apprécient. Samedi matin, j'ai improvisé une séance de dessin et de peinture à la gouache. J'avais acheté moi-même les fournitures nécessaires par correspondance. Oh! c'était il y a plus d'un mois, sans savoir qu'elles me serviraient aussi vite... Non, madame, ce n'est pas gênant, je me moque d'être remboursée. Mon initiative vous étonne? Il faut bien leur donner le goût de l'art!

Quand elle raccrocha dix minutes plus tard, elle était satisfaite. Madame Maillard avait fini par approuver ses idées.

— Vous, alors, vous allez tout révolutionner, marmonna en riant le concierge, qui avait écouté à distance raisonnable.

— Je voudrais bien. Au revoir, monsieur Colas.

Pour rejoindre l'église et la propriété des Aubignac, elle avait adopté un itinéraire qui lui permettait d'éviter les corons, mais qui allongeait son trajet d'une quinzaine de minutes. Ce soir-là, en marchant d'un pas régulier sur un chemin bordé de ronciers, d'aubépines et de clématites, elle fut toute surprise de ressentir une sérénité inespérée.

Elle avait redouté le départ d'Olympe, de Viviane et des deux enfants, mais, en dépit de ses appréhensions, elle n'en souffrait pas vraiment. « C'est normal, j'ai passé seulement quelques heures privée de leur compagnie : l'aprèsmidi d'hier et la soirée. Viviane a promis de m'écrire ; je suis sûre qu'elle le fera. Des jours et des jours vont s'écouler. Je n'entendrai plus les rires de Sophie dans le parc ni ceux de Paul au piano. Il se peut que je m'ennuie, à mesure que le temps va passer », songea-t-elle.

Cependant, lorsqu'elle franchit le portail, rien n'avait vraiment changé. La lumière était déjà allumée dans la cuisine, Germaine ayant reçu la consigne de rester à sa place jusqu'au mardi au moins et de revenir le jeudi. En salopette de toile, Denis plantait des griffes de dahlia au centre d'un massif. Il la salua d'un large sourire ravi.

— Maman vous prépare un soufflé au fromage pour le dîner. Vous allez vous régaler, lui cria-t-il.

— Vous êtes tous très gentils, répliqua-t-elle en posant son cartable sur un banc en pierre dressé sous une arche de rosiers. Je vais jusqu'au pré rendre visite aux chevaux.

— Patientez une seconde, alors, maman a du pain dur pour eux !

Il bondit sur ses pieds et courut jusqu'à la cuisine, pour en revenir aussi prestement. Isaure le dédommagea d'un éclat de joie qui illumina ses yeux de faïence. Il soupira et se remit au travail.

Le soleil au ras de l'horizon ressemblait à une boule

d'or en fusion. Une lumière douce mais scintillante irisait l'herbe et les feuilles des arbres. En arrivant sans bruit près de la clôture, Isaure découvrit Pierre Ambrozy au milieu de la pâture, debout près de Danois. L'adolescent caressait le puissant animal dont la robe brune luisait, soigneusement brossée et lustrée chaque matin. Un peu plus loin, Quidam se promenait en secouant sa crinière blanche.

Touchée par la beauté du tableau, elle n'osa pas se manifester. «J'aurai au moins réussi à les sauver tous les trois et à leur rendre la vie meilleure», se dit-elle.

Mais Pierre se retourna, comme s'il avait perçu sa présence. Il lui fit un signe de la main et la rejoignit en s'aidant de sa canne.

— Bonsoir, Isaure. Je suis content de vous voir. Vous n'êtes pas venue depuis trois jours.

— Je n'ai pas pu et j'en étais désolée. Tout est si paisible! Danois est superbe. Oh! regarde, il t'a suivi.

— Il veut vous saluer, affirma le garçon. Il sait ce qu'il vous doit, lui. Excusez-moi, mais j'ai su le sale tour qu'on vous a fait, à l'école, et ça m'a mis en colère.

— Ce n'est pas la peine. J'ai tenu bon et je te parie que, demain, la classe sera complète.

Pierre esquissa un sourire gêné. Isaure caressa Danois, qui avait passé sa belle tête étoilée de blanc au-dessus de la barrière.

— Vous êtes tellement gentille! insista l'adolescent. Pourquoi les gens vous veulent du mal?

— Ne parlons pas de ça, je t'en prie. Madame Mercerin, sa fille et les enfants sont partis hier après déjeuner. Je n'ai plus Roger à ma disposition. Sais-tu où je pourrais acheter un vélo d'occasion?

— Mais choisissez-en un tout neuf à Fontenay. Pourquoi un vieux? Vous avez bien offert une belle voiture d'enfant à ma sœur et à madame Marot!

— Je n'ai pas pu faire autrement. Je voulais faire un beau cadeau à madame Marot. D'abord, elle a été enchantée, puis elle s'est dit que ta sœur rêvait d'un landau neuf, que ça lui ferait envie. J'en ai donc acheté deux.

— Et il vous reste encore des sous? demanda innocemment Pierre avec une grimace qui plissait ses joues tavelées de son.

— Suffisamment, mais je voudrais tellement m'en servir judicieusement pour faire plaisir à ceux que j'aime ou aider ceux qui en ont besoin. Ce n'est pas facile, les gens se vexent. Parfois, ils sont humiliés. Je connais ça. J'ai eu l'impression d'être une voleuse à cause de l'héritage de mon mari.

— Moi, vous m'avez fait le plus cadeau du monde, en me confiant Danois. En plus, il ne s'ennuie pas, il a Quidam près de lui.

— Pierre, est-ce que tu aimerais goûter le soufflé au fromage de Germaine? proposa Isaure. Dans la grande cuisine, entre nous. Denis a presque ton âge; vous pourrez bavarder, sauf si ton père t'attend pour dîner.

— Papa? À peine débauché, il a filé à vélo chez Maria.

— Tu vois bien! C'est pratique, ces engins.

Isaure emmena Pierre, heureuse de sa présence et de l'air guilleret qu'il sifflait. Mais, chemin faisant, elle remarqua à quel point il boitait et les difficultés qu'il éprouvait à avancer d'un bon pas. Il lui vint encore une idée.

*

Le repas en commun dans l'office impeccable de la demeure des Aubignac devait être le premier d'une longue série. Un jour sur deux, Germaine veillait à préparer de bons plats alléchants, jubilant de régaler son fils et Pierre Ambrozy. Isaure présidait ces joyeuses soirées de printemps.

Petit à petit, dans la plus grande discrétion, elle cherchait et trouvait comment avoir bonne conscience et veiller sur ses amis. Elle n'oubliait pas sa mère non plus. Pour faire le ménage et la lessive à la métairie, elle avait engagé une serveuse de l'*Hôtel des Mines* qui avait été renvoyée pour une négligence. Campagnarde dans l'âme, cette robuste quadragénaire déployait une énergie louable dans le sombre logis de Lucienne.

Chaque fois qu'Isaure l'interrogeait sur la santé de sa mère, la domestique répondait:

— Boudiou, elle n'se plaint pas de moi, madame, ça non, mais elle vous réclame.

— Je n'ai pas le temps. Dites-lui que je viendrai dimanche.

Le dimanche arrivait, mais Isaure ne se décidait pas à rendre visite à ses parents.

Si Viviane et les enfants lui manquaient à certaines heures, ainsi qu'Olympe et ses brusques démonstrations d'affection, elle n'en souffrait pas, étant très occupée. Un jeudi après-midi, elle avait eu Sophie au téléphone, et ensuite Paul. Viviane lui avait écrit une charmante lettre, cosignée d'un *Je vous embrasse* par Olympe.

Entre l'école, la correction des cahiers, les allées et venues du pré des chevaux au pavillon où elle s'obstinait à dormir, Isaure trouvait le temps de lire et de se promener sur sa bicyclette. Elle l'avait dénichée chez un ancien mineur qui logeait à la sortie du village, sur la route de Vouvant.

Malgré son existence bien remplie, la nuit tombée, Isaure avait du mal à s'endormir. Il lui arrivait de raconter ses journées à Justin à mi-voix, comme si le policier était couché à ses côtés. Le plus souvent, elle guettait le moindre bruit sur les graviers de l'allée ou l'écho d'un pas rapide autour du pavillon. Elle laissait sa fenêtre entrebâillée en gardant les volets mi-clos, espérant une apparition de Thomas, qui hantait ses pensées les plus secrètes. «Je fais en sorte de ne pas le croiser. Je ne suis pas retournée chez madame Marot depuis le jour de la brioche, quand il m'a raccompagnée et embrassée. D'après Pierre, Thomas était gêné, pour la voiture d'enfant. Il a même parlé de me rembourser. Quel idiot! Quel idiot adoré! Il ne viendra plus, plus jamais. C'est très bien ainsi. Jolenta accouchera le mois prochain. Je dois me tenir à l'écart. Demain, jeudi, je prendrai le car pour La Roche-sur-Yon avec Pierre. Il n'osait dire à personne que sa prothèse le blessait, qu'elle avait un défaut. Il en aura une de meilleure qualité.»

Coron de la Haute Terrasse, dimanche 24 avril 1921

Thomas bêchait la terre brune de son potager. Il avait déjà planté des radis et des pieds de salade, et il aménageait une nouvelle plate-bande pour semer des carottes. Jérôme discutait avec son frère, assis au soleil, un journal plié en deux posé sur sa tête en guise de chapeau.

— J'ai promis à Christine que nous aurions des légumes, nous aussi, puisque son père met à ma disposition une parcelle en friche derrière sa maison. Même aveugle, je me sens capable d'obtenir de bons résultats.

— Si tu as besoin d'un coup de main, compte sur moi. J'aime jardiner. Au moins, on profite du bon air et du ciel bleu. Il y a des matins où je n'ai aucune envie de descendre dans la mine.

— Fais-toi maraîcher, rétorqua Jérôme. Dis donc, as-tu des nouvelles d'Isaure?

— Pas plus que les autres gens du village, se défendit Thomas aussitôt d'un ton sec.

— Tu n'es même pas allé la consoler après ce qui s'est passé à l'école? Mais il paraît que c'est de l'histoire ancienne. Elle ne s'est pas découragée et ses élèves sont en admiration devant elle.

— Bon sang, Jérôme, tu es bien renseigné! Comment fais-tu?

— C'est ça, fiche-toi de moi! Je m'informe. Dès que je sors, on me salue et on cause un peu avec moi, le pauvre infirme, avec sa canne blanche et ses vilaines lunettes fumées. Je n'ai pas besoin de poser de questions, on me déballe les derniers ragots de Faymoreau.

Des éclats de rire retentirent au même instant en provenance de la maison voisine où Honorine, Jolenta et Christine étaient en pleine séance de couture, de broderie et de tricotage.

— Maman est gaie, commenta encore Jérôme, parce qu'elle va avoir un sixième enfant. Et toi, pas trop nerveux? La naissance se rapproche.

— Je suis anxieux par moments, avoua Thomas. Mais Jolenta est calme et elle dort bien. Je dirais qu'elle a presque retrouvé son caractère d'avant sa grossesse. Ou plutôt, ça dépend des moments. Méfie-toi, frérot, les femmes enceintes ont des humeurs redoutables.

— Jolenta n'est plus jalouse d'Isaure, tout simplement. Elle n'a plus peur d'être trahie. J'ai toujours pensé que ses crises de rage et ses caprices n'étaient pas dus à son état, mais à sa terreur que tu aimes ta chère Isauline.

Thomas arrêta net de bêcher, les traits figés et la mâchoire crispée. Jérôme ne pouvait pas voir son expression hagarde, mais il perçut un silence soudain, ponctué par la respiration altérée de son frère.

— J'ai dit quelque chose de mal? s'étonna-t-il avec un brin d'ironie.

— Non, mais j'en ai assez d'entendre tes sottises. Jolenta me laisse tranquille au sujet d'Isaure, alors ne t'y mets pas.

Assoiffé, Thomas but au goulot d'une bouteille d'eau coupée de vin blanc. Il essuya son front moite de sueur, jeta son outil sur le sol et s'installa à l'ombre de l'auvent, sur la pierre du seuil.

— Désolé, Jérôme! Avoue que tu m'as cherché. Qu'est-ce que t'a raconté papa?

— Il s'inquiète, il pense comme Stanislas et comme moi.

— C'est-à-dire?

— Il y aurait anguille sous roche, précisa tout bas son frère. Un gars qui bossait au puits du Couteau t'a vu tenir Isaure dans tes bras et papa prétend qu'un soir, il y a plus d'un mois, vous étiez très proches, elle et toi.

— Nom d'un chien, gronda Thomas tout aussi bas. Tu viens de le dire, ça date de plus d'un mois. Eh oui, en remontant du puits du Couteau, j'ai pris Isaure contre moi. Elle était trempée, choquée et épuisée, elle venait en plus de perdre son mari. Jolenta nous a vus elle aussi sans en faire tout un drame. L'autre soir, chez maman, on se rappelait le bon vieux temps comme des amis. Je n'ai jamais caché que j'ai de l'affection pour elle! Ça dure depuis des années.

Le visage de Jérôme se fendit d'un sourire moqueur. Il avança la main pour tapoter cordialement l'épaule de Thomas.

— C'est bon, du calme, je sais tout ça, mais sois prudent, car je sais aussi depuis des années qu'Isaure t'aime. Tu étais son idole, son dieu, sa raison de vivre. Pourquoi ça aurait changé?

Le cœur serré, les lèvres pincées sur des soupirs d'amertume, Thomas se roula une cigarette. Ainsi, Jérôme avait compris bien avant lui la vérité.

— Qu'elle m'aime ou non, moi, je suis marié. J'ai une femme ravissante et je voudrais attendre la naissance de notre bébé dans la joie et la tranquillité. Alors garde tes commentaires pour toi, à l'avenir.

Douché par le ton hargneux de son aîné, Jérôme retint une exclamation irritée. En réalité, il s'apitoyait sur lui-même. Au sein de sa nuit permanente parfois traversée de vagues luminescences pourpres, l'aveugle éprouvait le besoin de sonder les âmes de ses proches, de les écouter afin de saisir leurs émotions dans leur voix ou leur souffle.

— Dommage! dit-il entre ses dents.

— Qu'est-ce qui est dommage? marmonna Thomas.

— Que je sois infirme. Sinon, là, je te frapperais avec plaisir, espèce d'hypocrite. Je n'ai rien dit avant, j'attendais que tu te confies à moi, mais non, c'est la première fois qu'on se retrouve seuls tous les deux et tu joues les indignés. Salut, je vais rejoindre ma fiancée.

Il se leva et gagna l'intérieur de la maison à tâtons. Son frère le rattrapa par le coude.

— Je peux savoir pourquoi tu me traites d'hypocrite, pourquoi tu as envie de me frapper? Et qu'est-ce que tu n'as pas dit? Réponds!

— Le fameux soir où tu as raccompagné Isaure après avoir évoqué ton fichu bon vieux temps, on était partis se balader, Christine et moi. Elle voulait voir les chevaux de la mine, Danois et Quidam. Il y avait un couple pas loin du pré. Elle vous a reconnus. Je ne savais pas qu'on embrassait ses vieilles amies sur la bouche, Thomas, à pleine bouche, pour être précis.

— C'est n'importe quoi! Elle t'a menti pour te faire enrager, pour nuire à Isaure comme l'a fait Rosalie trop souvent.

— Si c'était le cas, elle en aurait parlé à Jolenta et à maman. Moi aussi, j'ai pensé qu'elle me racontait ça pour blaguer, mais Christine m'a assuré que c'était vrai. J'étais bien ennuyé. On a discuté en revenant vite dans le village et on a décidé qu'il valait mieux se taire pour ne pas jeter d'huile sur le feu. Je voulais t'en parler, mais soit tu étais à la mine, soit tu restais chez toi avec ta femme, ta pauvre petite femme qui ne se trompait guère sur vous deux. Je vais te donner un conseil, fiche la paix à Isaure. Prends une nana du village, si tu as besoin d'une maîtresse, mais, elle, épargne-la, tu l'as assez torturée. Lâche-moi, maintenant.

— Il n'y a eu que ce baiser, Jérôme, mentit Thomas, et c'est ma faute. Je ne sais pas ce qui m'est passé par la tête. Depuis, je n'ai pas revu Isaure et elle m'évite avec soin de son côté. Bon sang, ce n'est pas si grave, quand même!

— Un baiser signifie beaucoup. Isaure et moi, à Saint-Gilles, on s'est embrassés; on a même failli coucher ensemble. J'y pense encore, à elle, à son parfum, à sa peau, à sa bouche.

L'aveu causa un choc à Thomas. Il libéra le bras de son frère et s'appuya au mur de l'étroit couloir. Il vit Jérôme sortir et tirer la porte derrière lui d'un geste machinal. Une fois seul, il cogna sa tête en arrière à plusieurs reprises, comme s'il souhaitait s'assommer et ne plus penser à rien. Livide, saisi d'un froid intérieur, il sombra dans une immense détresse.

Jolenta le trouva dans cette position, les yeux fermés, un masque de douleur sur les traits. Elle s'affola et le secoua par les épaules.

— Mon chéri, tu es malade?

— Non, ne crains rien. Le soleil tape fort dehors. Je me reposais au frais. Viens dans mes bras, ma douce petite femme, ne me laisse pas.

Elle nicha sa joue contre sa poitrine et glissa sa main sous son gilet de corps.

— Je venais m'allonger, Thomas. J'ai eu des crampes au ventre. C'était pénible. Ta mère m'a dit de me coucher. Accompagne-moi, nous serons mieux là-haut, au lit.

Il la suivit avec la ferme intention de la chérir et de prendre soin d'elle. Les reproches acerbes de Jérôme, le mépris dans sa voix, si chaleureuse d'habitude, l'avaient blessé. Pire encore, il était furieux contre Isaure. Elle avait essayé ses charmes sur son frère, puis elle était devenue la maîtresse de Justin.

Il se sentit davantage coupable à l'égard de Jolenta, qui lui avait offert sa virginité en versant des larmes de douleur et de joie mêlées. La honte le submergea. Il décida de consacrer le reste de son existence à rendre sa femme heureuse.

Oubliant toute pudeur, la jeune Polonaise ôta son ample robe de coton bleu, sa chemisette et son jupon. Elle lui apparut, nue de la tête aux pieds, avec son ventre gonflé de vie et sa chevelure blonde dénouée dans son dos.

— Ma chérie, tu es belle, dit-il avec sincérité. Tu es ma femme, ma femme que j'aime. Mon Dieu, Jolenta, pardonne-moi si je t'ai causé de la peine, bien souvent.

Elle s'immobilisa, sidérée, car Thomas évoquait rarement Dieu ou le Seigneur. Son expérience de la guerre avait eu raison de sa foi enfantine.

— Tu ne m'as donné que du bonheur, répliqua-t-elle. Donne-m'en encore, mon amour.

Lascive, elle s'étendit sur la courtepointe en satin rouge, dont la couleur fit ressortir la blancheur de sa peau.

— Il ne faut pas, la sage-femme nous a recommandé de ne pas avoir de relations, déplora-t-il, envahi par un désir impérieux, une fièvre d'oublier Isaure et son altercation avec son frère.

— Tu feras attention, ou bien, tu sais, ce que tu fais, parfois. Je t'en prie, viens.

Comme ivre, Thomas se pencha entre ses cuisses et rendit hommage à son calice féminin à la saveur particulière, fleur de chair rose qu'il savait caresser et embraser. Jolenta s'offrit, chaude et langoureuse. Elle poussait de petites plaintes d'extase, se cambrait et l'appelait de tout son corps. Il résista à sa muette prière exaltée et la mena au plaisir de ses doigts et de sa bouche. Ensuite, alangui par une jouissance qu'elle lui avait donnée d'une main habile, il s'allongea à ses côtés.

— Tu es parvenue à tes fins, ma belle chérie, plaisanta-t-il.

Il admira ses seins épanouis, un peu lourds à présent, et il déposa un baiser sur chaque mamelon.

— Bientôt, cette magnifique poitrine sera réservée à notre bébé, murmura-t-il.

Elle eut un doux sourire angélique. Thomas se crut sauvé de sentir une vague d'amour emplir son cœur meurtri.

— Jolenta, si je décidais de quitter la mine et de chercher un emploi en ville, à Fontenay-le-Comte, par exemple? Je pourrais m'engager comme maraîcher ou comme ouvrier dans une usine. Est-ce que tu accepterais de t'éloigner de ton père et de ton cher petit Piotr? Nous aurions une maison entourée d'espace et beaucoup moins de voisins. Il n'y aurait que nous deux et notre enfant.

— Bien sûr, je serais même folle de joie. Papa se remarie samedi prochain, le 30. Piotr aura une belle-mère et ses chevaux. Comme je suis contente, mon Thomas! Il faut attendre la naissance, toutefois.

— Oui, d'ici là, je vais me renseigner en lisant les annonces dans le journal.

Ils s'embrassèrent, saisis d'un enthousiasme presque

puéril qui leur fit échafauder une foule de projets. L'un et l'autre se berçaient d'illusions et ils en avaient conscience, mais, grisés par le vent tiède d'avril qui agitait les rideaux de leur chambre, ils ne l'auraient admis pour rien au monde.

Propriété des Aubignac, jeudi 28 avril 1921,
quatre heures de l'après-midi

Isaure observait la démarche plus assurée de Pierre, qui portait du foin aux chevaux. Elle avait tenu à lui acheter une nouvelle prothèse plus légère, plus moderne, qu'il avait étrennée le matin même. Denis les avait accompagnés jusqu'au pré et, accoudé à la barrière, il jetait des regards énamourés à la jeune femme vêtue d'une longue robe de flanelle grise. Un collier de perles brillait à son cou.

— C'est rudement gentil de lui avoir offert une nouvelle fausse jambe, madame, dit-il très bas.

— Non, c'est normal. Si on a les moyens de faire une bonne action, il ne faut pas hésiter. Tant pis si monsieur Ambrozy se fâche.

Pierre avait distribué le fourrage; il revenait vers eux. Par bravade, il fit tourner sa canne en l'air pour montrer qu'elle lui était moins utile qu'auparavant.

— Fais quand même attention, lui cria Isaure.

— Pas de danger que je tombe, ça fonctionne du tonnerre!

Il riait, mais Denis décela dans les yeux bleus de l'adolescent une certaine tristesse. Isaure, qui s'était penchée sur le chien, n'en vit rien.

— Riton a encore grossi, soupira-t-elle. S'il continue, je ne le reconnaîtrai plus. Ta mère le nourrit trop, Denis.

— Il a toujours faim. C'est pour ça qu'il dort dans la cuisine, au cas où il manquerait une lamelle de lard ou un fond de soupe.

— Moi qui voudrais le garder dans le pavillon, la nuit, il refuse, déplora-t-elle. Alors, Pierre, tout va bien, nous ne serons pas obligés de retourner à La Roche-sur-Yon pour un ajustement, comme l'a offert le pharmacien.

— Non, c'est impeccable, Isaure, affirma-t-il.

— Tu pourras me faire danser au mariage de ton père, répondit-elle en souriant. Les gens n'en reviendront pas de te voir si à l'aise. Pierre, qu'est-ce que tu as?

Le garçon semblait prêt à pleurer de dépit. Il avait un poids sur le cœur depuis deux jours, mais il n'osait pas en parler. Rouge de confusion, il ébouriffa d'un geste nerveux ses mèches d'un blond de paille.

— Je suis navré, Isaure, mais je crois bien que vous n'êtes pas invitée au mariage de papa. Moi qui me faisais une fête de vous tenir compagnie! En plus, si le temps est beau, le repas aura lieu au bord de l'étang, près du cabanon de pêche des Marot. Mon père, hier, il m'a répété qu'il ne vous invitait pas, voilà.

Denis préféra s'en aller, car Isaure avait une expression de profonde surprise et de déception; il en souffrait pour elle. Pierre renifla, le regard noyé de larmes.

— Je ne comprends pas, moi, bredouilla-t-il. Thomas non plus.

— Et ta sœur?

— Jolenta, elle prétend que jamais elle ne s'opposera à notre père. La bonne blague, après ce qu'elle lui a fait endurer!

— Pierre, ce n'est pas grave. Il y aura d'autres mariages où on m'invitera peut-être. Promets-moi d'inviter une jolie fille à danser, d'accord?

— D'accord, je vous dois bien ça.

Quand il eut franchi le portillon en bois grisâtre délavé par les intempéries, Isaure lui tendit la main. Elle n'éprouvait pas vraiment de colère ni de chagrin. Stanislas Ambrozy avait deviné qu'elle aimait Thomas et il voulait protéger sa fille. «Mais de quoi? se demanda-t-elle, tellement absorbée que Pierre en eut encore plus de peine. Je n'ai pas l'intention de causer le moindre tort à Jolenta. Jamais plus!»

— Attention, Isaure! hurla soudain l'adolescent, qui marchait derrière elle.

À chacune de leurs visites aux chevaux, ils évitaient prudemment un vestige de puisard aux bords plats en ciment, à demi rempli d'eau croupie, d'où pointaient de vieux bouts de bois. Distraite, Isaure avait mis un pied dans le trou et s'était effondrée en avant en poussant un cri de douleur.

— Seigneur Dieu, gémit Pierre, vous êtes blessée?

— Je ne sais pas, mais j'ai mal, très mal, dit-elle dans un sanglot.

Denis accourait, car il n'était pas loin, ayant hésité à revenir. Les deux garçons la relevèrent précautionneusement. Le bas de sa robe était déchiré et elle avait perdu une chaussure. Une plaie sanglante barrait son genou et sa cheville était maculée de vase brune malodorante.

— On vous emmène chez le docteur, m'dame, bredouilla Denis, affolé.

Isaure approuva, se mordant les lèvres pour ne pas pleurer. Plus tard, elle songerait qu'il n'y avait pas vraiment de hasard et que, sans cette chute, elle n'aurait pas eu l'occasion de rendre l'espoir à une personne qui lui était chère.

20

Le mariage de Stanislas Ambrozy

Cabinet du docteur Gramont, même soir

Denis l'avait répété deux fois en arrivant à bon port: ils avaient de la chance, le médecin était chez lui. L'après-midi, il recevait ses patients, préférant faire ses visites le matin, mais en cas d'urgence il s'absentait et le signalait par une pancarte suspendue à la porte vitrée du cabinet.

Félix Gramont aperçut les garçons soutenant Isaure, qui avait passé ses bras sur leurs épaules. Il sortit aussitôt, en blouse blanche, son stéthoscope autour du cou.

— Ciel, que vous est-il arrivé, madame? s'écria-t-il. Venez vite, je n'ai personne dans la salle d'attente.

Il ne chercha pas à l'aider, laissant Denis et Pierre l'installer sur la table d'examen.

— Vous pouvez patienter dehors, messieurs, leur suggéra-t-il. Je m'occupe de madame Devers.

— J'espère que vous n'avez rien de cassé, s'inquiéta Pierre.

— Je ne crois pas. À tout à l'heure, dit-elle tout bas. Je ne sens presque plus rien.

Denis entraîna son camarade à l'extérieur. Le docteur ferma la porte et tira un épais rideau blanc.

— Si vous pouviez relever votre jupe, dit-il poliment. Vous avez une vilaine plaie. Je dois la nettoyer à l'aide de désinfectant. J'emploie du liquide de Dakin, mis au point pendant la guerre. C'est un excellent antiseptique. Voyons ça d'abord.

Il se pencha sur le genou dénudé et examina attentivement une profonde coupure sous la rotule. Vite, il se détourna et alla au lavabo préparer une cuvette, une serviette et des compresses, sans poser de questions ni discuter avec la jeune femme.

— J'ai mis le pied dans une sorte de trou cimenté, derrière le mur de la propriété, expliqua-t-elle pour meubler le silence.

— Il faut regarder où l'on marche. Vous auriez pu vous briser la jambe ou la cheville, répliqua-t-il, affairé à verser un liquide rose dans un petit bol en émail.

Isaure le trouva froid et indifférent, mais professionnel. Il nettoya avec soin la première plaie, puis la seconde, plus longue, à côté du tibia, causée par un bout de bois.

— Je suis désolé, soupira-t-il, je dois vous recoudre, sinon la cicatrisation traînera. En principe, j'ai des doigts en or, comme disait ma mère.

— Me recoudre, oh! non, gémit-elle, effrayée. Vous allez planter une aiguille dans la peau?

— Oui, avec du fil dans l'aiguille, ironisa-t-il. Madame, je sais que ce n'est pas agréable, mais je n'ai pas le choix. Je passerai un coton d'éther; vous ne sentirez presque rien. Allongez-vous, respirez bien et détendez-vous, je vais faire le plus vite possible.

— D'accord, je ne bouge plus, promit-elle d'une voix faible.

Isaure ne s'était jamais fait de blessure sérieuse, si on exceptait les coups qu'elle avait reçus de son père. Son cœur cognait dans sa poitrine et elle avait envie de sangloter comme une gamine. Afin de lutter contre la panique, elle songea à Félix Gramont. «Je suis devant lui les jambes à l'air, la jupe remontée en haut des cuisses, mais il ne m'a pas jeté un regard gentil. Il n'a même pas paru s'apercevoir que je suis une femme. Si je lui plais, il le cache bien. Viviane m'a raconté des bêtises. »

Elle avait croisé le médecin deux ou trois fois depuis son premier jour à l'école et il l'avait saluée de loin, en souriant à peine.

— Voilà, j'ai terminé, annonça-t-il. Je vais vous bander la jambe, mais je préconise d'enlever le pansement dès demain soir. Vous pourrez désinfecter vous-même les plaies. Au moindre doute, bien sûr, venez au cabinet ou téléphonez-moi.

— Je n'ai rien senti. Vous aviez raison. Enfin, des picotements, mais très supportables. Je vous remercie.

Isaure se redressa et baissa sa robe maculée d'éclaboussures brunes. Elle descendit de la table d'examen et, sur un geste de Gramont, prit place sur une chaise en face de son bureau.

— Le montant de mes honoraires est inscrit sur cette affichette, madame. Envoyez Denis les déposer sous la porte dans une enveloppe. Et votre autre chaussure?

— Irrécupérable, enfouie au fond de l'eau croupie. Les garçons m'aideront à rentrer, si vous me permettez d'emprunter la petite porte qui donne sur le parc.

— Ce joli parc! soupira-t-il. Avez-vous des nouvelles de madame Aubignac?

— Oui, Viviane m'a écrit deux longues lettres. La bonne société de Chantilly lui convient. Son oncle donne des réceptions. Je m'ennuie moins que je ne le craignais, sans elle et les enfants, mais je compte les jours jusqu'à leur retour, au début du mois de juillet.

— Leur retour? s'étonna-t-il. Il n'en était pas question, si j'ai bien compris.

Ils échangèrent un regard surpris. Isaure devint plus pâle encore.

— Pourquoi dites-vous ça, docteur?

— Excusez-moi, je n'aurais pas dû. Bien, j'appelle ces braves petits gars, qui prennent soin de vous, on dirait.

— Attendez, vous me faites peur, Viviane m'a assuré qu'elle reviendrait.

Félix Gramont fixa sa patiente d'un œil songeur, puis il baissa la tête et joua avec un coupe-papier en buis. Il semblait hésiter à poursuivre la conversation.

— Madame Mercerin n'en a pas l'intention, lâcha-t-il à regret.

— J'ignorais que vous étiez en relation avec elle au point de recevoir ses confidences, s'enflamma Isaure. Madame Olympe m'a demandé de réfléchir sur ce que je ferai en septembre, que nous en discuterions à son retour. Je sais que, pour le bien des enfants, elle a décidé de vendre la maison d'ici, ou de la louer. Je suis de son avis, Viviane n'osait pas sortir dans le village et elle craignait que Paul ou Sophie n'apprennent la vérité sur leur père.

— Donc, j'ai raison, elles ne reviendront pas. Peut-être que vous aurez une lettre en juillet vous proposant de les rejoindre.

Accablée, Isaure ferma les yeux un instant. Elle ne pouvait pas imaginer Olympe Mercerin capable de la tromper ainsi. « Les gens font semblant de m'apprécier, mais ils se soucient peu de moi. Que monsieur Ambrozy me considère comme une indésirable, je peux l'admettre, mais madame Olympe… Et Viviane! »

— Je suis navré, madame, si je vous ai causé de la peine.

— Oh! j'ai l'habitude, dit-elle avec résignation.

Désemparé et ému par sa réponse, Félix Gramont jeta le coupe-papier et frappa d'un ongle nerveux le bois de son bureau.

— Je pourrais dire comme vous, avoua-t-il. J'ai eu tort de me plier à une mascarade dont j'ai honte, qui m'a obligé à me servir de vous, en plus.

— Expliquez-moi, je vous en prie. En quoi suis-je concernée? Nous ne nous connaissons pas.

Le beau visage viril du médecin se crispa. Il ne pouvait plus reculer.

— Madame Mercerin m'a rendu visite sans chercher à se faire passer pour une patiente. Elle m'a prié, arguments à l'appui, de décourager sa fille qui, selon elle, s'éprend facilement des hommes qu'elle côtoie. J'ai eu droit au récit détaillé des erreurs de parcours de madame Aubignac et des cruautés que son mari lui faisait subir. J'étais abasourdi, croyez-moi, d'entendre une mère dépeindre sa fille comme une névrosée, qui est restée un mois dans une clinique psychiatrique. Pour ma part, je l'ai trouvée tout à fait normale, attendrissante et jolie, dotée en plus d'une finesse d'esprit remarquable. Hélas, sa mère a insisté. Elle prétendait Viviane trop fragile encore pour une nouvelle relation.

— Mais elle vous plaisait, alors! murmura Isaure, stupéfaite.

— Bien sûr qu'elle me plaisait! Dès qu'elle m'a ouvert la porte lors de ma première visite, j'ai été sous le charme. Sa blondeur, son regard limpide… J'étais tellement content, ensuite, d'être invité à un dîner! De toute évidence, madame Mercerin s'est inquiétée pour ses projets de déménagement et elle m'a prié, afin de protéger ses petits-enfants et sa fille, de feindre le contraire de ce que je ressentais. Je devais prétendre que j'étais impressionné par vous, madame, ce qui aurait été fort possible si vous n'étiez pas si jeune, si vous n'aviez pas été veuve et, surtout, si Viviane n'existait pas. Croyez-moi, j'ai joué le jeu de sa mère avant tout par crainte de lui nuire.

Soudain transie et mal à l'aise, Isaure se leva. Elle adressa un regard plein de compassion à Félix Gramont.

— La nature humaine me surprendra toujours, dit-elle. Docteur, j'avais toute confiance en madame Mercerin et je ne la pensais pas capable de manipuler les gens ainsi. C'est à moi d'être honnête. Viviane me parlait de vous chaque jour; elle avait des sentiments pour vous. Comme c'est mon amie, elle s'est résignée tout de suite quand vous lui avez vanté mes qualités, mais il ne faut pas abandonner.

— Que faire, à présent? Je viens de m'installer à Faymoreau. Même si je loue la maison à madame Boutin, l'épouse de mon prédécesseur, je ne vais pas partir dans l'immédiat. J'avais espéré fréquenter mes voisines et qu'une douce entente naisse lentement. Dans un an ou deux, peut-être…

Isaure l'écoutait en songeant qu'il y avait bien peu d'amours heureuses sur terre. Si deux personnes s'étaient trouvées et rêvaient l'une de l'autre, c'était stupide de renoncer au bonheur.

— Je suis certaine que Viviane sera là au mois de juillet, dit-elle d'un ton ferme. Merci, docteur, je dois rentrer, maintenant. Denis et Pierre font les cent pas dans la cour, ils vont finir par se poser des questions sur mon état de santé. Au revoir. Vous avez eu raison de vous confier à moi.

— De mon côté, je vous fais mes excuses, madame, pour avoir consenti à jouer un rôle dans ce plan odieux.

Ils se serrèrent la main et se séparèrent sur un sourire amical. Les deux garçons l'accueillirent avec un réel soulagement et une paire de sandales en toile un peu usagées. Denis avait couru les chercher dans la chambre de Viviane.

— Je ne t'ai pas vu partir, s'étonna-t-elle, amusée.

— Pardi, j'y suis allé tout de suite, pendant que vous étiez sur la table d'examen. Rien de cassé?

— Non. Le médecin a recousu les plaies. C'était épouvantable.

Devant la mine alarmée des adolescents, elle éclata de rire.

— Je plaisante, je n'ai rien senti du tout. Venez vite. L'heure du goûter est passée, mais je suis affamée. Germaine a sûrement fait un gâteau.

Isaure ne pensait plus au mariage de Stanislas Ambrozy ni aux manœuvres d'Olympe. Le soir même, elle téléphonerait à Viviane et elle chuchoterait dans l'appareil : «Félix vous aime.»

Cette seule perspective lui mettait du baume au cœur.

Coron de la Haute Terrasse, même jour, même heure

Jolenta et son père sirotaient un verre d'eau coupé de vin en discutant des derniers préparatifs du mariage. Les cheveux coupés et coiffés en arrière, sa barbe neigeuse taillée, le Polonais avait l'air grave de ceux qui vont s'engager dans une nouvelle vie.

— Le temps ne devrait pas se gâter, disait-il. Le repas aura lieu au bord de l'étang, comme prévu. Chez Maria, c'était trop petit, chez moi aussi. Dehors, il y aura de l'espace pour danser un peu. Henrik a pu emprunter un accordéon, Jerzy une guitare.

— Il faudra chanter des airs de notre pays, papa, répondit-elle. Tu te souviens, maman avait une si belle voix!

— Bien sûr que je me souviens. Jolenta, si ta mère avait vécu, jamais je n'aurais regardé une autre femme. Mais je ne suis pas si vieux et Maria est bien gentille.

— Je sais, je ne te reproche plus rien. Demain, je

commence à faire cuire un bortsch[11]. Tu n'en mangeras jamais de meilleur. Il tiendra tête à trente personnes. J'ai pu trouver du paprika grâce à Henrik.

— Figure-toi que le directeur Fournier offre un tonnelet de muscadet qui a été livré chez Grandieu ce matin. Bah, ça ne se refuse pas. Mais dis-moi, nous ne serons pas aussi nombreux.

— Du ragoût, ce n'est jamais perdu, ça se réchauffe. Madame Marot s'occupe de la pâtisserie; elle va faire des génoises et des flans.

Stanislas scruta les traits fatigués de sa fille. D'un naturel réservé, il l'avait rarement câlinée. Bouleversé par l'imminence de ses noces, il lui caressa le dessus de la main.

— Ne reste pas debout trop longtemps, Jolenta. En ce moment, tu dois te reposer.

— Je ne fais que ça, papa. Dis-moi plutôt le nombre de personnes qui seront à table. Il faut le savoir pour emprunter des fourchettes et des couteaux.

— On compte ensemble. Maria n'a plus ses parents, ils sont morts quand elle était toute jeunette, mais elle a invité sa sœur aînée, Jeanne, et son mari, de même que leur fille de seize ans, Alzire. De mon côté, il y a Gustave, madame Honorine, Jérôme et Christine, notre Piotr et ton mari. Claude Chaumont vient avec Grandieu, môssieur le porion, et puis Henrik et Jerzy, accompagnés de leur femme, bien entendu. Avec nous deux, on en est à dix-neuf bouches à nourrir. Des gars viendront trinquer avant la nuit, surtout les Polonais de Faymoreau. Peut-être qu'ils mangeront un morceau, aussi.

---

11. Ragoût populaire en Pologne, mais aussi en Ukraine et dans les pays moldaves en général, à base de pommes de terre, de betteraves et de viande. Le paprika lui donne une couleur rouge foncé.

— Donc, environ une dizaine de gars qui ont un gros appétit, papa. J'ai prévu la bonne quantité, avec les sous que tu m'as donnés. Mais il t'a fallu acheter le cidre et les lampions. Ça a dû te coûter cher.

— On partage les frais, Maria et moi. Elle y tient. C'est une femme généreuse et dévouée.

Sur ces mots, Stanislas regarda dans le vide, rêveur. Il avait hâte d'être passé à la mairie et à l'église. Il consentait à s'attarder autour du banquet, mais il brûlait d'impatience de filer avec son épouse jusqu'à l'auberge de Vouvant, où ils coucheraient lors de leur nuit de noces. C'était le cadeau de sa future belle-sœur.

Jolenta devina à quoi pensait son père; elle en fut exaspérée. Déjà, elle l'avait entendu prononcer plus de vingt fois le prénom de Maria d'une voix radoucie. Contenant sa nervosité, elle reprit son tricot et compta ses mailles tout bas.

— Attention, s'écria brusquement Stanislas, je ne veux pas de ta voisine Rosalie ni d'Isaure à mon mariage.

— Pierre me l'a dit, papa. C'est toi qui choisis, mais pour Isaure, c'est un peu embarrassant. Elle m'a offert un beau landau avec la literie.

— Histoire de se faire apprécier, d'acheter ton amitié comme celle d'Honorine. Elle croit que son argent effacera le reste. Moi, je n'oublie pas que je me suis retrouvé en prison à cause d'elle et que je n'ai jamais récupéré mon pistolet. C'est dur, Jolenta, d'être traité en assassin quand on est innocent. En plus, Isaure a tourné la tête de ton frère. Elle l'a embobiné, ce gamin. Il parle d'elle tous les soirs. Ça, c'est quand il mange à la maison, parce qu'elle l'invite à dîner. Un beau jour, sa petite fortune dépensée, cette fille fichera le camp et Piotr devra entretenir deux chevaux. Il aura perdu son emploi à la mine et il n'aura plus un sou. Qu'en fera-t-il, alors, de ces bêtes?

Furibond, le Polonais tapa du poing sur la table. Jolenta sursauta et lui fit les gros yeux.

— Et Thomas, il en dit quoi? poursuivit Stanislas. Il ne t'aurait pas demandé de changer d'avis et d'inviter Isaure?

— Non, papa, il n'a rien dit du tout. C'est plutôt moi que ça gêne.

— Tant pis, tu n'avais qu'à refuser son cadeau empoisonné. Une voiture d'enfant, j'en cherchais une, et justement, Jeanne, la sœur de Maria, voulait te donner celle de sa grande fille, un landau presque neuf qui est resté quinze ans à l'abri de la poussière et qui est comme neuf, je te dis!

— Ne crie pas si fort, papa. Quelqu'un pourrait t'entendre.

— Et alors? Je ne dis rien de mal, gronda-t-il. Tu ne lui dois rien, à Isaure. Rappelle-toi comment elle s'est comportée le soir de ton mariage.

Jolenta fixait son ouvrage, mais elle voyait à peine les fils de laine blanche, se remémorant par la faute de son père le chagrin qu'elle avait ressenti ce soir-là. Thomas avait disparu de la salle du restaurant et elle l'avait aperçu à travers la vitre; Isaure pleurait, blottie dans ses bras, et lui la consolait. C'était à peu près la même scène qu'au puits du Couteau, lorsqu'elle les avait vus enlacés dans la cage grillagée. « Ils sont amis, je dois le comprendre, Thomas me l'a tellement dit, qu'ils sont amis! » pensa-t-elle sans parvenir à le croire vraiment.

— Calme-toi, papa, déclara-t-elle à voix haute. Tout ira bien le soir de tes noces. Mais, quand même, Isaure a sauvé Pierre, l'autre jour.

— On aurait réussi à le sauver sans elle, bougonna-t-il. Il suffisait d'abattre Danois.

Stanislas se leva pesamment, contourna la table et embrassa sa fille sur le front.

— Je te laisse, ton mari ne va pas tarder.

Une fois seule, Jolenta arrêta de tricoter et massa son ventre durci par une crampe. Elle aurait voulu être joyeuse, ressasser leur projet de quitter Faymoreau dont Thomas ne démordait pas, mais elle cédait à une profonde tristesse enfouie au fond de son cœur d'exilée. Sa mère lui manquait, de même que ses grands-parents et ses cousines. Sa langue natale ne chantait plus à ses oreilles; son père ne disait plus jamais un mot en polonais et Piotr en avait oublié la moindre syllabe.

— *Nie rozumiem*, murmura-t-elle en pleurant. Non, je ne comprends pas.

Au bord de l'étang de la digue de Faymoreau, samedi 30 avril 1921, le soir

De l'avis général, la noce était réussie. On avait fait peu de frais, mais on y avait mis beaucoup d'ingéniosité et la fête battait son plein dans un décor qui ravissait toute l'assemblée. Gustave et Thomas avaient tendu des cordelettes entre les arbres. Aidé par Claude Chaumont, le porion Grandieu y avait suspendu des lampions en papier coloré. Les trois guirlandes éclairaient une longue table dressée avec des planches et des tréteaux, nappée de draps en gros lin écru.

Les jeunes mineurs polonais s'étaient chargés d'allumer du feu dans de gros bidons en fer, ce qui dispensait une joyeuse lumière dorée et réchauffait l'atmosphère du soir, un peu fraîche au bord du grand étang aux eaux calmes.

Sur l'un des foyers improvisés, une énorme marmite contenait le reste du bortsch préparé par Jolenta. Il y avait deux groupes parmi les invités: l'un qui finissait de dîner, assis sur des bancs, le second composé des adolescents, des enfants et des fumeurs qui se répandaient sur l'herbe, où on avait disposé çà et là de vieilles couvertures.

— Seigneur, Gustave, comme ils boivent sec, les jeunes, chuchota Honorine à l'oreille de son mari. Le tonnelet de muscadet est vide, celui de vin rouge aussi. Il n'y a plus que du cidre et de la bière.

— Si on ne boit pas à un mariage, ma femme, quand boira-t-on? Thomas n'échappe pas à la règle. Écoute-le rire, il ne rit jamais aussi fort, hein!

Ennuyée, Honorine secoua la tête. Elle n'appréciait pas les abus en tous genres et elle surveillait ses deux fils. Un peu ivre, Jérôme serrait de près Christine, qui avait les joues rouges et poussait des cris aigus de temps en temps si son fiancé la chatouillait à la taille. Quant aux musiciens Henrik et Jerzy, ils jouaient de leurs instruments sans s'interrompre, avec une énergie et un entrain qui forçaient l'admiration.

— Le fromage, le fromage, réclama soudain Grandieu en tapant sur la table. Le fromage de la mariée!

Maria Ambrozy, naguère veuve Blanchard, frappa dans ses mains, toute contente. Elle fit signe à sa nièce, Alzire, d'aller chercher le cageot contenant les bûchettes de fromage de chèvre qu'elle fabriquait elle-même avec le lait de ses trois biques.

— Il n'y en a que vingt; il faudra partager, mais, tartiné sur le pain, on a le goût et c'est un régal, expliqua-t-elle.

En robe de soie beige à taille basse munie d'un large col orné de dentelles, elle faisait une jolie mariée avec ses cheveux bruns ondulés. Assis près d'elle, Stanislas avait une allure de colosse. Il portait une chemise blanche et une cravate rouge, son costume du dimanche.

Jolenta était fière de son père, qu'elle trouvait très bel homme dans la douce clarté des lampions. Malgré sa grossesse presque à terme, la jeune Polonaise portait une toilette folklorique de son pays, soit une large jupe en satin brillant à rayures horizontales aux vives couleurs et un ample corsage blanc à manches longues sous un corselet noir brodé de sequins dorés.

Avec ses nattes blondes et ses yeux d'un bleu transparent, elle avait suscité l'enthousiasme de tous ses compatriotes en exil venus travailler dans les mines dès le début de la guerre.

Pierre était ému et troublé chaque fois qu'il regardait sa sœur. Il savait comme Stanislas que ces vêtements chamarrés avaient appartenu à Hannah Ambrozy. Jolenta les gardait précieusement dans un carton depuis leur arrivée en France. L'adolescent pensait à juste titre qu'elle les exhibait par défi.

Thomas, lui, s'était senti gêné en découvrant sa femme habillée ainsi. Elle lui faisait l'effet d'une étrangère et, le vin aidant, il cherchait à plaisanter et à l'embrasser dans le cou, mais elle le repoussait gentiment, agacée de le voir éméché.

— Des chansons, il faut chanter! s'écria Jeanne, la sœur de Maria. Alzire, à toi, ma petite!

Aussi brune que sa mère et sa tante, Alzire avait un minois de chat et une silhouette élancée. Pierre, le galibot Patrice et un autre garçon de dix-sept ans avaient eu droit à ses sourires.

— Christine, tu chantes aussi. Je suis timide, moi, minauda-t-elle.

— Tu connais *I l'Emmenons la mariée?* demanda la fiancée de Jérôme en se levant.

— Bien sûr. Maman, tata Maria, chantez aussi, tout le monde.

Les jeunes filles avaient fait connaissance au début de l'après-midi, pendant le mariage civil à la mairie de Faymoreau. Elles ne s'étaient guère quittées durant la cérémonie religieuse célébrée dans la chapelle des mineurs, décorée pour l'occasion de branches de fruitiers en fleur. Main dans la main, exaltées par leur rôle, elles entonnèrent une ancienne chanson vendéenne.

> *Nous l'emmenons la mariée,*
> *Nous l'emmenons joyeusement.*
> *Elle est petite,*
> *Elle est point grande,*
> *Elle sera jamais, la mariée.*
> *Elle sera jamais fille longtemps*[12] *!*

Honorine, à qui on avait fredonné le même refrain le soir de ses noces, les accompagna, imitée par l'épouse de Grandieu. Les musiciens suivirent le mouvement. Tous furent applaudis à la fin et ce fut au tour de Jeanne de rendre hommage à Maria.

— Pour toi, ma sœur! Tu te souviens, on la chantait dans la cour de l'école!

> *Nous vous souhaitons l'bonjour*
> *Madame la mariée,*
> *Nous vous souhaitons l'bonjour*
> *À tout' la compagnie;*
> *Nous vous souhaitons l'bonjour*
> *À vous, à votre époux.*
> *L'époux que vous prenez,*
> *L'on dit qu'il est très sage.*
> *Souvenez-vous toujours*
> *Que vous êtes liée;*
> *Nous vous souhaitons l'bonjour*
> *Que Dieu vous garde tous*[13].

---

12. *Chanson de la mariée,* d'après le livre de Sylvain Trébucq, *La chanson populaire et la vie rurale des Pyrénées à la Vendée.*

13. Chant populaire de l'ouest de la France. D'après Armand Guéraud, *En Bretagne et Poitou.*

Cette fois, les Polonais égayés autour des feux poussèrent de grands cris de joie et commencèrent à danser. Des filles du village, qui n'étaient pas invitées mais qui flânaient le long de l'étang pour profiter du spectacle et de la musique, les rejoignirent.

— Il faudrait servir les pâtisseries, cria Maria à Honorine.

— J'y vais, répliqua l'interpellée. On les a mises à l'abri dans la cabane, au bout du ponton. Il y fait bien frais, pensez, au-dessus de l'eau.

Stanislas, assez sobre, entraîna son épouse sur l'étendue plate, où l'herbe verte faisait un doux tapis, et il la fit danser. Le désir lui montait à la tête; il lui donna des baisers sur la bouche sans se soucier des rires qu'il provoquait.

— Je suis pressé d'être seul avec toi, Maria, murmura-t-il.

— J'ai causé à mon beau-frère. Il nous emmènera dans une demi-heure, après les gâteaux. Moi aussi, j'ai hâte, avoua-t-elle.

*

Personne n'avait remarqué une silhouette féminine vêtue de noir qui observait les réjouissances de la noce depuis l'étroite fenêtre d'un cabanon à l'abandon, construit sur la berge et non sur des pilotis.

Après une journée passée en solitaire, à la nuit tombée, Isaure avait pris son vélo et s'était aventurée jusqu'à l'étang. Malgré son genou encore douloureux, elle avait eu envie de se promener, et surtout d'approcher le lieu de la fête sans se montrer. «Ils s'amusent bien, se disait-elle. Que c'est gai, les lampions, les flammes qui sortent des bidons en fer! Tiens, Pierre bat la cadence d'un pied, mais il ne dansera pas, le pauvre. Il paraît que son père s'est mis en colère en découvrant la nouvelle prothèse. Certains pères sont bizarres. Ils se moquent du bien-être de leurs enfants. »

Cette pensée visait le terrible Bastien Millet, auprès duquel Stanislas Ambrozy faisait figure d'agneau. Isaure percevait aussi des odeurs de cigarette et de café. La fenêtre n'avait plus de vitres et elle entendait d'autant mieux les airs d'accordéon et les notes joyeuses de la guitare. « Jolenta porte une belle tenue. Ça doit venir de Pologne. Je n'ai jamais rien vu de pareil ici. »

Le plus souvent, elle suivait Thomas des yeux. Il semblait très gai. Ses boucles blondes brillaient à la lueur des feux. « Oh non, il fait valser Christine et Jérôme ne bouge pas du banc. Il pourrait bien danser, si quelqu'un le guidait. »

Vêtue d'un corsage et d'une jupe noire, son opulente chevelure noire dénouée couvrant ses épaules, Isaure avait la singulière impression d'être invisible, d'être une ombre parmi les ombres qui entouraient le cercle de lumière et de liesse, à une soixantaine de mètres du cabanon.

Si elle ne pouvait pas se détourner du spectacle que lui offrait la noce, elle était soulagée d'en avoir été écartée. « Qu'est-ce que j'aurais fait là ? Je suis en deuil et je ne connais pas Maria Blanchard…, non, Maria Ambrozy. Il y a surtout des hommes, ils ont l'air d'être ivres. J'aurais gêné les Marot et Jolenta. De loin, on ne croirait pas qu'elle va bientôt accoucher. Tiens, Stanislas et sa femme s'en vont déjà, un autre couple aussi. Ah, ils montent en voiture. »

Intriguée par les faits et gestes de tous ceux qui captaient son attention, Isaure n'avait plus conscience de l'endroit où elle se trouvait. Parfois, un bruit dans l'eau toute proche la ramenait à l'instant présent. Elle se représentait alors la grenouille ou le rat musqué qui venait de plonger, laissant des ronds à la surface de l'étang. « Thomas danse encore, une polka, je crois, avec une fille que je ne connais pas non plus. Elle paraît très jeune. Et Patrice, le galibot qui a été si gentil avec moi au puits du Couteau, il serre Christine de bien près. Jérôme ne voit rien, le malheureux. Moi, je serais restée assise à côté de lui. Tiens, lui, ce grand brun, c'est Claude Chaumont. Il vient du nord de la France, Pierre me l'a dit. Thomas éclate de rire. Qu'il est beau! Comme je voudrais être dans ses bras à la place de cette fille! »

Sagement, afin de ne pas rêver de son amour défendu, Isaure évoqua Félix Gramont. Elle avait envoyé Denis glisser sous la porte du cabinet une enveloppe cachetée contenant l'argent des honoraires qu'elle lui devait, mais elle avait ajouté un message sur une page de carnet. « Je joue les entremetteuses, maintenant. Non, le mot est laid! Je contrarie les plans de madame Olympe. Tant pis si elle m'en veut, je suis habituée, oui, habituée à tout ce qui fait de la peine, à tout ce qui brise le cœur. »

Elle soupira, soudain lasse d'être debout comme de scruter les uns et les autres. La veille, à dix heures du matin, elle avait composé le numéro de l'oncle Herbert de Vitrac et, par chance, c'était une domestique qui avait décroché le téléphone et qui s'était mise en quête de Viviane.

— Je suis désolée si je vous dérange, avait-elle murmuré à son amie, comme si elle était tout près d'elle et non à cinq cents kilomètres. Félix Gramont est amoureux de vous, Viviane. Si, je vous assure. Rappelez-moi ce soir, j'attendrai dans le salon. Vous devez absolument revenir à Faymoreau, même quelques jours, même seule.

À l'autre bout du fil, Viviane avait étouffé une exclamation ravie. Le soir, fidèle au rendez-vous, elle avait appris la ruse plutôt grossière de sa mère. Après avoir promis de jouer le jeu de la fantasque Olympe, les deux jeunes femmes s'étaient lancées dans une conversation passionnée, échafaudant à leur tour un plan. «Elle reviendra, je la reverrai à la fin du mois de juin, songea Isaure. J'aurai au moins ce bonheur-là.»

*

Cinq minutes plus tard, Pierre Ambrozy s'éloigna de la fête. Il avait mangé plus que d'ordinaire et il était fatigué de déambuler au milieu des danseurs en évitant les jeunes mineurs polonais qui chahutaient et titubaient sous l'effet conjugué de la bière et du vin. Même s'il se sentait plus d'aplomb sur sa nouvelle prothèse, l'adolescent n'osait pas inviter une fille à danser. Alzire était ravissante, mais Patrice avait jeté son dévolu sur elle.

— En plus, ce soir, je dors tout seul à la maison, ronchonna-t-il en lançant un caillou dans l'étang.

Il contempla un moment les reflets des lampions sur l'eau sombre, puis son regard bleu balaya le décor environnant. Un détail le troubla. Il était certain d'avoir aperçu un visage à la fenêtre d'un cabanon, un visage familier dont les yeux avaient une fixité minérale.

— Mais on dirait Isaure, se dit-il tout bas. Elle n'ose même pas nous rejoindre.

Il hésitait quant à la conduite à tenir lorsqu'on lui tapa sur l'épaule. Pierre se retourna, surpris, et se retrouva nez à nez avec Thomas.

— Alors, mon Pierrot, tu as l'estomac à l'envers? Je parie que tu as des nausées à cause de la bière.

— Je n'ai bu qu'un verre de vin blanc, répondit l'adolescent. Et toi, tu es bien gai!

— Depuis mon retour de la guerre, je n'avais jamais eu le cœur à m'amuser vraiment. Ce soir, c'est différent. On est à l'air libre. Il y a de l'espace et une bonne ambiance.

— Ouais, grogna Pierre. Ce n'est pas la même chose pour quelqu'un d'autre. Je crois qu'Isaure s'est cachée dans le vieux cabanon, là, le dernier. Dis, puisque mon père est parti, elle peut bien venir nous rejoindre.

Sa suggestion provoqua une onde de choc dans l'esprit de Thomas, qui fixait la fenêtre sans carreau où se dessinait encore le visage livide d'une femme. Mais, à présent, les yeux brillants étaient rivés sur Pierre et lui. La vision s'effaça aussitôt.

— Elle se sauve, la pauvre, gémit l'adolescent. Va la chercher. Je ne peux pas courir, moi.

Figé sur place, Thomas jeta un coup d'œil indécis vers la cabane, puis il s'élança en souvenir de la petite Isauline qu'il avait si souvent ramenée vers la lumière de la cuisine maternelle, vers la chaleur et les joies simples d'une famille unie. Tout se joua durant ces quelques secondes où il pesa le pour et le contre. D'un côté de la balance, il y avait sa détermination de chérir Jolenta et de rayer Isaure de sa vie; de l'autre côté, il y avait l'amour qu'il vouait à son ancienne protégée, marqué par les deux heures de félicité absolue qu'ils avaient connues.

Tremblante d'avoir été découverte, Isaure relevait son vélo qu'elle avait posé contre le tronc d'un saule en arrivant, mais qui était tombé aussitôt, mal calé. Dans son affolement, ses gestes se faisaient maladroits. Elle se perchait sur la selle quand Thomas l'aperçut malgré l'ombre dense qui régnait sous les arbres, à l'écart du cercle éclairé. Lui aussi, à cet instant, aurait pu s'en aller et la regarder partir. Elle le vit et perdit un temps précieux à le contempler. Il se tenait à contre-jour de la vague clarté qui filtrait entre les feuillages, mais c'était lui.

— Attends, appela-t-il.

Elle voulait lui répondre non et se mettre à pédaler. Pourtant, elle attendit docilement, submergée par son besoin de lui. Ils pouvaient bien échanger trois mots, pensait-elle, ça ne changerait pas le cours cruel de leur destinée.

*

Pendant ce temps, Pierre Ambrozy, élément innocent d'un drame imminent, soucieux de prévenir sa sœur qu'Isaure allait sûrement se joindre à eux, errait près de la table. Il fut tout de suite assailli par la jolie Alzire, toujours en compagnie de Christine.

— Tu n'as pas dansé! On comprend pourquoi, mais tu peux faire un bras de fer avec Patrice, une lutte dans les règles, avec une bougie allumée de chaque côté. Gare aux poils roussis!

Elle souriait de façon provocante.

— Patrice a battu Chaumont, le gars du Nord, renchérit la fiancée de Jérôme, les cheveux en désordre, ce qui la rendait charmante.

— Je suis partant, affirma Pierre. Si je voyais Jolenta, d'abord…

— Oh, le gentil petit frère! se moqua Alzire. Elle a dû aller là où tu ne peux pas l'accompagner. Allez, un baiser si tu gagnes.

L'adolescent accepta, flatté, certain aussi de pouvoir prouver la musculature de ses bras.

— Tu es prêt, Patrice? dit-il au galibot. Je te préviens, je brasse des bottes de foin depuis un mois et demi. J'ai des biceps en acier.

— Si tu gagnes le baiser, je joue contre toi ensuite, déclara alors Jerzy, qui avait posé sa guitare. Et je veux un baiser aussi.

— Attention, sur les joues, précisa Alzire, ravie d'être le centre d'intérêt.

Autour d'eux, on dansait encore. Honorine commençait à entasser la vaisselle dans de grandes cuvettes, aidée par la mère de Christine qui était venue manger une part de gâteau. Gustave, Grandieu et Chaumont disputaient une partie de belote. Tout était tranquille, au bord de l'étang.

*

Thomas se tenait près d'Isaure, qu'il discernait à peine dans l'obscurité. Il demeurait silencieux, après lui avoir demandé de l'attendre.

— Est-ce que tu vas bien? hasarda-t-elle, confuse d'avoir été surprise à épier la noce. On ne se croise plus. La dernière fois que je t'ai vu, c'était chez tes parents, au début du mois de mars.

— C'est mieux comme ça, répliqua-t-il. Si tu veux le savoir, j'allais bien avant de te voir à la fenêtre du cabanon. Tu pouvais te comporter en personne normale, t'approcher et venir nous saluer.

— Mais, Thomas, ton beau-père avait dit…

— Laisse-moi parler, Isaure. Rien ne m'a plu, ni tes idées de dame fortunée ni l'achat du landau. On pouvait se débrouiller sans toi. Ce que j'ai appris de Jérôme m'a dégoûté. Tu as essayé tes griffes sur lui, à Saint-Gilles; il me l'a dit. Je lui fais confiance, il ne mentirait pas sur ce sujet, lui qui t'aimait tant. Tu as dû lui briser le cœur en préférant coucher avec l'inspecteur Devers.

Consternée, Isaure ne répondit pas.

Jolenta les écoutait, dissimulée derrière le large tronc d'un vieux saule. Elle avait vu son mari se diriger d'un pas rapide vers un des cabanons au moment précis où elle avait distingué une silhouette féminine qui en sortait. Inquiète, elle s'était précipitée sur ses traces sans attirer l'attention des convives. Malgré la mauvaise surprise qu'elle venait d'éprouver en reconnaissant Isaure, elle ressentait un vif soulagement mêlé de joie. Thomas sermonnait sa chère amie; il avait grandement raison. Elle était aussi choquée que son mari devant la preuve que son ancienne rivale était de mœurs légères.

— Et alors? s'écria Isaure, révoltée. Pourquoi les filles devraient-elles garder leur virginité, et pas les hommes? Tu n'as pas connu de femmes, pendant la guerre? Jérôme n'était pas puceau, ni toi quand tu t'es marié. J'avais envie de savoir, oui, de savoir ce qui rend fou amoureux, de connaître le goût d'un baiser et tout le reste. Je n'ai pas été déçue. Je ne regrette rien.

— Tu n'as vraiment aucun sens moral, Isaure, gronda Thomas, que la querelle dégrisait.

Soudain, quelqu'un remit du petit bois sec dans un des bidons en fer et de hautes flammes claires s'élevèrent en lançant vers le ciel noir des nuées d'étincelles incandescentes. La clarté fugitive se refléta sur le visage ivoirin d'Isaure. Elle dessina sa bouche à la moue boudeuse d'un rouge vif et illumina son regard d'un bleu profond. Elle apparut à Thomas comme l'incarnation même de la nuit printanière, avec ses cheveux aux souples ondulations d'un noir intense. Il avait oublié comme elle était belle, lui qui repoussait son souvenir à longueur de temps.

Toujours à l'abri des ténèbres, Jolenta ressentit un choc similaire. Elle eut envie de se montrer, de les interrompre, mais elle renonça, en proie à une curiosité dévorante.

— Du sens moral, répéta Isaure de sa voix grave, à quoi ça me servirait? Même quand j'aide ceux que j'aime, on me le reproche. Si j'offre deux voitures d'enfant pour éviter de blesser ta femme, j'ai tort. Si je sauve

Danois pour rendre Pierre heureux, j'ai tort. Quoi que je fasse, on me tient à l'écart. Ce soir encore, je n'ai rien fait de mal, j'avais envie d'écouter de la musique et de voir les gens danser.

Déjà radouci, Thomas eut un geste d'impuissance. Jolenta elle-même céda à une vague honte, surtout qu'elle venait de revoir son cher Piotr, qui marchait bien droit avec sa nouvelle prothèse. Au moment où elle décidait de les appeler, car elle pouvait prétendre être à la recherche de son mari, sa réponse et son geste l'arrêtèrent net.

— Petite sauvage! dit-il en lui caressant la joue. Moi qui t'avais promis d'accourir si tu étais malheureuse, moi qui t'avais juré que rien ne nous séparerait! J'ai manqué à mon serment.

Il s'étonnait maintenant de sa rancœur. Son parfum lui parvenait, si frais et enivrant qu'il avait l'impression de respirer un bouquet de narcisses et de roses. Malgré toutes ses résolutions, il subissait l'attraction puissante qu'Isaure exerçait sur lui. Il chercha comment dissiper le trouble qui le prenait tout entier.

— Autant te prévenir, ajouta-t-il, j'ai proposé à Jolenta de quitter Faymoreau. Je travaillerai en plein air. Nous habiterons en ville avec le bébé.

— Très bien. Moi, je vais accepter la proposition de Viviane Aubignac. Je vais aller vivre près de Paris, à Chantilly. Je n'ai que deux amies, Geneviève et elle. J'ai de l'argent, je pourrai rendre visite à mon frère assez souvent.

— Voilà, on ne se verra plus, dit-il d'une voix émue.

Jolenta se rassura à nouveau. Une caresse sur la joue, c'était fraternel, et ils évoquaient des projets, des projets bénis, à son sens, puisqu'ils ne se verraient plus, en effet. Puis tout bascula. Incapable de rester à distance d'Isaure, Thomas l'attira contre lui d'un geste possessif impérieux. Il cédait à l'appel muet qui s'élevait d'elle; il y répondait tout son être. Il avait souffert de ne plus la voir et, malade d'amour, il la berça sur sa poitrine.

— Isauline, ma petite fée, pardonne-moi! s'écria-t-il. C'est si pénible de vivre sans avoir le droit de t'approcher! Si j'avais compris avant à quel point tu m'étais précieuse, indispensable!

— Mon Thomas, mon amour, tu m'as tellement manqué, balbutia Isaure en nouant ses bras autour de son cou. Je t'aime tant.

Ils tremblaient de joie d'être réunis au sein de la nuit complice, d'être corps contre corps. Ils étaient un seul cœur, une seule âme. Leurs bouches se trouvèrent, avides, et ils échangèrent un baiser passionné, un baiser fou d'amoureux affamés l'un de l'autre.

D'abord saisie par un froid intérieur qui la fit frémir des pieds à la tête, l'épouse trahie ne bougea pas d'un cil. Elle crut hurler et les insulter, mais elle se mordait la lèvre inférieure si fort qu'un goût âcre de sang sur sa langue l'écœura. Enfin, des pensées tumultueuses déferlèrent dans son esprit, des idées de meurtre, de vengeance aveugle. «Je dois leur jeter des pierres! Ils continuent de s'embrasser! Je dois les tuer, je vais les tuer», s'exaltait-elle, les poings serrés.

Ivre de rage, elle ferma les yeux. Elle se vit armée d'un couteau qui les poignardait, lui procurant une délectation démente. Elle arrachait de ses ongles les beaux yeux d'Isaure qu'elle jetait au feu. Thomas, elle le frappait et le frappait encore, un gros galet au poing; elle broyait son nez et son front, elle détruisait sa belle face virile de traître. Sa peau, qu'elle avait tant caressée, elle se représentait occupée à la lacérer. Ses lèvres, elle les écrasait sous son talon. Son imagination décuplée par le désespoir rendait si vraies ces scènes de tuerie qu'elle se sentit soulagée, comme si elle avait vraiment accompli ces atrocités. «Les tuer, les tuer! se répétait-elle. Si je reste là, je vais les tuer. Il y a forcément des pierres par terre! Tiens, là, un bout de bois! Je le prends et je cogne.»

Jamais elle n'avait tremblé aussi violemment, jamais son cœur n'avait battu aussi rapidement. Ses jambes se dérobèrent sous elle et, le souffle court, elle dut s'asseoir, prise d'un violent malaise. Soudain, elle eut conscience du silence qui l'entourait et elle chercha les deux coupables d'un regard halluciné.

«Je ne les vois plus. Où sont-ils? se demanda-t-elle en scrutant la place où Isaure et Thomas se tenaient à peine quelques secondes plus tôt. Dieu de justice, Dieu de colère, punissez-les, foudroyez-les!»

Égarée par le choc qu'elle avait subi, Jolenta ne s'était pas aperçue du départ d'Isaure en vélo. Après un unique baiser, Thomas l'avait laissée partir et il était retourné sur le lieu de la noce.

«Ils ont cherché un coin tranquille! Je vais les trouver», se dit-elle. Sa naïveté la navrait; elle avait raison depuis des mois, ces deux-là s'aimaient et, sottement, elle s'était laissé berner par leurs bonnes paroles et leurs mensonges. Elle ne s'était jamais trompée, en fait, Isaure adorait Thomas et, lui, il l'aimait, peut-être sans le savoir vraiment. «Moi, dans tout ça, qu'est-ce que je suis? La jeune fille qui parlait mal sa langue, qu'il trouvait jolie, qu'il a couchée sur l'herbe l'été dernier, qu'il a épousée à cause du bébé.»

Elle courut vers l'endroit où les coupables s'étaient embrassés et se cramponna au tronc du saule. Le vélo avait disparu, ainsi qu'Isaure et Thomas. Ivre de chagrin, Jolenta s'engagea d'un pas précipité sur le chemin qui menait à Faymoreau. «Ils se vautrent l'un sur l'autre quelque part, dans les buissons, c'est certain!» pensat-elle en avançant, sur le qui-vive pour surprendre des plaintes de plaisir.

Mais son mari était assis près des feux, sous les lampions, tandis qu'Isaure pédalait déjà sur la route goudronnée longeant la digue de l'étang. Elle pleurait en se promettant de mener une vie exemplaire, de se consacrer à ses élèves jusqu'au retour de Viviane et de rendre visite à sa mère avant de fuir le pays. Chacun considérait ce baiser comme un adieu, une ultime communion avant de se perdre, peut-être pour des années et des années.

Ne voyant pas Jolenta, Thomas interrogea Pierre, dont Alzire tenait la main. L'adolescent lui répondit que sa sœur était sûrement de retour à Faymoreau avec Honorine.

— J'ai vu la camionnette de Grandieu partir. M'sieur Gustave m'a dit que ta mère et d'autres femmes en profitaient pour ne pas rentrer à pied. Thomas, j'ai battu trois gars au bras de fer. J'ai des muscles en acier. Tu as vu ça, hein, Alzire?

— Hum, hum, fit-elle, avec le regard voilé d'une fille qui a envie d'être cajolée.

Rassuré, Thomas alluma une cigarette et se joignit à Claude Chaumont et Henrik, qui réchauffaient le bortsch sur le feu sous prétexte qu'ils avaient un petit creux, encore.

*

Jolenta marchait sur la route pliée en deux, gênée par son ventre lourd qui pesait sur son bassin. Elle était dans un tel état d'égarement qu'elle ne pensait même plus à traquer les deux amants. La haine avait succédé à la rage, une haine si forte, si dévastatrice que la jeune femme refusait l'idée de revoir son mari et de lui parler. « S'il m'approche, s'il me dit un seul mot, je le tue, oui, je lui plante un couteau dans le cœur. Mais, si je fais ça, j'irai en prison. Je ne veux pas. J'ai besoin de soleil et d'espace, pas de barreaux, pas de murs autour de moi!»

Les galeries sombres de la mine dans les profondeurs de la terre lui avaient inspiré de l'horreur, une répugnance sans bornes, quand elle avait commencé à travailler dans le puits du Centre. Après qu'elle eut fait un malaise, éprouvé une sorte d'oppression qui avait précédé un évanouissement, Stanislas avait obtenu une place pour elle au triage de la houille, à l'air libre. «Je n'irai pas en prison, je vais m'en aller. Mais il y a le bébé!»

Elle poussa une plainte de déception. Elle haïssait l'enfant autant que le père. Pourtant, il lui faudrait bercer ce petit, lui donner le sein, le voir grandir.

— Non, non! se lamenta-t-elle en s'arrêtant.

Elle approchait du village, dont le clocher se dessinait sur un ciel parsemé d'étoiles. Un hangar où étaient entassées des bottes de paille l'attira. Elle était épuisée. Elle se glissa sous l'auvent pour se reposer. Mais, là, une crampe lui vrilla l'abdomen, comme cela s'était produit la veille et pendant le repas.

— Je ne veux pas de toi, gronda-t-elle en se donnant des coups de poing à la hauteur du nombril. Reste où tu es, mauvaise graine, enfant de la faute!

Soudain, Jolenta se revit au bras de Stanislas en décembre dernier, quand il la conduisait à l'autel vers Thomas. Elle se rappela qu'elle avait imploré Dieu de leur pardonner d'avoir péché, de leur offrir une existence honnête et d'autres enfants à chérir.

— Il est parjure! cracha-t-elle. Il m'avait promis sa foi! Oh! je le hais, je le maudis!

Elle se frappa encore, mais moins rudement, tout à coup privée de force. De gros sanglots alternaient avec de petits cris de détresse. Les larmes la libéraient et la détendaient, mais sa haine et son dégoût s'en nourrissaient et atteignaient leur paroxysme. Des visions saturées de violence la torturèrent encore. Sa révolte était si véhémente qu'elle en grelottait et claquait des dents. Soudain, elle sentit un liquide tiède ruisseler entre ses cuisses. La sage-femme l'avait prévenue qu'elle allait perdre les eaux. Ce flot jailli de son corps était le signe que l'accouchement était proche, bien trop proche.

— *Mamo, mamo, pomoz mi*[14], murmura-t-elle.

---

14. *Maman, maman, aide-moi*, en polonais.

21

Jolenta

Faymoreau, demeure des Aubignac, même soir

Assise dans le grand salon, Isaure fixait sans vraiment la voir la pendule en bronze qui trônait sur la cheminée. Tout au moins, elle avait conscience que les deux aiguilles, la grande et la petite, allaient se rejoindre sur le nombre douze et qu'il serait minuit.

Elle avait décidé de dormir dans la chambre qu'Olympe lui avait attribuée à l'étage. Mais la grande demeure silencieuse accroissait son trouble et son angoisse. «Je ne pourrai pas louer cette maison. De toute façon, même après des aménagements intérieurs, elle serait mal adaptée à la mission d'école privée ou d'orphelinat que j'envisage. Sans Viviane, sans Sophie et Paul, je la trouve sinistre.»

Elle chercha comment s'occuper l'esprit pour ne plus penser à Thomas. Pendant le trajet de retour sur son vélo, elle avait été hantée par les reproches qu'il lui avait faits, mais surtout par le baiser échangé.

— Quand on s'aime aussi fort que nous, pourquoi doit-on se séparer? murmura-t-elle.

Le son de sa voix lui causa un malaise. Retenant des larmes de dépit et d'incrédulité, elle tenta de se consoler en imaginant son avenir loin de Faymoreau. Soit elle chercherait un poste d'enseignante à Chantilly ou près de Paris, soit elle serait la gouvernante des deux enfants de Viviane jusqu'à leur entrée au lycée.

— Thomas va partir, lui aussi, dit-elle encore tout bas. Il a bien raison de quitter la mine. Il ne sera plus en danger, au moins.

Le tintement cristallin de la pendule la fit sursauter. Elle n'osait ni s'aventurer dans la cuisine pour grignoter du pain et du fromage ni monter à l'étage.

— Justin, si tu m'entends, je t'assure que je suis la plus stupide des filles! s'écria-t-elle brusquement. J'ai donné congé à Germaine, à Denis et même à Nadine. Il n'y aura personne ici avant lundi matin. Si seulement tu revenais, Justin! Je suis tellement seule! Et j'espère que tu ne sais rien de mes sottises. Je voudrais te voir. Je voudrais être dans tes bras.

Son cœur battait très fort. Elle avait honte de parler ainsi à son amant disparu, car il restait son amant et non son mari, celui qui l'avait initiée au plaisir, celui qui se moquait de lui-même et des autres, sans doute pour cacher sa bonté et sa sensibilité.

— Justin, je t'aimais, il faut me croire, mais il y avait Thomas, il y a encore Thomas, il y aura toujours Thomas.

Un bruit de pas derrière elle l'affola, un pas si léger qu'il aurait pu s'agir d'un fantôme. Elle se retourna et vit le chien s'approcher en remuant la queue.

— C'est toi, Riton? Je croyais que tu étais enfermé dans le cellier. J'allais t'ouvrir en allant dans la cuisine. J'ai faim, si tu savais! Je n'ai pas dîné.

Réconfortée par la présence de l'animal, Isaure fut bientôt attablée devant une assiette de salade verte, du fromage, du jambon et du pain. Elle se servit même un verre de vin blanc qu'elle sirota.

— Tout ira mieux lundi, affirma-t-elle en offrant du gras à Riton. Germaine et Denis seront là et je retrouverai mes élèves.

Cependant, bouleversée par sa rencontre avec Thomas, elle appréhendait la nuit à venir, le long dimanche qui suivrait et une autre nuit encore à passer.

Chez Stanislas Ambrozy

Jolenta venait d'entrer dans la maison de son père située près de la route, un des logements les plus proches de la campagne. Elle savait où était cachée la clef et elle referma avec soin. « Même si Thomas me cherche par ici, il ne pourra pas m'approcher. Je ne veux plus jamais le voir, ne plus jamais l'entendre », se disait-elle, hébétée.

Une nouvelle douleur lui étreignit le ventre, plus ample et plus pénible que les précédentes. Elle respira à fond, en appui des deux mains sur la table où, pendant des années, ils avaient pris de bien modestes repas, son père, Pierre et elle.

Malgré la souffrance qui la faisait grimacer, elle remarqua des changements dans la pièce. Maria Blanchard était passée par là. Les rideaux de la fenêtre étaient neufs, le poêle rutilait, astiqué de frais, et le sol luisait, lessivé au savon noir. Un bouquet de tulipes jaunes dans un joli vase en porcelaine égayait l'ensemble.

— Moi aussi, papa, j'arrangeais ta maison, bredouilla-t-elle. Et maman, donc!

Jolenta ne voulait en aucun cas remettre les pieds chez elle, près des Marot, dans le coron de la Haute Terrasse. La famille entière subissait sa haine. « Honorine me faisait toujours la morale. Elle se plaignait quand je lui empruntais du sucre ou du lait. Gustave me regardait de travers quand je sortais de chez Rosalie. Jérôme, il me déteste, j'en suis sûre. Les Marot, ce sont des salauds, les hommes surtout. Le vieux a fait un enfant à sa femme et Christine, la rouquine… Oh! Christine, si son Jérôme croise Isaure, elle aura des cornes, ça oui. »

Dès que la crampe s'arrêta, elle ouvrit un tiroir d'un geste brusque et contempla les couteaux de Stanislas, qu'il avait emportés lors de leur départ du pays natal.

Les images de meurtre, de sang répandu, de violence aveugle la submergèrent de nouveau. Elle s'empara du couteau dont la lame était la plus grande et le bout, bien pointu, en imaginant qu'elle le plantait dans le cœur de Thomas, ce cœur qui n'avait jamais battu assez fort pour elle.

— C'est l'autre, qu'il aime, j'avais raison, Rosalie avait raison. Ils se sont bien fichus de moi, comme de tout le monde, marmonna-t-elle.

La douleur revint encore, puissante, impérieuse. Jolenta lâcha le couteau et s'engagea d'un pas hésitant dans l'escalier, résolue à s'allonger dans la chambre. Là aussi le décor semblait refait à neuf : les murs avaient été peints en vert clair, l'armoire avait été encaustiquée et un superbe édredon en satin rouge couvrait le lit.

— Oh, j'ai mal, j'ai mal! se lamenta-t-elle, une fois étendue. Mon Dieu, je n'en veux plus, de ce bébé, je ne pourrai pas l'aimer. Il est celui d'un parjure, d'un traître. Pitié, ayez pitié Seigneur.

Elle se signa plusieurs fois, en essayant de réciter le *Je vous salue Marie*. Elle s'abîma dans la prière avant de trouver une sonorité particulière aux mots *le fruit de vos entrailles.*

Alors, elle se redressa, furieuse, les joues rouges et le regard brillant puis se balança en répétant :

— Le fruit de mes entrailles est souillé! Ce sera un enfant sans père, un enfant renié.

Elle s'agita et remua les lèvres pour dire le *Notre Père*, mais un besoin forcené de pousser, de se cambrer et de se tordre lui ôta une partie de sa lucidité. Sans s'en rendre bien compte, elle releva sa jupe en satin chamarré et ôta sa culotte en coton.

Son corps se disloquait. On l'écartelait, on la broyait, elle allait mourir. Deux fois, elle hurla comme une bête agonisante, dominée par le travail rapide de son bassin qui ne lui laissait plus aucun répit.

— *Mamo, mamo, pomoz mi*, gémissait-elle.

Enfin quelque chose de dur, de froid et de visqueux glissa entre ses cuisses. Comprenant que le bébé était sorti, Jolenta guetta son premier cri, virulent ou bien plaintif, un cri qu'elle avait déjà entendu quelquefois lorsqu'une femme venait d'accoucher, dans un des corons. Mais il n'y eut rien, que le silence et l'obscurité de la chambre.

Elle se souvint de la table de chevet sur laquelle Stanislas disposait un bougeoir et une boîte d'allumettes. Tout était à sa place et elle put faire de la lumière. Le nouveau-né gisait sur l'édredon, au centre d'une tache d'humidité. Il était bleu et raide. Son minuscule visage était figé dans une grimace affreuse. Sa bouche était entrouverte et ses paupières, plissées.

La haine, la rancœur et le mépris que Jolenta avait éprouvés pour l'enfant à naître, deux heures auparavant, s'évanouirent, balayés par l'épouvantable évidence : le bébé, un garçon d'aspect chétif, était mort.

— Marek, mon petit Marek, *moja mala*[15]. Mon fils, je t'ai tué, toi, un innocent, un pauvre innocent, dit-elle en sanglotant. Marek, c'est joli, ce prénom! C'est celui de ton grand-père, le père de ma mère, là-bas, chez nous. Tu t'appelles Marek, mon bébé.

Les yeux écarquillés par la stupeur et l'effroi, Jolenta observait le cadavre sans oser le toucher. Elle se revoyait en train de cogner sur son ventre dans le hangar à paille.

— J'ai couru et je me suis frappée. Je t'ai pris ta vie!

---

15. *Mon tout petit*, en polonais

Elle continua à le plaindre, à confesser sa honte et ses remords, mais une crampe soudaine la fit crier. La sage-femme avait pris la peine de lui expliquer le déroulement d'un accouchement; Honorine et Rosalie avaient ajouté le récit de leurs propres expériences. Jolenta comprit qu'elle allait expulser le placenta et elle poussa un peu, en appui sur ses coudes. Une masse sanglante reliée au bébé par le cordon d'un bleu verdâtre s'échappa de son intimité et macula le satin rouge.

— Mon Dieu, pardonnez-moi, gémit-elle. Je ne voulais pas qu'il meure, mon petit Marek. Je ne savais plus ce que je disais. Je l'aurais emmené partout. Il n'était qu'à moi, lui.

Croyante et pratiquante, Jolenta se débattait, affolée au sein de ses terreurs sacrées. Tantôt elle implorait la miséricorde divine, tantôt elle suppliait la Vierge Marie de la faire mourir. L'instant d'après, elle pensait courir chercher le père Jean pour baptiser son fils. Enfin, elle se leva et actionna l'interrupteur. L'ampoule du plafonnier grésilla et jeta une clarté à la fois crue et lugubre sur le lit souillé et le bébé inerte.

— Non, non, ce n'est pas ma faute, balbutia-t-elle. Ils l'ont tué, Isaure l'a tué… Rosalie disait la vérité à propos du landau. Voilà, il m'a porté malheur.

Elle regarda une dernière fois l'enfant, puis elle ouvrit l'armoire et déplia une taie d'oreiller dont elle le recouvrit. Du sang coulait le long de ses jambes. Elle passa dans le cabinet de toilette, enleva la jupe de sa mère ainsi que ses bas et se lava à l'eau froide. Une énergie nerveuse la maintenait debout. Elle s'estimait capable de courir jusqu'à l'église.

L'esprit uniquement préoccupé par la nécessité de trouver le prêtre et de le ramener, elle s'équipa de son mieux à l'aide d'une serviette de toilette et d'un caleçon de son père, à qui elle emprunta aussi un pantalon en velours trois fois trop grand. Agacée, elle utilisa sa cravate du dimanche pour s'en faire une ceinture.

Une fois prête, elle descendit prudemment l'escalier. Une terrible envie de vomir lui tordait les entrailles. Ses jambes la soutenaient à peine, tant elle était faible.

— Courage, s'exhorta-t-elle. Du courage, pour Marek! Le curé, vite, vite…

Coron de la Haute Terrasse, Faymoreau, même heure

Persuadé que Jolenta était couchée, Thomas n'avait pas eu envie de se retrouver seul dans leur cuisine ni de la rejoindre. L'air nocturne était tiède. Il s'assit sur le perron et se roula une cigarette. S'il admettait qu'il s'était bien amusé au début du repas et pendant les danses, il regrettait d'avoir un peu trop bu. « Oui, ça n'arrange rien d'être ivre, de rire, de croire que la vie est belle! » se dit-il à lui-même.

Il était las, irrité et nerveux, confronté à une autre facette de sa personnalité dont il avait honte. Lui qui, jadis, était épris de simplicité et soucieux d'être droit et honnête, il se comportait d'une manière qui le révulsait. « Pourquoi n'ai-je pas pu m'empêcher d'embrasser Isaure? Au fond, Jérôme a raison, je la torture et ça date de longtemps, puisqu'elle m'aimait déjà, fillette. Quand je suis revenu de la guerre, elle avait l'âge d'espérer le même amour de ma part, mais il y avait Jolenta. Bon sang, je n'y comprends rien. Je croyais l'aimer, Jolenta. Elle était l'idéal féminin à mes yeux, toute rose et blonde, pieuse, timide et si jolie! Pourtant, je ne l'ai pas respectée. Je l'ai voulue, fou de désir, et elle m'a cédé. »

Après un soupir d'exaspération, Thomas passa ses deux mains dans ses cheveux et se frotta le crâne afin de dissiper un début de migraine.

— Je ne sais plus où j'en suis, murmura-t-il.

Il avait naïvement pensé que son chemin était tout

tracé. Jolenta portait l'enfant qu'ils avaient conçu dans les chaleurs de l'été, sous un arbre. Ils se mariaient et connaissaient l'existence des autres couples du coron, lui à la mine, elle dans sa cuisine et dans le petit jardin potager, veillant aux soins du ménage. « Mais il y a eu le coup de grisou, la mort de notre porion, de ce brave Passe-Trouille et du vieux Chauve-Souris. Et il y a eu Pierre, la jambe coincée sous un rocher, le piège où nous pouvions mourir de faim et de soif tous les deux. »

Il s'efforçait de réfléchir pour découvrir la faille, l'instant fatidique où Isaure lui était apparue sous des traits différents, ceux d'une femme d'une beauté fascinante, et non plus ceux de la petite sœur qu'il protégeait et choyait dans la mesure de ses moyens. « Isaure faisait partie de moi. Je lui écrivais chaque semaine quand elle était pensionnaire à l'École normale et je cherchais à la rencontrer quand je la savais de retour ici. Maintenant, j'ai commis l'irréparable, j'ai trompé Jolenta, mais ce ne serait peut-être pas si grave sans l'amour que je ressens pour Isaure. Même là, j'ai envie de courir la rejoindre, d'écouter sa voix, d'effleurer sa main et ses lèvres. »

Accablé, il écrasa sa cigarette et entra chez lui. La table était en désordre; il y traînait des verres sales et une assiette garnie de pelures de pomme. Il eut l'impression de se trouver dans un lieu désert, vide de présence humaine. Pris d'un doute, il grimpa à l'étage. Le lit n'était pas défait et Jolenta n'était pas là.

— Nom d'un chien! jura-t-il, plus agacé qu'inquiet. Quand même, elle n'était pas au bord de l'étang, je l'aurais vue avant de partir.

Il descendit et alla regarder dans le jardin, puis il sortit et courut jusqu'à la fenêtre de Rosalie, encore éclairée. La voisine, qui buvait une chicorée, l'aperçut derrière la vitre. Elle se rua dehors.

— Thomas? Rien de grave? Hier, Jolenta avait souvent des crampes au ventre. Je lui ai dit de se méfier.

Le regard froid du jeune mineur l'arrêta net.

— Jolenta n'est pas à la maison. J'étais sûr qu'elle dormait. Non, elle a dû s'attarder chez quelqu'un.

— Pas chez moi, en tout cas. Et, comme je n'étais pas de la noce, je ne peux pas te renseigner, ronchonna Rosalie.

L'écho de leurs voix, l'une aiguë, l'autre grave et familière, parvint à Honorine, qui ne dormait pas encore. Elle se leva et descendit sans bruit ouvrir sa porte.

— Thomas, appela-t-elle, que se passe-t-il? Le bébé?

Il entraîna sa mère à l'intérieur. Elle alluma la lumière et le dévisagea avec anxiété.

— Mon Dieu, ne me dis pas que ta femme accouche. C'est prévu pour la fin de mai!

— Non, maman, n'aie pas peur. Mais Jolenta n'est pas chez nous. Je me disais qu'elle était peut-être là, avec papa et toi, endormie dans mon ancienne chambre. On m'a dit qu'elle était partie avec vous dans la camionnette de Grandieu.

— Ah, ça non, Thomas, je peux te l'assurer. Je voulais lui proposer de rentrer, mais je ne l'ai pas trouvée. Et si ta femme s'était reposée dans notre cabane, sur la couchette? Peut-être qu'elle dort là-bas et que personne ne s'en est aperçu. Ou alors Jérôme et elle ont raccompagné Christine.

Ces suggestions apaisèrent les craintes de Thomas. Il se pencha sur sa mère et l'embrassa.

— Bon, j'y retourne. Les plus jeunes sont restés près des feux. Je m'affole pour rien, sans doute. Jolenta surveille peut-être son frère, qu'une jolie brune embobinait.

— Eh bien, vous n'êtes pas couchés, blagua sa mère.

*

À peine engagé sur le chemin de l'étang, Thomas perçut des rires et des éclats de voix. Bientôt, il distingua trois silhouettes qui se rapprochaient, chacune brandissant un lampion allumé. Il pressa le pas, certain d'avoir reconnu la démarche moins ferme de son beau-frère.

— Ohé! cria-t-il. Pierrot, sais-tu où est Jolenta?

— Au lit depuis belle lurette, répondit une fille.

— Plaisante pas, lui reprocha Pierre en articulant péniblement. S'il la cherche, ça veut dire qu'elle n'y est pas, au lit.

De plus en plus anxieux, Thomas débola sur le groupe. Il vit tout de suite que Pierre avait bu et il s'emporta.

— Tu es dans le coup, Patrice, gronda-t-il en pointant l'index en direction du galibot. Et vous, mademoiselle Alzire, si vos parents savaient que vous traînez encore dehors à cette heure-ci, ils seraient sûrement mécontents.

— Mes parents ronflent dans une chambre du café de la Poste et ils ne sauront pas que je suis rentrée tard, môssieur Marot, pouffa la jeune fille. Les pauvres, ils ont fait l'aller et le retour de Vouvant à Faymoreau pour conduire les mariés à leur nuit de noces! Hein, Patrice, ils ne doivent pas s'ennuyer, les mariés?

Patrice s'esclaffa en titubant. Furibond, Thomas empoigna Pierre par le coude et le tint fermement.

— Faites ce que vous voulez, tous les deux, je ramène Pierre chez lui. Tu me déçois, Patrice.

— J'suis désolé, bredouilla le garçon. On a sifflé des fonds de bouteille. C'est pas tous les jours la fête!

Pierre Ambrozy se laissa entraîner sans discuter. Il avait pu embrasser Alzire sur les lèvres et c'était un événement pour lui.

— Comme ça, tu n'sais pas où est ma sœur, demanda-t-il à l'entrée du village, les idées plus claires.

— Peut-être qu'elle est rentrée à la maison pendant que je la cherchais. Tant mieux, ça m'a obligé à revenir vers l'étang, et je suis content de te mettre au lit, Pierrot. Méfie-toi de la boisson; on se sent léger, audacieux et malin; le quotidien paraît triste. À la première occasion, on boit encore, et souvent on finit mal, à ce rythme.

— D'accord, j'suis d'accord, bafouilla l'adolescent. Mais, si j'avais pas bu un petit coup, j'aurais pas donné un baiser à Alzire, la jolie Alzire, un baiser sur la bouche, beau-frère.

— Ben voyons! se moqua Thomas.

Ils étaient arrivés. Le coron de la Basse Terrasse semblait endormi. Les logements construits au flanc d'une pente douce ne laissaient voir que leurs façades étroites.

— Tiens, y a de la lumière chez papa, constata Pierre en montrant du doigt la fenêtre de l'étage.

— Stanislas aura oublié d'éteindre en se préparant, à midi.

— J'n'crois pas. Je suis sorti le dernier. Il faisait soleil. On n'a pas allumé là-haut.

Thomas respira mieux. Jolenta avait pu venir se reposer chez son père et, dans quelques secondes, il la verrait allongée sur le divan du rez-de-chaussée. Pressé de vérifier et d'être enfin rassuré, il tourna la poignée.

— Flûte, c'est fermé, pesta-t-il.

— Prends la clef sous le paillasson, lui dit Pierre.

— Elle n'y est pas! Malin!

Ils cherchèrent en vain jusqu'à ce que Thomas s'aperçoive que la clef était dans la serrure, à l'intérieur. Il tambourina, au risque de déranger les voisins.

— Tant pis si je réveille le monde, il y a quelque chose qui cloche, marmonna-t-il.

Au bout de deux ou trois minutes, l'épouse d'Henrik ouvrit sa fenêtre et les apostropha.

— Il ne faut pas faire de raffut, dites, il est tard! Ah, c'est toi, Piotr! Tu es avec Thomas Marot. Vous devriez entrer. Je ne sais pas qui s'est installé à côté, mais j'ai entendu des cris, de drôles de cris.

Excédé, Thomas enfonça la porte d'un coup d'épaule. Il se rua dans la pièce où il faisait sombre et buta immédiatement sur un corps gisant par terre. Pierre actionna l'interrupteur et vit sa sœur couchée sur le côté, un bras sous sa tête, accoutrée de façon insolite. Il reconnut un pantalon de son père.

— Jolenta, mon Dieu, gémit-il. Elle n'est pas morte, dis?

— Non, elle dort, mais le bébé! Elle a eu le bébé, s'écria Thomas qui écoutait la respiration de sa femme. Regarde, son ventre, il est beaucoup moins gros. Jolenta, ma chérie, je suis là, réveille-toi. Pierre, parle-lui. Surveille-la, je monte.

Un épouvantable pressentiment lui déchirait le cœur. D'abord, dans la chambre, il ne vit qu'un tissu blanc au milieu du lit et il faillit redescendre, mais, alarmé par une odeur écœurante, il souleva la taie d'oreiller.

— Oh! non, non, il est mort! dit-il tout bas, horrifié.

Il dévala l'escalier. Des questions se pressaient sur ses lèvres. Il trouva Jolenta assise sur une chaise, qui lui tournait le dos.

— Ma pauvre chérie, tu étais seule? Raconte! Tu m'avais fait un beau petit garçon, débita-t-il, les mains tendues vers elle.

— N'approche pas! glapit Jolenta. Reste où tu es, parjure, menteur, mauvais père, mauvais époux. J'ai envoyé Piotr chercher le curé et le docteur.

— Mais, Jolenta, allons, c'est moi, Thomas. Je suis tellement désolé!

Malgré son besoin de savoir, d'obtenir des explications, il n'osait plus bouger, impressionné par la voix dure et haineuse de sa femme. Il songea qu'elle avait subi un choc atroce et qu'elle lui en voulait d'avoir été absent pendant qu'elle était dans les douleurs.

— Surtout, n'essaie pas de me toucher, car je pourrais te tuer et je ne veux pas finir en prison. Tu vas m'écouter. J'ai envie de te cogner, de hurler, de te griffer, mais Piotr comprendrait ce que tu as fait. Papa aussi. Je ne veux pas qu'ils sachent la vérité sur toi, ils seraient trop malheureux. Rien que pour eux, je ne ferai pas de scandale.

Un doute effroyable s'insinua dans son esprit. Il recula comme pour échapper à ce qui s'apprêtait à fondre sur lui et à le ravager.

— Mon petit Marek est mort. Nous l'avons tué, toi, moi, et ta précieuse Isauline. Je vous ai vus, ce soir, au bord de l'étang. J'étais là, dans le noir, derrière le cabanon. Au début, j'étais contente. Tu la sermonnais, cette chatte en chaleur, cette gueuse, et puis tu as dit ces choses... Moi, ton épouse devant Dieu à qui tu as juré ta foi, je ne suis pas indispensable ni précieuse, hein! Je ne suis pas comme elle!

— Oh! Seigneur, Jolenta, tu étais là?

Thomas n'eut pas une seconde l'idée de nier, de se défendre ou de lui affirmer qu'elle faisait erreur. Il se souvenait trop bien de ses paroles, de son élan passionné vers Isaure et de leur baiser.

— C'est presque amusant, ajouta Jolenta. J'avais tout à fait raison d'être jalouse d'elle et de la détester. J'avais raison et tu disais que non. Tu me grondais, même, parce que j'étais jalouse pour rien! Je le sentais, qu'elle était ma rivale, dans ta façon de dire son prénom ou de la regarder.

— Pardonne-moi, ma chérie. Si nous en discutions,

nous y verrions plus clair. Je suis coupable, oui, mais nous partirons. Nous aurons un autre enfant, toi et moi.

Des larmes de détresse embuaient les yeux de Thomas, rivés sur le dos de Jolenta. Il éprouvait une profonde compassion pour elle et la seule vue de ses nattes dorées sur le noir de son corselet brodé lui donnait envie de réparer le gâchis qu'il avait causé.

— Je ne te pardonnerai jamais, cracha-t-elle d'une voix haut perchée. Comment tu peux penser vivre avec moi, coucher avec moi? Tu en aimes une autre. Tu m'as trahie. Pas seulement mon corps, non, mon cœur aussi.

— Jolenta, je ne voulais pas te faire autant de peine ni te trahir, non, crois-moi.

Elle haussa les épaules et reprit d'un ton froid:

— Sors de la maison de mon père, tant que je suis calme. Et ne m'appelle pas «ma chérie». Garde ça pour l'autre. Moi, j'ai promis à Dieu de ne plus te regarder, de ne plus prononcer ton nom. Va-t'en vite, sinon je vais me retourner et te voir, et là, je vais prendre un couteau pour te tuer. Sors! Je saurai quoi dire à mon frère et à mon père. Elle aussi, j'ai envie de la tuer. Sors d'ici avant que le père Jean arrive, et le docteur.

Thomas sortit. Il s'en alla terrassé, hagard, mais la volonté de son épouse était implacable, il n'y avait pas à s'y méprendre. Il marcha longtemps à travers les champs humides de rosée, le long du bois de châtaigniers et de vieux chênes où il se promenait avec Isaure avant la guerre. Il marcha jusqu'à l'aube, insensible au froid de la nuit et à la fatigue.

Sans cesse, l'image du bébé bleu et raide posé sur l'édredon rouge le poussait en avant, le plus loin possible du coron de la Basse Terrasse, le plus loin possible de Faymoreau.

Faymoreau, le lendemain, dimanche 1ᵉʳ mai 1921,
sept heures du matin

Isaure s'était endormie dans le grand salon des Aubignac, sur la méridienne où elle avait souvent vu Olympe se prélasser, un livre entre les mains.

Le chien, jusqu'alors couché au pied du meuble, la réveilla en grognant. Les volets étaient restés ouverts et les rideaux n'avaient pas été tirés. Un jour gris éclairait la pièce. Elle vit un homme derrière une des portes vitrées. Il frappait à l'un des carreaux, ce qui rendait Riton menaçant.

Surprise d'avoir passé la nuit au rez-de-chaussée sans même ôter ses chaussures, elle regarda mieux le visiteur.

— Thomas?

Encore somnolente, elle peinait à le reconnaître, avec ses cheveux assombris par l'humidité et son visage blafard au masque tragique. Dès qu'il la vit se redresser, il toqua plus fort, un rictus de désespoir sur les lèvres, sans même l'appeler.

— J'arrive, cria-t-elle en se ruant dans le vestibule pour lui ouvrir la porte principale.

Il entra en vacillant sur ses jambes. Isaure remarqua l'état déplorable de son costume, les bas de pantalon maculés de boue, la veste déchirée à l'épaule. Une brindille couverte de lichens était accrochée au-dessus de son front, vestige de sa nuit à courir les bois.

— Mais d'où viens-tu? demanda-t-elle, ahurie. Est-ce que tu as continué à boire, hier soir?

— Non, je n'ai pas dormi.

— Je vais faire du café. Thomas, qu'est-ce qui se passe?

Il respira à fond tout en évitant de la regarder.

— Je suis venu ici parce que je ne savais pas où me réfugier. Je devais te prévenir, aussi. Je n'avais pas le courage d'affronter mes parents, ni Pierre ni personne, sauf toi, Isaure. Je me sens perdu.

Elle le conduisit à la cuisine où elle utilisa un réchaud à alcool pour faire bouillir de l'eau, le gros fourneau en fonte noire étant éteint en l'absence de Germaine. Le café fut vite prêt. Elle en remplit deux tasses.

— As-tu faim, Thomas? Il y a des biscuits et du cake aux raisins.

— Non, merci, je n'ai pas faim.

Elle l'observa et lui trouva une expression égarée, comme s'il venait d'assister à un spectacle abominable.

— Si tu me disais ce qui t'arrive, au lieu de rester là à exhiber cet air désespéré?

— Je suis désespéré, justement, marmonna-t-il.

Il prit place sur une chaise et, tête basse, relata toute l'histoire d'une voix rauque, en courtes phrases saccadées. Il fixait un point invisible dans l'espace en nouant et dénouant nerveusement ses mains.

Quand il raconta sa découverte du bébé mort sur le lit, Isaure dut s'asseoir à son tour, épouvantée.

— Jolenta ne veut plus me voir ni prononcer mon nom. Elle tiendra parole, j'en suis persuadé. Elle était froide et pleine de haine. Je ne sais même pas ce qu'est devenu le corps de l'enfant ni si elle va bien.

— Le père Jean a dû faire le nécessaire pour le bébé, tu peux en être sûr, murmura Isaure. Puisque le docteur devait venir, il aura examiné Jolenta. Ne crains rien.

Thomas se décida à boire une gorgée de café. Il jeta ensuite un coup d'œil autour de lui.

— Je me sens à l'abri, ici, avec toi, avoua-t-il. J'ai marché toute la nuit. Je suis revenu vers le village à l'aube, mais je me sentais tellement coupable que je ne pouvais pas rentrer chez moi. D'abord, j'ai frappé à la porte du pavillon. Je l'ai même ouverte, mais tu n'étais pas là. Il fallait que je te parle. J'ai traversé le parc et je t'ai vue par la porte-fenêtre, endormie.

— J'avais du chagrin, hier soir, beaucoup de chagrin. Je n'ai pas eu le courage de me coucher dans une des chambres, encore moins dans le pavillon. Tu as eu raison de venir. Ce désastre me concerne, moi la première. Thomas, je suis tellement désolée. La vraie coupable, c'est moi. Pourquoi étais-je là-bas à vous épier depuis ce cabanon? Rien ne serait arrivé si j'étais restée ici.

— Isaure, ça ne sert à rien de peser la responsabilité des uns et des autres. On pourrait accuser mon beau-père parce qu'il n'a pas voulu t'inviter à son mariage, ou Pierre qui m'a dit d'aller te chercher après t'avoir vue par hasard. Le mal est fait. Jolenta sait que je t'aime et ça, elle ne me le pardonnera pas.

— Elle doit te pardonner, s'écria Isaure. Ce ne sont que des mots, après tout. Dis-lui que tu étais ivre, jure-lui que tu l'aimes bien davantage. Vous deviez partir, et moi aussi. C'était un adieu, notre baiser. Jolenta peut le comprendre.

Isaure essuya les larmes qui coulaient sur ses joues au fur et à mesure qu'elle parlait.

— Je ne ferai pas ça, répondit-il gravement. Je lui ai assez menti. Jolenta est orgueilleuse et elle se sent humiliée. Elle est prête à me tuer et à te tuer aussi.

— Ce sont des mots qu'on dit quand on est en colère.

— Marcel Aubignac ne s'est pas contenté de mots, quand la jalousie l'a rendu fou, soupira-t-il.

Désarmée, Isaure approuva en silence. Elle se leva et s'éloigna de lui pour éviter de le toucher. Le drame qui s'était joué durant la nuit dressait une barrière entre eux. Elle songeait surtout à la douleur de Jolenta et au chagrin de Thomas. Ils avaient perdu leur enfant, un petit garçon.

— Tu devrais rendre visite au père Jean, suggéra-t-elle d'un ton sérieux. Il pourra te renseigner sur la santé de ta femme et te réconforter.

Thomas hocha la tête en guise de réponse. Il avait le teint blême et les traits marqués. Isaure se demanda si elle reverrait un jour son grand sourire lumineux.

— Et, après la visite au prêtre, que dois-je faire? dit-il à mi-voix. Qu'est-ce que je raconte à mes parents et à Stanislas?

Il s'accouda à la table et cacha son visage entre ses mains. Isaure sut qu'il pleurait à son tour, mais elle n'osa pas s'approcher. Il la regarda enfin. Ses yeux avaient perdu leur éclat.

— Je suis fatigué, avoua-t-il. Fatigué de tout. Et ça date de mon retour à Faymoreau, après la guerre. J'ai vu tant de morts, tant d'abominations. Rien ne s'efface de la mémoire, le bruit des fusils, le fracas des obus, les hurlements de souffrance… Je fais encore des cauchemars.

— Je m'en doute, Armand aussi. Mais vous êtes vivants, tous les deux, vous avez le droit d'être heureux.

— Je pensais l'être en épousant Jolenta, même si je n'ai pas eu le choix. Elle était désespérée en s'apercevant qu'elle était enceinte. Elle avait peur de son père, peur de la honte, peur du déshonneur. Je lui ai tout de suite promis le mariage. J'étais sincèrement amoureux. Je voyais notre avenir paisible, je voulais être le meilleur mari pour elle, mais rester ton ami, ton grand frère. Voilà où nous en sommes. Bon sang, qu'est-ce que j'ai en moi de malsain, de tordu?

— Mais rien, Thomas, rien du tout, protesta Isaure.

— Ah oui? Alors, explique-moi pourquoi j'ai ressenti une telle jalousie, une telle peine, quand tu m'as dit pour Justin et toi. Mon Isauline avait couché avec un homme et elle en était fière, en plus. Plus tard, j'apprends que tu vas te marier et je cours chez toi pour te prendre, pour te faire mienne. Pourtant, tu t'es défendue, au début, mais je m'en fichais, je te voulais. Je me fais horreur!

Secouée de frissons, le cœur déchiré par la douleur morale de Thomas, Isaure luttait contre l'envie de le rejoindre, de l'enlacer, d'apaiser sa peine en le berçant sur sa poitrine. Mais le poids de leur faute commune vis-à-vis de Jolenta la clouait sur place.

— Bien! Nous pourrions causer des heures que ça ne changerait pas le cours des choses, déclara-t-il. Je vais au presbytère. Ensuite, je rentrerai à la maison.

— Il faut que tu dormes un peu, une fois chez toi. Jolenta t'a dit qu'elle tenait à éviter le scandale. Alors, de ton côté, respecte son souhait. Si tes parents t'interrogent, réponds que le bébé était mort et que vous êtes tous les deux bouleversés. Ils comprendront.

— Je ferai comme ça, mais après? Crois-tu que nous allons reprendre la vie commune? Divorcer? Pour les Ambrozy, le divorce n'existe pas. Ils sont très croyants. Je vais devenir fou. Je n'en peux plus.

Il lui adressa un dernier regard pathétique, puis il quitta la cuisine, traversa le vestibule à grands pas et se rua dans le parc. Elle ne l'avait pas suivi. «Mon Dieu, protégez-le, aidez-le. J'ai causé son malheur, punissez-moi!»

Elle pria longtemps, debout près du vaisselier, dans ses habits noirs de veuve. Pas un instant elle n'aurait imaginé que Thomas avait résisté au besoin lancinant de la serrer dans ses bras. Victime des mêmes remords qu'elle, il s'était enfui.

Chez Stanislas Ambrozy, même jour, midi

Pierre tendit à sa sœur un bol de lait chaud. Il l'avait installée confortablement sur le divan où il couchait, dans un coin de la cuisine. Deux oreillers et un coussin lui calaient le dos. Elle avait remonté sur sa poitrine les couvertures les plus chaudes de la maison.

— Jolenta, je suis très triste pour toi, murmura-t-il.

— Maintenant, je me sens bien, mon Piotr. Je vais dormir après avoir bu mon lait. Le docteur l'a dit, je dois me reposer. Tu ne laisses entrer personne, ni mes beaux-parents ni les voisines, à cause du bébé. Je ne veux pas qu'on me plaigne, ça me ferait trop de chagrin.

— Thomas peut venir te voir, quand même? Il ne va pas tarder, sans doute.

— Lui non plus, je n'ai pas envie de le voir. Ne fais pas cette tête, Piotr, ça ira mieux dans deux ou trois jours. Promets-moi de toujours fermer à clef et de renvoyer les gens.

Elle lui fit un sourire conciliant et but le lait. Il lui prit le bol des mains. Déjà, elle fermait les yeux en respirant doucement.

— Je te le promets. Mais papa sera là ce soir. Lui, il pourra te rendre visite?

— Oui, papa, mais pas sa femme.

L'adolescent poussa un gros soupir inquiet. Il craignait pour la santé mentale de sa sœur.

— Les gens vont croire que tu es devenue folle, dit-il tout bas.

— Je ne suis pas folle, chuchota-t-elle sans rouvrir les yeux. Tu as entendu le docteur Gramont, j'ai subi un choc très grave. Je dois éviter les émotions fortes.

— Je sais, et je ferai ce que tu demandes, répondit Pierre.

— Mon petit Piotr, sois tranquille, je vais guérir. J'ai eu de la chance, je n'ai pas fait d'hémorragie. En plus, le docteur m'a un peu consolée en me disant que le bébé était déjà mort depuis un ou deux jours dans mon ventre. Je croyais que c'était ma faute, parce que j'avais beaucoup marché et que j'ai accouché sans l'aide de la sage-femme.

Jolenta se revit en train de se frapper violemment sur le ventre. Elle était soulagée, surtout, de ne pas avoir causé le décès de son enfant. Elle cligna les paupières et poussa une légère plainte comme si elle allait pleurer, mais ses traits s'apaisèrent aussitôt. Somnolente, elle chantonnait dans sa tête, en polonais, la berceuse que sa mère lui fredonnait pour l'endormir.

*

Stanislas Ambrozy fut de retour à Faymoreau à cinq heures du soir. Le père Jean avait pris sur lui de téléphoner à l'auberge de Vouvant en début d'après-midi afin d'avertir le Polonais de l'issue fatale de l'accouchement.

— J'ai reçu votre gendre ce matin, monsieur Ambrozy, avait-il précisé. Ce pauvre Thomas est dans un état pitoyable. Jolenta a fait preuve de courage, mais, selon le docteur, elle est perturbée.

Gisèle, la gouvernante du prêtre, la première informée au cours de la nuit, avait répandu la mauvaise nouvelle à la fin de la messe sur le parvis de l'église. Effondrée autant qu'affolée, Honorine s'était mise en quête de son fils. Elle avait trouvé Thomas endormi chez lui et avait pleuré contre son épaule.

Au fil des heures, tout Faymoreau, en émoi, discutait de la tragédie. On savait aussi que la malheureuse Jolenta refusait la moindre visite.

En voyant son père sur le pas de la porte, Pierre fondit en larmes.

— Papa, tu es là, heureusement, dit-il entre deux sanglots. Ne la contrarie pas, surtout. Elle a dormi quelques heures. Maintenant, elle chante tout bas en polonais. Occupe-toi bien d'elle. Moi, je vais voir Thomas.

Très ému, Stanislas entra et s'assit près du divan. Jolenta tendit une main vers lui. Il s'en empara et y déposa un baiser en contemplant sa fille avec une immense tendresse.

— Ah! que je suis contente, papa! J'avais besoin de te voir.

— Dieu m'est témoin que j'ai fait aussi vite que j'ai pu pour venir. La pauvre Maria pense très fort à toi. Elle ne m'a pas accompagné pour nous laisser en tête-à-tête. Jolenta, si tu en as le courage, tu dois me raconter comment ce malheur est arrivé. Le curé ne m'a pas donné de détails. Et où est Thomas? Il devrait être à tes côtés, dans une épreuve pareille.

Jolenta fit non de la tête avec véhémence. Elle avait eu le temps d'élaborer un plan solide, destiné à empêcher Isaure et Thomas de s'aimer librement. C'était le moment crucial dont dépendaient à la fois sa survie et sa raison. Elle fixa son père, soucieuse de le convaincre tout en le dupant.

— Je voulais être seule, dit-elle. Un mari, ça vous rend faible. Ça s'intéresse à des détails qui font honte. Les autres gens aussi. Je refuse de les entendre parler de mon bébé. Il sera enterré demain. Le père Jean lui a donné les sacrements, à mon petit Marek. Tu iras au cimetière avec Pierre, papa. Moi, je suis très faible et je ferai la folle, si je vois le cercueil et le trou dans la terre.

— Personne ne te reprochera de rester couchée, ma fille. On comprendra, va. Mais pourquoi es-tu venue ici toute seule? Pourquoi tu n'as pas demandé de l'aide?

— J'avais envie de rentrer à pied. De marcher, ça soulage mes douleurs au dos. Il faisait si bon! En chemin, j'ai perdu les eaux, j'avais mal, très mal, et je me suis affolée. Je ne me souviens pas très bien, papa. Je voulais m'allonger et le coron de la Basse Terrasse m'a paru tout proche. En plus, ici, c'est ma maison, quand même. Je savais que mon mari était resté au bord de l'étang avec Pierre. Le bébé est venu très vite et j'ai vu qu'il était mort. Je n'avais plus qu'une idée, prévenir le curé, mais je me suis évanouie. Mon frère te racontera la suite, je n'ai pas envie d'en parler encore.

— Bien, bien, excuse-moi.

Stanislas étreignit les doigts de sa fille. Il éprouvait un certain malaise, prenant conscience qu'il s'adonnait aux plaisirs de l'amour avec Maria pendant que Jolenta se débattait dans un véritable cauchemar. Il en conçut une sorte de honte.

— Papa, il y a quelque chose d'important que je veux te dire. Je n'en pouvais plus de t'attendre à cause de ça. Tu te souviens comme j'étais triste quand nous avons quitté la Pologne, un mois après les obsèques de maman? Moi, j'aurais préféré rester là-bas, chez mes grands-parents ou chez l'oncle Tadeusz avec mes cousines. Tu m'as fait une promesse, à ce moment-là.

Il fronça les sourcils, un peu inquiet, car il n'avait rien oublié et il soupçonnait ce qu'allait exiger Jolenta.

— Je t'ai promis d'économiser l'argent de ton billet de retour si tu étais trop malheureuse en France. Je l'ai fait, j'ai même mis de côté plus que la somme nécessaire. Mais tu n'as pas dans l'idée de retourner en Pologne, quand même! Tu es mariée. Tu es française, à présent. Vous avez perdu un bébé, mais vous aurez bientôt un autre enfant, Thomas et toi.

— Papa, implora Jolenta, j'ai besoin de revoir notre famille, les bois de bouleaux en été, le fleuve argenté, ma grand-mère, tous ceux que j'aimais tant. Je reviendrai à l'automne. Mon mari sera d'accord, si c'est pour ma santé. J'irai sur la tombe de maman lui porter des fleurs. C'est pour moi le seul moyen d'oublier mon bébé tout bleu, tout froid. En plus, ma belle-mère est enceinte. Tu le sais, ça. Si je vois son ventre grossir, si elle met au monde un bel enfant au mois d'août, je vais souffrir le martyre. Papa, tu ne peux pas m'empêcher de faire ce voyage.

Un lent travail de réflexion s'opérait dans l'esprit de Stanislas. Il estimait la prière de sa fille plutôt légitime; il se réjouissait même à la perspective de la savoir auprès des siens, dans leur pays. Cependant, il trouvait anormal son soudain désintérêt à l'égard de Thomas.

— Je ne t'empêcherai pas de partir, Jolenta, mais, de laisser ton mari dans des circonstances aussi pénibles, ça me surprend de toi. Tu ne me caches rien?

Songeuse, la jeune femme tritura une de ses nattes. Elle décida d'atténuer la gravité de la situation tout en étant sincère à sa manière.

— J'ai besoin de m'éloigner d'ici, papa. Les hommes sont moins sensibles que les femmes, dans un domaine précis. Mon mari sera comme les autres. Il voudra bientôt me faire un autre bébé, tu l'as dit toi-même à l'instant. Moi, je n'ai pas envie de ça, d'être dans un lit et de satisfaire les besoins d'un époux. Il me faut du temps avant d'accepter ce genre de choses.

Médusé, Stanislas se gratta la barbe.

— Allons, allons, tu dis des sottises, Jolenta. Que me chantes-tu, à la fin? Thomas et toi, vous étiez heureux, ensemble.

— Il me décevait parfois et je le décevais moi aussi. Je ne fais qu'y réfléchir depuis ce matin. Papa, c'est terrible à dire, mais je ne sais plus si j'aime mon mari.

— Quoi? aboya Stanislas.

— Mes sentiments sont différents d'avant, on dirait. Loin de lui, loin d'ici, j'aurai la réponse.

— Mon Dieu, Jolenta, Pierre disait vrai, tu n'es pas dans ton état normal. Mais, de voyager toute seule, ça me paraît trop risqué pour une femme.

— Je suis tout à fait normale, affirma-t-elle calmement. Le docteur revient demain matin. Tu en parleras avec lui. J'ai toute ma tête. Mais, si je ne retourne pas en Pologne, là, je deviendrai folle pour de bon.

— D'accord, tu partiras, petite, si ça peut t'aider à oublier ce que tu viens de vivre.

Les yeux fermés, Jolenta s'abandonna sur ses oreillers. L'étau qui broyait sa gorge et son cœur se relâcha. Elle avait gagné. Elle était sauvée.

22

Apaisement

Faymoreau, coron de la Haute Terrasse,
mercredi 4 mai 1921

Il faisait si bon qu'Honorine tricotait, assise près de la fenêtre entrouverte. Elle brassait de tristes pensées, encore remuée par l'enterrement, deux jours plus tôt, de son premier petit-fils mort-né. Si elle n'avait pas vu le corps de l'enfant, elle l'imaginait souvent et elle en tremblait de chagrin.

Elle comptait ses mailles lorsqu'une silhouette qui passait devant la maison lui fit de l'ombre un instant.

— Mais on dirait Jolenta!

Vite, elle posa son ouvrage et sortit. Le soleil frappait les façades claires du coron. On entendait des voix et des bruits de casseroles; les femmes s'affairaient à la bonne marche du ménage.

Sans bruit, Honorine entra dans la maison de son fils et de sa belle-fille, dont la porte était entrebâillée. Des pas résonnaient à l'étage, dans la chambre du jeune couple.

— Jolenta, c'est toi? appela-t-elle.

N'obtenant aucune réponse, elle gravit les marches avec détermination et découvrit Jolenta en train d'ouvrir une valise, véritable antiquité en placage de bois aux ferrures rouillées. Elle s'étonna de sa tenue, un pantalon de toile très court sûrement emprunté à son frère et la même blouse blanche que le jour de la noce de son père.

— Ah, je te vois enfin, ma pauvre petite! s'écria-t-elle. J'ai suivi les recommandations de ton frère. Je n'ai pas cherché à te voir, mais le temps me durait. Vous en faites, des mystères, chez les Ambrozy!

— C'est ça, grondez-moi comme si j'étais une gamine, rétorqua la jeune femme. Il n'y a pas de mystères, j'étais malade. Je n'avais pas envie d'entendre les gens se lamenter à mon chevet.

— Les gens, d'accord; mais ton mari? Et ta belle-mère? Nous ne sommes pas n'importe qui, quand même. Tu aurais été mieux dans ta chambre, ici, pour récupérer après la naissance. Je me serais occupée de toi. Thomas n'aurait pas été seul avec ses idées noires.

— J'étais très bien chez mon père, avec Piotr.

— Jolenta, je sais que tu as subi un choc grave, mais as-tu songé à Maria? Elle venait de se marier. Elle avait préparé la maison et, finalement, elle est retournée à Livernières en attendant que tu sois rétablie.

Comme si elle était seule dans la pièce, Jolenta prenait des vêtements dans l'armoire et les pliait dans la valise.

— Où comptes-tu aller?

— Je pars demain pour Paris et, de Paris, je prends un train pour Varsovie. Je vais passer l'été dans ma famille. Mes quatre grands-parents sont vivants. J'ai un oncle qui m'aime beaucoup et des cousines. Le docteur a conseillé un changement d'air. Papa est d'accord. Il m'a donné ses économies et j'ai les miennes, aussi.

Effarée, Honorine leva les bras au ciel. Jolenta lui décocha un regard méprisant.

— As-tu perdu l'esprit, ma pauvre enfant? soupira

sa belle-mère. Et Thomas qui n'est pas là! Il n'a pas pu te consoler, depuis dimanche. C'est un monde, ça! Tu l'as prévenu, au moins?

— Oui, Pierre s'en est chargé hier.

— Et moi, on ne me dit rien, évidemment.

— Vous pouvez me laisser finir mon bagage, madame? dit la jeune Polonaise d'un ton sec.

— Seigneur, voilà que tu m'appelles madame, à présent! Mais quelle mouche t'a piquée?

— J'ai perdu mon bébé, je suis malheureuse et je veux retourner dans mon pays.

Jolenta ne daigna pas préciser à quel point ses compatriotes en exil s'étaient exaltés en apprenant qu'elle faisait ce voyage. On avait confié à Stanislas des photographies, des lettres, de menues bricoles à offrir à un proche, que sa fille serait tenue de remettre à qui de droit, une fois à destination.

— Quand reviendras-tu?

— Dès que j'en aurai envie, dit-elle.

La réponse était équivoque. Jolenta le savait et s'en réjouissait. Sans doute qu'elle n'en aurait jamais envie.

— Tu n'as pas un caractère facile, mon Dieu, gémit Honorine. Je te plains de tout mon cœur, pour le bébé, mais est-ce une raison valable pour t'en aller aussi loin, en abandonnant ton mari qui t'aime et qui souffre de votre séparation?

Jolenta fit un effort surhumain pour ne pas hurler la vérité, insulter Thomas et accuser Isaure. Si elle devait partir après avoir révélé ce qui la faisait fuir, elle causerait du tort à son père et à son frère. Elle salirait leur nom. Le village entier se régalerait du scandale et, pire encore, Stanislas pourrait l'empêcher de monter dans le train, la privant d'un instant dont elle rêvait avec passion. Il y avait autre chose; si l'infidélité de son mari était connue de tous, il pourrait braver l'opinion publique et s'afficher avec Isaure.

— Il n'a pas besoin d'une femme aigrie qui ne ferait que pleurer et prier à l'église.

— Très bien, je m'en vais, Jolenta, mais j'en ai gros sur le cœur, je t'assure! Je n'ai encore jamais entendu parler d'une épouse sérieuse qui se conduirait ainsi, ça, jamais.

Protégée par l'armure de haine qu'elle s'était forgée en une nuit d'épouvante, Jolenta résista encore une fois. La flèche décochée par sa belle-mère ne la blessa pas.

— Je n'ai rien fait contre mon mari, répondit-elle cependant. Posez-lui la question.

Au bord des larmes, Honorine descendit l'escalier et se réfugia dans son jardin. Un rosier planté par Gustave arborait trois boutons de rose, ce qui l'apaisa. «Oh oui, j'interrogerai mon fils dès son retour du travail. Il aura intérêt à m'expliquer ce qui se passe.»

*

Thomas, lui, était confronté à l'humeur suspicieuse de son père, dans une étroite galerie du puits du Centre. Entre deux coups de pic contre la paroi, Gustave se tournait vers son fils et le scrutait d'un air méfiant, quand il ne lui posait pas une question abrupte sur la nuit du samedi au dimanche. Il n'obtenait que quelques mots marmonnés, toujours les mêmes.

— Fiche-moi la paix!

Claude Chaumont et Patrice, le galibot, étaient de leur équipe. Ils assistaient, gênés et taciturnes, aux prises de bec des Marot.

— Quand même, pourquoi ta femme refuse de te voir? Tu peux bien me causer, nom d'un chien!

— Papa, Jolenta a besoin d'être seule. C'est normal, il paraît, après ce qu'elle a vécu. J'ai croisé le docteur, hier soir, pendant que je faisais les cent pas devant Stanislas. C'est un jeune médecin. Il se base sur des théories modernes, sur la psychologie et, d'après lui, Jolenta souffre de troubles liés à l'accouchement d'un bébé mort-né. Autant te l'annoncer tout de suite, elle part en Pologne se refaire une santé.

— Seigneur Dieu, ta femme s'en va? s'égosilla Gustave.

Claude Chaumont et Patrice, qui remplissaient un panier de morceaux de houille, entendirent son exclamation.

— Et alors, elle en a bien le droit! scanda Thomas. Si tu l'avais bien regardée, samedi soir, dans la toilette de sa mère qui s'habillait comme ça les jours de fête, tu comprendrais comme son pays et sa famille lui manquent. Je n'ai rien d'autre à dire.

Son père n'osa pas insister. Il se promit d'en discuter avec Stanislas le soir même, à l'heure de la débauche.

École de Faymoreau, même jour

Isaure rangeait sa classe après le départ de ses élèves. Elle commençait à faire réviser les quatre candidates au certificat d'études et se félicitait de leur application. Elle aimait se retrouver seule devant les rangées de pupitres ou nettoyer le tableau une seconde fois, sachant que les fillettes préposées à tour de rôle à cette tâche l'effectuaient souvent à toute vitesse dans leur hâte de partir.

Selon son habitude, le vieux monsieur Colas se posta sur le seuil de la salle.

— Vous partez bientôt, madame Devers? C'est que je ferme à clef le portail derrière vous, expliqua-t-il.

— Je pensais corriger les cahiers de grammaire ici, mais si cela vous dérange, je les emporte chez moi.

— Ce serait peut-être mieux, il y a quelqu'un dehors qui vous attend.

Tout de suite, le cœur d'Isaure s'affola. Elle songea à Thomas, mais c'était bien improbable, puis à Jolenta. Si elle était remise de ses couches, elle pouvait venir jusqu'à l'école.

— Je crois que c'est le fils Ambrozy, laissa tomber le concierge d'une voix lasse.

— Ah oui, Pierre! J'en ai pour deux minutes, monsieur Colas, et je me sauve.

Elle ramassa les cahiers, les enfouit dans son cartable et s'en alla, mince et vive dans son tailleur noir. Elle fit un signe à l'adolescent, mais il répondit à peine, les mains dans les poches.

— Bonsoir, dit-il tout bas quand elle s'approcha.

— Bonsoir, Pierre, tu as l'air très triste. Je ne t'ai pas vu depuis plusieurs jours et je m'inquiétais pour toi et pour ta sœur. J'ai su par Germaine ce qui est arrivé. Tout le village en parle, même mes élèves.

— Ce soir, je vais rendre visite aux chevaux. Je suis désolé, je suis allé leur donner du foin, mais on ne s'est pas croisés. Dites, je peux vous accompagner? J'ai du pain dur pour eux.

— Bien sûr, répliqua Isaure dans un sourire sans joie.

Elle prit son vélo qu'elle poussa par le guidon. Ils marchèrent côte à côte, d'abord en silence, puis, d'une voix faible, Pierre confia sa peine.

— Jolenta s'en va demain. Ça me fait tout drôle. Figurez-vous qu'elle part en Pologne. Mon père peut lui payer le voyage. Oui, elle va revoir toute notre famille. Pardi, elle s'en souvient mieux que moi, j'étais petit quand je suis arrivé ici.

Stupéfaite, Isaure fut incapable de commenter la nouvelle. Elle se contenta de dévisager Pierre afin de savoir s'il mentait ou non.

— Tu en es sûr? finit-elle par murmurer. En Pologne!

— Ma sœur reviendra à l'automne, quand elle ira mieux. Le docteur l'a dit, elle a eu un choc émotif très grave. Le voyage l'aidera à se remettre.

— Si le docteur le pense, c'est sans doute vrai, hasarda Isaure. Et Thomas, comment prend-il ce départ?

— Oh, Thomas, il n'est plus le même, vous savez. Je lui ai causé un peu, dimanche, mais il m'a envoyé sur les roses. En fait, vous pouvez peut-être me répondre, vous. Le soir de la noce, je vous ai vue à une fenêtre du vieux cabanon et j'ai demandé à Thomas d'aller vous inviter à nous rejoindre. Ensuite, je crois qu'il est revenu seul. Moi, j'avais bu un coup de trop. Je ne pensais plus à vous. Est-ce qu'il vous a parlé? Il vous a trouvée?

Prise au piège, Isaure chercha quoi répondre. Sous le regard anxieux de l'adolescent, elle se troubla.

— Non, je savais que vous m'aviez vue et je me suis vite enfuie sur cet engin. J'avais honte de ma conduite. Espionner une fête comme ça sans oser me montrer!

— C'est bien dommage pour vous, mon père aurait dû vous inviter. Peut-être que, si vous aviez été là, ma sœur ne serait pas rentrée toute seule à Faymoreau. Bah, de toute façon, le bébé était déjà mort dans son ventre.

Oppressée, Isaure désigna à Pierre des agneaux dans un petit pré. Ils gambadaient et sautillaient, ravissants sur le vert de l'herbe avec leur toison d'un blanc pur.

— Un de mes grands-pères élève des moutons, en Pologne, soupira-t-il. Ce matin, Jolenta m'a demandé si j'aimerais partir avec elle. Il paraît que papa préférerait cela, pour qu'elle ne fasse pas un aussi long voyage toute seule, mais il n'a pas assez de sous.

— Ça te plairait?

— Oh! oui, s'enflamma-t-il. Je pourrais veiller sur ma sœur et revoir ma famille.

— Tu laisserais sans regret ton cher Danois? s'étonna Isaure.

— J'aurais un peu de peine, mais je sais que vous vous occuperiez bien de lui et de Quidam.

— Pourquoi me parles-tu de ce projet, puisque ton père ne peut pas payer tes billets de train?

Certaine d'avoir deviné ce qui agitait Pierre, qui avait les joues rouges et dont le souffle était rapide, elle s'arrêta et le prit par le bras.

— Tu voudrais que je te donne l'argent du voyage, c'est ça? N'aie pas peur, nous sommes de bons amis. Tu peux me parler franchement.

L'air très embarrassé, il approuva d'un signe de tête. Après s'être mordu la lèvre inférieure, les larmes aux yeux, il avoua dans un souffle :

— Jolenta m'a dit que vous pouviez bien faire ça pour elle. J'ai trouvé qu'elle exagérait et j'ai refusé de vous en causer, mais elle s'est mise à pleurer. Du coup, je me suis dit qu'il fallait à tout prix que je l'accompagne. Moi, j'étais gêné, je vous jure. Toute la journée, j'ai cherché comment vous dire ça.

Apitoyée par la détresse évidente du garçon pour qui elle avait une profonde affection, Isaure lui caressa la joue.

— C'est terminé, ne te rends pas malade, Pierre. Je te donnerai l'argent tout à l'heure. Jolenta a raison, je peux lui rendre ce service après le grand malheur qui l'a frappée.

Infiniment soulagé, l'adolescent hésitait cependant à manifester sa joie.

— Je vous remercie. Vous êtes tellement gentille, Isaure! Je peux bien vous le dire, papa et moi, on a eu peur pour Jolenta, peur qu'elle devienne folle. Si vous l'entendiez chanter en polonais et parler au bébé, à son petit Marek!

Ils étaient entrés dans le parc des Aubignac. Isaure, qui n'avait pas envie d'en entendre davantage sur Jolenta, cala son vélo contre le mur.

— Pierre, c'est terrible, ce qui s'est passé. Si je peux vous aider, ta sœur et toi, j'en suis contente. Va soigner les chevaux, je te prépare une enveloppe. Tu as de la chance, j'ai retiré une grosse somme de la banque, jeudi dernier.

Une fois à l'intérieur du pavillon, la jeune femme s'appuya au buffet. Son cœur battait à se rompre et elle avait mal à l'estomac. Jamais elle n'aurait imaginé que Jolenta s'en irait en ayant soin de sauver les apparences. Elle lui portait un coup, aussi, en la privant de Pierre, à qui elle s'était attachée. « Vraiment, Jolenta n'est pas en danger de devenir folle. Elle agit froidement et avec lucidité. Je suis sûre qu'elle ne voulait pas laisser son frère ici parce qu'il me voit tous les jours et qu'il m'aime bien. Mon Dieu, Thomas, si je savais ce que tu ressens, là, maintenant! Tu dois souffrir, t'estimer coupable, et je ne peux pas te consoler, comme tu ne peux pas me consoler », se dit-elle, en proie à un chagrin intolérable.

Elle était lucide. Son épouse partie, Thomas devrait avoir une conduite exemplaire. Il ne viendrait plus la voir, il ne lui parlerait plus pour ne pas éveiller les soupçons de ses parents ou de Stanislas.

Une heure plus tard, Pierre la trouva assise sur le seuil de sa porte, nimbée d'or par les rayons du soleil à son déclin. Elle lui remit une enveloppe en papier kraft, cachetée et bien épaisse.

— Tiens, il y a largement assez, affirma-t-elle. Est-ce que ton père voudra de mon argent? Il était furieux pour les chevaux et ta prothèse.

— Ma sœur le persuadera d'accepter. Jolenta a une volonté de fer. Je vous remercie encore, Isaure. Je vous écrirai de là-bas. Ne vous faites pas de souci, je serai de retour avant l'hiver. Si vous avez ouvert votre orphelinat, je travaillerai gratuitement pour vous, histoire de vous rembourser. Et puis, même si je suis content de partir, ça me fait de la peine de vous laisser. Je vous aime beaucoup, moi. Je penserai à vous tous les jours.

— Que tu es gentil, Pierre, de me dire ça. Pars tranquille, je parlerai de toi à Danois. Nous t'attendrons.

Isaure lui adressa un doux sourire. Elle ignorait si elle serait encore à Faymoreau au début de l'automne, mais elle ne voulait pas l'inquiéter.

— Tu vas me manquer, Pierre, dit-elle en se levant. Sois heureux, surtout, tu le mérites.

Sans rien ajouter, elle le prit dans ses bras et l'étreignit bien fort. Des larmes coulaient sur ses joues, qu'elle parvint à essuyer discrètement. Bouleversé, l'adolescent savoura ce moment dont il n'aurait pas osé rêver. Lorsqu'il reçut un doux baiser sur le front, son bonheur lui donna des ailes.

— Je reviendrai vite, Isaure, murmura-t-il. Mais… vous pleurez!

— Ce n'est rien. L'émotion des adieux. Va vite!

Elle le suivit des yeux, hantée par la crainte de ne jamais le revoir.

Faymoreau, samedi 18 juin 1921

Isaure vérifia si la barrière du pré était bien fermée. Devant l'immense prairie couverte d'une herbe drue d'un vert vif, Danois et Quidam s'élancèrent au galop. À côté d'elle, Germaine hochait la tête d'un air satisfait.

— Elles seront mieux chez nous, ces braves bêtes, déclara-t-elle, les mains sur les hanches. Quand j'ai raconté à mon homme que vous leur donniez du foin matin et soir en cette saison, il a éclaté de rire. «Il faut que la dame les mette dans notre champ, ses chevaux », qu'il a dit.

— Je vous remercie, Germaine. Ils vont encore embellir. Pierre ne les reconnaîtra pas, à son retour.

— Ah, vous avez des nouvelles de lui? Je l'aime bien, ce gamin. Denis aussi. Il s'ennuie, à présent, sans son copain.

— C'est vrai qu'ils étaient devenus amis. J'ai reçu une lettre vers le 15 mai. Le voyage s'est bien passé, il semble ravi de revoir sa famille, sa sœur aussi.

Germaine soupira en tapotant l'épaule d'Isaure.

— Pauvre jeune femme! Quelle triste histoire, hein! Et Thomas, son mari, il supporte la séparation?

— Je l'ignore, je n'ai pas eu l'occasion de le rencontrer. Je suis si occupée, ces temps-ci, en raison du certificat d'études, de mes lectures, de mon courrier. Je ne vais plus jamais du côté des corons. Bien, il est temps que je remonte au village.

— Pas sans boire un petit coup de vin blanc, madame, plaisanta la cuisinière. Pour une fois qu'on a de la visite, Jules et moi! En plus, vous avez amené les chevaux toute seule, en plein soleil, et on habite quand même à deux kilomètres de la gare.

Isaure n'osa pas refuser. Germaine et son époux habitaient une coquette maison basse aux volets bleu clair, dont le jardinet était débordant de fleurs, des géraniums, des hortensias et des rosiers. L'intérieur étincelait de propreté et l'ordre y régnait. Le dénommé Jules, un ancien garde-barrière de dix ans plus âgé que sa femme, construisait une maquette de bateau.

— Ainsi, c'est vous, l'institutrice, la fameuse Isaure, s'écria-t-il. J'entends causer de vous tous les jours. Germaine vous adore. Mais, dites, puisque vous êtes la fille de Bastien, le métayer du château, je me demande pourquoi je ne vous ai jamais vue, avant.

— Tu as dû la voir, Jules, mais elle était gosse. C'est

601

une belle jeune dame, à présent, élégante comme madame Viviane, et riche, aussi.

— Je vous en prie, Germaine, protesta Isaure. Vous savez à quoi je dois mon argent!

— Oh! pardon, je suis sotte.

Malgré la chaleur du mois de juin et en dépit des dernières volontés de Justin, Isaure s'habillait toujours en noir, en ne s'autorisant que des touches de gris. Mais rien ne ternissait son éclatante beauté, plus évidente encore. Elle affichait une nouvelle aisance de gestes et de paroles. Souvent à bicyclette sur les chemins du pays et obligée, également, de passer du temps en plein air pour soigner les chevaux, elle avait le teint doré.

Soucieuse de réparer sa gaffe, Germaine servit le vin blanc, ainsi que des tranches de saucisson et des cornichons.

— Vous en êtes sûre, donc? Je ne viens pas avant mardi? s'enquit la cuisinière.

— Sûre et certaine. Vous m'avez laissé un tas de bonnes choses à manger, il en restera dans deux jours. Au fait, Germaine, j'ai oublié de vous l'annoncer tout à l'heure, mais nous aurons une visite dans une semaine. Madame Viviane revient de Chantilly, seule. C'est-à-dire que Roger la conduira. Nous nous retrouverons aux Sables-d'Olonne début juillet, avec madame Olympe et les enfants. Cette fois, si vous pouviez nous suivre…

— Entendu! Tu imagines ça, Jules? Ta femme au bord de la mer! Je n'y suis jamais allée encore.

Isaure eut un petit rire amusé. Elle s'étonnait d'endurer si bien sa solitude et de réussir à chasser Thomas de son esprit la plupart du temps. Pourtant, grâce à Denis, qu'elle envoyait souvent se renseigner au village, elle savait l'essentiel sur lui. Le fils de Germaine excellait dans l'art de faire bavarder les voisines des Marot. « Il a sous-loué une chambre du logement à Claude Chaumont et ils jouent aux cartes tard le soir. Honorine ne comprend toujours pas pourquoi Jolenta avait besoin de partir en Pologne, encore moins pourquoi elle n'a pas dit au revoir à Thomas. Le plus satisfait, c'est Stanislas. Il vit une longue lune de miel avec sa jolie Maria sans son fils au rez-de-chaussée, sans sa fille pour lui faire les gros yeux chaque fois qu'il embrasse sa femme. »

Au bout de plusieurs semaines, Isaure s'autorisait à considérer Jolenta sans réelle compassion. Certes, elle la plaignait toujours d'avoir accouché d'un bébé mort-né, mais elle se souvenait de la dureté dissimulée de la blonde Polonaise, de ses piques acerbes, de ses regards brillants de colère. « Il paraît aussi que Rosalie a récupéré le landau que je lui avais offert. Tant mieux, elle attend un autre enfant. »

— Dites, à quoi vous rêvez, Isaure? murmura Germaine.

— Je pensais à notre séjour aux Sables-d'Olonne. Je m'y plais beaucoup. Maintenant, en vous remerciant pour tout, je vous laisse. Au revoir, monsieur, au revoir, Germaine.

— N'vous faites pas de mouron, vos chevaux, ils seront traités comme des princes, blagua Jules.

*

Isaure reprit sans hâte le chemin qui montait vers Faymoreau. La campagne lui offrait un tableau enchanteur, une symphonie de verdure et de fleurs sauvages, des marguerites, des coquelicots ou des bleuets. La terre chaude de soleil ainsi que les feuillages gorgés de sève exhalaient un parfum grisant. Elle longea un moment le pré où les deux chevaux broutaient. Danois l'aperçut et s'élança vers elle au grand galop, sa crinière brune au vent. Il vint se poster de l'autre côté du fil de clôture.

— Tu es vraiment affectueux, toi, murmura-t-elle en caressant son encolure et son large front étoilé de blanc.

Danois répondit d'un hennissement sonore, imité par Quidam. Mais les deux bêtes regardaient maintenant derrière Isaure. Elle entendit hennir un troisième animal et se retourna, intriguée par un bruit de sabots. Le comte de Régnier, sur son pur-sang aux allures élégantes, se dirigeait droit vers elle.

Il s'arrêta à sa hauteur et laissa sa monture renifler les naseaux de Danois.

— Bonjour, madame Devers, dit-il en inclinant la tête en guise de salut. Vous prenez soin de vos protégés, il me semble.

Agacée, Isaure se sentit néanmoins tenue de répondre. Elle recula un peu et fixa Théophile de Régnier droit dans les yeux. Il reçut, surpris, l'éclat de faïence de son regard bleu nuit.

— J'aime les chevaux. Je les soignais déjà, à la métairie. Ces deux-là sont nés sur vos terres, mais je suppose que vous n'avez jamais prêté attention aux bêtes destinées à la compagnie minière.

C'était plus fort qu'elle, sa rancœur de fillette la submergeait, en face de cet homme arrogant. Elle songea qu'il daignait lui adresser la parole, depuis qu'elle avait hérité de Justin et qu'elle fréquentait Olympe Mercerin.

— Vous avez raison, répliqua-t-il d'un ton neutre. Je confiais ce soin à mon régisseur. Je préférais ne pas m'en mêler. Le sort des chevaux de mine est déplorable. Aussi je vous félicite d'avoir sauvé deux d'entre eux.

— Vous me félicitez? répéta Isaure, indignée. Mais je n'ai que faire de vos félicitations, monsieur.

— Quel caractère! s'esclaffa-t-il. Disons que j'approuve votre geste. Cela dit, je suis content de vous rencontrer. Je n'avais pas eu l'occasion de vous exprimer mes condoléances, pour votre mari. J'espère que la vie vous sourira, plus tard.

Isaure s'éloigna, violemment émue. Elle pensait souvent à Justin, certaine qu'ils auraient été heureux ensemble. Le comte fit marcher son étalon à côté d'elle.

— Madame, il est difficile, dans le pays, de ne pas écouter les uns et les autres. J'ai appris que vous êtes institutrice, et très appréciée par vos élèves. Vous faites le bien autour de vous, comme pour le jeune Ambrozy, qui s'est vanté à un de mes valets, un jour de foire, d'être votre palefrenier, rémunéré par vos soins et équipé d'une prothèse moderne hors de prix.

— En quoi cela vous concerne-t-il? Vous prenez des renseignements sur moi pour votre épouse? Elle n'a pas suffisamment gâché mon enfance? Je ne dépends plus de votre métairie, Dieu merci, ni de personne.

— Non, je me demandais simplement pourquoi votre générosité ne s'étend pas à votre mère. Mon régisseur m'a annoncé qu'elle est très malade, mais que vous ne lui rendez pas visite. C'est pourtant le devoir d'une fille.

— Et le devoir d'une mère, c'est quoi? s'écria Isaure, révoltée. De mettre son nouveau-né en nourrice, de ne jamais lui donner une marque d'affection, de lui faire subir les caprices de madame la comtesse, qui s'est bien amusée en m'éduquant à son idée comme si j'étais un animal de cirque? Sachez que j'ai engagé une femme du village pour faire les gros travaux du ménage à la métairie. Ma mère n'a plus à cuisiner, ni à lessiver, ni à récurer son taudis. Au revoir, monsieur, je ne tiens pas à poursuivre cette discussion.

— Très bien, au revoir, madame.

Afin de l'empêcher de la suivre, Isaure traversa un champ labouré où pointait du blé encore tendre. Le comte lança son pur-sang au grand trot dans la direction opposée. «Mais quel culot ont ces gens! se disait la jeune femme, irritée par l'attitude du comte. Mes parents ont rampé devant eux toute leur vie, et ils continuent. »

Isaure marcha plus vite, pressée de se réfugier dans la grande maison déserte des Aubignac, où elle avait pris ses habitudes. «En arrivant, je prendrai un bain et mettrai une robe légère. Il fait si chaud! Et je me ferai du thé, celui de madame Olympe qui a un goût d'orange. »

Une voiture montait sur la route. Elle se retourna et reconnut la vieille automobile poussiéreuse du docteur Gramont. Il klaxonna et s'arrêta à son niveau dans un bruit de pétarades.

— Je vous ramène, madame?

— Volontiers, s'écria-t-elle, ravie de rentrer plus vite.

Le médecin lui serra la main et accéléra. Depuis la chute d'Isaure, ils se voyaient de temps en temps et étaient en très bons termes.

— Je reviens de Mervent, expliqua-t-il. Un cas de diphtérie. J'ai dû envoyer l'enfant à l'hôpital. Faites attention! Par ces chaleurs, l'eau peut être contaminée.

— Je sais, j'en ai parlé à mes élèves. Docteur, savez-vous que Viviane revient dans une semaine, seule? Je suis impatiente de la revoir.

Félix Gramont eut un grand sourire comblé. Il fit un clin d'œil assez explicite à sa passagère.

— Je suis au courant, bien sûr. Nous nous écrivons, Viviane et moi, par l'intermédiaire d'une de ses cousines pour tromper la vigilance de sa mère. C'est à la fois cocasse, en raison de nos âges, et très romantique.

— Je trouve ça charmant, assura Isaure.

— Je vous remercie encore, chère voisine, murmura le médecin. Vous avez été notre bonne fée.

Songeuse, Isaure ne répondit pas. La voiture passait devant le coron des Bas de Soie, agrémenté de ses jardinets fleuris et de ses volets clairs. Du linge s'agitait au vent. Elle aperçut l'épouse d'un porion qui secouait une nappe par la fenêtre.

— Docteur Gramont, dit-elle soudain, est-ce que vous avez rendu visite à ma mère, récemment, Lucienne Millet?

— Hélas! je comptais vous en parler. Votre père m'a envoyé son commis, jeudi, et je suis allé ausculter votre maman. Isaure, je peux vous appeler Isaure?

— Oui, si vous voulez, répliqua-t-elle, anxieuse.

— Isaure, l'état de santé de madame Millet se dégrade jour après jour. Je soupçonne fortement une tumeur. Le laudanum la soulage, mais il ne freine pas la progression du mal.

— Est-ce qu'elle va mourir?

— Je le crains, d'ici quelques semaines. Elle semble rongée par le chagrin, aussi. Vous devriez passer un peu de temps à son chevet.

La nouvelle acheva de détruire la bonne humeur d'Isaure, déjà altérée par la rencontre du comte. Le médecin la déposa devant le portail. Il lui adressa un regard plein de sympathie.

— Soyez courageuse, dit-il d'un ton chaleureux. J'ignore ce qui vous tient à l'écart de votre famille, mais vous aurez des regrets, et même des remords, si vous ne revoyez pas votre maman avant son décès.

Elle approuva d'un signe de tête, la gorge serrée.

Demeure des Aubignac, le soir

La nuit était douce, tiède et embaumée du parfum des roses. Isaure se promenait dans le parc, suivie par le fidèle Riton dont la présence affectueuse la réconfortait. À son retour, elle avait pris un bain et bu le fameux thé au goût d'orange, sans éprouver la satisfaction qu'elle espérait. Vêtue d'une longue robe en soie gris perle aux boutons de nacre, les jambes et les bras nus, elle sentait sur sa peau la caresse de l'air frais. «J'aurais préféré ne pas croiser la route du docteur, ne pas savoir, pour maman, pas ce soir. Je dois écrire à mon frère, qu'il vienne lui rendre visite très vite. Il pourra franchir le porche de la métairie, puisqu'ils sont mariés, Geneviève et lui. »

Elle s'assit sur le banc de pierre où elle venait souvent lire, à l'abri d'une pergola couverte de chèvrefeuille et de glycine. Des images de la cérémonie civile, à la mairie de Luçon, passèrent dans son esprit morose.

Armand et sa compagne s'étaient unis au mois de mai, le samedi 21. Isaure avait pris le train pour jouer son rôle de témoin auprès de Geneviève. Pendant l'échange solennel des promesses, elle avait pleuré en se souvenant de Justin, si digne et orgueilleux sur ses béquilles. «Nous avons dîné de fruits de mer et de vin blanc dans un restaurant. Le témoin de mon frère, un lointain cousin de Geneviève, me faisait la cour. Le pauvre, il n'avait aucune chance. »

Le cœur lourd, Isaure se pencha et caressa le chien, au poil doux et au ventre rebondi, maintenant. Il poussa une plainte de joie en posant sa tête sur ses genoux.

— Ne crains rien. Si je pars en septembre, je t'emmènerai.

Elle redoutait le moment où il lui faudrait faire un choix définitif. Sûrement que Germaine et son mari pourraient prendre soin des chevaux, mais Pierre, à son retour, se retrouverait seul à s'occuper de leur entretien.

— Il faudrait pourtant que je quitte Faymoreau, dit-elle encore au chien.

«Oui, que je quitte Thomas, le fantôme du Thomas de jadis, songea-t-elle, les yeux noyés de larmes. En partant, Jolenta nous a séparés de manière radicale, elle nous a condamnés à ne plus nous approcher l'un de l'autre. »

Isaure pleura sans bruit sur tous les chagrins dont elle ne guérissait pas, sur sa solitude, ses doutes, ses rêves impossibles. Elle évoqua en sanglotant le soir où Thomas avait surgi des ombres de ce même parc et l'avait consolée. « Il m'avait promis d'être toujours là pour moi, comme avant, qu'il sentirait si je souffrais et qu'il viendrait. Peut-être qu'il était sincère, mais, depuis, il y a eu le bébé mort et Jolenta, à qui nous avons fait tant de mal. »

Après un soupir, Isaure essuya ses joues d'un geste enfantin. Au même instant, le chien se redressa et grogna. Apeurée, elle scruta la pénombre bleue et les bosquets de buis les plus proches, dont les petites feuilles étaient argentées par la clarté du ciel étoilé.

— Qui est là? murmura-t-elle.

Un homme apparut dans l'allée. Incrédule, Isaure se frotta les yeux. C'était Thomas, en chemise blanche, un sourire sur les lèvres. Vite, elle se leva, indécise, sans oser courir vers lui.

— Isauline, dit-il simplement en la rejoignant. Je t'ai entendue qui pleurais. Je suis arrivé à temps.

Elle le regardait, bouche bée et tremblante. Il la prit par la taille et la ramena vers le banc.

— Je suis déjà venu, la nuit, mais tu ne m'as pas répondu quand j'ai frappé aux volets du pavillon, avoua-t-il.

— Je dors dans la grande maison depuis environ trois semaines. Oh! vraiment, tu es venu?

— Oui, comme un voleur. Et je m'enfuyais sans insister, presque soulagé. Je ne savais pas bien ce que je voulais, ce que j'espérais, en rôdant autour de toi. Maintenant, je sais.

Il la fit asseoir, car elle titubait sous l'effet de l'émotion. Avec délicatesse, il la serra contre lui.

— Je n'en pouvais plus, Isaure, de ne plus te voir. Après le départ de Jolenta, j'ai vécu des jours dans une sorte de brouillard où j'étais incapable de réfléchir. Je pensais sans arrêt à l'enfant, ce petit garçon dont je suis le père. J'avais honte, tellement honte de ne pas avoir su aimer ma femme!

— Il ne fallait pas, tu l'aimais. Tu l'as aimée.

— Pas assez, pas comme elle le souhaitait. Et puis, j'ai subi une série d'interrogatoires à devenir fou, de mon père, ma mère, Jérôme, Stanislas, mes compagnons de travail… Ils étaient tous acharnés à vouloir comprendre, à vouloir savoir ce qui avait poussé Jolenta à me laisser seul, moi, son mari. J'ai tenu bon, j'ai débité dix fois, vingt fois la même réponse. Elle était perturbée par la tragédie et avait besoin de s'éloigner. Ils ont fini par abandonner et par accepter ma version des faits.

— Crois-tu qu'ils nous soupçonnaient?

— J'en suis certain, surtout mes parents et mon beau-père, mais ils n'ont pas osé poser une seule question sur toi. Isaure, n'en parlons plus. La nuit est si belle et si douce que je n'ai pas pu résister, j'avais décidé de te trouver où que tu sois. J'ai eu de la chance, tu étais là, sur ce banc.

— J'ai du chagrin, ce soir. Le docteur m'a dit que ma mère est condamnée. Je ne l'aurai jamais vraiment connue. Pourtant, j'ai compris que je l'aime malgré tout. J'irai lui rendre visite demain. Pierre me manque, aussi. C'était un gentil compagnon.

— Il ne fallait pas lui donner l'argent du voyage, la taquina Thomas.

Isaure s'étonna de sa gaîté et de sa voix chaude, sa bonne voix de naguère. La tentation était trop grande, elle nicha sa tête au creux de son épaule. Il l'embrassa sur le front.

— Je suis navré pour ta maman, chuchota-t-il. On te blesse trop souvent, ma bien-aimée. Maintenant, je suis là. Je serai là dès que tu le voudras.

— Alors, ce sera à chaque moment, à chaque seconde.

— Mais le soir, la nuit. Nous n'avons pas le choix. Isaure, te contenterais-tu de rendez-vous secrets, quand les gens bien-pensants dorment? J'ignore les projets de Jolenta, mais je suppose qu'elle va rester longtemps en Pologne pour nous empêcher d'être heureux au grand jour.

— Je me moque du grand jour, si tu m'offres les nuits, balbutia Isaure, saisie d'une joie délirante. Je suis heureuse, là. Et toi?

— Le plus heureux du monde, parce que je t'aime, Isauline, je t'aime de tout mon être. Tant pis pour la morale, tant pis si nous commettons une faute. J'ai failli mourir à la guerre, puis au fond de la mine. La vie est si courte! J'en ai assez de me ronger les sangs, de m'imposer des règles qui ne servent à rien, sauf à être triste, privé de toi.

Il se tut, ému, ébloui d'avoir retrouvé Isaure et de la tenir contre lui. Il caressait son bras à la peau fraîche et soyeuse; il frottait sa joue contre ses cheveux noirs au parfum grisant.

— Viens, souffla-t-il à son oreille. Allons nous promener.

Elle le suivit en le tenant par la main, comme à l'époque où il l'emmenait en balade, le jeudi, pour la voir enfin sourire ou rire de plaisir quand il avait une sucrerie à lui donner.

Ils sortirent du parc par une porte étroite qui s'ouvrait sur les prés. La campagne s'étendait sous leurs yeux, paisible sous l'immense ciel d'un bleu profond.

— Te souviens-tu du vieux chêne, sur la colline d'en face? dit-il tout bas. Tu l'aimais, cet arbre, quand nous nous reposions, assis contre son tronc. Tu me racontais que c'était un arbre magique dont les fées habitaient les plus hautes branches.

— Oui, je m'en souviens, répliqua Isaure d'une voix faible. J'y suis retournée, parfois, mais seule. J'avais peur qu'on le coupe, qu'il disparaisse à cause des fées. Elles auraient dû s'en aller, alors que je leur avais demandé de nous protéger tous les deux.

— Elles ne t'ont pas vraiment écoutée, soupira-t-il.

— Peut-être que si! Tu es là, avec moi, envers et contre tout, mon amour.

Elle espérait un baiser, mais il l'entraînait le long des sentiers d'un pas régulier. Le chien avait renoncé à les suivre. Couché près d'un buisson de ronces, il les regardait se fondre dans la nuit.

— Est-ce que tu vas vraiment partir en septembre? demanda soudain Thomas, à l'orée du bois où il la conduisait.

— Qui t'a dit ça?

— Denis, le fils de Germaine. Il vient souvent chez moi, et on bavarde devant un café. Claude l'aime bien, ce gosse. Tu sais, Claude Chaumont, le gars du Nord, comme on l'appelle. Il me loue une des deux chambres. C'est pratique. Je lui dois beaucoup. Il m'a aidé à y voir clair. Il se doutait de quelque chose entre toi et moi, j'ai fini par me confier à lui.

— Oh non, il ne fallait pas, protesta Isaure, gênée.

— Ne crains rien, il ne nous trahira pas, et nous avons son absolution, mon Isauline. Mais tu ne m'as pas répondu. Vas-tu partir?

— Non, plus maintenant. Si nous pouvons être ensemble, si nous nous voyons la nuit, je ne partirai pas. Tu es plus important que tout. Tu le sais, n'est-ce pas?

La réponse parut le combler. Il effleura ses lèvres d'un baiser.

— Viens, regarde, notre chêne centenaire, dit-il à son oreille. Ici, nous sommes chez nous, ma bien-aimée, ma petite fée.

Isaure éprouva une brusque sensation de légèreté, d'irréalité. Elle eut même peur de rêver, de ne pas être vraiment là avec Thomas, sous le vieil arbre à l'imposante ramure. Mais elle ne douta plus quand il reprit ses lèvres, fiévreux, en s'emparant de sa bouche pour un baiser ardent et passionné. Ses mains chaudes parcoururent le dos et les hanches de la jeune femme sous le tissu fin qui voilait ses formes. La première fois qu'ils s'étaient aimés, il était pressé. Il pouvait enfin prendre le temps de vénérer son corps, de rendre hommage à chaque parcelle de sa peau.

Doucement, il releva le bas de sa robe. Il caressa ses cuisses et le bas de son ventre en faisant glisser sa culotte en soie le long de ses jambes. Puis, avec délicatesse, ses doigts prirent possession de sa fleur de chair, satinée, moite et d'une chaleur exquise.

— Thomas, mon Thomas, mon amour, chuchota-t-elle, secouée de frissons délicieux.

Sans force, Isaure dut s'allonger sur la terre nappée de mousses. Bientôt, elle fut nue devant lui, qui s'était mis à genoux pour la contempler. Il ne pouvait pas se rassasier de la regarder, d'enfermer ses seins ronds aux mamelons bruns dans le creux de ses mains. Elle gémissait de plaisir, alanguie, tout entière offerte à celui qu'elle adorait.

— Viens, mon amour, viens, je t'en prie, le supplia-t-elle.

Thomas la renversa en arrière et s'abîma lentement en elle en exhalant une plainte rauque de jouissance.

Ils connurent à nouveau l'extraordinaire harmonie d'une union totale, l'âme en fête, le corps en feu, leur cœur battant au même rythme enchanté.

La nuit de juin fut témoin de leurs plaintes et de

leurs cris, des étreintes avides ou tendres qui les laissaient ivres de bonheur. Ils ne pouvaient pas se rassasier
l'un de l'autre.

Pourtant, l'aube les surprit endormis. Le beau visage
d'Isaure reposait sur le torse doré de Thomas. Le chant
des oiseaux, saluant le lever du soleil, ne les éveilla pas.
Ils se reposaient des malheurs passés avec le même sourire tranquille, le sourire de l'innocence, le sourire que
seul pouvait engendrer un grand amour.

Table des matières

DE LA MÊME AUTEURE :

Grandes séries

Série Val-Jalbert

L'Enfant des neiges, tome I, roman, Chicoutimi, Éditions JCL, 2008, 656 p.
Le Rossignol de Val-Jalbert, tome II, roman, Chicoutimi, Éditions JCL, 2009, 792 p.
Les Soupirs du vent, tome III, roman, Chicoutimi, Éditions JCL, 2010, 752 p.
Les Marionnettes du destin, tome IV, roman, Chicoutimi, Éditions JCL, 2011, 728 p.
Les Portes du passé, tome V, roman, Chicoutimi, Éditions JCL, 2012, 672 p.
L'Ange du Lac, tome VI, roman, Chicoutimi, Éditions JCL, 2013, 624 p.

Série Moulin du loup

Le Moulin du loup, tome I, roman, Chicoutimi, Éditions JCL, 2007, 564 p.
Le Chemin des falaises, tome II, roman, Chicoutimi, Éditions JCL, 2007, 634 p.
Les Tristes Noces, tome III, roman, Chicoutimi, Éditions JCL, 2008, 646 p.
La Grotte aux fées, tome IV, roman, Chicoutimi, Éditions JCL, 2009, 650 p.
Les Ravages de la passion, tome V, roman, Chicoutimi, Éditions JCL, 2010, 638 p.
Les Occupants du domaine, tome VI, roman, Chicoutimi, Éditions JCL, 2012, 640 p.

Série Angélina

Angélina : Les Mains de la vie, tome I, roman, Chicoutimi, Éditions JCL, 2011, 656 p.
Angélina : Le Temps des délivrances, tome II, roman, Chicoutimi, Éditions JCL, 2013, 672 p.
Angélina : Le Souffle de l'aurore, tome III, roman, Chicoutimi, Éditions JCL, 2014, 576 p.

Série Le Scandale des eaux folles

Le Scandale des eaux folles, tome I, roman, Chicoutimi, Éditions JCL, 2014, 640 p.
Les Sortilèges du lac, tome II, roman, Chicoutimi, Éditions JCL, 2015, 536 p.

Série Bories

L'Orpheline du Bois des Loups, tome I, roman, Chicoutimi, Éditions JCL, 2002, 379 p.
La Demoiselle des Bories, tome II, roman, Chicoutimi, Éditions JCL, 2005, 606 p.

Série La Galerie des jalousies

La Galerie des jalousies, tome I, roman, Chicoutimi, Éditions JCL, 2016, 608 p.
La Galerie des jalousies, tome II, roman, Chicoutimi, Éditions JCL, 2016, 624 p.

Grands romans

Hors série

L'Amour écorché, roman, Chicoutimi, Éditions JCL, 2003, 284 p.
Les Enfants du Pas du Loup, roman, Chicoutimi, Éditions JCL, 2004, 250 p.
Le Chant de l'Océan, roman, Chicoutimi, Éditions JCL, 2004, 434 p.
Le Refuge aux roses, roman, Chicoutimi, Éditions JCL, 2005, 200 p.
Le Cachot de Hautefaille, roman, Chicoutimi, Éditions JCL, 2006, 320 p.
Le Val de l'espoir, roman, Chicoutimi, Éditions JCL, 2007, 416 p.
Les Fiancés du Rhin, roman, Chicoutimi, Éditions JCL, 2010, 790 p.
Les Amants du presbytère, roman, Chicoutimi, Éditions JCL, 2015, 320 p.

Dans la collection **Couche-tard**

Les Enquêtes de Maud Delage, vol. 1, romans, Chicoutimi, Éditions JCL, 2012, 344 p.
Les Enquêtes de Maud Delage, vol. 2, romans, Chicoutimi, Éditions JCL, 2012, 376 p.
Les Enquêtes de Maud Delage, vol. 3, romans, Chicoutimi, Éditions JCL, 2013, 328 p.
Les Enquêtes de Maud Delage, vol. 4, romans, Chicoutimi, Éditions JCL, 2014, 448 p.

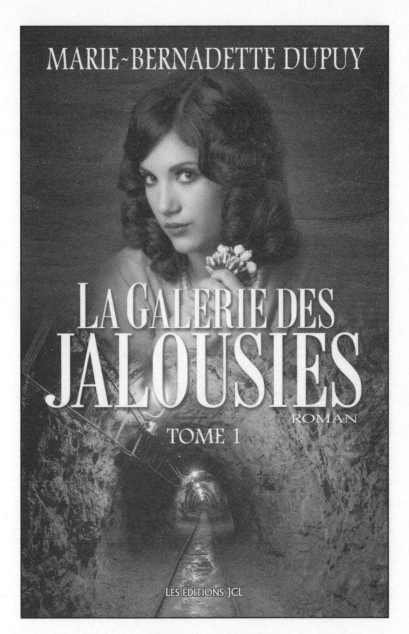

MARIE~BERNADETTE DUPUY

LA GALERIE DES JALOUSIES

ROMAN

TOME 1

LES ÉDITIONS JCL

608 pages; 29,95 $

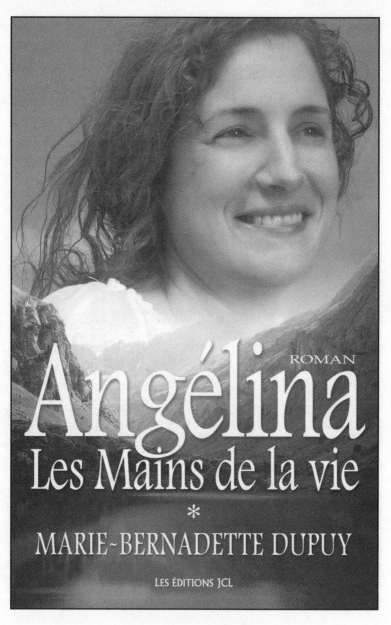

ROMAN

Angélina
Les Mains de la vie

*

MARIE~BERNADETTE DUPUY

LES ÉDITIONS JCL

656 pages; 29,95 $

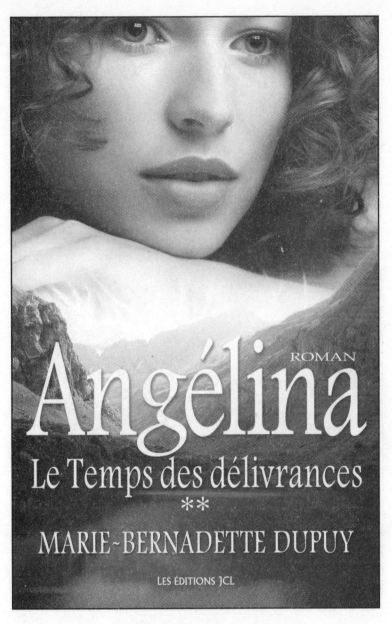

ROMAN

Angélina
Le Temps des délivrances
**

MARIE~BERNADETTE DUPUY

LES ÉDITIONS JCL

672 pages; 29,95 $

ROMAN

Angélina

Le Souffle de l'aurore

***

MARIE-BERNADETTE DUPUY

LES ÉDITIONS JCL

576 pages; 29,95 $

DISTRIBUTEURS EXCLUSIFS

Distributeur pour le Canada et les États-Unis
LES MESSAGERIES ADP
MONTRÉAL (Canada)
Téléphone : 450 640-1234 ou 1 800 771-3022
Télécopieur : 450 640-1251 ou 1 800 603-0433
www.messageries-adp.com

Distributeur pour la France et autres pays européens
DISTRIBUTION DU NOUVEAU MONDE (DNM)
PARIS (France)
Téléphone : 01 43 54 49 02
Télécopieur : 01 43 54 39 15
Courriel : libraires@librairieduquebec.fr

Distributeur pour la Suisse
(À l'usage exclusif des librairies)
SERVIDIS / TRANSAT
GENÈVE (Suisse)
Téléphone : 022/342 77 40
Télécopieur : 022/343 46 46
Courriel : transat-diff@slatkine.com

Dépôts légaux
Bibliothèque nationale du Canada
Bibliothèque et Archives nationales du Québec, 2016
Imprimé au Canada